Sanctus

SIMON TOYNE

Sanctus

Uitgeverij Luitingh

Uitgeverij Luitingh en Drukkerij HooibergHaasbeek vinden het belangrijk om op milieuvriendelijke en verantwoorde wijze met natuurlijke bronnen om te gaan.

Oorspronkelijke titel: *Sanctus*
Vertaling: Marga Blankestijn
Omslagontwerp: Davy van der Elsken / DPS
Kaart: © HarperCollins*Publishers* LTD

Ook als e-book verkrijgbaar

ISBN 978 90 245 3291 9
ISBN e-book 978 90 245 3292 6
NUR 332

www.boekenwereld.com
www.uitgeverijluitingh.nl
www.watleesjij.nu

Opgedragen aan K
Voor het avontuur

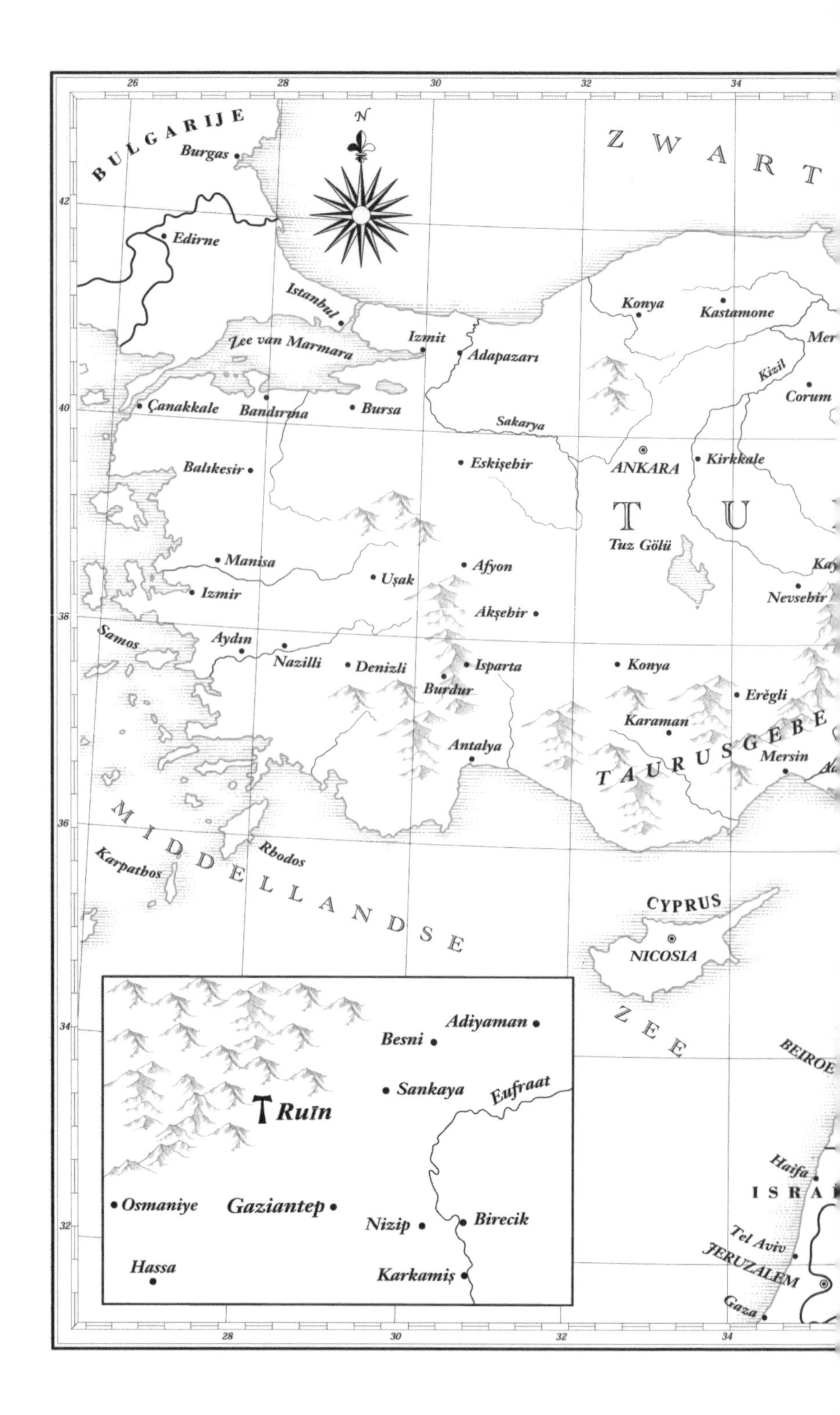

N
BULGARIJE
Burgas
Edirne
Istanbul
Zee van Marmara
Izmit
Adapazarı
Konya
Kastamone
Kizil
Corum
Çanakkale
Bandırma
Bursa
Sakarya
ANKARA
Kirkkale
Balıkesir
Eskişehir
T
U
Tuz Gölü
Manisa
Uşak
Afyon
Izmir
Nevsehir
Akşehir
Samos
Aydın
Nazilli
Denizli
Isparta
Konya
Burdur
Ereğli
Karaman
Antalya
Mersin
TAURUSGEBE
MIDDELLANDSE
ZEE
ZWART
Rhodos
Karpathos
CYPRUS
NICOSIA
BEIROE
Adiyaman
Besni
Sankaya
Eufraat
Ruïn
Osmaniye
Gaziantep
Nizip
Birecik
Hassa
Karkamiş
Haifa
ISRA
Tel Aviv
JERUZALEM
Gaza
26
28
30
32
34
42
40
38
36
34
32

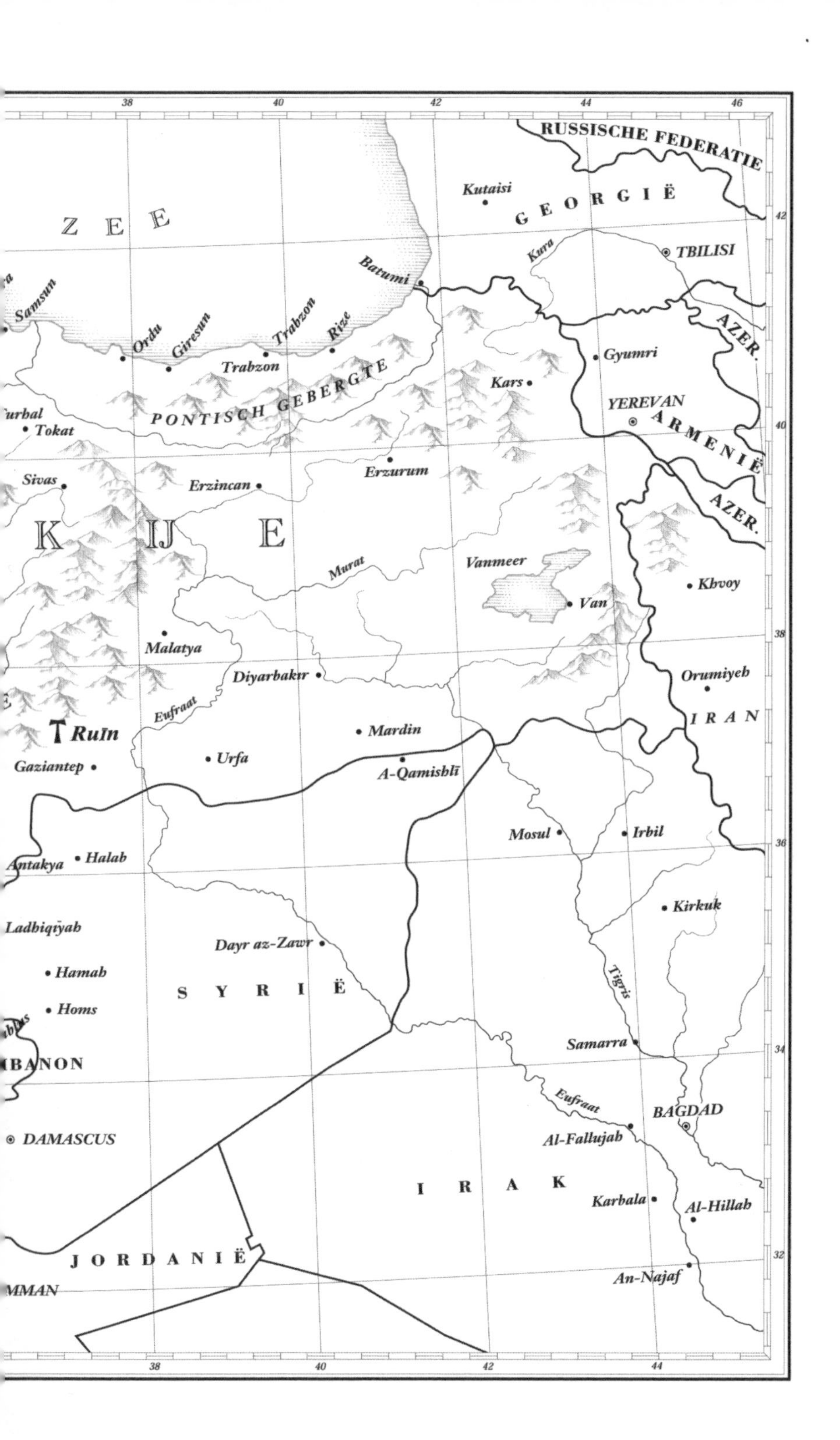

RUSSISCHE FEDERATIE
GEORGIË
Kutaisi
TBILISI
Kura
ZEE
Batumi
Samsun
Ordu
Giresun
Trabzon
Rize
AZER.
Gyumri
Kars
PONTISCH GEBERGTE
YEREVAN
ARMENIË
Tokat
Sivas
Erzincan
Erzurum
AZER.
KIJE
Murat
Vanmeer
Van
Khvoy
Malatya
Diyarbakır
Orumiyeh
Eufraat
IRAN
Ruïn
Mardin
Gaziantep
Urfa
A-Qamishlī
Mosul
Irbil
Antakya
Halab
Kirkuk
Ladhiqiyah
Dayr az-Zawr
Hamah
Tigris
SYRIË
Homs
Samarra
LIBANON
Eufraat
BAGDAD
DAMASCUS
Al-Fallujah
IRAK
Karbala
Al-Hillah
JORDANIË
An-Najaf

I

'De mens is een vervallen god.'

Ralph Waldo Emerson (1803-1882)

Hij keek omlaag op de weidse metropool, de wereld die hij acht jaar geleden de rug had toegekeerd op zoek naar waarheid, een zoektocht die hem naar deze hooggelegen, eeuwenoude gevangenis had geleid, en naar een ontdekking die zijn ziel had verscheurd.

Opnieuw een gedempt geluid. Dichterbij deze keer.

Hij haalde het koord om zijn middel uit de leren lussen van zijn pij. Met geoefende hand draaide hij elk uiteinde behendig tot een schuifknoop en leunde toen uit het raam om de bevroren rotswand af te tasten naar een scheur of een oneffenheid die zijn gewicht zou kunnen houden. Op het hoogste punt van de opening vond hij een rond uitsteeksel; hij schoof een van de schuifknopen eromheen en ging achteroverhangen zodat de knoop straktrok, om de kracht van het uitsteeksel te beproeven.

Het hield.

Terwijl hij zijn lange, vuile blonde haar achter zijn oren schoof, keek hij nog een keer omlaag op het tapijt van licht dat onder hem pulseerde. Hij zuchtte een keer zo diep als zijn longen hem toestonden, zijn hart bezwaard door het gewicht van het eeuwenoude geheim dat hij nu bij zich droeg, wrong zich door de nauwe spleet en wierp zich de nacht in.

2

Negen verdiepingen lager, in een vertrek dat even elegant en barok was als de eerder beschreven cel schraal en kaal was geweest, waste een andere man voorzichtig het bloed van zijn eigen pas aangebrachte snijwonden.

Hij zat geknield voor een enorme, spelonkachtige haard, alsof hij in gebed was. Zijn lange haar en baard waren zilvergrijs van ouderdom en het haar boven op zijn hoofd was dun, waardoor hij een monastieke aanblik bood die paste bij de groene, om zijn middel bijeengebonden pij.

Zijn lichaam, enigszins gebogen door de eerste tekenen van ouderdom, was nog altijd sterk en pezig. Strakke spieren bewogen onder zijn huid toen hij zijn vierkante lap neteldoek methodisch in de koperen kom naast hem doopte, het koele water eruit kneep en vervolgens zijn vochtige vlees depte.

Hij hield het kompres er telkens even tegenaan en herhaalde dan het ritueel.

Toen de genezing van de snijwonden op zijn hals, armen en bovenlichaam op gang kwam, depte hij de huid droog met schone, zachte handdoeken en kwam overeind, zijn pij voorzichtig over zijn hoofd trekkend, en voelde het vreemd geruststellende prikken van zijn wonden onder het ruwe materiaal. Hij sloot zijn lichtgrijze ogen, die de kleur hadden van dorre steen, en haalde diep adem. Na de ceremonie ervoer hij altijd een diepe rust, een zekere voldoening, omdat hij de grootste traditie van zijn eeuwenoude orde in ere hield. Hij probeerde er zo lang mogelijk van te genieten, voordat zijn wereldlijke verantwoordelijkheden hem terugsleurden naar de aardse realia van zijn functie.

Een bescheiden klop op de deur verstoorde zijn gepeins.

Zijn gelukzalige humeur was vanavond kennelijk geen lang leven beschoren.

'Binnen.' Hij reikte naar het koord dat over de rug van een stoel gedrapeerd was.

De deur ging open en ving de weerschijn van het knapperende haardvuur op zijn bewerkte, vergulde oppervlak. Een monnik gleed zwijgend de kamer binnen en sloot de deur zachtjes achter zich. Ook hij droeg de groene pij, het lange haar en de baard van hun eeuwenoude orde.

'Broeder abt...' Zijn stem was zacht, bijna samenzweerderig. 'Vergeef mij dat ik u stoor op dit late uur – maar ik vond dat u dit onmiddellijk moest weten.'

Hij sloeg zijn ogen neer en bestudeerde de vloer, alsof hij niet wist hoe hij verder moest gaan.

'Vertel het me dan ook onmiddellijk,' gromde de abt, terwijl hij het koord rond zijn middel gordde en zijn *crux*, een houten kruis in de vorm van de letter T, ertussen schoof.

'We zijn broeder Samuel kwijt...'

De abt verstijfde.

'Hoe bedoel je, "kwijt"? Is hij dood?'

'Nee, broeder abt. Ik bedoel... hij is niet in zijn cel.'

De greep van de abt verstrakte zich rond zijn crux tot de nerf van het hout in zijn handpalm drukte. Toen logisch nadenken zijn eerste vrees matigde, ontspande hij zich weer.

'Hij moet gesprongen zijn,' zei hij. 'Laat het terrein doorzoeken en zorg dat het lijk wordt gevonden voordat iemand het ontdekt.'

Hij draaide zich om en trok zijn pij recht, in de verwachting dat de man het vertrek haastig zou verlaten.

'Vergeef me, broeder abt,' ging de monnik verder, zijn blik nog strakker op de vloer gericht. 'Maar we hebben al een grondige zoektocht gehouden. Zodra we ontdekten dat Samuel was verdwenen, hebben we broeder Athanasius gewaarschuwd. Hij nam contact op met buiten en zij hebben de lagergelegen funderingen afgezocht. Er is geen spoor van een lijk.'

De kalmte waar de abt een paar minuten eerder van had genoten was nu geheel in rook opgegaan.

Eerder die avond was broeder Samuel ingewijd in de Sancti, de binnenste kring van hun orde; een broederschap zo geheim dat alleen de mannen binnen de kloostergangen van de berg van het bestaan ervan wisten. De inwijding had op traditionele wijze plaatsgevonden, en aan de grondig voorbereide monnik was eindelijk het eeuwenoude Sacrament onthuld, het heilige geheim ter bescherming en behoud waarvan hun orde was opgericht. Tijdens de ceremonie had broeder Samuel bewezen dat hij niet opgewassen was tegen die kennis. Het was niet de eerste keer dat een monnik tekortschoot op het moment van openbaring. Het geheim dat zij verplicht waren te bewaren was machtig en gevaarlijk, en hoe grondig de nieuwkomer ook was voorbereid, als het eenmaal zover was, bleek het hun soms toch te veel. Helaas was iemand die de kennis bezat, maar de last niet kon dragen, bijna even gevaarlijk als het geheim zelf. Op dergelijke momenten was het veiliger, en misschien zelfs humaner, om zo snel mogelijk een einde te maken aan de nood van de betrokkene.

Zo iemand was broeder Samuel.

En nu werd hij vermist.

Zolang hij in vrijheid was, was het Sacrament in gevaar.

'Vind hem,' zei de abt. 'Doorzoek het terrein opnieuw, spit het om als het moet, maar zorg dat je hem vindt.'

'Ja, broeder abt.'

'Tenzij er een vlucht engelen is verschenen die mededogen kreeg met zijn beklagenswaardige ziel, moet hij gevallen zijn, en dichtbij. En als hij níét gevallen is, moet hij zich ergens in de Citadel bevinden. Beveilig dus elke uitgang en doorzoek elke afbrokkelende kanteel en elke dichtgemetselde oubliëtte, elk vertrek, tot je broeder Samuel zelf vindt, of het lijk van broeder Samuel. Hoor je me?'

Hij schopte de koperen kom in de haard. Uit het brandende hart van het vuur steeg een wolk stoom op die de lucht vervulde van een onaangename, metalige geur. De monnik bleef naar de vloer staren, wanhopig verlangend om te worden weggestuurd, maar de gedachten van de abt waren elders.

Toen het sissen afnam en het vuur tot rust kwam, leek het humeur van de abt zich daarbij aan te sluiten.

'Hij moet gesprongen zijn,' zei hij uiteindelijk. 'Zijn lijk móét dus wel ergens op het terrein liggen. Misschien is het in een boom blijven hangen. Misschien is het door een krachtige windstoot van de berg geblazen en ligt het nu ergens waar we nog niet aan hebben gedacht; maar we moeten het vinden voordat de dageraad de eerste buslading nieuwsgierige indringers bezorgt.'

'Zoals u wenst.'

De monnik boog en wilde vertrekken, maar werd verrast door een klop op de deur. Toen hij opkeek, zag hij een andere monnik vrijpostig de kamer binnenkomen, zonder de toestemming van de abt af te wachten. De pas aangekomene was klein en tenger, met scherpe trekken en verzonken ogen die hem een aanblik van gejaagde intelligentie gaven, alsof hij meer begreep dan hem aangenaam was; toch straalde hij een rustig gezag uit, al droeg hij de bruine pij van de *Administrata*, de laagste van de gilden binnen de Citadel. Het was de kamerheer van de abt, Athanasius, een man die in de hele berg onmiddellijk herkenbaar was omdat hij, als enige onder de ritueel langharige en bebaarde mannen, volkomen kaal was door de alopecia die hem al sinds zijn zevende jaar kwelde. Athanasius wierp een blik op de metgezel van de abt, zag de kleur van zijn pij en wendde snel zijn ogen af. Volgens de strenge regels van de Citadel waren de groene pijen – de Sancti – gesegregeerd. Als kamerheer van de abt kruiste Athanasius heel soms hun pad, maar elke vorm van communicatie was uitdrukkelijk verboden.

'Vergeef mij dat ik u stoor, broeder abt,' zei Athanasius terwijl hij met zijn hand langzaam over zijn gladde schedel streek, zoals altijd als hij gespannen was. 'Maar ik moet u meedelen dat broeder Samuel gevonden is.'

De abt glimlachte en spreidde zijn armen, als om het nieuws hartelijk te omarmen.

'Mooi zo,' zei hij. 'Dan is alles weer goed. Ons geheim is veilig en onze orde is zeker. Vertel me eens, waar hebben ze het lijk aangetroffen?'

De hand op de bleke schedel zette zijn tocht voort. 'Er is geen lijk.' Hij zweeg even. 'Broeder Samuel is niet van de berg gesprongen. Hij is naar buiten geklómmen. Hij bevindt zich op ongeveer honderdtwintig meter hoogte op de oostelijke wand.'

De armen van de abt vielen langs zijn zij, en zijn gelaatsuitdrukking verduisterde weer.

In gedachten zag hij de granieten bergwand die de ene kant van de heilige burcht vormde verticaal uit de gletsjervlakte van het dal oprijzen.

'Geen probleem.' Hij wuifde onverschillig. 'De oostelijke wand is onmogelijk te beklimmen en het duurt nog verscheidene uren voordat de dag aanbreekt. Hij zal ruim voor die tijd vermoeid raken en doodvallen. En zelfs als hij door een wonder de lagere hellingen weet te bereiken, krijgen onze broeders van buiten hem wel te pakken. Na zo'n klim zal hij uitgeput zijn en weinig weerstand bieden.'

'Natuurlijk, broeder abt,' zei Athanasius. 'Alleen...' Hij bleef over zijn reeds lang verdwenen haar strijken.

'Alleen wat?' snauwde de abt.

'Alleen klimt broeder Samuel niet van de berg af.' Eindelijk maakte Athanasius zijn handpalm los van de bovenkant van zijn hoofd. 'Hij klimt tegen de berg op.'

3

De zwarte wind blies door de nacht, gleed over de hoge pieken en de gletsjer ten oosten van de stad en zoog de prehistorische kilte ervan op, samen met fragmenten grind en morene, losgeraakt door de gestage dooi.

Hij kreeg meer snelheid toen hij omlaag waaide naar de verzonken vlakte van Ruīn, dat beschut lag tussen een ononderbroken ring van scherpe bergtoppen, als in een enorme kom. Fluisterend blies hij door de eeuwenoude wijngaarden, olijfbomen en pistacheboomgaarden die zich aan de lagere hellingen vastklampten en door de gloed van neon- en natriumlampen op de plek waar hij ooit het tentdoek had laten wapperen en aan de rood met gouden vlag van Alexander de Grote en het *vexillum* van het vierde Romeinse legioen had gerukt, en aan alle standaarden van alle gefrustreerde bataljons die ooit bibberend bij elkaar gedromd de hoge donkere berg hadden belegerd, terwijl hun aanvoerders omhoogstaarden, begerig naar het geheim dat erin vervat was.

De wind joeg verder, weeklagend boven de brede rechte autoweg van de oostelijke boulevard, voorbij de moskee die Süleyman de Prachtlievende had gebouwd en langs het stenen balkon van Hotel Napoléon, waar de grote generaal naar de plunderingen van zijn leger in de stad had staan luisteren; ook hij had omhooggestaard naar de bewerkte stenen kantelen van de donkere dolkberg die eeuwig onoverwonnen zou blijven, een priem in de flank van zijn onvolledige keizerrijk, die op zijn sterfbed nog door zijn dromen spookte.

De wind joeg kreunend verder, over de hoge muren van de oude stad, wrong zich door de straatjes die opzettelijk smal gebouwd waren om aanvallen van bewapende mannen te hinderen, gleed langs eeuwenoude huizen, tot de nok vol moderne souvenirs, en rammelde aan toeristische uithangborden die heen en weer slingerden op plekken waar vroeger de rottende lijken van afgeslachte vijanden bungelden.

Ten slotte sprong de wind over de voormalige vestingmuur, suisde door gras waar ooit een zwarte slotgracht stroomde en sloeg tegen de berg waar zelfs hij geen grip op kon krijgen, totdat hij op zijn buitelingen hemelwaarts een eenzame figuur vond, gehuld in de donkergroene pij van een sinds de dertiende eeuw niet meer waargenomen monniksorde, die langzaam en onverzettelijk de bevroren rotswand beklom.

4

Het was heel lang geleden dat Samuel een berg had beklommen die zo veeleisend was als de Citadel. Duizenden jaren van hagel en ijzel dragende wind hadden het oppervlak van de berg doen verweren tot een bijna lakachtige laag, waarin hij vrijwel geen houvast kon vinden op zijn moeizame weg naar de top.

En dan was er de kou.

De ijzige wind die de berg al duizenden eeuwen lang gladschuurde, had ook het hart ervan verkild. Zijn huid vroor vast waar hij de berg aanraakte en hij kreeg slechts enkele tellen werkelijk grip voordat hij zich weer los moest rukken, met handen en knieën die steeds bloederiger en rauwer werden. De wind blies in vlagen om hem heen, trok met onzichtbare vingers aan zijn pij en probeerde hem van de berg te rukken, omlaag naar een donkere dood.

Het koord dat hij rond zijn rechterarm had gebonden schuurde de huid van zijn pols telkens wanneer hij het met een zwaai omhoogwierp in de richting van kleine uitstulpingen die hij anders niet kon bereiken. Hij trok er telkens hard aan, sloot de schuifknoop om elk schraal anker dat hij had gevangen, in de vurige hoop dat het koord niet los zou glippen of zou breken terwijl hij centimeter voor centimeter hoger tegen de onoverwinnelijke monoliet op klom.

De cel waaruit hij was ontsnapt lag dicht bij het vertrek waar het Sacrament zich bevond, in het bovenste deel van de Citadel. Hoe hoger hij wist te komen, hoe minder kans dat hij binnen het bereik kwam van andere cellen waar zijn overweldigers hem zouden kunnen opwachten.

De rots, die tot op dit punt hard en glasachtig was geweest, werd ineens scherp en brokkelig. Hij was een eeuwenoud geologisch stratum over geklommen naar een zachtere laag, verzwakt en gespleten door de kou die het graniet eronder had getemperd. Er zaten diepe spleten in het oppervlak die het klimmen gemakkelijker maakten, maar ook oneindig veel gevaarlijker. Steunpunten voor handen en voeten braken af zonder voorafgaande waarschuwing; brokken steen tuimelden omlaag in het bevroren duister. Angstig en wanhopig duwde hij zijn handen en voeten diep in de kartelige spleten; ze droegen zijn gewicht, maar raakten daarbij ernstig gehavend.

Naarmate hij hoger kwam en de wind sterker werd, begon de rots terug te hellen. De zwaartekracht die hem eerder had geholpen zich aan de rots vast te klemmen, dwong hem nu van de berg weg. Toen er tot twee keer toe een stuk van de rots afbrak in zijn hand, verhinderden alleen het koord om zijn pols en de krachtige overtuiging dat zijn levensreis nog niet ten einde was hem om driehonderd meter omlaag te storten.

Eindelijk, na wat een leven lang klimmen leek, tastte hij naar zijn volgende houvast en voelde alleen maar lucht. Zijn hand viel voorover op een plateau waarover de wind vrij de nacht in stroomde.

Hij greep de rand en trok zich omhoog. Met verdoofde en gehavende voeten zette hij zich af tegen afbrokkelende steunpunten; hij hees zijn lichaam op een stenen platform dat zo koud was als de dood, tastte de grenzen van de ruimte af met zijn uitgestrekte handen en kroop naar het midden, diep ineengedoken om de ergste windstoten te vermijden. Het was niet groter dan het vertrek waaraan hij zo kort geleden was ontsnapt, maar waar hij daar slechts een hulpeloze gevangene was geweest, voelde hij zich hierboven zoals hij zich altijd had gevoeld na het bedwingen van een onoverwinnelijke bergtop – opgetogen, in vervoering en onuitsprekelijk vrij.

5

De voorjaarszon ging vroeg en helder op en wierp lange schaduwen beneden in het dal. Om deze tijd van het jaar verscheen hij boven de rode toppen van het Taurusgebergte en volgde met zijn stralen de grote boulevard die naar het hart van de stad leidde, waar de rondweg om de Citadel heen nog drie andere eeuwenoude doorgangswegen kruiste, die elk een precieze windstreek aangaven.

Het aanbreken van de dag ging vergezeld van het treurige geluid van de muezzin die vanaf de moskee in het oosten van de stad de andersgelovenden opriep tot het gebed, zoals hij dat al deed sinds de christelijke stad in de zevende eeuw in handen van Arabische legers was gevallen. En de dag bracht ook de eerste buslading toeristen, die zich slaperig en sikkeneurig van het vroege opstaan en het gehaaste ontbijt bij het valhek verzamelde.

Terwijl zij daar gapend stonden te wachten op het begin van een dag vol cultuur, zweeg de muezzin en zijn roep maakte plaats voor een ander, vreemd geluid dat door de oude straten achter het zware houten hek leek te zweven. Het was een geluid dat bij ieder van hen naar binnen kroop, aan hun diepste angsten plukte, zodat ze hun ogen opensperden en hun handen dwongen om jassen en vesten hoger te sluiten rond zachte, kwetsbare lichamen, die plotseling de doordringende kilte van de ochtend voelden. Het klonk als een zwerm insecten die ontwaakte in de holle spelonken van de aarde, of als een groot schip dat kreunend brak en wegzonk in de stilte van een bodemloze zee. Een paar mensen wisselden nerveuze blikken, onwillekeurig huiverend toen het geluid om hen heen wervelde, tot het uiteindelijk vorm kreeg als het vibrerende gegons van honderden zware mannenstemmen die heilige woorden zongen, in een taal die slechts weinigen konden onderscheiden en niemand kon verstaan.

Het enorme valhek verschoof plotseling in zijn stenen behuizing en maakte omstanders aan het schrikken toen het door elektromotoren omhooggehesen werd aan gegalvaniseerde stalen kabels, verborgen in de steen om de schijn van ouderdom te behouden. Het dreunen van de elektrische aandrijving overstemde de incantaties van de monniken en tegen de tijd dat het valhek zijn reis omhoog had beëindigd en met een klap op zijn plaats was aangeland, was het gonzen verdwenen, en kon het leger toeristen langzaam en in benepen zwijgen de steile straten naar de oudste burcht op aarde beklimmen.

Ze zochten hun weg door de ingewikkelde doolhof van keistenen straatjes, gestaag omhoog langs de badhuizen en kuuroorden waar de wonderbaarlijke gezondheid schenkende wateren van Ruīn al werden genoten lang voordat de Romeinen zich het idee toe-eigenden; langs de arsenalen en smederijen – tegenwoordig restaurants en souvenirwinkels die graalkelken, flesjes kuurwater en heilige kruisen verkochten – tot ze op het voornaamste plein aankwamen, met aan één kant de immense openbare kerk, het enige heilige gebouw in het hele complex waar zij naar binnen mochten.

Het gebeurde wel dat wat minder oplettende kijkers hier stilstonden, opkeken naar de gevel en zich bij de reisleiders beklaagden dat de Citadel er helemaal niet uitzag zoals in de gidsen. Na te zijn verwezen naar een imposante stenen poort in de uiterste hoek van het plein, drentelden ze een laatste bocht door om vervolgens abrupt tot stilstand te komen. Daar rees een grijze, monumentale, majestueuze toren van rotsgesteente voor hen op, op sommige plaatsen uitgehakt in borstweringen en ruwe kantelen, met hier en daar een gebrandschilderd raam – de enige verwijzing naar de heilige bestemming van de berg – dat als een juweel in de rotswand was gezet.

6

Dezelfde zon die nu op dit langzaam voortschuifelende leger toeristen scheen, verwarmde Samuel, die roerloos uitgestrekt meer dan driehonderd meter boven hen lag.

Met de terugkeer van de warmte kroop het gevoel weer in zijn ledematen en bracht een diepe, folterende pijn met zich mee. Hij hees zich met gestrekte armen half overeind en bleef even zitten, zijn ogen nog gesloten, zijn gehavende handen plat tegen de berg, de pijn verzacht door de oeroude kilte van het graniet. Ten slotte deed hij zijn ogen open en keek neer op de stad Ruïn die zich ver onder hem uitstrekte.

Hij begon te bidden, zoals hij altijd deed wanneer hij veilig op een bergtop was aangekomen.

God, onze Vader...

Maar toen zijn mond de woorden vormde, kwam hem een beeld voor de geest. Hij stamelde. Na het helse tafereel waarvan hij de vorige avond getuige was geweest, de obsceniteit begaan in Zijn naam, besefte hij dat hij niet langer wist tot wie of wat hij bad. Hij voelde de koude steen onder zijn handen, de steen waaruit, ergens onder hem, het vertrek was gehouwen dat het Sacrament bevatte. Hij zag het nu voor zich, en wat het behelsde, en voelde verwondering, en angst, en schaamte.

Tranen welden op in zijn ogen en hij zocht in zijn gedachten naar iets, wat dan ook, wat het beeld dat door zijn hoofd spookte kon verjagen. De warme, opstijgende lucht droeg de geur van zondoorstoofd gras met zich mee, die een herinnering tot leven wekte; er begon zich een beeld te vormen van een meisje, eerst vaag en onduidelijk, maar scherper naarmate hij er langer naar keek. Een gezicht dat zowel vreemd als bekend was, een gezicht vol liefde, opgeroepen uit de nevelen van zijn verleden.

Zijn hand verschoof instinctief naar zijn zij, de plek waar zich zijn oudste litteken bevond, een litteken dat niet pas gemaakt en bloederig was, maar allang was genezen. Toen hij er met zijn hand op drukte, voelde hij nog iets, ergens diep begraven onder in zijn zak. Hij haalde het tevoorschijn en keek neer op een kleine, wasachtige appel, overgebleven van het sobere maal dat hij eerder in de refter niet had kunnen opeten. Hij was te gespannen geweest in het besef dat hij over slechts een paar uur ingewijd zou worden in de oudste en heiligste broederschap op aarde. En nu was hij hier, op de top van de wereld, in zijn eigen persoonlijke hel.

Hij verorberde de appel, voelde de zoetheid zijn geteisterde lichaam in stromen en hem van binnenuit verwarmen door zijn uitgeputte spieren brandstof te geven. Hij kauwde het klokhuis helemaal op en spuugde de pitten in zijn gehavende handpalm. In de muis ervan zat een rotssplinter. Hij bracht zijn hand naar zijn mond en rukte de splinter er met zijn tanden uit; hij voelde een scherpe, pijnlijke steek.

Hij spuugde hem uit in zijn hand, vochtig van zijn eigen bloed, een kleine replica van de smalle piek waar hij nu bovenop zat. Hij veegde de splinter schoon met zijn duim en staarde naar de grijze rots beneden. Die had dezelfde kleur en textuur als het ketterse boek dat hem tijdens zijn voorbereiding was getoond in de krochten van de enorme bibliotheek. De bladzijden waren van dezelfde soort steen gemaakt, volgeschreven met symbolen aangebracht door een reeds lang tot stof vergane hand. De woorden die hij daar had gelezen, een profetie in vorm en verschijning, leken te waarschuwen voor het einde der tijden als het Sacrament buiten de muren van de Citadel bekend werd.

Hij keek uit over de stad; de ochtendzon scheen in zijn groene ogen en op de hoge, scherp getekende jukbeenderen eronder. Hij dacht aan alle mensen die daarbeneden hun leven leidden, in daden en gedachten strevend naar het goede, ernaar strevend om zich te verbeteren, om dichter bij God te komen. Na de tragedies van zijn eigen leven was hij hierheen gekomen, naar de bron van het geloof, om zich aan datzelfde streven te wijden. Nu knielde hij hier, zo hoog als mogelijk was op de heiligste der bergen...

... en nog nooit had hij zich verder van God verwijderd gevoeld.

Beelden dwaalden door zijn sombere geest: beelden van wat hij had verloren, van wat hij had geleerd. En toen de profetische woorden, gekerfd in de geheime steen van het ketterse boek, zijn geheugen binnenkropen zag hij er iets nieuws in. En wat hij eerst als een waarschuwing had gelezen straalde nu als een openbaring.

Hij had de kennis van het Sacrament al zo ver buiten de Citadel gedragen; waarom zou hij het niet nog verder kunnen dragen? Misschien kon hij het instrument worden om licht te laten stralen in deze donkere berg en zo een einde maken aan wat hij had gezien. En zelfs als hij het mis had en deze geloofscrisis de zwakte was van iemand die het doel van wat hij had gezien niet wist te doorgronden, dan zou God zeker tussenbeide komen. Het geheim zou geheim blijven, en wie zou er rouwen om de dood van één verwarde monnik?

Hij keek omhoog naar de lucht. De zon stond nu hoger – brenger van licht, brenger van leven. Het licht verwarmde hem toen hij weer naar de steen in zijn hand keek; zijn geest was nu even scherp als de kartelige rand.

En hij wist wat hem te doen stond.

7

Meer dan achtduizend kilometer ten westen van Ruīn stond een slanke blonde vrouw met fijnbesneden, Scandinavische gelaatstrekken in Central Park; haar ene hand rustte op de leuning van Bow Bridge, in de ander hield ze een bruine envelop ter grootte van een brief, geadresseerd aan Liv Adamsen. Hij was verkreukeld en beduimeld, maar nog niet geopend. Liv staarde naar het grijze, vloeibare silhouet van New York dat zich weerspiegelde in het water en herinnerde zich de laatste keer dat ze hier had gestaan, met hem, toen ze de toerist hadden uitgehangen en de zon had geschenen. Die scheen nu niet.

De wind beroerde het glanzende oppervlak van het meer, zodat een paar vergeten roeibootjes aan de steiger tegen elkaar botsten. Ze schoof een lok blond haar achter haar oren en keek naar de envelop; haar waakzame, groene ogen waren droog van het staren in de wind en de inspanning die het haar kostte om niet te huilen. De envelop was een week eerder tussen haar post opgedoken, als een adder genesteld tussen de gebruikelijke creditcardaanbiedingen en reclamefolders voor bezorgpizza's. Eerst had ze hem voor een gewone rekening aangezien, tot ze het retouradres in de onderste hoek had zien staan. Bij de *Inquirer* kreeg ze voortdurend zulke brieven, afschriften van informatie die ze had opgevraagd voor het artikel waar ze op dat moment aan werkte. De brief kwam van het Amerikaanse Bureau of Vital Records, het bevolkingsregister, de supermarkt voor openbare informatie over de heilige drie-eenheid van de meeste mensenlevens: geboorte, huwelijk en overlijden.

Ze had hem in haar tas gepropt, verdoofd door de schrik van de ontdekking, en sindsdien had hij daar begraven gelegen, heen en weer geschud door de kwitanties, de blocnotes en de make-up van haar leven, in afwachting van het juiste moment om door haar te worden geopend, al kon dat moment nooit ofte nimmer aanbreken. Eindelijk, na een week waarin ze er telkens mee geconfronteerd werd als ze haar sleutels greep of haar telefoon beantwoordde, fluisterde er iets door haar gedachten; ze nam een vroege lunchpauze en pakte de trein van Jersey naar het centrum van de grote, anonieme stad, waar niemand haar kende en de herinneringen bij de omstandigheden pasten, en waar niemand een spier zou vertrekken als ze in tranen uitbarstte.

Nu liep ze van de brug weg in de richting van de oever en stak haar hand in haar tas om er een gekreukt pakje Lucky Strikes uit op te vissen. Ze beschutte de sigaret in de kom van haar hand tegen de wind om hem aan te kunnen steken en bleef even op de oever van het kabbelende meer staan, de rook inademend en luisterend naar het botsen van de bootjes en het verre stadsgedruis. Toen stak ze haar vinger onder de flap van de envelop en scheurde hem open.

Er zaten een brief en een opgevouwen akte in. De lay-out en het taalgebruik waren haar maar al te bekend, maar de inhoud van de woorden was afschuwelijk anders. Haar ogen vlogen eroverheen en ze las ze in clusters in plaats van hele zinnen:

... afwezigheid van acht jaar...

... geen nieuw bewijs...

... officieel overleden...

Ze vouwde het document open, las zijn naam en voelde vanbinnen iets bezwijken. De samengebalde emoties van het afgelopen jaar roerden zich en explodeerden. Ze snikte onbedaarlijk, tranen die niet alleen voortkwamen uit de verrassend welkome vloedgolf van verdriet, maar ook vanuit haar absolute eenzaamheid in de schaduw ervan.

Ze herinnerde zich de laatste dag die ze met hem had doorgebracht. Ze hadden in de stad rondgetoerd als een stel provinciaaltjes en zelfs een van de bootjes gehuurd die nu koud en leeg vlak naast haar dreven. Ze probeerde de herinnering eraan op te roepen, maar zag alleen fragmenten: de bewegingen van zijn lange, pezige lichaam dat zich ontvouwde terwijl hij de riemen door het water trok; zijn mouwen opgestroopt tot aan zijn ellebogen, waardoor witblonde haren op licht gebruinde armen zichtbaar werden; de kleur van zijn ogen en de manier waarop de huid eromheen zich kreukelde als hij lachte. Zijn gezicht bleef vaag. Ooit was het er altijd geweest, in een oogwenk tevoorschijn getoverd door het uitspreken van zijn naam; nu verscheen er meestal iemand die deed alsof hij hem was, iemand die leek op de jongen die ze ooit had gekend, maar die nooit precies dezelfde was.

Ze deed haar best om hem scherp te krijgen, greep de glibberige substantie van zijn herinnering tot er uiteindelijk een echt beeld verscheen: hij als jongen, worstelend met te grote roeiriemen op het meer in de buurt van het huis van oma Hansen in de staat New York. Zij had ze het meer op geduwd en geroepen: 'Jullie voorouders waren Vikingen. Pas als jullie het water hebben bedwongen, mogen jullie terugkomen...'

De hele middag waren ze op het meer gebleven, om beurten roeiend en sturend tot de houten boot een deel van henzelf leek. Hun grootmoeder had een overwinningspicknick voor hen klaargelegd in het geurige, warme gras, had hen Ask en Embla genoemd, naar de eerste mensen die op een heel andere oever door de Noorse goden werden gekerfd uit omgevallen bomen, en had hen in vervoering gebracht met verhalen over hun voorouderlijke thuisland, verhalen over razende ijsreuzen en vliegende Walkuren en Vikingbegrafenissen in brandende langschepen. Later, in het donker van de zolder waar ze de slaap afwachtten, fluisterde hij dat hij ook zo wilde gaan als hij in een toekomstige heldhaftige slag stierf, zodat zijn geest zich zou vermengen met de rook van een brandend schip om helemaal naar het Walhalla op te stijgen.

Ze keek weer naar het certificaat, spelde zijn naam en de verklaring van zijn formele overlijden: niet door een speer of een zwaard of een onzelfzuchtige daad van ongelooflijke moed, maar gewoon door een periode van afwezigheid, ambtelijk gemeten en lang genoeg bevonden. Ze vouwde het stijve papier behendig op met bewegingen die ze zich uit haar jeugd herinnerde, hurkte neer aan de oever van het meer en legde het geïmproviseerde bootje op het water. Ze beschutte het puntige zeil met haar hand en knipte haar aansteker aan. Toen het droge papier zwart werd en begon te branden, duwde ze het bootje zachtjes in de richting van het midden van het verlaten meer. De vlammen flakkerden even, op zoek naar brandstof, en doofden toen sputterend in de koude bries. Ze bleef toekijken hoe het bootje wegdreef, tot het uiteindelijk kapseisde in het klotsende, staalgrijze water.

Ze rookte nog een sigaret en wachtte tot het scheepje zou zinken, maar het bleef plat op het spiegelbeeld van de stad liggen, als een ziel in het voorgeborchte.

Niet echt wat je noemt een Vikingbegrafenis...

Ze keerde zich om en liep weg, naar de trein die haar terug zou brengen naar Jersey.

8

'Neemt u even de tijd om te luisteren, dames en heren,' vroeg de reisgids aan de toeristen die hij onder zijn hoede had en die glazig omhoogkeken naar de Citadel. 'Luister naar de veelheid van talen om u heen: Italiaans, Frans, Duits, Spaans, Nederlands, verschillende tongen die allemaal de geschiedenis vertellen van dit oudste onafgebroken bewoonde bouwwerk ter wereld. En diezelfde mengelmoes van talen roept het beroemde Bijbelverhaal in herinnering over de Toren van Babel uit het boek Genesis, niet gebouwd ter ere van God, maar ter meerdere glorie van de mens, waarop God zich vertoornde en 'verwarring teweegbracht in hun taal', en de mensheid zich over de aarde verspreidde, zodat de toren onafgemaakt bleef. Veel wetenschappers geloven dat dit verhaal verwijst naar de Citadel hier in Ruīn. Merk ook op dat het verhaal een bouwwerk betreft dat niet ter ere van God werd gebouwd. Als u naar de Citadel kijkt, dames en heren,' zei hij terwijl hij met een dramatisch gebaar omhoogwees naar het enorme bouwwerk dat ieders gezichtsveld vulde, 'ziet u dat er geen uiterlijke kentekenen van een religieus doel zijn. Geen kruisen, geen afbeeldingen van engelen, geen enkele iconografie. Schijn kan echter bedriegen, en ondanks dit gebrek aan religieuze versieringen is de Citadel van Ruīn ongetwijfeld een huis van God. De allereerste Bijbel werd geschreven binnen deze geheimzinnige muren en diende als de spirituele eerste steen waarop het christelijke geloof is gebouwd.

De Citadel was zelfs het oorspronkelijke middelpunt van de christelijke kerk. De verhuizing naar het Vaticaan in Rome vond plaats in het jaar 26 na Christus om de snel groeiende kerk een openbaar centrum te geven. Wie van u heeft er Vaticaanstad bezocht?'

Een paar aarzelende handen gingen omhoog.

'Een aantal van u. En uw tijd daar heeft u zonder twijfel doorgebracht met het bewonderen van de Sixtijnse Kapel en het verkennen van de Sint-Pietersbasiliek, of de pauselijke graftomben, of misschien heeft u zelfs een pauselijke audiëntie bijgewoond. Maar hoewel van dit heiligdom gezegd wordt dat het gelijkwaardige wonderen omvat, zult u die helaas niet kunnen aanschouwen, want de enige mensen die toegang hebben tot deze geheimzinnigste en heiligste aller plaatsen zijn de monniken en priesters die er wonen. Die regel is zo streng, dat zelfs de grote kantelen die u in de massief stenen bergwanden ziet, niet werden uitgehakt door metselaars of bouwlieden, maar door de bewoners van de heilige berg. Het is een gebruik dat niet alleen heeft geleid tot deze unieke vervallen aanblik, maar ook de stad zijn naam heeft gegeven.

Ondanks die aanblik is de Citadel echter geen ruïne. Het is de oudste vesting ter wereld en de enige die nooit is ingenomen, hoewel de beruchtste en meest vastbesloten indringers in de geschiedenis het hebben geprobeerd. En waarom probeerden zij dat? Vanwege het legendarische relikwie dat de berg naar verluidt bevat: het heilige geheim van Ruīn – het Sacrament.' Hij liet het woord even in de ijzige lucht hangen, als een geest die hij net tevoorschijn had geroepen. ''s Werelds oudste en grootste mysterie,' ging hij verder, zijn stem nu een samenzweerderig gefluister. 'Sommigen denken dat het Sacrament het ware kruis van Christus is. Anderen dat het de Heilige Graal is waaruit Christus dronk, die alle wonden kan helen en het eeuwige leven kan schenken. Velen menen dat het lichaam van Christus er opgebaard ligt, op wonderbaarlijke wijze behouden in de uitgehakte diepten van deze zwijgende berg. Er zijn er ook die denken dat het slechts een legende is, een verhaal zonder inhoud. De eenvoudige waarheid, dames en heren, is dat niemand het weet. En aangezien geheimhouding de hoeksteen is waarop de legende van de Citadel is gebouwd, betwijfel ik of iemand het ooit zal weten.

Zo, als er nog vragen zijn,' zei hij – en uit zijn kordate verandering van toon bleek zijn oprechte wens dat dat niet het geval was – 'kunt u die nu stellen.'

Zijn kleine, snelle ogen prikten in de lege gezichten van de groep die naar het enorme gebouw opkeek en een vraag probeerde te bedenken. Gewoonlijk slaagde niemand daarin, wat betekende dat ze twintig hele minuten zouden hebben om rond te wandelen, een paar souvenirs te kopen en slechte foto's te maken alvorens zich te verzamelen bij de bus om weer ergens anders heen te gaan. De gids haalde net adem om hen van dit feit op de hoogte te stellen, toen er een hand in de lucht werd gestoken.

'Wat is dat voor een ding?' vroeg een man van een jaar of vijftig met een rood gezicht en met een rauw accent uit het noorden van Engeland. 'Dat ding dat eruitziet als een kruis?'

'Zoals ik al zei, heeft de Citadel nergens een kruis op zijn...'

Ineens zweeg hij. Kneep zijn ogen toe tegen de helder wordende lucht in. Keek nog eens.

Daarboven, duidelijk zichtbaar op de juist om het gebrek aan versieringen vermaarde top van de eeuwenoude burcht, stond een klein kruis.

'Eigenlijk weet ik niet... zeker wat dat is...' Hij zweeg weer.

Niemand luisterde. Ze stonden allemaal ingespannen te turen om een beter beeld te krijgen van wat er boven op de berg stond. Ook de gids. Wat het ook was wankelde even. Het leek op een hoofdletter T. Misschien was het een vogel, of gewoon een speling van het licht.

'Het is een man!' riep iemand uit een andere groep vlakbij. De gids keek naar een man van middelbare leeftijd, een Nederlander aan zijn accent te horen, die intensief naar het uitklapbare lcd-schermpje van zijn videocamera stond te kijken.

'Kijk maar!' De man stak zijn camera uit zodat anderen zijn ontdekking ook konden zien.

Over het elkaar verdringende groepje heen keek de gids naar het scherm.

De camera was zo ver mogelijk ingezoomd en stond onvast gericht op een korrelig, digitaal verbeterd beeld van een man, gekleed in iets wat op een groene monnikspij leek. Zijn lange, donkerblonde haar zwiepte rond zijn gezicht, verwaaid door de hoge wind, maar hij stond volmaakt stil op de rand van de bergtop, zijn armen zijdelings uitgestrekt, zijn hoofd gebogen; hij leek precies op een levend kruis – of op een eenzame, levende Christus.

9

In een boomgaard die in de late middeleeuwen voor het eerst werd beplant in de heuvels die oprezen ten westen van Ruīn leidde Kathryn Mann een groepje van zes vrijwilligers zwijgend over het zonbevlekte terrein. Elk lid van de groep was hetzelfde gekleed, in een lange kiel van zware witte canvas met daarboven een breedgerande hoed met zwart gaas eraan dat over elke schouder hing en elk gezicht beschaduwde. In het vroege ochtendlicht zagen ze eruit als een oude sekte van druïden, onderweg naar een offerceremonie.

Kathryn kwam bij een olievat dat bedekt was met zeildoek en verwijderde de stenen die het op zijn plek hielden, terwijl de groep zich in stilte achter haar schaarde. De vrolijkheid waarvan de minibus voor de dageraad vervuld was geweest op zijn weg door de lege straten, was allang vervlogen. Ze haalde het laatste gewicht weg. Iemand hield de roker voor haar omhoog. Hoe warmer de dag was, hoe actiever de bijen meestal werden, en hoe meer zij ze moest kalmeren. Ondanks de toenemende warmte merkte Kathryn al dat voor deze bijenkast hetzelfde gold als voor alle andere: er klonk geen gegons uit op, en de droge rode steen die dienstdeed als landingsbed was leeg.

Voor de vorm pompte ze een paar rookwolkjes onder in het vat en tilde toen het zeildoek op, zodat de acht houten ramen die op gelijke afstanden aan de rand van het vat hingen zichtbaar werden. Het was een eenvoudige bovenladende bijenkast; die konden van bijna elk afvalmateriaal worden gemaakt, net als deze. De expeditie naar de boomgaard was bedoeld geweest als een praktische demonstratie van eenvoudig imkeren, iets wat de vrijwilligers in praktijk konden brengen in de verschillende werelddelen waar ze het komende jaar zouden worden gestationeerd. Maar toen de dag was aangebroken en kast na kast was gevonden en bekeken, was de expeditie veranderd in een kennismaking uit de eerste hand met iets veel verontrustenders.

Toen de rook wegtrok, tilde Kathryn voorzichtig een honingraam uit het vat en draaide zich om naar de groep. Er hing een grote, onregelmatig gevormde honingraat aan waar bijna geen honing in zat; deze kast was tot voor kort succesvol en welvarend geweest. Nu was de kast verlaten, op een handjevol pas uitgekomen werkbijen na die doelloos over het wassen oppervlakte kropen.

'Een virus?' vroeg een mannenstem van onder een van de sluiers.

'Nee.' Kathryn schudde haar hoofd. 'Kijk maar eens...'

Ze kwamen in een kring dicht om haar heen staan.

'Als een korf besmet is met CPV of APV, het chronische of acute verlammingsvirus, bibberen de bijen en kunnen ze niet vliegen, dus sterven ze in of rond de korf. Maar kijk eens op de grond.'

Zes hoeden kantelden voorover om het sponzige gras te bekijken dat welig tierde in de schaduw van de appelboom.

'Niets. En kijk eens in de korf.'

De hoeden kwamen weer omhoog; de brede randen stootten tegen elkaar aan.

'Als een virus dit had veroorzaakt, zou er op de bodem van de korf een dikke laag dode bijen liggen. Bijen zijn net als wij: als ze zich ziek voelen, gaan ze naar huis en kruipen weg tot ze beter zijn. Maar hier ligt niets. De bijen zijn gewoon verdwenen. En er is nog iets anders aan de hand.'

Ze hield het raam hoger en wees naar het lagere deel van de honingraat, waar de zeshoekige cellen bedekt waren met kleine wasdekseltjes.

'Niet uitgekomen larven,' zei Kathryn. 'Normaal gesproken verlaten bijen een korf niet als hun jongen nog moeten uitkomen.'

'Wat is er dan gebeurd?'

Kathryn schoof de honingraat terug in de stille korf. 'Ik weet het niet,' zei ze. 'Maar het gebeurt overal.' Ze begon terug te lopen in de richting van het dichtgetimmerde ciderhuis aan de zoom van de boomgaard. 'Vanuit Noord-Amerika, Europa en zelfs helemaal in het oosten, uit Taiwan, komen dezelfde berichten. Tot dusver heeft niemand kunnen ontdekken wat de oorzaak is. Het enige waar iedereen het over eens is, is dat het steeds erger wordt.'

Ze trok haar kaphandschoenen uit toen ze de minibus bereikte en liet ze in een leeg plastic krat vallen. Iedereen volgde haar voorbeeld.

'In Amerika noemen ze het *colony collapse disorder*, de bijenverdwijnziekte. Sommige mensen denken dat dit het einde van de wereld inluidt. Einstein zei al dat we nog maar vier jaar zouden hebben als de bij van de aardbodem verdween. Geen bijen meer. Geen bestuiving meer. Geen oogsten meer. Geen eten meer. Geen mensen meer.'

Ze ritste haar gazen gezichtsbeschermer los en zette haar hoed af, zodat haar ovale gezicht met de bleke, smetteloze huid en de donkerzwarte ogen zichtbaar werd. Ze had een tijdloos, natuurlijk air over zich dat vaag aristocratisch aandeed, en ze was geregeld het voorwerp van de fantasieën van de jonge mannelijke vrijwilligers, ook al was ze ouder dan de meeste van hun moeders. Ze reikte met haar vrije hand omhoog, maakte de clip los die een dikke tres haar met de kleur van pure chocolade bijeenhield en schudde het los.

'En wat doen ze eraan?' De vraagsteller – een lange, rossige jongen uit het middenwesten van Amerika – kwam uit zijn imkerpak tevoorschijn. Hij zag eruit zoals de meeste vrijwilligers wanneer ze voor het eerst voor Kathryn kwamen werken bij de humanitaire organisatie: ernstig, vrij van cynisme, vol gezondheid en vol hoop, overtuigd van de goedheid van de wereld. Ze vroeg zich af hoe hij eruit zou zien na een jaar in Soedan te hebben toegekeken hoe kinderen stierven van de honger, of in Sierra Leone hongerige dorpelingen ervan te hebben weerhouden om akkers te ploegen die hun overgrootvaders al bewerkten, omdat guerrilla's er landmijnen op hadden gestrooid.

'Er wordt heel veel onderzoek gedaan,' zei ze. 'Men zoekt een verband tussen het verdwijnen van de bijen en genetisch gemanipuleerde gewassen, nieuwe soorten bestrijdingsmiddelen op basis van synthetische nicotine, klimaatverandering, bekende parasieten en infecties. Er is zelfs een theorie dat de signalen van mobiele telefoons het navigatiesysteem van de bijen beïnvloeden, zodat ze de weg kwijtraken.'

Met een schouderbeweging liet ze het imkerpak van zich afglijden en op de grond vallen.

'Maar wat denkt u dat het is?' Kathryn keek de ernstige jongeman aan; ze zag het begin van een frons zich aftekenen op een gezicht dat amper een moment van bezorgdheid had gekend.

'Tja, ik weet het niet,' zei ze. 'Misschien een combinatie van al die dingen. Bijen zijn eigenlijk heel eenvoudige diertjes. Hun gemeenschap is ook eenvoudig. Maar er is niet veel voor nodig om onrust te veroorzaken. Ze zijn wel stressbestendig, maar als het leven te ingewikkeld wordt, zo ingewikkeld dat ze hun gemeenschap niet meer herkennen, verlaten ze die misschien. Misschien vliegen ze zich liever dood dan te blijven leven in een wereld die ze niet begrijpen.'

Ze keek op. Iedereen was opgehouden met zich uit de imkerpakken te bevrijden en een ongeruste uitdrukking bewolkte hun gezichten.

'Hé,' zei Kathryn in een poging om de stemming wat luchtiger te maken. 'Luister niet naar mij, ik zit gewoon veel te vaak op Wikipedia. Bovendien hebben jullie gezien dat het niet met alle kasten gebeurt: meer dan de helft zoemt er lekker op los. Kom op,' zei ze, en ze klapte in haar handen waardoor ze zich onmiddellijk een schooljuffrouw voelde die een stel kleuters aanzette tot het zingen van een liedje. 'Er is nog een heleboel te doen. Berg je pakken op en haal het gereedschap tevoorschijn. We moeten die dode kasten vervangen.' Ze haalde het deksel van een ander plastic krat dat ook op het gras stond. 'Alles wat je nodig hebt zit hierin. Gereedschap, instructies om een eenvoudige bovenladende kast te bouwen, stukken van oude kisten, planken. Maar denk erom, in het veld ga je kasten bouwen van alles wat je maar kunt vinden. Niet dat er veel te vinden zal zijn waar jullie heen gaan. Mensen die toch al niets hebben, gooien meestal niets weg.

Je kunt niets gebruiken uit de dode bijenkasten. Als het wél bacteriesporen of parasieten zijn waardoor de zwerm is verdwenen, importeer je alleen maar rampen in de nieuwe kast.'

Kathryn trok de deur aan de bestuurderskant van de minibus open. Ze moest even wat afstand nemen van de vrijwilligers. De meeste kwamen uit de goed opgeleide middenklasse, wat betekende dat ze van goede wil waren, maar onpraktisch, en dus urenlang zouden bespreken wat de beste manier was om iets te doen, in plaats van het echt te doen. De enige manier om hen daarvan te genezen was door ze in het diepe te gooien en van hun fouten te laten leren.

'Ik kom over een halfuurtje kijken hoe het gaat. Als jullie me nodig hebben: ik ben in mijn kantoor.' Ze sloeg de deur achter zich dicht voordat iemand nog iets kon vragen.

Ze hoorde het doffe gekletter van gereedschap dat werd gesorteerd en de eerste van vele theoretische discussies. Ze zette de radio aan. Als ze kon horen waarover ze praatten, zou haar moederlijke aard haar vroeg of laat dwingen om te gaan helpen, en daar had niemand iets aan. In het veld zou ze er ook niet bij zijn.

Een plaatselijk radiostation overstemde met verkeersinformatie en nieuws het lawaai van de vrijwilligers. Kathryn pakte een dikke bruine dossiermap van de passagiersstoel. Op het omslag stond één enkel woord – *Ortus* – en het logo van een bloem met vier blaadjes en de wereldbol in het midden. Het dossier bevatte een rapport over een gecompliceerd plan om een stuk woestijn, ontstaan door illegale ontbossing van de Amazonedelta, te irrigeren en opnieuw te beplanten. Ze moest vandaag beslissen of de organisatie het zich kon veroorloven of niet. Het leek wel of er elk jaar, ondanks het feit dat hun fondsenwerving nog nooit zulke hoge bedragen had opgeleverd, meer stukjes van de wereld genezen moesten worden.

'En ten slotte,' zei de nieuwslezer op de radio met die licht geamuseerde toon die ze altijd bewaren voor nieuwtjes aan het eind van het serieuze nieuws, 'staat u een grote verrassing te wachten als u vandaag naar het centrum van Ruïn gaat – iemand die verkleed is als monnik, is erin geslaagd naar de top van de Citadel te klimmen.'

Kathryn wierp een blik op de smalle radio in het dashboard.

'Op dit moment weten we niet zeker of het soms een reclamestunt is,' zei de nieuwslezer, 'maar hij verscheen vanmorgen kort na de dageraad en houdt nu zijn armen gespreid in de vorm van een soort... menselijk kruis.'

Kathryns maag draaide zich om. Ze draaide de contactsleutel om en zette de minibus in gang. Naast een van de vrijwilligers stond ze stil en draaide haar raampje omlaag.

'Ik moet even terug naar kantoor,' riep ze. 'Over een uurtje ben ik terug.'

Het meisje knikte, met een milde vorm van verlatingsangst op haar gezicht, maar dat ontging Kathryn. Haar blik was al in de verte gericht, op het gat in de heg waar het karrenspoor naar de hoofdweg leidde die haar terug naar Ruïn zou voeren.

10

Halverwege tussen de dichter wordende menigte en het hoogste punt van de Citadel zat de abt, vermoeid na een nacht in afwachting van meer nieuws, bij de gloeiende as van het haardvuur en keek naar de man die hem dat nieuws zojuist had bezorgd.

'We dachten dat de oostelijke rotswand onbeklimbaar was,' zei Athanasius, met zijn hand over zijn schedel strijkend terwijl hij verslag uitbracht.

'Dan hebben we vandaag in ieder geval al iets geleerd, vind je niet?' De abt keek even naar het grote raam waar de stralen van de zon de antieke blauwe en groene vensterruiten begonnen te verlichten. Zijn humeur klaarde er niet van op.

'Dus,' zei hij ten slotte, 'we hebben een opstandige monnik op het toppunt van de Citadel, waar hij een uiterst provocerend symbool verbeeldt, en waarschijnlijk al is gezien door honderden toeristen en God weet wie nog meer, en we kunnen hem niet tegenhouden, noch terughalen.'

'Dat klopt,' zei Athanasius met een knikje. 'Maar hij kan met niemand praten terwijl hij daarboven is, en uiteindelijk moet hij naar beneden klimmen, want waar kan hij anders heen?'

'Naar de hel,' zei de abt kortaf. 'En hoe sneller dat gebeurt, hoe beter.'

'De situatie, zoals ik die zie, is als volgt...' Athanasius zette door; hij wist uit ervaring dat negeren de beste manier was om de driftbuien van de abt aan te pakken. 'Hij heeft niets te eten. Hij heeft geen water. Er is maar één weg van de berg af, en zelfs als hij wacht tot het donker is, pikken de warmtegevoelige camera's hem op zodra hij onder de bovenste kantelen komt. We hebben sensors op de grond en beveiligingsmensen buiten met de opdracht om hem tegen te houden. Bovendien zit hij gevangen in het enige bouwwerk ter wereld waar nog nooit iemand uit is ontsnapt.'

De abt wierp hem een ongeruste blik toe. 'Niet waar,' zei hij, waarop Athanasius verbluft zweeg. 'Er zijn mensen ontsnapt. Niet onlangs, maar het is wel gebeurd. Met een geschiedenis zo lang als de onze is dat... onvermijdelijk. Ze zijn natuurlijk altijd gevangengenomen en – in de naam van God – tot zwijgen gebracht, samen met iedereen die het ongeluk had gehad om buiten deze muren met hen in contact te komen.' Hij zag dat Athanasius verbleekte. 'Het Sacrament moet beschermd worden.'

Het had de abt altijd gespeten dat zijn kamerheer niet het gemoed had voor de meer gecompliceerde verplichtingen van hun orde. Daarom droeg Athanasius nog steeds de bruine pij van de mindere gilden, in plaats van het donkergroen van een volledig ingewijde Sanctus. Hij was echter zo ijverig en vervulde zijn plichten zo toegewijd, dat de abt soms vergat dat hij het geheim van de berg nooit had geleerd en dat veel van de geschiedenis van de Citadel hem onbekend was.

'De laatste keer dat het Sacrament werd bedreigd was tijdens de Eerste Wereldoorlog,' vertelde de abt, op de koude grijze as van het haardvuur neerkijkend alsof het verleden daar geschreven stond. 'Een novice sprong uit een hoog raam en zwom de slotgracht over. Daarom is die drooggelegd. Gelukkig was hij nog niet helemaal ingewijd, dus hij kende het geheim van onze orde niet. Hij wist het bezette deel van Frankrijk te bereiken voordat we hem... inhaalden. God was met ons. Tegen de tijd dat wij hem vonden, had het slagveld ons werk al voor ons gedaan.'

Hij keek Athanasius weer aan.

'Maar dat waren heel andere tijden, tijden waarin de kerk veel bondgenoten had, stilzwijgen eenvoudig te koop was en geheimen gemakkelijk bewaard konden blijven; een tijd voordat het internet iedereen in staat stelde om informatie binnen een paar tellen onder miljarden mensen te verspreiden. Vandaag de dag zouden we een dergelijk incident niet stil kunnen houden. Daarom moeten we vermijden dat het nog eens plaatsvindt.'

Hij keek weer op naar het raam, dat nu geheel verlicht werd door de opgaande zon. Het pauwenmotief vertoonde zijn felle blauw en groen – een oud symbool van Christus en onsterfelijkheid. 'Broeder Samuel kent ons geheim,' zei de abt rustig. 'Hij mag de berg niet verlaten.'

11

Liv drukte op de bel en wachtte.

Het huis was een nette nieuwbouwwoning in Newark, een paar straten verwijderd van Baker Park en dicht bij de universiteit van New Jersey, waar de heer des huizes, Myron, als laboratoriumtechnicus werkte. Een laag hekje begrensde elk perceel en liep langs ieder pad van een plaveisteen breed naar elke voordeur. Ongeveer anderhalve meter gras scheidde de huizen van de straat. Het was de Amerikaanse droom in het klein. Als ze een ander soort artikel had willen schrijven, zou ze dat beeld hebben gebruikt en er iets aangrijpends van hebben gemaakt, maar daar kwam ze nu niet voor.

Ze hoorde binnen iemand bewegen, zware voetstappen op een gladde vloer, en probeerde een gezicht te trekken waar de absolute eenzaamheid die ze voelde sinds haar dodenwake rond het middaguur in Central Park niet aan af te lezen was. De deur zwaaide open en onthulde een mooie jonge vrouw die dermate hoogzwanger was dat ze de smalle gang bijna vulde.

'Jij moet Bonnie zijn,' zei Liv met een vrolijke stem die aan iemand anders toebehoorde. 'Ik ben Liv Adamsen van de *Inquirer*.'

Bonnie begon te stralen. 'De babyschrijfster!' Ze gooide de deur wijd open en gebaarde naar haar smetteloze beige gang.

Liv had in haar hele leven nog nooit over baby's geschreven, maar ze liet het erbij. Onafgebroken glimlachend liep ze mee naar het perfect georganiseerde keukentje van Bonnie, waar een man met een fris gezicht koffie stond te zetten.

'Myron, lieverd, dit is de journaliste die over de bevalling gaat schrijven...'

Liv schudde hem de hand met een gezicht dat ondertussen pijn deed van het ingespannen glimlachen. Ze wilde alleen maar naar huis, huilend onder haar dekbed kruipen. In plaats daarvan keek ze de kamer rond, naar de roomkleurigheid en de zorgvuldig gegroepeerde objecten – de geurlichtjes die de geur van rozen vermengden met die van koffie, de rieten manden die niets anders bevatten dan lucht – allemaal te koop in setjes van drie als kassakoopjes bij IKEA.

'Wat een leuk huis...' Liv wist wat er van haar verwacht werd. Ze dacht aan haar eigen appartement, stikvol planten en doortrokken van de geur van leem; een kas met een bed erin, had een ex-vriendje het ooit genoemd. Waarom kon zij niet net zo leven als gewone mensen en gelukkig en tevreden zijn? Ze keek even naar hun keurige tuin, een groen vierkant van gras met *Leylandii*-cipressen aan de randen die over twee zomers hoog boven het huis uit zouden torenen, als ze niet drastisch en geregeld gesnoeid werden. Twee van de bomen werden al een beetje geel. Misschien zou de natuur hun het werk besparen. Het was juist haar kennis van planten, en met name van hun genezende eigenschappen, die Liv deze opdracht had opgeleverd.

'Adamsen, jij weet alles van planten en shit,' was de weinig verheven opening geweest van het gesprek met Rawls Baker, eigenaar en algemeen hoofdredacteur van de *New Jersey Inquirer*, toen hij haar eerder die week in de lift had aangesproken. En voor ze het wist was ze van de misdaadredactie af gehaald, haar gebruikelijke plek aan de louchere kant van de journalistieke straat, met de opdracht om tweeduizend woorden te produceren onder de kop 'Natuurlijk bevallen – zoals Moeder Natuur het bedoeld heeft?' voor het gezondheidskatern van de zondagskrant. Ze had wel eens eerder geschnabbeld met een artikel over tuinieren, maar ze had nog nooit iets medisch gedaan.

'Er komt niet veel medisch aan te pas, voor zover ik het kan bekijken,' had Rawls gezegd toen hij de lift uit stapte. 'Je duikelt iemand op die relatief normaal is en desondanks haar baby wil krijgen in een zwembad of op een open plek in het bos zonder pijnstillers behalve plantenextracten, en bezorgt me een human interest verhaal met een paar feiten. En denk erom dat het gewone burgers moeten zijn. Ik heb geen zin in een verhaal over een stel verrekte hippies.'

Liv had Bonnie gevonden via haar gebruikelijke contactpersonen. Ze was verkeersagente bij de Jersey State Police en daarmee zo ongeveer het tegendeel van een hippie. Je kon geen 'peace and love' beoefenen te midden van de dagelijkse nachtmerrie van de snelwegen in New Jersey. Maar nu zat ze te stralen op haar hoekbank, hand in hand met haar praktische, laboratoriumtechnische echtgenoot, en praatte even hartstochtelijk over natuurlijk bevallen als een volleerde oermoeder.

Ja – het was haar eerste kind. Kinderen, trouwens; ze verwachtte een tweeling.

Nee – ze wist niet of het jongens of meisjes waren, ze wilden dat het een verrassing bleef.

Ja – Myron had zijn twijfels, als wetenschapper en zo, en *ja* – ze had het gebruikelijke verloskundige traject overwogen, maar aangezien vrouwen al generaties lang bevielen zonder moderne artsenij was ze ervan overtuigd dat het beter was voor de baby's om de natuur haar gang te laten gaan.

Zij krijgt de baby, voegde Myron eraan toe op zijn zachtmoedige, jongensachtige manier terwijl hij haar haar streelde en liefdevol naar haar glimlachte. *Ze heeft mij niet nodig om haar te vertellen wat het beste is.*

Iets in de ontroerende intimiteit en onzelfzuchtigheid van dat moment drong door Livs harnas van goedgemutstheid heen en tot haar ontzetting voelde ze tranen over haar wangen stromen. Ze hoorde zichzelf verontschuldigingen prevelen toen Bonnie en Myron allebei toeschoten om haar te troosten en wist zich lang genoeg te herstellen om het interview af te ronden, schuldbewust omdat ze de donkere wolken van haar verdriet had binnengebracht in het heldere toevluchtsoord van hun simpele leven.

Ze reed rechtstreeks naar huis en viel met al haar kleren aan in haar onopgemaakte bed, waar ze lag te luisteren naar het druppelen van het irrigatiesysteem dat water gaf aan de planten die haar flat vulden en zorgden dat ze haar leven deelde met andere levende wezens, in de ruimste zin van het woord. Ze piekerde over de gebeurtenissen van de dag en wikkelde zich diep in haar dekbed, huiverend van de kou alsof het pakijs van haar eenzaamheid nooit zou smelten, en de warmte van een leven zoals dat van Bonnie en Myron haar nooit ten deel zou vallen.

12

Kathryn Mann reed de minibus een kleine tuin achter een groot huis in en bracht hem in een wolk van stof tot stilstand. Deze wijk in het oostelijke deel van de stad stond nog steeds bekend als het Tuinkwartier, al waren de groene velden waaraan de buurt zijn naam ontleende allang verdwenen. Zelfs aan de achterkant had het huis een aura van vergane grandeur; dezelfde egale, honingkleurige steen waar de kerk en veel van de oude stad van waren gebouwd gloorde hier en daar onder de roetige lagen vervuiling.

Kathryn liet zich uit de auto glijden en liep langs een leeg fietsenrek, gebouwd op de plaats van de pomp die hen ooit van water had voorzien. Ze rommelde met haar rammelende sleutelbos; haar hart hamerde nog na van de diverse bijna-ongelukken waaraan ze was ontsnapt terwijl ze afwezig door het aanzwellende ochtendverkeer reed. Ze vond de juiste sleutel, stak hem in het slot, stak hem in het slot, draaide hem om en deed de achterdeur open.

Binnen was het huis koel en donker na het felle zonlicht van de vroege lente. De deur sloeg achter haar dicht toen ze de code intoetste om het alarm uit te schakelen. Ze haastte zich door de schemerige gang naar de beter verlichte receptie aan de voorkant van het gebouw.

Een reeks klokken op de muur achter de balie vertelde haar hoe laat het was in Rio, New York, Londen, Delhi en Jakarta – overal waar de organisatie kantoren had. Het was kwart voor acht in Ruïn, nog te vroeg voor de meeste mensen om aan hun werkdag te beginnen. De stilte die langs de elegante houten trap omlaag zweefde, bevestigde dat ze alleen was. Ze vloog met twee treden tegelijk naar boven.

Het vijf etages hoge huis was smal, zoals de meeste middeleeuwse stadswoningen, en de trappen kraakten toen ze langs de half glazen deuren liep van de kantoren op de vier onderste verdiepingen. Helemaal boven aan de laatste trap hing nog een versterkte deur met dikke stalen panelen zwaar in zijn scharnieren. Ze duwde hem open en liep haar appartement in. Toen ze over de drempel stapte, leek het of ze terugging in de tijd. De muren waren met hout bekleed en zachtgrijs geschilderd, en in de woonkamer stonden kostbare antieke meubels. Op een lage Chinese tafel in een hoek was een kleine flatscreentelevisie het enige teken van de huidige eeuw.

Kathryn greep onderweg naar een ingebouwde boekenkast aan de andere kant van het vertrek een afstandsbediening van een voetenbank en richtte die op de tv. De planken reikten van de vloer tot aan het plafond en stonden vol met het mooiste wat de negentiende eeuw aan literatuur te bieden had. Ze drukte op de rug van een in zwart kalfsleer gebonden editie van *Jane Eyre* en met een zachte klik sprong het onderste deel van de boekenkast open om een diepere kast te onthullen. Daarin stonden een kluis, een faxmachine, een printer – alle parafernalia van het moderne leven. Op de laagste plank, boven op een stapel interieurtijdschriften, lag de verrekijker die haar vader haar voor haar dertiende verjaardag had gegeven toen hij haar voor het eerst meenam naar Afrika. Ze greep hem en haastte zich over de geschilderde vloerdelen naar een dakraam in het hellende plafond. Een vlucht duiven stoof verschrikt uit elkaar toen ze het met enige moeite opende en haar hoofd naar buiten stak. Een waas van rode dakpannen en blauwe hemel trok door haar gezichtsveld toen ze de verrekijker ophief en op de zwarte monoliet richtte die bijna een kilometer naar het westen stond. Achter haar kwam de televisie flakkerend tot leven en stuurde het einde van een verhaal over klimaatverandering de lege kamer in. Kathryn leunde tegen het raamkozijn om met vaste hand langs de zijkant van de Citadel omhoog te kunnen kijken naar de top.

Toen zag ze hem staan.

Armen gespreid. Hoofd omlaag.

Het was een beeld dat haar al haar leven lang vertrouwd was, maar dan van steen en op de top van een heel andere berg, helemaal aan de andere kant van de wereld. Vanaf haar vroegste jeugd was ze geschoold in de betekenis ervan. Nu, na generaties van gezamenlijke proactieve strijd om de reeks gebeurtenissen te starten die het lot van de mensheid zouden veranderen, ontvouwde het zich daar, het resultaat van de handelingen van één man, alleen. Terwijl ze haar bevende hand tot rust probeerde te brengen, hoorde ze de nieuwslezer de belangrijkste nieuwsfeiten voorlezen.

'In het komende halfuur hebben we meer nieuws over de wereldconferentie over klimaatverandering, de laatste berichten van de geldmarkten in de wereld, en we onthullen hoe de eeuwenoude burcht in de stad Ruīn vanmorgen eindelijk overwonnen is – na de reclame...'

Kathryn wierp een laatste blik op het uitzonderlijke beeld en dook het dakraam weer in om te kijken wat de rest van de wereld ervan zou zeggen.

13

Er werd een kekke autoreclame uitgezonden toen Kathryn op een oude bank ging zitten en naar de timer op het televisiescherm keek. Acht uur achtentwintig; vier uur achtentwintig in Rio. Ze drukte een sneltoets in op haar telefoon en luisterde met haar blik gericht op de reclame naar de piepjes die een nummer met veel cijfers belden, tot er ergens in het donker aan de andere kant van de wereld iemand opnam.

'*Ola*?' Een vrouwenstem antwoordde, rustig maar alert. Het was niet de stem van iemand die net wakker was, merkte ze tot haar opluchting.

'Mariella, met Kathryn. Het spijt me dat ik zo laat bel... of zo vroeg. Ik dacht dat hij misschien wakker zou zijn.'

Ze wist dat haar vader steeds vreemdere tijden aanhield.

'*Sim, Senhora*,' antwoordde Mariella. 'Hij is al een tijdje wakker. Ik heb de haard in de studeerkamer aangestoken. Het is koud vannacht. Toen ik wegging, zat hij te lezen.'

'Mag ik hem even spreken?'

'*Certamente*,' zei Mariella.

Het geruis van een rok en het geluid van zachte voetstappen filterden door de verbinding en Kathryn stelde zich voor hoe de huishoudster van haar vader over de donkere parketvloeren van de gang naar de zachte gloed van een haardvuur liep, dat uit de studeerkamer aan het andere eind van het bescheiden huis stroomde. De voetstappen hielden op en ze hoorde een kort, gedempt gesprek in het Portugees voordat de telefoon werd overhandigd.

'Kathryn...' Haar vaders warme stem dreef over de continenten en kalmeerde haar meteen. Ze kon aan zijn toon horen dat hij glimlachte.

'Papa...' Zij glimlachte ook, ondanks het gewicht van het nieuws dat ze hem bracht.

'En, hoe is het weer in Ruīn vanmorgen?'

'Zonnig.'

'Hier is het koud,' zei hij. 'We hebben de haard aangestoken.'

'Dat weet ik, papa, dat vertelde Mariella al. Luister eens, er is hier iets aan de hand. Zet je televisie eens op CNN.'

Ze hoorde hem aan Mariella vragen om de kleine televisie in de hoek van zijn studeerkamer aan te zetten en haar blik richtte zich even op haar eigen toestel. Het glanzende logo van de televisiezender gleed over het beeld en vervolgens verscheen de nieuwslezer. Ze zette het geluid wat harder. Aan de telefoonlijn hoorde ze kort het gebabbel van een spelprogramma, een soap en wat reclame – allemaal in het Portugees – en toen de ernstige tonen van de wereldwijde nieuwszender.

Kathryn keek op toen het beeld achter de nieuwslezer een groene gestalte werd die op de top van de berg stond.

Ze hoorde haar vaders adem stokken. 'Mijn God,' fluisterde hij. 'Een Sanctus.'

'Tot dusver,' verkondigde de nieuwslezer, 'is er niets vernomen vanuit de

Citadel om te bevestigen of te ontkennen dat deze man iets met hen te maken heeft, maar om wat meer licht op dit meest recente mysterie te werpen, hebben wij hier de Ruïn-deskundige en auteur van vele boeken over de Citadel, doctor Miriam Anata.'

De nieuwslezer draaide zijn stoel naar een grote, indrukwekkende vrouw van voor in de vijftig in een marineblauw krijtstreeppak op een eenvoudig wit T-shirt; haar zilvergrijze haar was kort en strak geknipt in een asymmetrisch bobkapsel.

'Doctor Anata, wat kunt u ons vertellen over de gebeurtenissen van vanochtend?'

'Ik denk dat we hier iets buitengewoons zien,' zei ze, waarbij ze haar hoofd iets naar voren boog en hem met haar koele blauwe ogen over de halvemaanvormige glazen van haar bril aankeek. 'Deze man lijkt in niets op de monniken van wie we af en toe een glimp opvangen als ze de kantelen repareren of het lood van de ramen herstellen. Zijn pij is groen, niet bruin, en dat is bijzonder belangrijk; er is namelijk maar één orde die deze kleur draagt, en die is ongeveer negenhonderd jaar geleden verdwenen.'

'En wat is dat voor orde?'

'Er is heel weinig over hen bekend omdat ze in de Citadel woonden, maar aangezien ze altijd alleen heel hoog op de berg zijn gezien, nemen we aan dat het een voorname orde betrof, mogelijk belast met de bescherming van het Sacrament.'

De nieuwslezer reikte naar zijn oormicrofoon. 'Ik geloof dat we nu live naar de Citadel kunnen.'

Het beeld verschoof naar een nieuw, scherper beeld van de monnik, wiens pij licht golfde in de ochtendbries, zijn armen nog steeds wijd gespreid, onwankelbaar.

'Ja,' zei de nieuwslezer. 'Daar staat hij, op de top van de Citadel, en hij vormt met zijn lichaam een kruis.'

'Geen kruis,' fluisterde Oscar over de telefoon toen het beeld langzaam uitzoomde om de afschrikwekkende hoogte van de berg te laten zien. 'Het teken dat hij maakt is de *Tau*.'

In het zachte licht van het haardvuur in zijn studeerkamer in de westelijke heuvels van Rio de Janeiro hield Oscar de la Cruz zijn blik strak gevestigd op het televisiebeeld. Zijn haar was zuiver wit en contrasteerde met zijn donkere huid, die door meer dan honderd zomers tot zijn huidige leerachtige staat was gepolijst. Ondanks zijn hoge leeftijd stonden zijn ogen nog helder en waakzaam, en zijn compacte lichaam straalde nog altijd rusteloze energie en doelbewustheid uit, als dat van een aan zijn bureau gekluisterde generaal in vredestijd.

'Wat denk je ervan?' fluisterde de stem van zijn dochter in zijn oor.

Hij dacht na over haar vraag. Hij had het grootste deel van zijn leven gewacht tot er iets dergelijks zou gebeuren, had een groot deel ervan doorgebracht met pogingen om het teweeg te brengen, en nu wist hij niet goed wat hem te doen stond.

Stram stond hij op uit zijn stoel en liep naar de openslaande deuren die naar het betegelde terras leidden waarop vaag het maanlicht weerspiegelde.

'Het zou niets te betekenen kunnen hebben,' zei hij ten slotte.

Hij hoorde zijn dochter diep zuchten. 'Geloof je dat echt?' vroeg ze met een directheid waar hij om moest glimlachen. Hij had haar opgevoed om overal vraagtekens bij te zetten.

'Nee,' gaf hij toe. 'Nee, niet echt.'

'Dus?'

Hij zweeg even, bijna bang om de gedachten in zijn hoofd en de gevoelens in zijn hart te verwoorden. Hij keek over het dal naar de top van de Corcovado, waar *O Cristo Redentor*, het beeld van Christus de Verlosser, zijn armen spreidde en genadig neerkeek op de nog slapende burgers van Rio. Hij had het helpen bouwen, in de hoop dat het beeld een nieuw tijdperk zou inluiden. Het was inderdaad zo beroemd geworden als hij had gehoopt, maar meer niet. Toen dacht hij aan de monnik op de top van de Citadel, aan het gebaar van één man dat in minder dan een tel over de wereld was verzonden door de media, in een houding die vrijwel identiek was aan die van het beeld van staal, beton en zandsteen, waarvan de bouw hem negen jaar had gekost.

'Ik denk dat de profetie misschien wordt bewaarheid,' fluisterde hij. 'Ik denk dat we ons moeten voorbereiden.'

14

De zon scheen nu helder boven de stad Ruīn. Samuel zag de schaduwen korter worden langs de oostelijke boulevard, helemaal tot aan de zoom van rode bergen in de verte. De pijn die in zijn schouders brandde voelde hij nauwelijks, ondanks de inspanning die het kostte om zijn toch al uitgeputte armen zo lang omhoog te houden.

Hij was zich al een tijdje bewust van de activiteit beneden, de menigte die zich verzamelde, de aankomst van de televisieploegen. Het gemurmel van hun tegenwoordigheid dreef af en toe naar hem omhoog op de thermiek, waardoor het vreemd dichtbij klonk. Maar hij dacht slechts aan twee dingen. Het eerste was het Sacrament; het tweede het gezicht van de jonge vrouw in zijn verleden. Naarmate zijn geest zich bevrijdde van al het andere, leken zij zich te verenigen in een enkel krachtig beeld, dat hem troostte en hem rust gaf.

Hij keek even over de rand van de piek, voorbij het uitsteeksel waar hij overheen was geklauterd – wat al dagen geleden leek. Helemaal naar beneden, naar de drooggelegde slotgracht, meer dan driehonderd meter onder hem.

Hij schoof zijn voeten in de spleten die hij net boven de zoom in zijn pij had gemaakt en haakte toen zijn duimen door twee vergelijkbare lussen aan het einde van elke mouw. Hij spreidde zijn benen, voelde de stof van zijn habijt straktrekken over zijn lichaam, voelde zijn handen en voeten aanspannen. Nogmaals keek hij omlaag. Voelde de opstijgende stroom van de thermiek nu de ochtendzon het land verwarmde. Hoorde het gebabbel van stemmen op de toenemende bries. Concentreerde zich op een plek die hij had gekozen, net voorbij de muur waar een groep toeristen naast een grasveldje stond.

Hij verplaatste zijn gewicht.

Leunde voorover.

En wierp zich van de berg.

Het kostte hem drie tellen om de afstand te vallen die hij gedurende de afgelopen nacht martelende uren lang had beklommen. Pijn teisterde zijn uitgeputte armen en benen toen ze zich spanden tegen zijn dikke wollen pij, vechtend om de stof strak te houden tegen het meedogenloze geraas van lucht. Zijn ogen hield hij gevestigd op het stukje gras, alsof hij zich er met zijn wilskracht heen kon dwingen.

Nu hoorde hij geschreeuw door het gebrul van de wind in zijn oren heen en hij dwong zijn beide armen hard omlaag, om de weerstand te verhogen, in een poging om zijn lichaam omhoog te tillen en zijn traject te corrigeren. Hij zag mensen wegrennen van het stukje grond waarop hij zijn val richtte. Het raasde op hem af. Dichterbij nu. Dichterbij.

Hij voelde een scherpe ruk toen de lus aan zijn rechterhand scheurde. Door het plotseling ontbreken van weerstand kantelde zijn lichaam in een voorwaartse draai. Hij reikte naar de fladderende mouw, trok hem weer strak. Onmiddellijk scheurde de stof weer los in de wind. Hij was te zwak. Het was te laat. De tollende beweging werd sterker. De grond was te dichtbij. Hij kantelde op zijn rug.

En landde met een misselijkmakende, krakende klap anderhalve meter voorbij de vestingwal van de slotgracht, net naast het gras, zijn armen nog altijd gestrekt, zijn ogen opgeslagen naar de helderblauwe hemel. In de menigte zwol nu het geschreeuw aan dat begonnen was zodra hij van de bergtop stapte.

Degenen die het dichtstbij stonden, wendden zich af of keken in gefascineerd afgrijzen toe terwijl donker bloed in beekjes van onder zijn lichaam stroomde, in beekjes in nieuwe scheuren in de door de zon gebleekte plaveistenen droop, de groene stof van zijn gescheurde pij doorweekte en er een donkere, sinistere tint aan gaf.

15

Kathryn hapte naar adem toen ze het zag gebeuren, live op tv. Het ene moment stond de monnik onwankelbaar op de Citadel; het volgende moment was hij verdwenen. Het beeld stotterde omlaag toen de cameraman de val probeerde te volgen en schakelde toen over naar de studio, waar de van de wijs gebrachte nieuwslezer naar zijn oormicrofoon tastte en worstelde om de stilte te vullen toen de schok tot hem doordrong. Kathryn stond al aan de andere kant van het vertrek en hief de verrekijker naar haar ogen. Het grimmig vergrote uitzicht op de lege bergtop en het loeien van sirenes in de verte gaf haar alle bevestiging die ze nodig had.

Ze dook weer naar binnen en greep de telefoon van de bank, drukte hard op de herhaalknop, bijna verdoofd door de schok. Het antwoordapparaat sloeg aan; de diepe, geruststellende stem van haar vader vroeg haar een bericht achter te laten. Ze drukte op de sneltoets om zijn mobiele telefoon te bellen en vroeg zich af waar hij zo plotseling naartoe kon zijn gegaan. Mariella was kennelijk met hem mee, anders had zij wel opgenomen. De mobiele telefoon maakte verbinding en ging meteen over op de voicemail.

'De monnik is gevallen,' zei ze alleen maar.

Toen ze ophing, merkte ze dat ze tranen in haar ogen had. Ze had zo lang uitgekeken naar het teken, ze had er zo lang op gewacht, net als al die generaties wachtposten vóór haar. Nu zag het ernaar uit dat ook dit slechts een valse dageraad was geweest. Ze keek nog een laatste keer naar de lege bergtop, zette toen de verrekijker terug in de verborgen kast en toetste een vijftiencijferig getal in op het toetsenbord op de voorkant van haar kluis. Na een paar tellen klonk er een holle klik.

Achter de explosiebestendige deur lag een doos in gevormd grijs schuimplastic, met de omvang van een laptopcomputer en ongeveer drie keer zo dik. Kathryn haalde hem eruit en droeg hem naar de voetenbank die voor de oude sofa stond.

Het ongelooflijk sterke polycarbonaathars zag eruit en voelde aan als steen. Ze maakte de verborgen grendels los die het deksel op zijn plaats hielden. Er lagen twee platte stukken steen in, de een boven de ander, elk met flauwe markeringen op het oppervlak. Ze bekeek de vertrouwde fragmenten, zorgvuldig door een prehistorische hand uit een leisteenzoom gehakt.

Het waren de enige resten van een eeuwenoud boek; de ingekerfde symbolen waren ouder dan die in het Oude Testament en vormden slechts een aanwijzing van wat het nog meer kon hebben omvat. De taal was bekend als het Malanees, van de stam der Mala's uit de oudheid, de voorouders van Kathryn Mann. In de schemering keek ze naar de bekende vorm waarin de regels geschreven stonden.

Het was de heilige vorm van de Tau, door de Grieken overgenomen als hun letter 'T' maar een symbool dat veel ouder was dan taal, het symbool van de zon en de oudste der goden. Voor de Soemeriërs was het Tammuz, de Romeinen noemden het Mithras, voor de Grieken was het Attis. Het symbool was zo heilig, dat het op de lippen van Egyptische koningen werd gelegd wanneer zij werden ingewijd in de mysteriën. Het symboliseerde leven, herrijzenis en bloedoffer. Het was de vorm die de monnik met zijn lichaam maakte toen hij op de top van de Citadel stond, waar de hele wereld hem kon zien.

Nu las ze de woorden, vertaalde ze zwijgend en combineerde hun betekenis met de overweldigende symboliek en de gebeurtenissen van de afgelopen paar uur.

Het enige ware kruis zal op aarde verschijnen
In een enkel moment zullen allen het aanschouwen – allen zullen zich verwonderen
Het kruis zal vallen
Het kruis zal herrijzen
Om het Sacrament te ontsluiten
En een nieuwe tijd voort te brengen

Onder de laatste regel zag ze nog de bovenkant van andere afgebroken symbolen, maar de kartelige rand van de gebroken leisteen trok er een oneven streep doorheen, en belette haar om meer te zien van wat er gestaan kon hebben.

De eerste twee regels waren gemakkelijk genoeg te verklaren.

Het ware teken van het kruis was het teken van de Tau, zoveel ouder dan het christelijke kruis, en het was op aarde verschenen op het moment dat de monnik zijn armen had gespreid.

In een enkel moment had iedereen het gezien, via de internationale nieuwszenders. Iedereen had zich verwonderd omdat het uitzonderlijk en ongekend was, en niemand wist wat het betekende.

Daar stokte ze. Ze wist dat de tekst incompleet was, maar ze wist niet hoe ze verder moest met wat er overbleef.

Het kruis was inderdaad gevallen, zoals de profetie had voorspeld; maar het kruis was een man geweest.

Ze keek uit het raam. De Citadel was van de voet tot aan de top zo'n driehonderdvijftig meter hoog, en de man was van de steile oostelijke rotswand gevallen.

Hoe zou iemand na zo'n val ooit kunnen herrijzen?

16

Met de losse bundel documenten tegen zijn borst geklemd klopte Athanasius op de vergulde deur van de vertrekken van de abt. Er kwam geen antwoord. Hij glipte naar binnen en ontdekte tot zijn grote opluchting dat de kamer leeg was. Dat betekende dat hij, voorlopig in elk geval, niet met de abt hoefde te bespreken hoe het probleem van broeder Samuel was opgelost. Het had hem geen voldoening bezorgd. Broeder Samuel was een van zijn beste vrienden geweest voordat hij het pad van de Sancti koos en voorgoed verdween naar de bovenste, streng gesegregeerde delen van de berg. En nu was hij dood.

Bij het bureau aangekomen legde hij de documentatie voor de zaken van die dag klaar, verdeeld over twee stapels. De eerste stapel bevatte de dagelijkse verslagen van de interne gang van zaken in de Citadel, inventarisaties van voorraden en werkschema's voor de reguliere lopende reparatiewerkzaamheden. De tweede, veel grotere stapel bestond uit rapporten over de enorme belangen van de kerk buiten de muren van de Citadel – van de meest recente ontdekkingen bij lopende archeologische opgravingen in de hele wereld en samenvattingen van actuele theologische verhandelingen tot leesrapporten over boeken die ter publicatie waren aangeboden, en soms zelfs voorstellen voor televisieprogramma's of documentaires. Het merendeel van de informatie kwam van diverse officiële instanties die ofwel gefinancierd werden door de kerk, ofwel hun eigendom waren, maar deels betrof het ook ontdekkingen van het uitgebreide netwerk van onofficiële informanten die in het geheim in elk onderdeel van de moderne maatschappij werkzaam waren en evenzeer deel uitmaakten van de traditie en de geschiedenis van de Citadel als de gebeden en preken waaruit de godsdienstige dag bestond.

Athanasius wierp een blik op het bovenste document. Het was een rapport van een agent die Kazfiel heette – een van de productiefste spionnen van de kerk. Bij een opgraving in de ruïne van een Syrische tempel waren fragmenten van een eeuwenoud manuscript gevonden en hij adviseerde een onmiddellijke 'A en O' – Acquisitie en Onderzoek – om te zien of ze een bedreiging vormden en die bedreiging eventueel te neutraliseren. Athanasius schudde mismoedig zijn hoofd. Weer een onschatbaar stukje oudheid dat ongetwijfeld achter slot en grendel zou verdwijnen in het donker van de grote bibliotheek. Zijn mening over dit voortdurende beleid was geen geheim binnen de Citadel. Hij vond – net als broeder Samuel en vader Thomas, de uitvinder en uitvoerder van zoveel verbeteringen binnen de bibliotheek – dat het verborgen houden van kennis en het censureren van alternatieve ideeën signalen waren van een zwakke kerk in een moderne, open wereld. Ze hadden gedrieën vaak gesproken over een tijd waarin die enorme schatkamer van kennis met de buitenwereld zou worden gedeeld, ten bate van God en de mensheid. Later had Samuel het eeuwenoude en geheimzinnige pad van de Sancti gekozen, en Athanasius kon het gevoel niet onderdrukken dat met zijn overlijden ook al hun hoop gestorven was. Alles waarmee Samuel verbonden was geweest tijdens zijn leven in de Citadel, zou nu bezoedeld zijn.

Hij keek neer op de stapel dagelijks documenten en voelde tranen prikken in zijn ooghoeken toen hij zich het nieuws voorstelde dat ze in de komende weken zouden brengen: eindeloze rapportages over de gevallen monnik en wat de rest van de wereld daarvan vond. Hij wendde zich af en liep terug naar de vergulde deur, zijn ogen droogwrijvend met de rug van zijn hand terwijl hij de vertrekken van de abt uit glipte, de doolhof van de berg in. Hij moest de afzondering zoeken om zijn emoties de vrije loop te kunnen laten.

Met neergeslagen ogen beende hij doelbewust door de koel geklimatiseerde tunnels. De brede, helder verlichte doorgangen versmalden zich tot een schemerig verlichte trap naar een smalle gang waar aan weerszijden deuren toegang gaven tot kleine privékapellen, onder de grote kathedraalgrot. Aan het einde van de gang brandde een kaars in een kleine, in de muur uitgehakte nis naast een van die deuren, om te laten zien dat het vertrek erachter reeds bezet was. Athanasius ging naar binnen. De paar votiefkaarsen die het interieur verlichtten flakkerden in de tocht toen hij de deur sloot, en er scheen een flauw licht op het lage, beroete plafond en het T-vormige kruis dat op een uit de rots gehakte stenen richel in de verste muur stond. Ervoor lag een man in een effen zwarte pij geknield in gebed.

De priester maakte aanstalten om zich om te keren, maar Athanasius wist zonder zijn gezicht te zien al wie het was. Hij liet zich naast hem op de vloer zakken en greep hem in een plotselinge, wanhopige omhelzing vast; het geluid van zijn snikken werd gesmoord door de dikke stof van het gewaad van zijn metgezel. Minutenlang hielden ze elkaar zo vast, zonder een woord, verbonden in hun verdriet. Ten slotte liet Athanasius de man los en keek hij in het ronde bleke gezicht en de intelligente ogen van vader Thomas, met zijn zwarte haar dat van zijn voorhoofd begon te wijken en aan de slapen grijs werd. In het kaarslicht glommen zijn wangen van tranen.

'Ik heb het gevoel dat alles verloren is.'

'Wij zijn er nog, broeder Athanasius. En wat wij drieën in dit vertrek hebben besproken, gaat niet verloren.'

Verwarmd door de woorden van zijn vriend wist Athanasius een glimlach te produceren.

'En wij kunnen ons Samuel in ieder geval herinneren zoals hij was,' zei vader Thomas. 'Ook al zullen anderen dat niet doen.'

17

De abt stond in het midden van de Capelli Deus Specialis – de kapel van Gods Heilige Mysterie – hoog in de berg. Het was een kleine ruimte met een laag plafond, als een crypte, al was het zo donker dat de grootte moeilijk te bepalen was. Het vertrek was met de hand uit de rots gehakt door de stichters van de Citadel en sindsdien onveranderd gebleven; de muren droegen nog altijd de ruwe merktekenen van hun primitieve gereedschap. De abt rook nog de scherpe, metalige geur van bloed in de lucht na de ceremonie van de vorige avond, opstijgend uit de groeven in de vloer die vochtig glansden in het zwakke kaarslicht. Hij liep langs de groeven naar het altaar, waar de omtrek van het Sacrament zich nog net aftekende in het duister.

Aan de voet van het altaar merkte hij een nieuwe loot op die uit de rotsbodem omhoogkrulde; de dunne hechtrank van een bloedwingerd, de vreemde rode plant die rond het Sacrament groeide en sneller opkwam dan hij gerooid kon worden. De onversneden vruchtbaarheid van de plant had in zijn ogen iets weerzinwekkends. Hij wilde erheen lopen toen hij het diepe gerommel hoorde van de enorme stenen deur die achter hem openrolde. De zware lucht in de kapel roerde zich toen er twee mensen binnenkwamen. De kaarsen beefden in hun gesmolten talgpoelen en het licht danste over de scherpe instrumenten aan de muren. Met een dreun sloot de deur zich weer en de kaarsvlammen kwamen tot rust, zacht sissend waar de smeltende talg tegen de hete lont borrelde.

Beide mannen droegen de lange baarden en groene pijen van de Sacramentele orde, maar vertoonden een subtiel verschil in houding. De kleinste van de twee stond enigszins achteraf, zijn ogen gevestigd op de ander, zijn hand op het T-vormige kruis dat in zijn touwriem was gestoken; de tweede hield zijn hoofd gebogen en zijn ogen neergeslagen, met hangende schouders alsof zelfs het gewicht van zijn pij te zwaar was om te torsen.

'En, broeders?'

'Het lijk kwam buiten de grenzen van ons rechtsgebied terecht,' zei de kleinere monnik. 'Het was onmogelijk om het in bezit te krijgen.'

De abt sloot zijn ogen en ademde hoorbaar uit. Hij had gehoopt dat het nieuws zijn humeur zou verbeteren, niet verslechteren. Hij deed zijn ogen weer open en keek naar de Sanctus die had gesproken. 'En, waar is hij nu?' zei hij met een stem die zacht was en toch vol dreiging.

'Het gemeentelijke mortuarium.' De blik van de monnik steeg niet hoger dan de borst van de abt. 'We denken dat ze een lijkschouwing uitvoeren.'

'Je dénkt dat ze een lijkschouwing uitvoeren,' beet de abt hem toe. 'Je moet niet dénken dat ze iets doen; je moet het weten, of je moet je mond houden. Kom hier niet naartoe om me je ideeën te brengen. Als je in dit vertrek binnenkomt, breng je alleen de waarheid mee.'

De monnik viel op zijn knieën.

'Vergeef me, vader abt,' zei hij smekend. 'Ik heb u teleurgesteld.'

De abt keek vol afkeer op hem neer. Broeder Gruber was de man die broeder Samuel in de cel had geworpen waar hij vervolgens uit was ontsnapt. Door Grubers schuld was het Sacrament in gevaar gebracht.

'Je hebt ons allemaal bitter teleurgesteld,' zei de abt.

Hij draaide zich om en keek nogmaals naar het geheim van hun orde. Hij kon bijna voelen hoe de ogen van de wereld zich naar de Citadel wendden en als röntgenstralen door de rots brandden in een onblusbaar verlangen om te weten wat zich daarbinnen bevond. Het wachten in die lange nacht had hem vermoeid en geïrriteerd, en de sneden onder zijn pij waren pijnlijk. Het was hem opgevallen dat die ceremoniële wonden weliswaar even snel genazen als ze altijd hadden gedaan, maar steeds wat langer pijnlijk bleven. Zijn leeftijd deed zich gelden – langzaam, misschien, maar steeds sterker.

Hij wilde niet boos zijn op de angstig knielende monnik. Hij wilde alleen dat deze situatie voorbij was en dat de wispelturige blik van de wereld zich ergens anders op zou richten. De Citadel moest de belegering weerstaan, zoals hij altijd had gedaan.

'Sta op,' sprak hij kalm.

Gruber gehoorzaamde; zijn ogen hield hij nog steeds neergeslagen, zodat hij de abt niet zag knikken naar de monnik achter hem, en ook niet merkte dat de man zijn crucifix tevoorschijn haalde en de bovenkant verwijderde zodat het blinkende lemmet van de erin gevatte ceremoniële dolk tevoorschijn kwam.

'Kijk me aan,' zei de abt.

Toen Gruber zijn hoofd ophief om de blik van de abt te ontmoeten, sneed de monnik snel zijn blootliggende hals door.

'Kennis is alles,' zei de abt, en deed een stap achteruit om de fontein van slagaderlijk bloed te ontwijken die uit Grubers nek werd gepompt.

Hij zag de verbazing op Grubers gezicht in verwarring veranderen toen zijn hand omhoogfladderde naar de rechte streep over zijn hals. Zag hem terugzakken op zijn knieën toen het leven uit hem vloeide en in de groeven op de vloer stroomde.

'Zoek uit wat er precies met het lichaam is gebeurd,' zei de abt. 'Neem contact op met iemand van de gemeenteraad of de politie, iemand die toegang heeft tot de informatie die we nodig hebben en bereid is om die met ons te delen. We moeten weten welke conclusies er worden getrokken over de dood van broeder Samuel. We moeten weten waar de gebeurtenissen van vanmorgen toe kunnen leiden. En bovenal moeten we het lichaam van broeder Samuel terug zien te krijgen.'

De monnik keek neer op Gruber, die zwak stuiptrekkend op de vloer van de kapel lag, terwijl het ritmische gutsen van het bloed uit zijn hals met elke klop van zijn stervende hart minder werd.

'Natuurlijk, broeder abt,' zei de kleine monnik. 'Athanasius is al persverzoeken aan het afhandelen via zijn tussenpersoon in de buitenwereld. En ik geloof – ik bedoel, ik weet dat er contact is geweest vanuit de politie.'

De abt voelde dat de spieren in zijn kaken zich spanden toen hij de ogen van de wereld weer op zich gericht voelde.

'Houd me op de hoogte,' zei hij. 'En stuur Athanasius naar me toe.'

De monnik knikte. 'Natuurlijk, broeder abt,' zei hij. 'Ik zal doorgeven dat u hem in uw vertrekken wilt zien.'

'Nee.' De abt liep naar het altaar en rukte de bloedwingerd bij de wortel uit. 'Niet daar.'

Hij wierp een blik omhoog naar het Sacrament. Zijn kamerheer was geen Sanctus en kende de identiteit ervan niet, maar om de huidige situatie doeltreffend te kunnen beheersen, moest hij beter beseffen wat er speelde.

'Ontbied hem in de grote bibliotheek.' Hij richtte zijn schreden naar de uitgang en liet de wingerd op het lijk van broeder Gruber vallen toen hij eroverheen stapte. 'Hij kan me vinden in het verboden gewelf.'

Hij greep een houten paal die in de deur was gezet en duwde ertegen. Het gerommel van steen op steen echode door de kapel en de koele, frisse lucht van de antichambre stroomde door de opening naar binnen. De abt keek om naar de plaats waar Gruber lag, zijn gezicht bleek afgetekend tegen de poel van bloed waarin het weerkaatste licht van de kaarsen danste.

'En ruim dat op,' zei hij.

Daarop keerde hij zich af en liep weg.

18

Het kantoor van de lijkschouwer was gevestigd in de kelders van een stenen gebouw dat in verschillende historische tijdperken had gediend als magazijn voor buskruit, ijshuis, visopslag, vleesopslag en, gedurende korte tijd in de zestiende eeuw, als gevangenis. De robuuste beveiliging en onderaardse koelte waren perfect voor de nieuwe forensische afdeling die de gemeenteraad tegen het einde van de jaren vijftig van de twintigste eeuw besloot op te zetten. Hier in deze gerenoveerde gewelfde kelders, op de middelste van drie ouderwetse, keramische autopsietafels, lag nu het verminkte lijk van broeder Samuel, onder de felle lampen en de onderzoekende blik van twee mannen.

De eerste was dokter Bartholomew Reis, patholoog van dienst; de witte laboratoriumjas van zijn beroep droeg hij losjes over de zwarte kledij van zijn sociale kringen. Hij was vier jaar geleden in het kader van een internationaal uitwisselingsprogramma van de politie uit Engeland gekomen, waarbij zijn Turkse vader en zijn dubbele nationaliteit de benodigde bureaucratie hadden versimpeld. Hij was van plan geweest om zes maanden te blijven, maar het was hem nooit echt gelukt om te vertrekken.

Ook zijn lange haar was zwart, eerder dankzij chemische hulpmiddelen dan de natuur, en hing aan weerszijden van zijn magere bleke gezicht omlaag als een paar halfopen gordijnen. Ondanks zijn sombere verschijning stond Reis in elke divisie van de politiemacht van Ruīn bekend als de vrolijkste patholoog die ze ooit hadden gekend. Zoals hij vaak zei, was hij tweeëndertig jaar oud en verdiende goed geld, en waar de meeste *goths* er slechts van konden dromen hun geld te verdienen tussen de doden, maakte hij die droom waar.

De tweede man leek minder op zijn gemak. Hij stond iets achter Reis te kauwen op een ontbijtreep van vruchten en noten die hij in zijn jaszak had aangetroffen. De man was langer dan Reis, maar zag er verfomfaaid uit in zijn grijze zomerpak, dat los om zijn lichaam hing aan schouders die gebogen gingen onder het gewicht van bijna twintig dienstjaren bij de politie. Zijn dikke met grijs doorschoten zwarte haar, weggekamd uit een intelligent gezicht dat tegelijkertijd geamuseerd en treurig wist te kijken, en de bril met halve glazen in een schildpadmontuur halverwege zijn lange haviksneus, creëerden het beeld van een man die er eerder uitzag als een vermoeide hoogleraar geschiedenis, dan als een rechercheur Moordzaken.

Inspecteur Davud Arkadian was in de politiemacht van Ruīn een vreemde eend in de bijt. Met zijn onbetwiste capaciteiten had hij het gemakkelijk tot de rang van hoofdinspecteur of hoger kunnen brengen in deze gevorderde fase van zijn carrière. In plaats daarvan had hij zijn leven grotendeels doorgebracht als gewone politieman en een gestage reeks minder begaafde collega's promotie zien maken, terwijl hij bleef zwemmen in de poel van anonieme beroepsrechercheurs die de dagen aftelden tot hun pensioen. Arkadian was veel meer waard, maar aan het begin van zijn loopbaan had hij een keuze gemaakt die lange schaduwen wierp over de rest.

Wat hij had gedaan was een vrouw ontmoeten, verliefd worden en met haar trouwen.

Een gelukkig getrouwde rechercheur was al zeldzaam genoeg, maar Arkadian had zijn vrouw bovendien ontmoet in zijn functie als onderinspecteur bij de zedenpolitie. Ten tijde van hun ontmoeting was zijn aanstaande bruid een prostituee die op het punt stond te getuigen tegen de mensensmokkelaars die haar uit het toenmalige Oostblok hadden gehaald en haar verslaafd hadden gemaakt aan verdovende middelen. De eerste keer dat hij haar zag, vond hij haar de moedigste, mooiste en bangste vrouw die hij ooit had gekend. Hij kreeg opdracht om voor haar te zorgen tot de zaak voor de rechter kwam. Twaalf jaar later deed hij dat nog, en hij zei vaak schertsend dat het tijd werd om zijn overuren eens in rekening te brengen. Ondertussen had hij haar van de drugs afgeholpen waaraan ze haar verslaafd hadden gemaakt, haar school betaald zodat ze haar onderwijzersdiploma kon halen en haar het leven teruggegeven dat ze altijd al had moeten hebben. Met zijn hart wist hij dat het het beste was wat hij ooit had gedaan, maar zijn verstand kende het prijskaartje dat eraan hing. Een hooggeplaatste politieman kon niet getrouwd zijn met een ex-prostituee, hoezeer ze haar leven ook gebeterd mocht hebben. Dus bleef hij een inspecteur in de middenmoot, waar de publieke opinie minder telde en hij soms een zaak oppikte die zijn capaciteiten waard was, maar vaker werd hij opgezadeld met de lastige zaken waar zijn superieuren geen brood in zagen.

Hij keek neer op het gehavende lichaam van de monnik; de lenzen van zijn brillenglazen vergrootten de warme bruine ogen waarmee hij de details van het lijk opnam. Het forensische team had het lichaam op sporen onderzocht maar niet ontkleed. De grove groene pij was donker doorweekt van koud, gestold bloed. De armen die de man zo lang had gestrekt in het teken van het kruis lagen nu langs zijn zij; de dubbele touwlus om zijn rechterpols lag keurig opgerold naast zijn gehavende hand. Met gefronst voorhoofd bekeek Arkadian het gruwelijke tafereel. Niet omdat hij iets tegen lijkschouwingen had – hij had er in elk geval genoeg meegemaakt – maar hij begreep niet waarom hem was gevraagd om juist bij deze aanwezig te zijn.

Reis propte zijn sluike zwarte haar onder een operatiemuts, logde in op de verrijdbare computerunit naast hem en opende een nieuw document. ‘Wat denk jij van die strop?’

Arkadian haalde zijn schouders op. ‘Misschien wilde hij zich eerst verhangen, maar vond hij dat te gewoontjes.’ De verfrommelde wikkel van zijn ontbijtreep die hij dwars door het vertrek lanceerde, stuiterde van de rand van de prullenbak en verdween onder een werktafel. Het werd kennelijk weer zo’n soort dag.

Even wendde hij zijn blik naar een televisiemonitor aan de verste muur, waar een nieuwszender beelden vertoonde van de monnik op de bergtop.

‘Nieuwe variant, dit,’ zei Arkadian terwijl hij zijn wikkel opraapte. ‘Bekijk eerst de televisieaflevering. Ontleed vervolgens het lijk...’

Reis glimlachte en draaide het platte computerscherm naar zich toe. Hij maakte aan de achterkant van de monitor een draadloze koptelefoon los, zette hem op zijn hoofd, draaide een smalle microfoon voor zijn mond en drukte op een rode vierkante knop in een hoek van het scherm. De knop begon te knipperen: een mp3-programma zorgde dat zijn woorden rechtstreeks in het elektronische dossier werden opgenomen.

19

Oscar de la Cruz zat op een van de achterste banken van de privékapel, gekleed in zijn gebruikelijke witte coltrui onder een donkerbruin linnen pak. Met gebogen hoofd droeg hij, onwetend van de dood van de monnik, een zwijgend gebed aan hem op. Toen opende hij zijn ogen en keek om zich heen naar het vertrek dat hij meer dan zeventig jaar geleden had helpen bouwen.

De kapel bevatte geen versieringen, zelfs geen ramen; het zachte licht kwam van een netwerk van verborgen lampen die helderder brandden naarmate je hoger keek – een architectonische kunstgreep bedoeld om de blik ten hemel te voeren. Het was een idee dat hij had gestolen van de grote gotische kerken in Europa. Hij vond dat zij hem en zijn volk veel meer hadden ontstolen.

Oscar zag nog zo'n twintig andere mensen die hun eigen wake hielden; nachtuilen zoals hijzelf, leden van de geheime congregatie die het nieuws hadden gehoord en hierheen waren gekomen om te bidden en te overdenken wat het teken voor hen en hun mensen kon betekenen. Hij herkende de meesten, kende sommigen zelfs aardig goed, maar de kerk was dan ook niet voor iedereen. Er waren maar weinigen die van het bestaan ervan wisten.

Mariella zat vlakbij, verzonken in haar eigen gedachten, te bidden in een taal die nog ouder was dan het Latijn. Toen ze klaar was, ving ze Oscars blik.

'Waar heb je om gebeden?' vroeg hij.

Ze glimlachte zacht en keek naar de grote Tau die boven het altaar vooraan in de kapel was opgehangen. In al de jaren dat ze hier kwamen, had ze het hem nog nooit willen vertellen.

Hij herinnerde zich zijn eerste ontmoeting met het verlegen achtjarige meisje dat bloosde toen hij haar aansprak. Toen was de kapel nog jong geweest en het beeld waarbinnen de bedeplaats was genesteld belichaamde de hoop van hun gemeenschap. Nu werden zij door een man aan de andere kant van de wereld omvat in zijn uitgestrekte armen.

'Toen je deze plek bouwde,' fluisterde Mariella, zijn aandacht terugbrengend naar het stille vertrek, 'geloofde je toen werkelijk dat er dingen door zouden veranderen?'

Oscar overwoog de vraag. Het beeld van Christus de Verlosser was op zijn aanraden gebouwd, en met behulp van geld dat hij bijeen had helpen brengen. Het was aan het volk van Brazilië verkocht als een groots symbool van hun katholieke natie, maar in feite was het een poging om de eeuwenoude profetie van een veel oudere godsdienst te verwerkelijken.

Het enige ware kruis zal op aarde verschijnen
In een enkel moment zullen allen het aanschouwen – allen zullen zich verwonderen

Toen het beeld na negen jaar bouwen uiteindelijk werd onthuld aan de verzamelde wereldmedia verscheen het in nieuwsuitzendingen en kranten uit de hele wereld. Het was niet helemaal een enkel moment, maar allen zagen het en hun dweperige lofreden getuigden van hun verwondering.

Er gebeurde echter niets.

In de jaren daarna was de roem van het beeld toegenomen. Maar nog steeds gebeurde er niets, in elk geval niet wat Oscar had gehoopt. Hij had slechts een monumentale attractie gebouwd voor de Braziliaanse toeristenindustrie. Zijn enige troost was dat hij ook een geheime kapel had laten uithollen in de funderingen van het reusachtige beeld en daarmee een sprekende weerspiegeling van de Citadel had gecreëerd in de rots: een kerk binnen in een berg.

'Nee,' zei hij in antwoord op de vraag van Mariella. 'Ik hoopte wel dat het dingen zou veranderen, maar ik kan niet zeggen dat ik erin geloofde.'

'En de monnik? Denk je dat hij wel iets zal veranderen?'

Hij keek haar aan. 'Ja,' zei hij. 'Ja, dat denk ik wel.'

Mariella boog zich voorover en kuste hem op zijn wang. 'Daar heb ik om gebeden,' zei ze. 'En nu zal ik bidden dat je gelijk hebt.'

Er ontstond ineens verwarring voor in de kerk.

Bij het altaar stond een kleine groep gelovigen; in de kapel klonk hun intensieve gefluister als een opstekende bries. Een van hen maakte zich los uit de groep en kwam door het gangpad in hun richting. Oscar herkende Jean-Claude Landowski, de kleinzoon van de Franse beeldhouwer die de constructie had gebouwd waarin zij nu hun gebeden zeiden. Hij stond even stil bij elke aanwezige en fluisterde plechtige woorden.

Oscar keek naar de lichaamstaal van de toehoorders van het nieuws van

Jean-Claude en voelde Mariella's hand de zijne vastgrijpen. Hij hoefde de woorden niet te horen om te weten wat er werd gezegd.

20

'Oké,' begon Reis met zijn beste doktersstem. 'Dossiernummer één-acht-zes-negen-vier schuine-streep "E". Het is tien uur zeventien. Aanwezig zijn ikzelf, dokter Bartholomew Reis van de gemeentelijke pathologische dienst, en inspecteur Davud Arkadian van de gemeentepolitie van Ruīn. Het betreft een onbekende blanke man van ongeveer vijfentwintig jaar oud. Lengte' – hij trok het in zijn werktafel ingebouwde meetlint met een snelle beweging uit – 'één meter zevenentachtig. De eerste aanblik stemt overeen met ooggetuigenverslagen, opgenomen in het dossier, van een lichaam dat ernstige verwondingen heeft opgelopen na een val van aanzienlijke hoogte.'

Reis fronste zijn voorhoofd. Hij drukte op het knipperende rode vierkant om de opname te onderbreken.

'Hé, Arkadian,' riep hij in de richting van de koffiepot. 'Waarom hebben ze jou hiermee opgezadeld? Deze jongen heeft zichzelf van een berg gegooid en is daaraan doodgegaan. Voor zover ik het kan bekijken vergt dat niet bijster veel recherchewerk.'

Arkadian zuchtte even en wierp zijn wikkel met een nadrukkelijke boog in de prullenbak. 'Interessante vraag.' Hij schonk twee bekers koffie in. 'Helaas was dit niet bepaald een "discrete en onopvallende" zelfmoord.'

Hij greep een pak melk en goot het grootste deel ervan in een van de bekers. 'En bovendien heeft onze man hier zich niet van zomaar een berg geworpen; hij wierp zich van dé berg. En je weet wat een hekel de mensen aan de top eraan hebben als er daar iets... hoe zullen we het noemen... "ongezelligs" gebeurt. Ze denken dat het mensen ervan zal weerhouden om onze mooie stad te bezoeken, wat een rampzalig effect zou hebben op de verkoop van Heilige Graal-shirts en bumperstickers met "Ware Kruis van Christus" erop – en daar houden ze niet van. Dus moeten ze laten zien dat ze adequaat reageren op zo'n tragisch incident.'

Hij overhandigde Reis een zeer witte koffie in een zeer zwarte beker.

Reis knikte langzaam. 'En dus gooien ze er een inspecteur tegenaan.' Hij nam een slok van zijn zelfgemaakte *caffè latte*.

'Precies. Op die manier kunnen ze een persconferentie organiseren om te verkondigen dat ze, na knap recherchewerk met inzet en vlijt van de hele politiemacht, hebben ontdekt dat een als monnik verklede vent zich van de top van de Citadel heeft gegooid en daaraan is overleden. Tenzij jij natuurlijk iets anders ontdekt...'

Reis nam nog een lange slok van zijn lauwe koffie en gaf Arkadian de beker terug.

'Nou,' zei hij terwijl hij de rode knop weer indrukte om het audiobestand opnieuw op te starten. 'Laten we dan maar eens gaan zoeken.'

21

Kathryn Mann zat omringd door papieren in verscheidene talen in haar kantoor op de tweede verdieping. Zoals gewoonlijk stond de deur naar de gang open en ze hoorde voetstappen op houten vloeren, gerinkel van telefoons en flarden van gesprekken naarmate er meer mensen binnenliepen om aan de werkdag te beginnen.

Ze had iemand naar de boomgaard gestuurd om de vrijwilligers op te halen. Ze wilde een poosje alleen zijn met haar gedachten en gevoelens, en nog een ernstig debat over dode bijen kon ze op dit moment gewoon niet aan. Ze dacht aan de lege bijenkasten in het licht van de dood van de monnik en huiverde. In de oudheid hechtte men veel waarde aan voortekenen zoals afwijkend gedrag van dieren. Ze vroeg zich af wat zij zouden hebben opgemaakt uit de bovennatuurlijke gebeurtenissen in de huidige wereld: smeltende ijskappen, tropische weersomstandigheden in voorheen gematigde zones, ongekende vloedgolven en orkanen, door zure zeeën vergiftigde koraalriffen, verdwijnende bijen. Waarschijnlijk zouden ze er het einde van de wereld in hebben gezien.

Op haar bureau had ze het projectrapport voor zich liggen dat ze van de passagiersstoel van de minibus had gered. Het had haar humeur niet verbeterd. Ze had er pas de helft van gelezen en wist nu al dat het te duur zou zijn om te financieren. Misschien zouden ze ook dat stukje van de wereld moeten laten verdorren en sterven. Ze keek ingespannen naar de zorgvuldig geannoteerde schema's en grafieken waarmee de opzetkosten en de voorziene bomengroei werden uitgewerkt, maar in haar hoofd zag ze in leisteen gekerfde symbolen en de vorm die de monnik maakte voordat hij viel.

'Heb je het nieuws gezien?'

Kathryn schrok op en keek in het intelligente, open gezicht van een lang en tenger meisje dat haar vanuit de deuropening stralend aankeek. Ze probeerde zich haar naam te herinneren, maar de bevolking van dit gebouw wisselde zo snel dat ze nooit zeker wist of ze goed gokte. Rachel, misschien, of was het Rebecca? Voor drie maanden aangesteld als stagiaire, vanuit een Engelse universiteit.

'Ja,' antwoordde Kathryn. 'Ja, ik heb het gezien.'

'Het verkeer zit helemaal vast daarbuiten. Daarom ben ik zo laat.'

'Zit er maar niet over in.' Kathryn wuifde de biecht met een handgebaar weg en concentreerde zich weer op het dossier. Het nieuws van die ochtend, dat zo zwaar op haar drukte, was kennelijk slechts een ongemak voor de meeste mensen – iets om over te roddelen, zich over te verwonderen, en dan weer te vergeten.

'Zeg, wil je koffie?' vroeg de jonge vrouw.

Kathryn keek weer op naar haar frisse, onbezorgde gezicht en herinnerde zich ineens haar naam.

'Dat zou heerlijk zijn, Becky,' zei ze.

De jonge vrouw keek verheugd. 'Cool.' Met een zweepslag van haar roodbruine paardenstaart draaide ze zich om en rende naar de keuken beneden.

Het meeste werk van de organisatie werd uitgevoerd door vrijwilligers zoals Becky: mensen van alle leeftijden die vrijelijk hun tijd schonken, niet vanwege religieuze verplichtingen of uit nationale trots, maar omdat ze de planeet waarop ze leefden beminden en iets wilden doen om ervoor te zorgen. Dat was de taak van deze ideële organisatie: water brengen naar verdroogde plaatsen, gewassen en bomen planten op land dat door oorlogen was beschadigd of door industrie was vergiftigd – al was Ortus niet zo begonnen en was dat niet altijd hun werk geweest.

De telefoon op haar bureau rinkelde.

'U spreekt met Ortus. Waarmee kan ik u helpen?' zei ze, zo opgewekt als ze kon.

'Kathryn,' sprak de warme, diepe stem van Oscar in haar oor. Meteen voelde ze zich iets beter.

'Hé, pap,' zei ze. 'Waar ben je geweest?'

'Ik was aan het bidden.'

'Heb je het al gehoord?' Ze wist niet goed hoe ze de vraag moest inkleden. 'Heb je gehoord dat... dat de monnik...'

'Ja,' zei hij. 'Ik heb het gehoord.'

Ze slikte hard om haar emoties te bedwingen.

'Niet wanhopen,' zei haar vader. 'We mogen de moed niet opgeven.'

'Maar hoe moet dat dan?' Ze keek even naar de deur en dempte haar stem. 'De profetie kan niet meer vervuld worden. Hoe kan het kruis nog herrijzen?'

De lange stilte voordat haar vader weer sprak vulde zich met het gekraak van de trans-Atlantische lijn.

'Er zijn mensen teruggekeerd uit de dood,' zei hij. 'Kijk maar in de Bijbel.'

'De Bijbel staat vol leugens. Dat heb je me zelf geleerd.'

'Nee, dat heb ik je niet geleerd. Ik heb je verteld over specifieke en opzettelijke onnauwkeurigheden. Er staat nog steeds veel waars in de officiële Bijbel.'

De lijn viel weer stil, op het toenemende geruis van storing op de verbinding na.

Ze wilde hem zo graag geloven, maar diep in haar hart vond ze dat blindelings blijven hopen op een goede afloop net zoiets was als duimen met je ogen dicht.

'Geloof je echt dat het kruis zal herrijzen?'

'Het zou kunnen,' zei hij. 'Het is moeilijk te geloven, dat geef ik toe. Maar als je me gisteren had verteld dat er uit het niets een Sanctus zou verschijnen, naar de top van de Citadel zou klimmen en daar het teken van de Tau zou maken, zou ik dat even ongeloofwaardig hebben gevonden. En toch is het gebeurd.'

Ze kon hem geen ongelijk geven. Dat kon ze zelden. Daarom had ze hem zo graag bij zich gehad om mee te praten toen het nieuws bekend werd.

Misschien zou ze zich dan niet in zo'n melancholiek humeur hebben gepiekerd.

'Wat denk jij dan dat we moeten doen?' vroeg ze.

'We moeten het lijk bewaken. Dat is de sleutel. Dat is het kruis. Als hij herrijst, moeten wij hem beschermen tegen degenen die hem kwaad willen doen.'

'De Sancti.'

'Ik ben ervan overtuigd dat ze het lichaam zo snel mogelijk zullen proberen terug te krijgen om het te vernietigen en een einde te maken aan de profetie. Als Sanctus kan hij geen familie hebben gehad, dus niemand zal hem komen opeisen.'

Ze vielen beiden stil terwijl ze nadachten over wat er zou gebeuren als het inderdaad zo liep. Kathryn stelde zich de monnik voor in een donker vertrek zonder ramen, ergens binnen in de Citadel, waar zijn verbrijzelde lichaam op de een of andere wonderbaarlijke manier begon te herstellen. Daarop verschenen er vanuit de schaduwen in het groen geklede mannen met kappen, met getrokken dolken en andere martelinstrumenten bij de hand.

Aan de andere kant van de wereld zag haar vader vergelijkbare beelden voor zich, maar de zijne ontsproten niet aan zijn verbeeldingskracht. Hij had met eigen ogen gezien waartoe de Sancti in staat waren.

22

Athanasius had een grondige afkeer van de grote bibliotheek.

Het besloten, anonieme duister en de doolhofachtige vertrekken vond hij claustrofobisch en sinister. De abt had hem echter daar ontboden, dus daar ging hij naartoe.

De bibliotheek was gehuisvest in een grottenstelsel op ongeveer een derde van de hoogte van de berg, door de oorspronkelijke architecten van de Citadel gekozen omdat het er donker en voldoende geventileerd was; hier konden zonlicht en vocht de eeuwenoude perkamentrollen en manuscripten niet doen verbleken of anderszins aantasten. Toen de grotten zich vulden met steeds meer onschatbare teksten, werd er besloten dat het behoud van dergelijke kostbaarheden niet langer uitsluitend kon worden overgelaten aan het donker en een droge bries, en werden verbeteringen in gang gezet. De bibliotheek omvatte nu tweeënveertig vertrekken van verschillende omvang, en bevatte de meest waardevolle en unieke collectie boeken waar ook ter wereld. Onder internationale godsdienstwetenschappers deed de ietwat verbitterde standaardgrap de ronde dat het de grootste collectie klassieke teksten was die niemand ooit had gezien.

Athanasius naderde de enige ingang met het gebruikelijke gevoel van knagende onbehaaglijkheid. Een koud, blauw licht gleed over zijn handpalm toen de scanner zijn identiteit controleerde en bevestigde voordat er een deur openschoof die toegang bood tot een luchtsluis. Hij stapte erin en hoorde de deur achter zich dichtschuiven. Zijn claustrofobie verergerde. Hij wist dat die hem niet zou verlaten tot hij de bibliotheek weer uit was. Boven een tweede scanner knipperde een lampje om aan te geven dat de luchtsluis deed wat hij doen moest om te zorgen dat Athanasius niet vergezeld van vervuilde lucht de hermetisch verzegelde wereld achter de laatste deur zou binnengaan. Hij wachtte af en merkte al dat de droge lucht het vocht aan zijn keel onttrok. Het geknipper van het lampje stopte. Er schoof een tweede deur open en Athanasius stapte de bibliotheek binnen.

Zodra hij het donker in liep, werd hij omringd door een cirkel van licht. De lichtkring reikte slechts een halve meter in elke richting en volgde al zijn bewegingen nauwkeurig, zodat hij het middelpunt ervan bleef toen hij door de ontvangstruimte naar de poort liep die toegang gaf tot de grote bibliotheek zelf. Net als de zorgvuldig beheerste luchtgesteldheid – twintig graden Celsius en vijfendertig procent relatieve luchtvochtigheid – was de verlichting een wonder van moderne techniek. Ook dit was in de loop der generaties gemoderniseerd; sputterende kaarsen hadden plaatsgemaakt voor olielampen, die op hun beurt vervangen werden door elektriciteit. Het verlichtingssysteem dat nu werd gebruikt, was niet alleen het meest geavanceerde ter wereld, het was enig in zijn soort. Zoals de meeste recente technologische verbeteringen in de Citadel was het ontworpen en aangelegd door slechts één man: de grote vriend van Athanasius, vader Thomas.

Vanaf het moment dat vader Thomas meer dan tien jaar eerder was toegetreden tot de Citadel, was hij anders behandeld dan gewone nieuwkomers. Zoals dat voor de meeste bewoners van de berg gold, was zijn verleden onbekend, maar wat hij ook had gedaan in de buitenwereld, het was onmiddellijk duidelijk dat hij een deskundige was in het behoud van oude documenten en een genie op het gebied van elektronica. In zijn eerste jaar had hij speciale toestemming verworven, van de prelaat zelf, om de hele bibliotheek onder handen te nemen en te moderniseren. Het kostte hem bijna zeven jaar om zijn taak te vervullen, en gedurende het eerste jaar experimenteerde hij alleen maar met verschillende lichtfrequenties om de effecten ervan op diverse inktsoorten en schrijfoppervlakken te bestuderen. Het verlichtingssysteem dat hij vervolgens had ontworpen en aangelegd was briljant in zijn eenvoud: het was geïnspireerd op de allereerste wetenschappers die in vroeger tijden door de bibliotheek liepen met een enkele kaars die slechts hun onmiddellijke omgeving verlichtte en de rest van de collectie in absoluut duister liet.

Met een systeem van sensoren voor beweging, luchtdruk en warmte had vader Thomas een omgeving gecreëerd waarin iedereen die de bibliotheek binnenkwam gevolgd werd door een centrale computer die voorzag in een smalle zuil van licht, net voldoende om de onmiddellijke omgeving van de bezoeker te verlichten. Die zuil volgde hem door de hele bibliotheek en verdrong steeds het duister waar hij liep, zonder een gebied te verlichten waar hij niet aan het werk was. Het systeem was zo gevoelig, dat elke monnik kon worden geïdentificeerd aan de hand van kleine verschillen in lichaamstemperatuur en geringe variaties in luchtverplaatsing als gevolg van ieders unieke lengte en gewicht. Dat betekende dat de computer niet alleen de beweging van alle bezoekers kon vastleggen, maar ook wist wie ze waren en waar ze naartoe gingen; zo fungeerde het tevens als extra beveiligingsmaatregel die in de gaten hield welk gebruik de monniken maakten van de bibliotheek.

Nu verliet Athanasius de toegangshal en volgde de smalle gloeidraad van gedempte gidslampjes die in de vloer waren aangebracht om het pad door het duister aan te geven. Af en toe kwam hij andere wetenschappers tegen die als vuurvliegjes rondfladderden, elk gevangen in zijn eigen aureool van licht, steeds gedempter naarmate hij verder doordrong in de grote bibliotheek.

De andere grote vernieuwing van vader Thomas was de indeling van de bibliotheek naar ouderdom, inkt- en papiersoorten, en het aanpassen van de verlichting in elk deel aan de specifieke eigenschappen van de materialen. Zo werd de lichtkring die Athanasius omringde geleidelijk meer gedempt en oranjekleurig naarmate hij zich dieper in de bibliotheek begaf, naar de plekken waar steeds oudere en kwetsbaardere teksten werden bewaard. Het leek alsof hij achterwaarts door de tijd liep en zich omringd zag door hetzelfde licht als dat waarbij de documenten waren geschreven.

Het verst van de ingang bevond zich het kleinste en donkerste vertrek van allemaal. Daar waren de oudste, kostbaarste en meest fragiele teksten gehuisvest. Stukken velijnpapier die met het verstrijken van de jaren flinterdun waren geworden, en eeuwenoude woorden, licht ingekerfd in broze steen. Bij de uiterst zeldzame gelegenheden dat het verboden gewelf überhaupt werd verlicht, kreeg de gloed van het licht de diepe, donkerrode kleur van sintels in een uitdovend vuur.

Slechts drie mensen hadden permanent recht van toegang tot dit vertrek: de prelaat, de abt en vader Malachi, de hoofdbibliothecaris. Anderen konden speciale toestemming verkrijgen van ieder van deze drie om het gewelf te betreden, maar dat gebeurde zelden. Als iemand de ruimte binnenkwam zonder de vereiste toestemming, opzettelijk of bij vergissing, zou het licht uitblijven en waarschuwde een geluidloos alarm de wachter die permanent bij de ingang geposteerd was en onmiddellijk door de donkere zalen zou stuiven om de indringer te betrappen.

De straf voor het betreden van het verboden gewelf was altijd streng geweest, altijd openbaar, en deed op zichzelf al dienst als het grootste afschrikmiddel tegen elke aanvechting dienaangaande. In het verleden werden overtreders ten overstaan van het voltallige college van priesters en monniken de ogen uitgestoken, om hen te zuiveren van wat ze konden hebben gezien; hun tong werd uitgerukt met roodgloeiende tangen zodat ze niet konden herhalen wat ze ongewild hadden geleerd, en in hun oren werd gesmolten lood gegoten om verboden woorden te verschroeien die erin waren gefluisterd.

Vervolgens werd het verminkte lichaam van de zondaar uit de Citadel gegooid als waarschuwing voor de gevaren van ongehoorzaamheid en het streven naar geheime kennis. Uit dit gruwelijke ritueel was de uitdrukking 'horen, zien en zwijgen' ontstaan. Er bestond een vierde, minder bekende toevoeging, 'geen kwaad berokkenen', een regel die ietwat onverenigbaar leek met zijn historische oorsprong.

Net als iedereen in de Citadel kende Athanasius de verhalen over wat er gebeurde met degenen die het verboden gewelf binnendwaalden, maar bij zijn weten was die straf al honderden jaren niet meer opgelegd. Deels omdat de wereld veranderd was en zulk barbaars vertoon niet langer werd geduld, maar vooral omdat niemand zich er zonder de vereiste toestemming binnen waagde. Hij was er zelf pas één keer eerder geweest, bij zijn benoeming tot kamerheer, en had gehoopt nooit meer een reden te hebben om het vertrek nogmaals te bezoeken.

Terwijl hij plichtsgetrouw door de schemering sjokte, zijn ogen gevestigd op de ragfijne gloeidraad in de vloer, begon hij zich af te vragen waarom hij was ontboden en of er soms een nieuwe vreselijke ontdekking was gedaan. Misschien had Samuel op de een of andere manier toegang weten te krijgen tot de bibliotheek in de tijd tussen zijn ontsnapping en zijn noodlottige beklimming. Of misschien was hij naar het verboden vertrek gegaan en had hij een van de heilige en onvervangbare teksten gestolen of geschonden...

Voor hem uit boog de gloeidraad van vloerlampjes scherp naar rechts en verdween achter een onzichtbare stenen zuil. Die markeerde het punt waar het looppad verdween in de laatste gang naar het verst verwijderde gewelf. Wat de reden van de abt ook mocht zijn, Athanasius zou het nu gauw te weten komen.

23

'Het slachtoffer vertoont tekenen van recente verwondingen en traumata aan handen en voeten,' zei Reis toen hij zijn inleidende onderzoek van het lichaam voortzette. 'De sneden zijn talrijk. Diep. Tot op het bot, in sommige gevallen. Ook zijn ze rafelig en gescheurd. In sommige wonden zitten fragmenten ingebed van iets wat eruitziet als rotsgesteente. Deze verwijder ik en bewaar ik voor verder onderzoek.'

Hij legde een hand op de microfoon van zijn koptelefoon en wendde zich naar Arkadian.

'Hij is toch omhooggeklommen voordat hij sprong?'

Arkadian knikte. 'Er zit geen eeuwenoude lift in de berg, voor zover we weten.'

Reis keek weer naar de verminkte handen en voeten van de monnik en haalde zich de enorme hoogte van de Citadel voor de geest. 'Fikse klim,' zei hij zachtjes, voordat hij zijn hand weghaalde van de microfoon en verder praatte.

'De wonden in de handen en voeten van het slachtoffer zijn weliswaar recent, maar vertonen een aanzienlijke stolling van het bloed, wat erop wijst dat de verwondingen een flink aantal uren voor zijn dood werden opgelopen. Op een aantal kleinere wonden vormt zich al littekenweefsel, in sommige gevallen over de rotsfragmenten heen. Als ik alleen afga op de mate van genezing, zou ik denken dat hij al een paar dagen boven was voordat hij sprong.'

Hij legde de hand terug op de koude keramische tafel en onderzocht de blootliggende arm.

'Het stuk touw om de rechterpols van het slachtoffer heeft ook sterk tegen de huid gewreven en de epidermis verwijderd. Het touw is een grof, hennepachtig weefsel, stug en ruw.'

'Het is zijn riem,' zei Arkadian. Reis keek fronsend op. 'Kijk maar naar zijn pij, om het middel.'

Reis richtte zijn blik op het midden van het donkere, bevlekte kledingstuk en zag aan de ene kant een ruw op de stof genaaide dikke leren lus, en aan de andere kant een scheur waar een tweede lus had moeten zitten. Hij had wel andere scheuren gevonden in de pij, twee boven de zoom en twee bij de polsen, maar deze was hem ontgaan.

'Het touw zou de riem van het slachtoffer kunnen zijn,' merkte Reis op voor het verslag. 'Er zitten een aantal leren lussen rond het midden van zijn kledij, hoewel er eentje lijkt te ontbreken. Ook dit zal ik inpakken en aan de overkant van de gang laten analyseren.'

Arkadian reikte achter Reis langs om op het knipperende rode vierkant te drukken en de opname te onderbreken.

'Met andere woorden,' zei hij, 'onze vriend beklom de berg met behulp van zijn riem als geïmproviseerd touw, bezeerde daarbij handen en voeten, hing lang genoeg op de top rond om het genezingsproces te laten beginnen, en wierp zich eraf zodra de menigte groot genoeg was om mijn ochtend te verzieken. Einde oefening.

Afijn, hoe graag ik hier ook zou blijven, ik heb een paar minder spectaculaire zaken die evenzeer verdienen te worden opgelost. Dus als het jou niet uitmaakt, wil ik graag die telefoon daar bij de koffiepot lenen en aan de slag gaan met wat echt politiewerk.' Hij draaide zich om en verwijderde zich van het felle witte licht rond de onderzoekstafel. 'Roep maar als je een aanwijzing vindt.'

'O, dat doe ik beslist.' Reis pakte een zware schaar. 'Weet je zeker dat je niet wilt blijven kijken? Ik ga zijn pij losknippen. Je krijgt niet elke dag een naakte monnik te zien.'

'Je bent een verdorven mens, Reis.' Arkadian pakte de telefoon en vroeg zich af welke van zijn zes lopende zaken hij het eerst zou aanpakken.

Reis keek neer op het lijk en glimlachte. 'Verdorven!' mompelde hij bij zichzelf. 'Probeer jij dit maar eens elke dag te doen en normaal te blijven.'

Hij opende de schaar, schoof een van de bladen onder de kraag van de monnikspij en begon te knippen.

24

Athanasius volgde de gloeidraad in de vloer, de hoek om naar de lange donkere gang waar het verboden gewelf wachtte. Als iemand hem al voor was geweest, kon hij hem in elk geval niet zien. Het bloedrode licht in het vertrek was niet bedoeld om vanuit de verte te worden opgemerkt. Hij had een hekel aan het donker, maar hij had een nog grotere hekel aan het feit dat je zelfs niets meer kon horen. Ooit had hij Thomas dat aan Samuel horen uitleggen – iets over een voortdurend signaal van een lage frequentie, onhoorbaar voor het menselijke oor, dat alle geluidsgolven verstoorde en ze belette om verder te dragen dan de lichtkring die iedere bibliotheekbezoeker omringde. Dat betekende dat je drie meter van iemand verwijderd kon zijn en nog steeds geen idee had van wat ze zeiden. Het zorgde ervoor dat alle tweeënveertig vertrekken, ook als ze vol hartstochtelijk over theologische kwesties debatterende geleerde monniken zaten, in een permanente staat van bibliothecaire stilte verkeerden. Het betekende ook dat

Athanasius, ondanks zijn snelle en doelbewuste wandeling door de Bijbelzwarte gangen, niet eens troost kon vinden in het geluid van zijn eigen voetstappen.

Hij was halverwege de gang toen hij het opmerkte. Heel even, aan de rand van zijn lichtkring. Een spookachtige witte flits in het donker.

Athanasius deinsde achteruit en tuurde het duister in om nog een blik op te vangen van wat hij gezien dacht te hebben. Van achteren knalde er iets tegen hem aan; haastig draaide hij zich om. Hij zag de stenen zijkant van een boekenkast en draaide snel zijn hoofd terug om te proberen het dreigende duister te doorboren.

Weer zag hij het.

Eerst alleen de vaagst mogelijke omtrek, als een zwevend web in het donker. Toen, naarmate het dichterbij kwam, werd het zichtbaar als de uitgeteerde en schuifelende gestalte van een man. Zijn lichaam was benig en mager, en leek nauwelijks sterk genoeg om de pij te dragen die om hem heen hing als een deels afgeworpen huid; zijn lange, spaarzame haar hing voor zijn blinde ogen. Ondanks de afstotelijke verschijning van de langzaam naderende monnik voelde Athanasius zijn hele lichaam ontspannen.

'Broeder Ponti,' zei hij met een zucht. 'Je laat me schrikken.'

Het was de conciërge, een oude monnik die speciaal was uitgekozen voor het schoonmaken en onderhouden van de grote bibliotheek, omdat hij vanwege zijn blindheid geen licht nodig had om bij te werken. Hij boog zijn hoofd in de richting van de stem en keek met zijn melkachtige blik dwars door Athanasius heen. 'Het spijt me,' zei hij hees, met een stem die verschraald was door de droge lucht. 'Ik probeer langs de muren te blijven om niet tegen iemand op te botsen, maar dit gedeelte is een beetje smal, broeder...?'

'Athanasius.'

'Ach, ja,' zei Ponti knikkend. 'Athanasius. Ik herinner me jou. Je bent hier al eerder geweest, is het niet?' Hij wuifde in de richting van het gewelf.

'Eén keer,' antwoordde Athanasius.

'Dat klopt.' Broeder Ponti knikte, alsof hij zichzelf zijn instemming betuigde. 'Laat je door mij niet ophouden,' zei hij en wendde zich stram naar de uitgang. 'Je zult merken dat het vertrek al bezet is. En als ik jou was, broeder, zou ik hem niet laten wachten.'

Toen draaide hij zich weer om en versmolt met het duister.

25

Het kostte Reis verscheidene minuten om het met bloed verzadigde materiaal van de monnikspij door te knippen. Hij knipte van de kraag naar de zoom, en toen door elke mouw, het lichaam eronder zorgvuldig vermijdend. Vervolgens rolde hij het wat opzij en verwijderde het kledingstuk, dat hij in een stalen tray legde om apart geanalyseerd te worden.

De man was goed in vorm.

Tenminste, dat was hij geweest tot hij van driehonderd meter hoogte op massief graniet viel.

'Op het eerste gezicht komt het lichaam van het slachtoffer overeen met wat men zou verwachten na een val van grote hoogte: ernstig trauma aan het bovenlichaam, splinters van gebroken ribben die aan beide zijden van de borstkas op verschillende plaatsen naar buiten steken, volkomen in overeenstemming met compressiebreuken die ontstaan door de abrupte vaartvermindering van een lichaam in vrije val dat contact maakt met de grond.

Het lichaam is bedekt met dik, donker, gestold bloed vanuit verschillende punctuurwonden. Beide sleutelbeenderen zijn op meerdere plaatsen gebroken, en het rechter- steekt door de huid aan de basis van de nek. Er lijkt ook een...'

Hij keek nog eens goed.

'... een soort oude, gelijkmatige incisie horizontaal over de hals van schouder naar schouder te lopen.'

Hij pakte de uittrekbare slang die boven de onderzoekstafel hing en kneep in de handgreep om een straal water op de hals en de borst van het lijk te richten en de kleverige, donkere laag bloed weg te wassen.

'Jezus christus,' mompelde Reis.

Hij bewoog de straal over de rest van het lichaam: eerst de borst, toen de armen, toen de benen. Opnieuw onderbrak hij de opname.

'Hé, Arkadian,' riep hij over zijn schouder, zijn blik strak gevestigd op het lijkbleke lichaam op de keramische tafel. 'Je zei dat je een aanwijzing wilde. Wat denk je hiervan?'

26

Athanasius hield halt bij de deur, zich ervan bewust dat hij geen recht had om de verboden kamer te betreden, en niet weinig bevreesd voor wat er zou gebeuren als hij dat wel deed.

Hij keek naar binnen.

De imponerende gestalte van de abt stond in de besloten ruimte en het rode licht leek van hem uit te stralen, alsof hij een demon was die opgloeide in het duister. Hij stond met zijn rug naar de deur, zodat hij Athanasius niet kon zien. Zijn blik was gevestigd op een in de verste muur uitgehakt raster van vijftien openingen, die elk een container bevatten van hetzelfde materiaal als dat waarvan de bekende zwarte dozen in vliegtuigen zijn gemaakt. Athanasius herinnerde zich van vader Malachi te hebben gehoord dat de dozen sterk genoeg waren om hun kostbare inhoud zelfs te beschermen als de hele berg erbovenop viel; op dit moment bood hem dat weinig troost.

Hij keek even naar de onzichtbare streep op de vloer en overwoog om brutaal het vertrek binnen te stappen, maar ongewild kwam de zinsnede 'horen, zien en zwijgen' bij hem op en hij bleef waar hij was, net zolang tot de abt – omdat hij zijn aanwezigheid aanvoelde, of omdat hij zich afvroeg waar hij bleef – zich omdraaide en hem recht aankeek. Athanasius merkte tot zijn opluchting dat het gezicht van zijn meester, hoewel verontrustend dieprood van kleur, niet de dreigende aanblik vertoonde van een man op het oorlogspad, maar de bedachtzaamheid van iemand die zocht naar de oplossing van een probleem.

'Kom binnen.' De abt haalde een doos uit een van de nissen en droeg die naar een lessenaar in het midden van het vertrek. Omdat hij merkte dat Athanasius bleef aarzelen om binnen te komen, zei hij: 'Ik heb Malachi gesproken onderweg hierheen. Je mag naar binnen – voor minstens een uur.'

Toen Athanasius gehoorzaamde, werd hij door een tweede rode gloed vergezeld door het gewelf, wat bevestigde dat zijn aanwezigheid – voorlopig – legitiem was.

De lessenaar stond midden in het vertrek tegenover de ingang, maar met het leesoppervlak ervan afgewend. Zo zou iemand die aan de lessenaar stond door de onvermijdelijke lichtzuil worden gewaarschuwd voor naderend gezelschap, maar een boek dat op de lessenaar was gelegd kon van buitenaf niet worden bekeken.

'Ik heb je hier ontboden omdat ik je iets wil laten zien,' zei de abt.

Hij ontgrendelde de doos en maakte hem voorzichtig open.

'Heb je enig idee wat dit zou kunnen zijn?'

Athanasius boog zich voorover, zodat zijn aura samen met dat van de abt een boek verlichtte, gebonden met een enkele plaat leisteen waarop een fors symbool was gegraveerd – het symbool van de Tau.

Zijn adem stokte. Hij wist onmiddellijk wat het was, evenzeer vanwege de beschrijvingen die hij had gelezen als vanwege de omstandigheden waarin hij het hier te zien kreeg.

'Een ketterse Bijbel,' zei Athanasius.

'Nee,' corrigeerde de abt hem. 'Niet *een* ketterse Bijbel. Dé ketterse Bijbel. Dit is de laatste die er nog rest.'

Athanasius keek neer op de leistenen band. 'Ik dacht dat ze allemaal vernietigd waren.'

'Dat willen we de mensen doen geloven. Hoe kunnen we hun beter beletten iets te zoeken dan door hen ervan te overtuigen dat het niet bestaat?'

Athanasius overwoog de wijsheid van die opmerking. Hij had al jaren amper een gedachte gewijd aan het legendarische boek, omdat hij dacht dat het dat was: een legende. Maar hier lag het, dichtbij genoeg om het aan te raken.

'Dat boek,' zei de abt met opeengeklemde tanden, 'bevat dertien bladzijden schandelijke, giftige en verdraaide leugens; leugens die het wagen om het Woord van God zelf, zoals dat werd gehoord en opgeschreven in onze ware Bijbel, tegen te spreken en te bezoedelen.'

Athanasius bekeek de onschuldig ogende band. 'Waarom is deze dan gespaard?' vroeg hij. 'Als het zo gevaarlijk is, waarom zouden we er dan zelfs maar één van bewaren?'

De abt wees met een priemende vinger naar de doos. 'Omdat boeken wel vernietigd kunnen worden, maar hun inhoud er een handje van heeft om te overleven,' antwoordde hij. 'Om onze vijanden te kunnen verslaan en vernietigen, is het nuttig om eerst hun gedachten te kennen. Ik zal je iets laten zien.'

Met een vinger onder de rand opende hij het omslag. Ook de bladzijden erbinnenin waren van leisteen, samengebonden met drie leren banden.

Toen de abt ze omdraaide, voelde Athanasius de overweldigende verleiding om te lezen wat erop gekrast stond. Helaas was dat vrijwel onmogelijk door het tempo waarin de abt bladerde, in combinatie met de diffuse eigenschappen van het donkerrode licht. Hij kon wel zien dat elke bladzijde twee dichtbeschreven kolommen bevatte, maar het duurde even voordat hij zich realiseerde dat ze geschreven waren in het Malanees, de taal van de eerste ketters. Nu zijn hersens daarop afgestemd waren, slaagde hij erin om twee kleine fragmenten op te vangen tussen het omslaan van de bladzijden door. Twee fragmenten, twee zinnen – die zijn toch al aanzienlijke ontzetting nog verergerden.

'Zo,' verkondigde de abt toen hij bij de laatste bladzijde aankwam. 'Dit is een deel van wat gelijkstaat aan hun versie van Genesis. Jij beheerst hun bastaardtaaltje, meen ik.'

Athanasius aarzelde; zijn gedachten trilden nog na van de verboden woorden waarvan hij zojuist een blik had opgevangen.

'Ja,' wist hij uit te brengen zonder dat zijn stem hem in de steek liet. 'Die taal heb ik... gestudeerd.'

'Lees dit dan,' zei de abt.

In tegenstelling tot de voorgaande bladzijden bevatte deze laatste platte leisteen slechts acht regels tekst. Ze stonden in een kalligram in de vorm van het teken van de Tau – hetzelfde tekstsymbool dat Kathryn Mann twee uur daarvoor had bekeken. Deze was echter compleet.

Het enige ware kruis zal op aarde verschijnen
In een enkel moment zullen allen het aanschouwen – allen zullen zich verwonderen
Het kruis zal vallen
Het kruis zal herrijzen
Om het Sacrament te ontsluiten
En een nieuwe tijd voort te brengen
Door diens genadige dood

Athanasius keek op naar de abt; gedachten raasden door zijn hoofd.

'Daarom heb ik je hier laten komen,' zei de abt. 'Ik wilde je met eigen ogen laten zien hoe de dood van broeder Samuel door onze vijanden geïnterpreteerd zou kunnen worden.'

Athanasius bestudeerde de profetie opnieuw. De eerste drie regels leken een beschrijving van de uitzonderlijke gebeurtenis van die ochtend; het waren de laatste vier die het bloed aan zijn wangen onttrokken. Wat ze suggereerden was ongelooflijk, onvoorstelbaar, wereldschokkend.

'Daarom hebben we het boek bewaard,' zei de abt plechtig. 'Kennis is macht; en weten wat onze vijanden geloven geeft ons het voordeel. Ik wil dat je het lijk van broeder Samuel nauwkeurig in de gaten houdt. Want als deze verwrongen woorden ook maar een zweem van waarheid bevatten, en hij het kruis is dat hier wordt genoemd, kan hij alsnog herrijzen – en door onze vijanden worden gezien als een wapen om tegen ons te gebruiken.'

27

Reis en Arkadian keken op het lichaam neer. De huid was doorkruist met een ingewikkeld en uitgebreid web van bleke witte littekens – sommige oud, andere recenter, en allemaal opzettelijk aangebracht. In de macabere omlijsting van de sectiezaal deed de monnik denken aan een frankensteinmonster, opgebouwd uit de aaneengestikte lichaamsdelen van verscheidene mannen.

Reis schakelde de opnameapparatuur weer in.

'Het slachtoffer vertoont aanzienlijke en gelijkmatige littekens op een groot deel van zijn lichaam, het resultaat van herhaalde sneden, aangebracht met een scherp, klinisch instrument zoals een scalpel of een scheermes, mogelijk tijdens een soort ritueel.'

Hij begon aan de akelige opsomming.

'Te beginnen met het hoofd... Een oud, genezen litteken rondom de hele hals en nek waar die verbonden zijn aan de borstkas. Vergelijkbare littekens omringen beide armen bij de schouder, en beide benen bij de liezen. Het litteken boven aan de linkerarm is onlangs opnieuw geopend, maar vertoont al tekenen van genezing. Deze incisie heeft rechte randen en is opmerkelijk netjes, van een chirurgische nauwkeurigheid zelfs, gemaakt met een zeer scherp geslepen lemmet.

Ook op de linkerarm, bij de aansluiting van de bovenste biceps en triceps, bevindt zich een T-vormig hypertrofisch litteken, dikker dan de andere, veroorzaakt door herhaald hittetrauma.' Hij keek even over de tafel heen naar Arkadian. 'Het lijkt wel of deze jongen aan het verkeerde eind van een brandijzer heeft gestaan.'

Arkadian bekeek de verdikte T op de bovenarm van de monnik; elke gedachte aan zijn andere zaken was vervlogen. Hij pakte de camera van Reis. Op het kleine lcd-scherm was een miniatuurversie te zien van de monnik op de sectietafel. Met een druk op de knop werd het beeld draadloos naar het dossier verzonden.

'Er loopt nog een litteken langs de bovenkant van de ribbenkast en één door het midden, over het borstbeen naar de navel.' Reis zweeg even. 'In vorm en omvang lijkt het op de Y-vormige snede die wij maken om belangrijke organen te verwijderen tijdens de sectie.

Uitstralend van de linkertepelhof vormen vier rechte lijnen in rechte hoeken een kruis. Ook niet recent, en elk ongeveer' – Reis trok het meetlint weer tevoorschijn – 'ongeveer twintig centimeter lang.' Hij boog zich voorover om beter te kunnen kijken. 'Er zit nog een kruis op de rechterkant van de borstkas, ter hoogte van de onderzijde van de ribbenkast, anders dan de rest; ruwweg vijftien centimeter lateraal. Met een korter, verticaal litteken, ongeveer vijf centimeter, vormt het een soort christelijk kruis op zijn kant, enigszins verzonken; sporen van striae op de huid eromheen; moet lang geleden zijn gebeurd en is niet het voorwerp van rituele heropening geweest. Wellicht van ondergeschikt belang.'

Arkadian maakte nog een foto en onderzocht het litteken toen van dichtbij. Het leek inderdaad precies een gevallen kruis. Hij rechtte zijn rug en zocht naar betekenis in het patroon van incisies. 'Heb je ooit zoiets gezien?'

Reis schudde zijn hoofd. 'Ik vermoed dat het te maken heeft met een soort inwijding. Maar de meeste van deze littekens zijn niet nieuw, dus ik weet niet hoe relevant ze zijn voor zijn sprong.'

'Hij is niet zomaar gesprongen,' zei Arkadian.

'Wat bedoel je?'

'Bij de meeste zelfmoorden is de dood het voornaamste doel. Maar niet bij deze man; sterven was op de een of andere manier... secundair. Ik denk dat zijn belangrijkste motief elders lag.'

De wenkbrauwen van Reis verdwenen onder zijn haar. 'Als je je van de top van de Citadel omlaag stort, staat de dood toch echt wel redelijk hoog op je agenda.'

'Maar waarom is hij dan helemaal naar boven geklommen? Een val van bijna elke hoogte was al genoeg geweest.'

'Misschien was hij bang om alleen maar verminkt te raken. Een hoop halfslachtige zelfmoordpogingen eindigen in het ziekenhuis in plaats van hier.'

'Dan nog, hij had zich niet helemaal naar de top hoeven worstelen. Hij hoefde ook niet te wachten. Maar dat deed hij wel. Hij zat daar, god weet hoe lang, in de vrieskou te bloeden uit allerlei verwondingen en af te wachten tot het ochtend werd. Waarom?'

'Misschien om uit te rusten. Van zo'n klim zou iedereen doodmoe worden, en hij zal gedurende de hele weg naar boven flink wat bloed verloren zijn. Dus misschien raakte hij toen hij op de top kwam bewusteloos van uitputting, en kwam hij uiteindelijk weer bij door de zon. En daarna sprong hij pas.'

Arkadian fronste zijn voorhoofd. 'Maar zo is het niet gegaan. Hij duikelde niet zomaar van de berg toen hij wakker werd. Hij bleef er minstens een paar uur lang met uitgestrekte armen staan.' Arkadian deed de houding van de monnik na. 'Waarom zou hij dat doen, als hij er alleen maar een einde aan wilde maken? Ik ben er vrij zeker van dat het openbare aspect van zijn dood van belang is. De enige reden waarom wij hier staan te praten, is omdat hij wachtte tot er publiek was. Als hij deze stunt midden in de nacht had uitgehaald, betwijfel ik of het zelfs maar op het nieuws zou zijn geweest. Hij wist precies wat hij deed.'

'Oké,' gaf Reis toe. 'Dus misschien kreeg die jongen niet genoeg aandacht toen hij klein was. Wat maakt het uit? Hij is toch dood.'

Arkadian dacht na over die vraag.

Wat maakte het uit?

Hij wist dat zijn baas deze hele zaak snel en pijnloos afgehandeld wilde zien. Politiek gezien was het zeker het handigst om zijn natuurlijke, aangeboren nieuwsgierigheid te negeren en geen lastige vragen meer te stellen. Aan de andere kant kon hij dan net zo goed zijn penning inleveren en vakantieappartementen gaan verkopen, of toeristen gaan rondleiden.

'Moet je horen,' zei hij. 'Ik heb niet om deze zaak gevraagd. Het is jouw taak om vast te stellen hoe iemand gestorven is. De mijne is uitvinden waarom, en om dat te kunnen doen moet ik proberen de gedachtegang van deze man te begrijpen. De meeste springers zijn slachtoffers – mensen die er niet meer tegen kunnen, mensen die de weg van de minste weerstand naar de dood kiezen. Maar deze vent had moed. Hij was geen klassiek slachtoffer en hij nam zeer beslist niet de weg van de minste weerstand. Wat mij het idee geeft dat zijn handelingen iets voor hem betekenden. En misschien betekenen ze dan ook wel iets voor iemand anders.'

28

Athanasius haastte zich door de gang achter de abt aan. Bij elke stap die ze zetten, werden hun persoonlijke aureolen helderder.

'Vertel eens,' zei de abt zonder zijn pas te vertragen. 'Wie heeft er contact opgenomen vanuit het politieonderzoek?'

'Er is ene inspecteur Arkadian op de zaak gezet,' zei Athanasius hijgend. 'Hij heeft al verzocht om een onderhoud met iemand die informatie zou kunnen hebben over de overledene. Ik heb onze broeders buiten opgedragen te zeggen dat het sterfgeval een tragedie is en dat we al het mogelijke zullen doen om hem van dienst te zijn.'

'Heb je gezegd dat we hem kenden?'

'Ik heb gezegd dat er in de Citadel heel veel mensen wonen en werken, en dat we zullen proberen te ontdekken of er iemand ontbreekt. Ik wist niet zeker of we hem op dit moment al dan niet als een van de onzen wilden opeisen, of dat u liever afstand wilde houden.'

De abt knikte. 'Je hebt juist gehandeld. Draag de buitendienst op om dezelfde hoffelijke mate van medewerking te blijven verlenen, in elk geval voorlopig. Het kan zijn dat de kwestie van het lijk van broeder Samuel zichzelf oplost, zonder onze tussenkomst. Als de autoriteiten eenmaal klaar zijn met de lijkschouwing en er geen familieleden komen om het stoffelijk overschot op te eisen, kunnen wij aanbieden om het op te nemen als blijk van mededogen. Op die manier laten we de wereld zien dat we een liefdevolle en zorgzame kerk zijn, bereid om een arme, gekwelde ziel te omarmen die op zo'n eenzame en tragische manier een eind aan zijn leven heeft willen maken. En het brengt broeder Samuel bij ons terug zonder dat we enige verbintenis hoeven te erkennen.'

De abt stond stil en draaide zich om, zijn scherpzinnige, grijze ogen gericht op Athanasius.

'In het licht van wat je zojuist hebt gelezen, moeten we echter wel waakzaam zijn en niets aan het toeval overlaten. Als er iets ongewoons wordt gemeld, wat dan ook, moeten we klaarstaan om het lichaam van broeder Samuel onmiddellijk terug te halen, op welke manier dan ook.' Hij keek Athanasius doordringend aan vanonder zijn borstelige, gefronste wenkbrauwen. 'Als er dan een of ander wonder geschiedt en hij weer tot leven komt, hebben wij hem in elk geval onder onze hoede. Wat er ook gebeurt, we mogen niet toestaan dat onze vijanden zijn lichaam in bezit krijgen.'

'Zoals u wenst,' antwoordde Athanasius. 'Maar als dat wat u me zojuist hebt laten zien het enige overgebleven exemplaar van het boek is, wie zou er dan nog meer op de hoogte moeten zijn van de...' Hij aarzelde, onzeker hoe hij de eeuwenoude woorden die op de leistenen plaat waren gekrast moest noemen. Hij wilde het woord 'profetie' niet gebruiken, want dat zou impliceren dat de tekst de wil van God verwoordde, wat op zichzelf al ketterij zou zijn. 'Wie anders zou er de details van de... voorspelling kennen?'

De abt knikte goedkeurend, tevreden over de behoedzaamheid van zijn kamerheer. Het sterkte hem in zijn overtuiging dat Athanasius de juiste man was om de officiële kant van de situatie af te handelen; hij bezat het benodigde politieke raffinement en de vereiste discretie. De onofficiële kant zou hij zelf op zich nemen.

'We kunnen er niet zomaar op vertrouwen dat het vernietigen van alle boeken en van de mensen die ze in bezit hadden, ook de woorden en de gedachten die erin vervat waren heeft vernietigd,' legde hij uit. 'Leugens zijn net brandnetels. Je kunt ze rooien, hun wortels vergiftigen, ze tot as verbranden – ze vinden toch altijd weer een manier om terug te komen. We moeten er dus van uitgaan dat deze voorspelling, zoals jij het zo wijselijk noemt, onze vijanden in de een of andere vorm bekend is en dat ze zich voorbereiden om ernaar te handelen. Maar maak je niet ongerust, broeder,' zei hij, en legde een hand met het gewicht van een berenklauw op de schouder van Athanasius. 'We hebben in onze lange en kleurrijke geschiedenis veel ergere dingen doorstaan. Nu moeten we gewoon doen wat we altijd hebben gedaan: een stap voor blijven, de brug ophalen en wachten tot de dreiging van buiten zich terugtrekt.'

'En als dat niet gebeurt?' vroeg Athanasius.

De hand op zijn schouder verstrakte. 'Dan moeten we uit alle macht aanvallen.'

29

Met een lang scalpel in zijn hand reikte Bartholomew Reis over het lichaam van de monnik naar een punt boven aan het borstbeen, drukte het stevig omlaag en trok het lemmet door het vlees, helemaal tot het schaambeen, waarbij hij zorgvuldig de streep van het bestaande litteken volgde. Hij maakt de Y-snede af met nog twee diepere sneden vanaf de bovenkant van de eerste, naar de buitenste rand van elk van de beide versplinterde sleutelbeenderen van de monnik. Ten slotte sneed hij huid en spieren weg van de borst en vouwde die open, zodat de verbrijzelde ribben eronder aan het licht kwamen. Op dit punt had hij meestal de chirurgische schaar of de Stryker-zaag nodig om de kooi van bot door te snijden die hart, longen en andere interne organen beschermde, maar de enorme impact van de klap op de grond had het meeste werk al voor hem gedaan. Met het doorsnijden van slechts enkele bindweefselbanden verschafte hij zich toegang tot de borstholte.

'Tik eens voor me op de knop, alsjeblieft,' vroeg Reis met een knikje naar de monitor. 'Ik heb mijn handen vol.'

Arkadian keek naar de bloederige stukken ribbenkast die Reis in zijn handen had en herstartte de opname.

'Oké,' zei Reis; zijn stem klonk weer opgewekt. 'De eerste indruk van de interne organen is dat ze in verbazend goede staat zijn, gezien de klap. De ribben hebben duidelijk hun werk gedaan, al werden ze daarbij vrijwel verbrijzeld.'

Hij legde de ribbenkast op een roestvrijstalen blad en ontleedde met een aantal geoefende incisies in de lichaamsholte het strottenhoofd, de slokdarm en het bindweefsel dat de belangrijkste organen met de ruggengraat verbond, om vervolgens het hele blok er in zijn geheel uit te tillen en in een brede metalen container te leggen.

'De lever vertoont tekenen van bloeding,' zei hij. 'Geen van de belangrijke organen is echter extreem bleek, dus hij is niet leeggebloed. Het slachtoffer is waarschijnlijk overleden aan algeheel orgaanfalen na ernstige verwondingen, wat ik zal bevestigen nadat ik toxicologie en weefsel heb bekeken.'

Hij nam de container mee naar een onderzoekstafel bij de muur en begon geroutineerd lever, hart en longen op te meten en weefselmonsters te nemen.

Arkadian keek omhoog naar de tv in de hoek en werd weer geconfronteerd met het bizarre beeld van de nu in onderdelen voor hem liggende man toen hij nog trots en in de bloei van zijn leven op de top van de Citadel stond. Het waren de opnames die alle zenders nu gebruikten. Hij zag dat de man naar de rand van de berg schuifelde. Omlaag keek. Zich voorover-boog, en toen plotseling uit het zicht verdween. De camera schokte hakkelend omlaag en zoomde uit om de val te kunnen volgen. Het beeld zoomde weer in, vervaagde tot de man weer gevonden was en had vervolgens de grootste moeite om hem binnen het kader te houden. Het effect was hetzelfde als dat van Zapruders film van de moord op Kennedy, of van de opnames van de vliegtuigen die op de Twin Towers in vlogen. Het had iets plechtigs en onthutsend gruwelijks tegelijk. Hij kon zijn blik er niet van losmaken. Op het laatste moment verloor de camera de man weer uit het oog en zoomde net op tijd uit om de voet van de berg te laten zien, waar de mensenmenigte op de wal geschokt terugdeinsde van de plek waar het lichaam de grond had geraakt.

Arkadian sloeg zijn ogen neer. Hij herhaalde de opeenvolging van beelden telkens weer in zijn hoofd, verbond de losse fragmenten van de val van de monnik aan elkaar...

'Het was opzet,' fluisterde hij.

Reis keek op van de digitale weegschaal waarop net het gewicht van de lever van de dode monnik verscheen. 'Natuurlijk was het opzet.'

'Nee, ik bedoel de manier waaróp hij viel. Zelfmoordsprongen zijn meestal vrij simpel. Springers klappen achterover, of ze springen met hun hoofd vooruit en klappen dan voorover.'

'Het hoofd is het zwaarste deel van het lichaam,' zei Reis. 'De zwaartekracht trekt het altijd recht naar beneden – als de val maar lang genoeg duurt.'

'En een val van de top van de Citadel zou ruimschoots lang genoeg moeten zijn. Hij is meer dan driehonderd meter hoog. Maar onze man bleef verticaal – de hele weg naar beneden.'

'Dus?'

'Dus was het een gecontroleerde val.'

Arkadian liep naar het roestvrijstalen blad waarin de monnikspij lag. Hij greep een tang en pelde de stijve stof los tot hij een van de mouwen vond. 'Kijk maar. Die scheuren die je bij de polsen ziet? Die waren voor zijn handen. Daarmee kon hij zijn pij strak langs zijn lichaam trekken, als een soort vleugel.' Hij liet de mouw vallen en doorzocht de afschuwwekkende plooien tot hij de andere scheuren vond, een paar centimeter boven de zoom. 'Daarom viel hij niet met zijn hoofd voorover. Hij is niet zomaar van de berg gesprongen – hij is eraf gevlogen.'

Reis keek naar het verminkte lijk onder de onderzoekslampen. 'Dan moet hij nodig iets aan zijn landingstechniek doen.'

Arkadian negeerde hem en vervolgde zijn nieuwe gedachtegang. 'Misschien dacht hij dat hij de snelheid van zijn val genoeg zou kunnen beheersen om het te overleven. Of misschien...'

Hij zag de monnik weer voor zich: armen gestrekt, lichaam voorovergebogen, hoofd stil, alsof hij zich ergens op concentreerde, alsof hij...

'Mikte.'

'Wat?'

'Ik denk dat hij op een specifiek punt mikte.'

'Waarom zou hij dat in vredesnaam doen?'

Dat was een goede vraag. Waarom zou je ergens op mikken als je toch te pletter viel, waar je ook terechtkwam? Maar sterven was niet zijn voornaamste zorg, dat was lang niet zo belangrijk als... getuigen. 'Hij mikte omdat hij met alle geweld in ons rechtsgebied wilde terechtkomen.'

Reis fronste zijn voorhoofd.

'De Citadel is een staat binnen een staat,' verduidelijkte Arkadian. 'Alles aan hun kant van de slotgracht is hun grondgebied; alles aan deze kant is onze verantwoordelijkheid. Hij wilde er zeker van zijn dat hij aan onze kant van de muur terecht zou komen. Hij heeft dit allemaal zo gewild. Hij wilde een openbaar onderzoek. Hij wilde ons al die sneden op zijn lichaam laten zien.'

'Maar waarom dan?'

'Ik heb geen flauw idee. Maar wat het ook was, hij vond het belangrijk genoeg om ervoor te sterven. Het was letterlijk zijn laatste wens om daar weg te komen.'

'Dus, wat ga je dan doen als er een religieuze hoge piet komt vragen of hij zijn monnik terug mag? Een college geven over jurisdictie?'

Arkadian haalde zijn schouders op. 'Tot dusver hebben ze niet eens toegegeven dat hij er eentje van hen is.'

Hij keek even naar de gapende holte in het lijk van de monnik en naar de chirurgisch nauwkeurige littekens rond zijn nek, bovenarmen en dijen die nog steeds zichtbaar waren. Misschien waren de littekens een soort boodschap en zou degene die het lichaam kwam opeisen weten wat ze betekenden.

Reis haalde een kartonnen doos onder de onderzoekstafel vandaan, startte de opname en begon de maaginhoud van de monnik erin leeg te knijpen. 'Oké,' zei hij. 'De dikke darm bevat heel weinig, het laatste avondmaal van onze vriend was dus kennelijk geen uitgebreid banket. Het ziet ernaar uit dat het laatste wat hij at een appel was, en misschien wat brood een tijdje daarvoor, dat ik ga labelen en voor onderzoek zal opsturen. De maaginhoud lijkt grotendeels onverteerd; dat wijst erop dat zijn spijsverteringssysteem geheel of gedeeltelijk tot stilstand was gekomen, wat weer wijst op een hoge mate van stress voorafgaand aan het overlijden. Wacht eens even,' zei hij, toen er iets verschoof in het glibberige membraan tussen zijn vingers. 'Er zit hier nog iets.'

Arkadian liep naar de tafel toen er iets kleins en donkers in de soep van appelpuree en maagsappen viel. Het zag eruit als een opgerolde reep uitgekookt rundvlees. 'Wat is dat in vredesnaam?'

Reis raapte het op en liep naar de wasbak, duwde met zijn elleboog tegen de lange arm van de kraan en hield het voorwerp onder de waterstraal.

'Het lijkt op een reepje leer,' zei hij terwijl hij het op een blad legde waar een papieren handdoek op lag. 'Het was opgerold, misschien om het gemakkelijker te kunnen doorslikken.' Hij pakte een pincet en begon het open te vouwen.

'Er ontbrak toch een lus voor zijn riem aan zijn pij?' fluisterde Arkadian.

Reis knikte.

'Ik denk dat we die gevonden hebben.'

Reis legde het stukje leer langs een in de schaal geëtste liniaal. Arkadian stuurde nog een foto naar het dossier op de computer. Reis draaide het leer om zodat hij de andere kant kon fotograferen en alle lucht leek uit het vertrek te worden gezogen.

Geen van beiden bewogen ze.

Geen van beiden zeiden ze iets.

Arkadian richtte de camera.

Door de klik van de sluiter ontwaakte Reis uit zijn trance.

Hij schraapte zijn keel.

'Bij het uitrollen en schoonmaken van het leren voorwerp blijkt er iets op gekrast te zijn.'

Hij keek even naar Arkadian voordat hij verderging.

'Twaalf schijnbaar willekeurige cijfers.'

Arkadian bekeek ze; zijn hersens werkten op volle toeren. De combinatie van een slot? Een of andere code? Misschien verwezen ze naar een boek en een vers uit de Bijbel en zouden ze een woord of een zin spellen die de zaak zou verhelderen; misschien betrof het zelfs de identiteit van het Sacrament. Hij keek nogmaals naar de cijfers. 'Ze zijn niet willekeurig,' zei hij toen hij de opeenvolging van links naar rechts las. 'Helemaal niet zelfs.'

Hij keek naar Reis.

'Het is een telefoonnummer,' zei hij.

II

Tegen de vrouw zei hij:
Je zwangerschap maak ik tot een zware last,
Zwoegen zul je als je baart.
Je zult je man begeren,
en hij zal over je heersen.

Genesis 3:16

30

De oerschreeuw echode door het helder verlichte vertrek met een wanhopige, dierlijke klank die niet leek te passen in de strakke, moderne omgeving van het ziekenhuis van New Jersey.

Liv stond in de hoek en zag Bonnies gezicht vertrekken van pijn. Ze was even na twee uur 's nachts uit haar bed gesleurd door de telefoon en had zich met de auto zuidwaarts gehaast op de I-95, samen met alle lege vrachtwagens die New York verlieten. Het was Myron geweest die belde: Bonnies vliezen waren gebroken.

Opnieuw galmde een schreeuw door het vertrek en ze keek naar Bonnie, die naakt op haar hurken zat in het midden van de kamer en vanuit het diepst van haar longen zo hard brulde dat haar gezicht paars werd en de pezen in haar nek opzwollen als hoogspanningskabels. Myron hield haar vast en ondersteunde een van haar armen, terwijl de vroedvrouw de andere vasthield. De schreeuw ebde iets weg en maakte plaats voor het ongerijmde kabbelen van golven op het strand. Die stroomden zachtjes uit een gettoblaster in de hoek.

In het van nicotine verstoken brein van Liv vervormden de zogenaamd rustgevende kustgeluiden zich tot het kwellende gekreukel van cellofaan dat van een vers pakje Lucky Strikes werd gescheurd. Ze snakte naar een sigaret, meer dan ze ooit had gedaan. Dat effect hadden ziekenhuizen altijd op haar. Juist als iets uitdrukkelijk verboden was, werd het voor haar zo goed als onweerstaanbaar. In kerken had ze het ook.

Bonnies geschreeuw steeg weer op; dit keer was het iets tussen kreunen en grommen. Myron streelde haar rug en maakte kalmerende geluiden alsof hij een kind probeerde te sussen na een vreselijke nachtmerrie. Bonnie keerde zich naar hem toe en met een lage stem hijgde ze hees van het schreeuwen een enkel woord: 'Arnica.'

Live greep dankbaar naar haar blocnote om het verzoek te noteren en de tijd waarop het werd gedaan. Arnica was ook bekend als 'valkruid' en werd sinds het begin der tijden gebruikt als plantaardig geneesmiddel. Liv gebruikte het zelf vaak om kneuzingen te behandelen; het werd ook gebruikt om het trauma van een langdurige en pijnlijke bevalling te verlichten. Ze hoopte oprecht dat het zou werken terwijl ze toekeek hoe Myron aan het potje frummelde waar de kleine witte suikerpilletjes in zaten. Het schreeuwen begon weer en steeg in toon toen er weer een wee aankwam.

Neem toch in godsnaam die Pethedine, dacht Liv.

Ze mocht dan een pleitbezorger zijn voor de genezende eigenschappen van planten, ze was beslist geen masochist. Het geschreeuw van Bonnie bereikte een nieuw hoogtepunt en haar hand schoot uit naar Myron, zodat de complete inhoud van het blauwe potje op de glanzende linoleumvloer belandde.

Livs mobiele telefoon rinkelde in haar zak.

Ze tastte door het dikke katoen van haar cargobroek naar de uitknop en drukte er hard op, in de hoop iets te raken voordat de telefoon weer rinkelde. De anderen gaven er niet het minste blijk van dat ze zich nog van haar aanwezigheid bewust waren. Ze viste de telefoon uit haar zak en wierp een blik op het bekraste grijze scherm, verzekerde zich ervan dat hij echt uit stond, en wendde haar aandacht, net op tijd, weer naar het verhaal dat zich in het vertrek ontvouwde.

Bonnies ogen rolden achterover in haar hoofd en haar hoogzwangere gestalte zakte in elkaar op de vloer, ondanks de inspanning die Myron en de vroedvrouw zich getroostten om haar overeind te houden. Instinctief dook Liv naar de noodknop die naast haar hing en trok er zo hard aan als ze kon.

Binnen een paar tellen vulde de kamer zich met verpleeghulpen die als motten om Bonnie heen fladderden, de homeopathische pillen vergruizelend onder hun voeten. Op een brancard die uit het niets verscheen werd ze de kamer uit gereden, weg van Liv en de zachte muziek van de kustlijn, door de gang naar een andere zaal die vol stond met de modernste medicijnen en klinische apparatuur.

31

De afdeling Moordzaken van Ruīn deelde met de afdeling Diefstal een kantoor op de vierde verdieping van een nieuw glazen gebouw, opgetrokken achter de bewerkte stenen gevel van het oorspronkelijke politiebureau. Het kantoor was open en lawaaiig. Mannen in hemdsmouwen zaten op de rand van hun bureau of hingen achterover in hun stoelen terwijl ze luidruchtig in hun telefoons en tegen elkaar praatten.

Arkadian zat aan zijn bureau met een hand tegen zijn oor gedrukt te luisteren naar het bericht op het antwoordapparaat van het nummer dat hij zojuist had gebeld. Een vrouwenstem. Amerikaans. Vol zelfvertrouwen. Direct. Eind twintig, begin dertig. Hij hing op zonder een bericht achter te laten. Berichten achterlaten leverde toch nooit iets op. Je kon het maar het beste blijven proberen tot degene die je belde nieuwsgierig genoeg werd om op te nemen.

Hij legde de hoorn weer op de haak en tikte op de spatiebalk van zijn toetsenbord om de schermbeveiliging uit te schakelen. De foto's van de snijtafel verschenen op zijn monitor. Met zijn ogen volgde hij de nauwkeurig aangebrachte littekens die over het lichaam van de dode monnik kronkelden, vreemde lijnen en kruisen die uiteindelijk één groot vraagteken vormden.

Sinds de lijkschouwing was het mysterie van de identiteit van de monnik alleen maar groter geworden. De Citadel had hem nog steeds niet opgeëist als een van de hunnen, en tot dusver hadden alle gebruikelijke methodes van slachtofferidentificatie niets opgeleverd. Zijn vingerafdrukken waren als onbekend teruggekomen. Hetzelfde gold voor zijn gebit. Zijn DNA was nog steeds bezig aan een tocht door de laboratoria, maar tenzij de dode ooit was gearresteerd voor een seksueel misdrijf, een moord of een terroristische activiteit was het onwaarschijnlijk dat hij in een van die databanken zou opduiken. En zijn baas zette Arkadian onder druk om hem een voortgangsrapport te bezorgen; hij wilde een streep onder de zaak zetten. Dat wilde Arkadian ook, maar hij was niet van plan om de hele affaire onder de mat te schuiven. Die monnik hoorde bij iemand. En het was zijn taak om uit te vinden bij wie.

Hij wierp een blik op de klok aan de muur. Het was middag, even over enen. Zijn vrouw zou net thuiskomen van de school waar ze drie dagen in de week bijsprong. Hij draaide zijn eigen nummer en klikte op de onderste hoek links op zijn computerscherm om een browservenster te openen terwijl hij wachtte tot de telefoon verbinding maakte.

Zijn vrouw nam op bij de derde kiestoon. Ze klonk buiten adem.

'Met mij,' zei Arkadian, terwijl hij 'godsdienst' en 'littekens' intikte in de zoekmachine en op de entertoets drukte.

'Hé,' antwoordde ze, waarbij ze het midden van het woord oprekte op een manier die hem nog steeds trof, twaalf jaar nadat hij het haar voor het eerst had horen doen. 'Kom je zo thuis?'

Arkadian fronste zijn voorhoofd toen de resultaten van zijn zoekopdracht verschenen – alle vierhonderddertigduizend tegelijk.

'Nog niet,' zei hij terwijl hij de eerste pagina omlaag liet scrollen.

'Waarom bel je dan, alleen om me lekker te maken?'

'Ik wilde gewoon je stem even horen. Hoe was het op je werk?'

'Vermoeiend. Probeer jij maar eens om een groep kinderen van negen les te geven. Ik moet zeker honderd keer *Rupsje Nooitgenoeg* hebben voorgelezen. Al was er tegen het eind van de ochtend wel eentje die het volgens mij beter kon dan ik.'

Hij hoorde aan haar stem dat ze glimlachte. Ze was altijd het gelukkigst als ze de ochtend had doorgebracht in een klas vol kinderen. Die wetenschap deed hem echter ook verdriet.

'Klinkt als een betwetertje,' zei hij. 'Volgende keer moet je het hem maar aan de klas laten voorlezen, kijken hoe hij presteert onder druk.'

'Het was een meisje, hoor. Meisjes zijn slimmer dan jongens.'

Arkadian glimlachte. 'Ja, maar uiteindelijk trouwen jullie met ons. Zo slim zijn jullie dus ook weer niet.'

'Maar dan gaan we scheiden en pikken al jullie geld in.'

'Ik heb geen geld.'

'Tja... dan zal het met jou wel goed zitten.'

Hij klikte op een koppeling en scrolde langs afbeeldingen van primitieve stamleden met rauwe rode wonden, gekerfd in donkerbruine huid. Geen ervan kwam overeen met de littekens van de monnik.

'Aan welke zaak ben je bezig?' vroeg ze. 'Iets akeligs?'

'De monnik.'

'Heb je al ontdekt wie hij is, of kun je dat niet vertellen?'

'Ik kan het niet vertellen, omdat ik het niet weet.' Hij klikte terug naar de zoekresultaten en opende een koppeling over stigmata, het onverklaarbare fenomeen waarbij gewone mensen verwondingen vertoonden op de plaatsen waar Christus werd gewond bij zijn kruisiging.

'Dus het wordt laat?'

'Te vroeg om er iets van te zeggen. Ze willen dit snel afgewikkeld hebben.'

'Dat is dus "ja".'

'Dat is dus "waarschijnlijk".'

'O... nou, wees voorzichtig.'

'Ik zit aan mijn bureau te googelen.'

'Kom dan naar huis.'

'Ik kom altijd thuis.'

'Ik hou van je.'

'Ik ook van jou,' fluisterde hij.

Hij keek rond in het kantoor dat gonsde van drukte en lawaai. De meeste aanwezigen op dat moment lagen in scheiding of waren al gescheiden, maar hij wist dat hem dat nooit zou overkomen. Hij was met zijn vrouw getrouwd en niet met zijn baan; en ook al betekende die keuze dat hij nooit de sexy, opvallende zaken op te lossen kreeg waar carrières en reputaties op werden gebouwd, hem kon het niet schelen. Hij zou zijn leven niet willen ruilen voor dat van hen. Bovendien was er iets met deze zelfmoord waardoor hij het idee kreeg dat hij wel eens iets bijzonders te pakken kon hebben. Hij klikte op een willekeurige website over stigmata en begon te lezen.

De site was nogal academisch en dicht bedrukt met droge tekst, slechts hier en daar onderbroken door een sappige foto van bloedende handen of voeten, al kwamen die niet overeen met de littekens die hij op de monnik had aangetroffen.

Hij zette zijn bril af en wreef over de groeven die achterbleven aan de zijkanten van zijn neus als hij hem te lang droeg, wat elke werkdag het geval was. Hij wist dat hij eigenlijk moest doorwerken aan zijn andere zaken in afwachting van nieuws van de Citadel, of tot de Amerikaanse vrouw haar telefoon opnam, maar de zaak van de monnik had hem al in zijn greep: het klaarblijkelijk openbare martelaarschap, de ritualistische littekens, het feit dat de monnik officieel niet leek te bestaan.

Nadat hij het zoekvenster had afgesloten, besteedde hij twintig minuten aan het invoeren van de paar feiten die hij had verzameld en zijn eerste ideeën en observaties daarbij. Toen hij daarmee klaar was, las hij zijn aantekeningen door en zocht vervolgens tussen de autopsiefoto's tot hij de foto vond die hij zocht.

Hij keek nog eens naar de dunne reep leer op de schaal, de twaalf ruw ingekraste cijfers helder zichtbaar in het felle licht van de cameraflits. Hij sloeg het nummer op in zijn mobiele telefoon, sloot het dossier, greep zijn jasje van de rugleuning van zijn stoel en liep de deur uit. Hij had frisse lucht nodig en iets te eten. Als hij in beweging was, kon hij beter denken.

Twee verdiepingen lager, in een kantoor vol hoog opgestapelde oude archiefdozen, tikte een bleke, sproetige hand een gehackte beveiligingscode in de computer van een administratief medewerker met wisseldiensten, die pas over een paar uur zou verschijnen.

Na een korte pauze kwam de monitor met een flits tot leven; het donkere kantoor baadde in het koude licht dat hij uitstraalde. Er gleed een pijltje over het scherm dat het icoontje van de server vond en openklikte. Een vinger streelde het wieltje van de muis en scrolde langs de bestanden in de directory tot de eigenaar ervan vond wat hij zocht. Hij reikte onder het bureau en plugde een geheugenstick in de voorkant van de desktopcomputer. Op het bureaublad verscheen een nieuw icoon. De man sleepte het dossierbestand van de monnik naar het icoon en keek toe tijdens het kopiëren van de inhoud – het autopsierapport, de foto's, het audiocommentaar, de aantekeningen van Arkadian.

Alles.

32

Liv Adamsen leunde tegen de ruwe stam van de eenzame cipres die aan het grasveld voor het ziekenhuis ontsproot. Ze keek omhoog en blies lange, opgeluchte stromen sigarettenrook naar de overhangende takken. Door het bladerdak heen zag ze een groot verlicht kruis boven op het gebouw, als een verwrongen maan aan de langzaam opklarende hemel. Een van de tl-buizen was kapot en in het onregelmatig knipperende licht zag ze iets vochtigs glinsteren op de bast, een paar centimeter boven haar hoofd. Ze stak haar hand uit en raakte het voorzichtig aan. Toen ze hem terugtrok, was hij kleverig en rook naar het bos. Boomsap, en behoorlijk veel – veel te veel om nog gezond te zijn.

Ze ging op haar tenen staan om de bron van het sap te bekijken. In de boomstam onderscheidde ze een reeks inkepingen en barsten in de bast. Het leek op seiridiumkanker, een veelvoorkomende schimmel bij dit soort bomen, ongetwijfeld veroorzaakt door de lange, droge, ijskoude winter. Ze had hetzelfde opgemerkt bij de *Leylandii* in de tuin van Bonnie en Myron. Door de steeds warmere zomers verdroogde de grond en verzwakten de wortelstelsels. In periodes van felle koude konden deze kankersoorten en andere vormen van verrotting zelfs de sterkste bomen in hun dodelijke greep krijgen. Je kon de kanker eruit snijden als je er vroeg genoeg bij was, maar zo te zien was deze boom al te ver heen.

Liv legde haar hand voorzichtig op de stam en ademde de rook van haar sigaret diep in. De geur van het sap op haar vingers vermengde zich met die van de rook. Voor haar geestesoog zag ze de cipres branden, de takken kronkelden en werden zwart, hongerige vlammen likten aan het rode sap dat borrelde en siste. Ze keek naar de stille parkeerplaats om te zien of ze nog alleen was, geschrokken van de beelden die haar verbeeldingskracht haar voorspiegelde. Ze weet het aan haar eigen kwetsbare emotionele toestand in combinatie met de uitputting van het bijwonen van een 'natuurlijke' bevalling waar een ruw einde aan was gemaakt toen mannen in witte jassen Bonnie gezwind afvoerden naar een wachtende vacuümpomp. Gelukkig waren de baby's – een jongen en een meisje – allebei gezond en wel. Het was niet helemaal het verhaal dat Liv van plan was geweest te schrijven, maar ze nam aan dat het zou voldoen. Het was in elk geval dramatisch genoeg. Ze dacht terug aan het moment waarop ze aan de noodknop had getrokken.

Toen herinnerde ze zich het telefoongesprek.

Ze had deze mobiele telefoon al jaren. Hij was zo oud dat ze er nauwelijks een sms-bericht mee kon versturen, laat staan dat ze er een foto mee kon maken of op het internet kon surfen. Er waren maar weinig mensen die wisten dat ze hem had. Nog minder mensen kenden het geheime nummer. Terwijl ze wachtte tot de telefoon eindelijk opstartte, somde ze in gedachten de uiterst beknopte lijst op van mensen die het nummer wel hadden.

Liv had haar 'thuis en onderweg'-systeem opgezet toen ze pas begonnen was op de misdaadafdeling. Voor haar allereerste opdracht had ze een bijzonder gladde advocaat moeten opsporen en interviewen, die een nog gladdere plaatselijke projectontwikkelaar vertegenwoordigde, die door de staat werd vervolgd vanwege beschuldigingen van omkoperij in verband met bouwvergunningen. Ze had bij de advocaat een telefoonnummer achtergelaten om haar terug te bellen. Helaas was zijn cliënt degene die haar terugbelde. Toen ze opnam, zat ze met een snoeizaag in haar handen halverwege de top van een kersenboom. De kracht van zijn scheldkanonnade blies haar bijna uit de boom, maar ze was naar de keuken gelopen om pen en papier te pakken en had alles opgetekend wat hij zei, woord voor woord. Het hele incident en de directe citaten die eruit voortkwamen vormden de hoeksteen van het vernietigende artikel dat ze vervolgens had geschreven.

Van dat incident had ze twee waardevolle lessen geleerd. Ten eerste om nooit bang te zijn om zichzelf in het verhaal te zetten, als dat de beste manier was om het te vertellen, en ten tweede, om selectiever zijn in wie ze haar telefoonnummer gaf. Ze kocht een nieuwe telefoon die ze alleen voor haar werk gebruikte. Haar oude, voorzien van een nieuwe simkaart en een nieuw nummer, bleef daarna uitsluitend gereserveerd voor vrienden en familie. En die lag nu trillend in haar hand na het afronden van zijn opstartprogramma. Ze tuurde op het scherm. Ze had maar één oproep gemist. Er stonden geen berichten te wachten.

Ze drukte op de menuknop en klikte door naar haar gemiste oproepen. Degene die haar gebeld had, had dat vanaf een onbekend nummer gedaan. Liv fronste haar wenkbrauwen. Voor zover zij zich kon herinneren, stond iedereen die haar nummer kende met naam en toenaam in haar adresboek; elk nummer zou dus automatisch herkend moeten worden. Ze nam nog een laatste haal van haar sigaret, drukte hem onder haar hak uit tussen de vochtige dennennaalden en wandelde terug naar het ziekenhuis om afscheid te nemen van de mensen die haar human interest verhaal bevolkten.

33

De kerk die de ene kant van het grote plein in de oude stad besloeg, was 's middags altijd het drukst. Hij leek de menigte op te vegen die de hele ochtend door de smalle keistenen straatjes had gedrenteld, de blik omhooggericht naar de Citadel. Bij binnenkomst in het koude, monolithische interieur werden bezoekers onmiddellijk geconfronteerd met het antwoord op hun onuitgesproken gebeden: rijen en rijen kerkbanken van gewreven eikenhout die, kosteloos, een welkome zitplaats boden om na te denken over het leven, het universum en hoe onverstandig de keuze van hun schoeisel die dag wel niet was geweest. Het was een volledig functionerende kerk; er werden diensten gehouden, eenmaal daags, twee keer op zondag; wie er behoefte aan had kon ter communie gaan en voor wie het nodig had, was er de biechtstoel.

In dit gedrang begaf zich een man, die zijn pas even vertraagde om zijn honkbalpet af te zetten in een half vergeten gebaar van eerbied, en om zijn ogen te laten wennen aan de schemering na het door de zon gebleekte daglicht in de straten. Hij had een hekel aan kerken – hij werd er kriegel van – maar zaken waren zaken.

Hij baande zich een weg door kluitjes toeristen die zich vergaapten aan de reusachtige zuilen, de gebrandschilderde ramen en het steenwerk in de bogen van de lichtbeuken – alle ogen ten hemel geheven, zoals de architecten dat hadden bedoeld. Niemand keurde hem een blik waardig.

Hij bereikte de verste hoek van de kerk en onmiddellijk verzuurde zijn humeur. Op de bank naast een reeks dichtgetrokken gordijnen zat een hele rij mensen. Even overwoog hij om voor te dringen, maar hij wilde geen risico lopen door aandacht op zichzelf te vestigen, dus ging hij naast de laatste zondaar in de rij zitten tot een schuldbewust ogende buitenlander hem op de schouder tikte en naar een lege biechtstoel wees.

'Het is al goed,' stamelde hij zonder oogcontact te maken met een gebaar naar de hoek. 'Ik wil die aan het eind.'

De toerist keek verbaasd.

'Nee, echt. Ik ben nogal kieskeurig wat mijn biechthokjes betreft.'

De man bleef vastberaden op de bank zitten. Normaal gesproken brachten zijn freelanceopdrachten hem naar donkere hoeken van bars of parkeerplaatsen. Het was onwennig om nu in een kerk te werken. Hij zag nog twee zondaars tevoorschijn komen voordat de biechtstoel die hij hebben moest eindelijk beschikbaar was. De laatste was amper uit de nis tevoorschijn gekomen toen hij al opstond en erin verdween. Hij rukte het gordijn achter zich dicht en ging zitten.

Het was er krap en donker en het rook er naar wierook, zweet en angst. Aan zijn rechterkant zat een klein, vierkant rooster in een houten paneel, net niet op ooghoogte.

'Wilt u biechten?' vroeg een gedempte stem bemoedigend.

'Misschien,' antwoordde hij. 'Bent u broeder Peacock?'

'Nee,' antwoordde de stem. 'Moment, alstublieft.'

De man aan de andere kant van het rooster stond op en vertrok.

Onder het wachten luisterde de man naar het gefluister van toeristen en het klikken van camera's, geluiden die hem in de oren klonken als de ritselpootjes van scharrelende insecten. Aan de andere kant van het rooster hoorde hij iemand bewegen.

'Ik ben de afgezant van broeder Peacock,' verklaarde een lage stem.

De man boog zich voorover. 'Vergeef mij, want ik heb gezondigd.'

'En wat wilt u biechten?'

'Ik heb iets meegenomen van mijn werk, iets wat mij niet toebehoort, iets wat volgens mij een medebroeder van uw kerk betreft.'

'Heeft u het bij zich?'

Een bleke, met sproeten bezaaide hand haalde een kleine witte envelop uit een binnenzak.

'Ja, ik heb het hier,' zei hij.

'Mooi. U begrijpt dat de biecht ten doel heeft zondaars die beladen met hun zonden binnenkomen in Gods huis bevrijd van die last weer te laten vertrekken?'

De man glimlachte. 'Dat begrijp ik.'

'Uw zonde is niet ernstig. Als u uw hoofd buigt voor God, denk ik dat u de vergiffenis zult vinden die u zoekt.'

Onder het rooster ging een luikje open. Hij schoof de envelop erdoor en voelde een rukje toen die werd aangepakt. Even bleef het stil. Hij hoorde dat de envelop werd geopend en geïnspecteerd.

'Is dit alles wat u heeft meegenomen?'

'Alles wat er ongeveer een uur geleden mee te nemen was.'

'Mooi. Zoals ik al zei, uw zonde is niet ernstig. Ik zegen u in de naam van de Vader, de Zoon en de Heilige Geest. Beschouw uw zonden als vergeven – op voorwaarde dat u een vriend van de kerk blijft. Buig nog eenmaal uw hoofd voor God opdat hij zijn trouwe dienaar kan belonen.'

De man zag een andere envelop door het luik gestoken worden. Hij pakte hem aan. Het luik schoof dicht en de onbekende die aan de andere kant had gezeten, vertrok even snel als hij gekomen was. In de envelop bevond zich een dik pak ongesigneerde reischeques van honderd dollar. Zo betaalden ze hem altijd, en de handigheid ervan ontlokte hem een glimlach. Als hij was gevolgd – wat volgens hem niet zo was – kon hij aannemelijk maken dat een toerist ze per ongeluk had achtergelaten. Ze waren ook niet na te trekken; waarschijnlijk had iemand ze met een vals identiteitsbewijs gekocht bij een van de vele wisselkantoren in de oude stad.

Hij stopte de envelop in zijn zak en glipte het biechthokje uit, langs de geduldig wachtende rij, zonder iemand aan te kijken tot hij de kerk ver achter zich had gelaten.

34

Vijf minuten nadat de afgezant van broeder Peacock de man met de sproetige handen absolutie had verleend, werd de envelop aan de voet van de tiendenmuur aan de beschaduwde noordkant van de berg in een mand gelegd, naast twaalf dode kippen en acht pond ham, die vervolgens aan een slingerend touw werd opgetakeld tot hij uit het zicht verdween.

Athanasius veegde het glimmende zweet van zijn schedel toen hij de reftermonniken de mand zag binnenhalen. Hij haalde de envelop eruit voordat hij samen met de rest van de inhoud van de mand in de grote koperen kookpot kon verdwijnen. Athanasius was meer dan een halve kilometer afgedaald door gangen en langs trappen om bij de tiendengrot te komen. Toen hij de envelop eenmaal in handen had, draaide hij zich vermoeid om en liep meteen weer terug naar boven, naar de barokke weelde van de privévertrekken van de abt.

Athanasius hijgde tegen de tijd dat de vergulde deur zich achter hem sloot. De abt greep de envelop en scheurde hem gretig open, in gespannen afwachting van de informatie erin. Hij beende naar een secretaire tegen de muur bij het gebrandschilderde raam en klapte de voorkant open, waarachter een gestroomlijnde moderne laptop zichtbaar werd.

Met een paar muisklikken opende de abt het bestand dat inspecteur Arkadian nog geen uur geleden had afgesloten. Weer keek hij verstoord naar het gezicht van broeder Samuel, bleek en spookachtig in het schelle licht van de sectieruimte. 'Ik vrees dat het lijk opmerkelijk weinig beschadigd is door de val,' zei hij terwijl hij snel door de eerste paar foto's scrolde.

Athanasius huiverde toen hij de ribben door het verpletterde lichaam van zijn vroegere vriend zag steken. Tot zijn opluchting verdwenen de gruwelijke beelden toen de abt een tekstbestand opende en begon te lezen. Bij het lezen van de laatste aantekeningen klemde hij zijn tanden op elkaar.

Wie deze man ook was, hij koos ervoor om te vallen. Hij wachtte tot hij getuigen had en zorgde dat hij in het rechtsgebied van de stad viel. Was die wake voorafgaand aan zijn dood een teken? En zo ja, een teken voor wie – en welke boodschap wilde hij ermee overbrengen?

De abt volgde de gedachtegang van de inspecteur, een gedachtegang die hem gevaarlijk dicht bij verboden terrein bracht.

'Ik wil dat de informant die ons dit bestand heeft bezorgd ons op de hoogte blijft houden.' De abt sloot het bestand met aantekeningen af en opende een andere map met de naam *Aanvullend Bewijs*. 'Als er een nieuwe ontdekking of een nieuwe ontwikkeling is, wil ik het meteen weten.'

Hij klikte op een fotobestand en zag het scherm zich vullen met een diavoorstelling van close-ups en ander bewijs met betrekking tot de zaak: het opgerolde touw, de van bloed doordrenkte pij, rotsfragmenten die uit het gehavende vlees van de handen en de voeten van de monnik waren gehaald, een reepje leer op een roestvrijstalen blad...

'En stuur iemand naar de prelaat,' zei de abt ernstig. 'Laat hem weten dat ik een particuliere audiëntie nodig heb zodra Zijne Heiligheid gezegend is met voldoende kracht om mij die te vergunnen.'

Athanasius kon niet zien wat de abt zo van zijn stuk had gebracht, maar uit zijn toon bleek duidelijk dat hij kon gaan.

'Zoals u wilt,' zei hij, en verliet achterwaarts en met gebogen hoofd het vertrek.

De abt bleef naar de afbeelding staren tot hij de deur achter zich hoorde sluiten. Na te hebben vastgesteld dat hij inderdaad alleen was, stak hij zijn hand in de voorkant van zijn pij en trok een leren band tevoorschijn die om zijn hals hing. Er bungelden twee sleutels aan – een grote en een kleinere. Hij bukte zich naar de onderste lade van het bureau en stak de kleinste sleutel in het slot. Binnenin lag een mobiele telefoon. De abt schakelde hem in terwijl hij nogmaals naar het beeld op zijn monitor keek.

Hij toetste de cijfers in in de telefoon, vergeleek ze met die op de foto en drukte op de belknop.

35

Liv reed langzaam terug over de I-95, samen met ongeveer tienduizend andere mensen, toen haar mobiel begon te trillen.

Ze wierp een blik op het scherm. De identiteit van de beller werd afgeschermd. Ze liet hem weer op de stoel vallen en wendde haar blik naar het traag voortbewegende verkeer. De telefoon zoemde nog een paar keer en viel toen stil. Omdat ze voor haar gevoel al een week wakker was, wilde ze nu alleen nog maar naar huis en naar bed.

Het zoemen begon vrijwel onmiddellijk opnieuw – te snel om afkomstig te zijn van de telefonische boodschappendienst die terugbelde. Degene die gebeld had, wie het dan ook mocht zijn, moest meteen op de herhaalknop hebben gedrukt toen de voicemail aansloeg. Liv keek naar de stroom van rode remlichten die kronkelend in de verte voor haar verdween. Voorlopig kwam ze hier toch niet weg, dus reed ze haar auto de berm in, zette hem op de handrem, schakelde de motor uit en de alarmlichten aan, greep de telefoon en drukte op de antwoordknop.

'Hallo?'

'Hallo.' De stem aan de andere kant van de lijn klonk mannelijk, onbekend en wat ruw, met een zweem van een accent. 'Met wie spreek ik?'

Livs voelsprieten gingen overeind staan. 'Wie probeert u te bereiken?'

Het bleef even stil.

'Dat weet ik eigenlijk niet precies,' zei hij. 'Mijn naam is Arkadian. Ik ben een politie-inspecteur en ik probeer een man te identificeren die gevonden werd met dit telefoonnummer bij zich.'

Liv beschouwde zijn antwoord met haar journalistenverstand en woog ieder woord. 'Aan welke afdeling bent u verbonden?'

'Moordzaken.'

'Dan neem ik aan dat u een dader hebt die niet wil praten, of een slachtoffer dat daar niet meer toe in staat is.'

'Dat klopt.'

'Welke van de twee?'

Hij zweeg even. 'Ik heb een ongeïdentificeerd lichaam. Het betreft kennelijk een zelfmoord.'

Livs hart sloeg een slag over. Ze telde welke mannen uit haar kennissenkring dit nummer hadden: Michael, haar ex-vriend, hoewel ze hem niet echt het type vond om zelfmoord te plegen. Haar vroegere hoogleraar, maar die was op vakantie met een nieuwe vriendin van ongeveer twintig jaar jonger dan hij – en dus zeker niet suïcidaal.

'Hoe oud is... was die man?'

'Eind twintig, misschien voor in de dertig.'

Beslist niet haar hoogleraar.

'Het lichaam heeft een aantal opvallende kenmerken.'

'Wat voor kenmerken?'

'Nou...' De stem haperde, alsof hij afwoog of hij nog wel meer moest prijsgeven.

Liv wist uit ervaring hoe onwillig politieagenten waren om informatie te geven.

'U zei toch dat dit een zelfmoord betrof?'

'Inderdaad.'

'Dan is het dus geen moord waarover u informatie moet achterhouden om valse bekentenissen te kunnen herkennen, is het wel?'

Weer een pauze. 'Nee.'

'Waarom vertelt u me dan niet gewoon wat u voor opvallende kenmerken heeft gevonden? Dan vertel ik u of ik weet wie het is.'

'U schijnt goed op de hoogte te zijn van de gang van zaken, juffrouw...?'

Nu was het Livs beurt om te haperen. Tot dusver was ze erin geslaagd niets prijs te geven, terwijl de beller zijn naam, zijn beroep en het doel van zijn telefoontje had onthuld. Het gekraak van de internationale verbinding benadrukte de stilte. 'Waar belt u vandaan, inspecteur?'

'Ik bel vanuit de stad Ruīn, in het zuiden van Turkije.' Dat verklaarde de krakende verbinding en het accent. 'U bent in de Verenigde Staten, niet-waar? New Jersey. Daar staat uw nummer althans geregistreerd.'

'U heeft het duidelijk niet voor niets tot inspecteur geschopt.'

'New Jersey is toch de *Garden State*?'

'Klopt.'

De lijn begon weer te kraken. Arkadians poging om het ijs te breken met prietpraat had duidelijk geen effect. Hij probeerde het op een andere manier. 'Oké,' zei hij. 'Ik zal het goed met u maken. U vertelt me wie u bent, dan vertel ik wat we op het stoffelijk overschot voor opvallende kenmerken hebben gevonden.'

Liv knaagde op haar onderlip en overwoog haar opties. Ze wilde haar naam eigenlijk niet geven, maar ze was nieuwsgierig en ze wilde echt weten wie er had rondgelopen met haar uiterst persoonlijke telefoonnummer, en nu in een mortuarium op tafel lag. Er klonk gepiep in haar oor. Ze keek even naar het grijze scherm. Boven de woorden BATTERIJ BIJNA LEEG knipperde een driehoekje met een uitroepteken erin. Normaal gesproken had ze dan nog ongeveer een minuut voordat het apparaat helemaal afsloeg, soms nog minder.

'Mijn naam is Liv Adamsen,' flapte ze eruit. 'Vertel me over de kenmerken.'

Ze hoorde een flauw en gekmakend traag getik ten teken dat haar naam in de computer werd ingetypt.

'Littekens...' zei de stem uiteindelijk.

Ze wilde net nog een vraag stellen toen de vloer onder haar wegviel.

Eind twintig, begin dertig...

Haar linkerhand bewoog zich onwillekeurig naar haar zij. 'Had het lichaam... heeft hij een litteken in zijn rechterzij, ongeveer vijftien centimeter lang... dat op een gekanteld kruis lijkt?'

'Ja,' zei de stem zacht, geoefend in mededogen. 'Ja, dat klopt.'

Liv staarde voor zich uit. De I-95 en het ochtendverkeer dat Newark binnenkroop waren uit het beeld verdwenen en vervangen door het gezicht van een knappe, slordige jongen met lang, vaalblond haar op de Bow Bridge in Central Park.

'Sam,' zei ze zachtjes. 'Hij heet Sam. Samuel Newton. Hij is mijn broer.'

Een ander beeld verscheen voor haar ogen: Sam met de laaghangende voorjaarszon achter zich die lange schaduwen wierp over het asfalt van de internationale luchthaven van Newark. Boven aan de trap van het vliegtuig dat hem naar de bergketens van Europa zou brengen, stond hij stil. Hij verschoof de tas met al zijn wereldse bezittingen erin op zijn schouder en draaide zich om om te zwaaien. Dat was de laatste keer dat ze hem had gezien.

'Hoe is hij gestorven?' fluisterde ze.

'Hij is gevallen.'

Ze knikte bij zichzelf terwijl het beeld van de stralende jongen vervaagde en de glitterende rode rivier van de snelweg zijn plaats innam. Dat was wat ze altijd al had gedacht dat er gebeurd was. Toen herinnerde ze zich iets anders dat de inspecteur haar had verteld.

'U zei dat het zelfmoord was?'

'Ja.'

Er kwamen meer herinneringen boven. Verdrietige herinneringen die haar ziel bezwaarden en nieuwe tranen in haar ogen bracht. 'Hoe lang denkt u dat hij al dood is?'

Het bleef even stil voordat Arkadian antwoordde. 'Het is vanmorgen gebeurd... plaatselijke tijd.'

Vanmorgen? Al die tijd was hij nog in leven geweest...

'Als u wilt kan ik uw plaatselijke politiebureau bellen, wat foto's sturen en u door iemand laten ophalen om het stoffelijk overschot officieel te identificeren.'

'Nee!' snauwde Liv.

'Ik ben bang dat iemand hem zal moeten identificeren.'

'Ik bedoel dat u geen foto's hoeft te sturen. Ik kan er over... misschien twaalf uur zijn.'

'Heus, u hoeft niet hierheen te komen om hem te identificeren.'

'Ik zit al in de auto. Ik rijd meteen naar het vliegveld.'

'Dat is echt niet noodzakelijk.'

'Ja, dat is het wel,' zei ze. 'Het is noodzakelijk. Mijn broer is acht jaar geleden verdwenen. En nu vertelt u me dat hij tot een paar uur geleden nog in leven was. Ik móét komen... ik moet weten wat hij verdomme heeft gedaan al die...'

Toen was haar batterij leeg.

36

De man met de sproetige handen zat in het café en deed alsof hij het sportkatern van de krant las. Het was er druk en hij was er maar net in geslaagd om een tafel te bemachtigen aan de rand van de verkoelende schaduw die de markies over de stoep wierp. Hij zag de zon langzaam over het witte linnen tafelkleed naar hem toe kruipen en schoof zijn stoel achteruit.

Vanwaar hij zat, kon hij de Citadel zien oprijzen in het midden van zijn uitzicht; het was bijna alsof de berg naar hem keek. De aanblik maakte hem onrustig. Zijn achtervolgingswaan was niet geheel ongegrond. Bijna zodra hij de reischeques had gestort op een rekening van de First Bank of Ruīn die niemand anders kende, had hij twee nieuwe berichten ontvangen. Het eerste kwam van iemand met wie hij een paar keer zaken had gedaan en behelsde een verzoek om dezelfde informatie die hij zojuist had verkocht. Het tweede kwam van zijn contactpersoon in de Citadel, met het aanbod om royaal te betalen voor zijn duurzame loyaliteit en geregelde updates. Dit bleek een bijzonder lucratieve ochtend te worden. Toch voelde hij zich wel enigszins ongemakkelijk bij het idee dat hij geld aannam voor 'duurzame loyaliteit' nu hij hier, in het volle zicht van de Citadel, op het punt stond om dezelfde informatie aan iemand anders te verkopen.

Hij keek even op van zijn krant en gebaarde naar de kelner om de rekening. Het was vreemd dat juist deze zaak voor zoveel mensen van zoveel belang bleek. Het was geen moord of een seksuele affaire, het soort zaken waar hij meestal het beste aan verdiende. De kelner liep haastig langs en zette in het voorbijgaan een schoteltje op tafel met de rekening, gevangen onder een pepermuntje. Hij had alleen een kop koffie gedronken maar hij trok zijn portemonnee, koos een van zijn creditcards en legde die op de plaats van het pepermuntje, dat hij in zijn mond stopte. Hij legde zijn krant op het wit linnen tafelkleed, streek hem glad en voelde de kleine bult erin. Terwijl de kelner de krant en het schoteltje oppakte zonder zijn pas in te houden, leunde de man achterover in zijn stoel en keek opzij, als een gewone toerist die van het mooie weer genoot.

De zon kroop steeds hoger aan de hemel en de man schoof zijn stoel steeds verder naar achteren. Het zou wel over seks gaan. Hij had zelf even een blik op de bestanden geworpen toen hij ze de eerste keer kopieerde, en er was beslist iets buitenissigs aan de hand, aan al die littekens te zien. Hij gokte op iets bizars dat die heilige kerels wilden verbergen.

Hij wist ook dat de andere partij aan wie hij informatie verkocht geen genegenheid koesterde voor de Citadel of zijn bewoners. De informatie die hij hun eerder had bezorgd vormde daarvan het bewijs. Een paar jaar geleden had hij het dossier over het schandaal van die pedofiele priester aan hen verkocht, een andere keer had hij namen en telefoonnummers doorgespeeld van belangrijke getuigen bij een fraudeonderzoek naar een aantal met de kerk verbonden liefdadigheidsorganisaties. Hij vermoedde dat dit net zoiets betrof. Ze probeerden waarschijnlijk zo veel mogelijk te weten te komen om de vlammen van een nieuw schandaal flink te kunnen aanwakkeren en die heilige boontjes daar op de heuvel in grote verlegenheid te brengen. Voor hem was dat allemaal goed nieuws. Een lekker sappig seksschandaal met een religieuze invalshoek zou het goed doen in de roddelkranten – en die betaalden het beste van allemaal.

Met een schampere uitdrukking op zijn gezicht keek hij weer op naar de berg. Als zij dom genoeg waren om hem een bonus te geven voor zijn loyaliteit, was dat hun eigen schuld. Misschien werkte die manier van denken daarboven, waar mensen geloofden in het grootse hiernamaals, maar in de echte wereld telde alleen het hier en nu. Hij was ook niet van zins om ze binnenkort een update te geven. Grote bestanden bij ze afleveren was veel te veel gedoe. Hij was niet te beroerd om de hoofdpunten per sms door te sturen via het nieuwe nummer dat ze hem hadden gegeven; dat was tenminste een stap in de goede richting. Maar hij was die heilige berg vandaag al een keer op geklommen met een USB-stick; die update kon mooi tot morgen wachten. Ze betaalden hem toch wel.

De kelner kwam weer langslopen en zette nonchalant het schoteltje terug op tafel met de creditcard onder het bonnetje. De man pakte hem op en borg hem weer op in zijn portefeuille. Hij hoefde niets te tekenen en geen pincode in te toetsen; zijn koffie was betaald en bovendien was er zojuist duizend dollar op zijn rekening bijgeschreven. Hij knoopte zijn jack dicht en met een laatste nerveuze blik op de wolkeloze hemel zette hij zijn pet op, verliet het caféterras en verdween in de menigte.

Kathryn Mann zat vier tafeltjes achter hem, waar de schaduw van de markies het diepst was. Ze zag de informant wegschuifelen tussen de voetgangers op de grote oostelijke boulevard, zijn honkbalpet en zijn regenjack misplaatst in het felle zonlicht. De kelner verscheen en legde haar rekening op tafel, samen met de krant. Ze stopte hem in haar tas en voelde de envelop erin opbollen. Toen betaalde ze de rekening met contant geld, aangevuld met een buitensporige fooi, en vertrok in tegengestelde richting.

37

In de grote stalen doos met ramen van de luchthaven Newark Liberty – terminal C – nam Liv voorzichtige slokjes van een beker, of liever gezegd een emmer zwarte koffie. Ze staarde naar het bord met vertrektijden. Haar vlucht was nog niet aan de beurt.

Zodra haar telefoon was uitgevallen was ze zo snel als het spitsverkeer toeliet naar huis geracet en had een plaats gereserveerd op de eerstvolgende vlucht naar Europa. De eerste vlucht van haar reis vertrok om tien voor halfelf, wat haar net genoeg tijd bood om een paar dingen in een weekendtas te proppen, haar werktelefoon en oplader te grijpen en in een taxi te springen.

Onderweg verwisselde ze de simkaarten van haar telefoons. Ze zag dat Arkadian een lang bericht had ingesproken, in een nieuwe poging om haar van een reis naar Turkije te weerhouden. Hij had zijn vaste en zijn mobiele nummer achtergelaten met het verzoek om terug te bellen. Ze sloeg het bericht op en keek de hele weg naar het vliegveld uit het raampje van de taxi. Ze zou hem terugbellen. Als ze uit het raam van een Turkse taxi keek, onderweg naar zijn kantoor, zou ze hem terugbellen.

Pas toen ze eindelijk was ingecheckt was de adrenaline uitgeput, en zij ook. Ze wist dat ze zou kunnen slapen zodra ze in het vliegtuig zat, voor zover dat althans mogelijk was in de economyclass, maar eerst moest ze lang genoeg wakker zien te blijven om op het vliegtuig te stappen – vandaar de gigantische beker koffie.

Haar telefoon trilde in haar zak. Ze haalde hem uit haar jasje en bekeek de nummerweergave. Onbekend. Ze had hem uit moeten zetten. Nu kreeg ze de inspecteur met nog meer vragen, of met nog meer argumenten om haar ervan te overtuigen dat ze beter weg kon blijven. Ze zuchtte vermoeid, snakte ineens naar een sigaret en drukte op de groene antwoordknop om een einde te maken aan het helse gezoem.

'Hallo,' zei ze.

'Hallo,' antwoordde een zware stem.

Het was de inspecteur niet.

'Met wie spreek ik?'

Het bleef heel even stil, een stilte waardoor ze zelfs in haar van slaap verstoken en door koffie overspannen toestand meteen op haar hoede was. Bij haar weten waren de enige mensen die aarzelden als je naar hun naam vroeg, mensen die je dat niet wilden vertellen.

'Ik ben een collega van inspecteur Arkadian,' zei de donkere stem. Hij had hetzelfde accent als Arkadian, maar hij klonk ouder, gezaghebbender.

'Bent u zijn baas?' vroeg ze.

'Een collega. Heeft hij al contact met u gehad?'

Liv fronste haar wenkbrauwen. Waarom zou de ene agent de andere controleren via een getuige? Zo werkte dat niet. Ze overlegden met elkaar, niet met buitenstaanders.

'Waarom vraagt u hem dat niet zelf?' zei ze.

'Hij is al een paar uur niet op kantoor,' antwoordde de stem. 'Daarom dacht ik dat ik u zelf maar moest proberen te bereiken. Ik neem aan dat u hem gesproken heeft.'

'We hebben elkaar gesproken.'

'Wat heeft u besproken?'

Haar voelsprieten bleven overeind. Deze nieuwe man klonk helemaal niet als een politieagent, niet zoals zij ze kende in elk geval. Maar misschien kweekten ze daar een ander soort.

Een luide aankondiging echode door de terminal: haar vluchtnummer werd afgeroepen. Met toegeknepen ogen tuurde ze naar het vertrektijdenbord. Haar vlucht stond bij gate 78, ongeveer zo ver weg als maar enigszins mogelijk was zonder in een aangrenzende staat terecht te komen.

'Luister eens,' zei ze, terwijl ze zich vermoeid overeind hees en haar weekendtas pakte. 'Ik heb vrijwel niet geslapen, ik heb ongeveer twee liter koffie op, en ik heb net heel slecht nieuws gekregen, dus ik ben niet bepaald in een gezellig humeur. Als je informatie wilt over mijn eerdere gesprek, vraag je dat maar aan Arkadian. Ik weet zeker dat zijn geheugen even goed is als het mijne, en op dit moment waarschijnlijk zelfs een heel stuk beter.'

Ze hing op en drukte op de uitknop voordat de telefoon opnieuw kon gaan rinkelen.

38

Zodra Liv had opgehangen, beval de abt Athanasius om het persoonlijke dossier van broeder Samuel uit de bibliotheek te halen. Hij vroeg hem ook om de dossiers van elk huidig lid van de Carmina mee te brengen, terwijl er zich een plan vormde in zijn gedachten.

Slecht nieuws, had ze hem verteld. *Heel slecht nieuws*... En Arkadian had de moeite genomen om haar te bellen...

Het was onmogelijk. Niemand kon tot de Citadel toetreden als er nog familieleden in leven waren. Het ontbreken van familiebanden betekende geen emotionele afleiding van hun werk binnen de berg, en geen verlangen om met de buitenwereld te communiceren. De veiligheid van de Citadel en het behoud van hun geheimen hingen volledig af van het nimmer verbreken van deze regel, en bij de uitputtende en rigoureuze achtergrondcontroles van iedere postulant werd altijd het zekere voor het onzekere genomen. Als iemands familieregister door brand was vernietigd, werd zo iemand geweigerd. Als ze alleen een verre neef hadden die ze nooit hadden ontmoet en die vermoedelijk overleden was maar onvindbaar bleef, werden ze geweigerd.

De dossiers arriveerden binnen vijf minuten. Athanasius legde ze zonder een woord op het bureau van de abt en verdween vervolgens uit het vertrek.

Net als alle bewoners van de Citadel had broeder Samuel een grondig en gedetailleerd dossier, met daarin kopieën en soms zelfs originelen van elk belangrijk document dat zijn leven beschreef: zijn schoolresultaten, zijn arbeidsverleden volgens zijn burgerservicenummer, politiedocumentatie – alles.

De abt doorzocht de documenten op verwijzingen naar familieleden. Hij vond overlijdenscertificaten; zijn moeder was overleden toen hij pas een paar dagen oud was en zijn vader was omgekomen bij een auto-ongeval toen Samuel achttien was. Beide paren grootouders waren al lang geleden gestorven. Zijn vader was enig kind geweest, en de enige broer van zijn moeder was op zijn elfde overleden aan leukemie. Er waren geen ooms, geen tantes, geen neven, geen nichten, geen broers en geen zussen. Alles was zoals het hoorde.

Zijn aandacht werd afgeleid door een zachte klop op de deur. Hij keek op toen de deur zich ver genoeg opende om Athanasius de gelegenheid te geven het vertrek binnen te glippen.

'Vergeef me dat ik u stoor, broeder abt,' zei hij, 'maar de prelaat heeft zojuist laten weten dat hij zich goed genoeg voelt om u te ontvangen. U wordt een halfuur voor de vespers in zijn vertrekken verwacht.'

De abt wierp een blik op de klok. De vespers waren pas over twee uur. Het uitstel was waarschijnlijk bedoeld om de vampiers die de prelaat in leven hielden genoeg tijd te geven om vers bloed in zijn aderen te pompen. Hij had gehoopt geruststellender nieuws voor de prelaat te hebben tegen de tijd dat hem audiëntie werd vergund. Hij keek even naar de grote stapel rode dossiermappen met de persoonlijke gegevens van de Carmina. Misschien zou dat alsnog het geval zijn.

'Heel goed,' zei hij terwijl hij het dossier van broeder Samuel dichtsloeg en opzijlegde. 'Maar ik wil dat je voor die tijd iets voor me doet. Ik wil dat je contact opneemt met de informant die ons het politiedossier heeft bezorgd. Ik denk dat de betrokken inspecteur sindsdien met een vrouw heeft gesproken. Ik wil weten wie ze is, ik wil weten wat er gezegd is, en ik wil bovenal weten wáár ze is.'

'Natuurlijk,' zei Athanasius. 'Ik zal kijken wat ik kan ontdekken en het u voor uw afspraak laten weten.'

De abt knikte en keek hoe zijn kamerheer met een buiging de kamer verliet alvorens zijn aandacht weer te richten op de dossiers voor hem.

Het waren er in totaal tweeënzestig; elk ervan bevatte de details van het verleden van een der Carmina, de rode mantels, het wachtersgilde dat de passages naar de verboden delen van de berg bewaakte; mannen die hadden bewezen geschikt te zijn voor deze krijgshaftige taken, zowel in hun vroegere leven als door hun toewijding aan de Citadel. Als leden van de Carmina waren ze ook potentiële Sancti, al wisten ze nu nog niets van de ware aard van het Sacrament en konden ze dus, indien nodig, teruggezonden worden naar de buitenwereld zonder de veiligheid ervan in gevaar te brengen.

Hij schoof de eerste map van de stapel en sloeg hem open. De gebruikelijke verzameling medische verklaringen en toelatingsrapporten voor scholen schoof hij opzij op zoek naar andere documenten – militair verleden, arrestatierapporten, strafblad – waaruit hij kon opmaken of dit de man was die hij zocht.

39

In de beslotenheid van haar appartement bestudeerde Kathryn Mann de inhoud van het gestolen bestand op haar laptop. Omdat zij het meer dan een uur later had ontvangen dan de Citadel, was haar kopie iets verder bijgewerkt en bevatte een ruwe transcriptie van het gesprek tussen Arkadian en Liv. In haar exemplaar stond ook een koppeling naar haar profielpagina bij de Amerikaanse krant waarvoor ze werkte. Ze nam de aantekeningen snel door, greep de telefoon en drukte op de herhaalknop.

'Ik heb het,' zei ze zodra haar vader opnam.

'En?'

'Een Sanctus, beslist,' zei ze, terwijl ze de grimmige beelden van de lijkschouwing met het bekende latwerk van ceremoniële littekens op het lichaam van de monnik nog eens bekeek.

'Interessant,' zei Oscar. 'En de Citadel heeft hem blijkbaar nog steeds niet formeel opgeëist. Ze zijn ergens bang voor.'

'Misschien, maar er staat nog iets in het dossier. Iets... ongelooflijks.' Ze tuurde naar de foto van de knappe jonge journaliste die haar aankeek vanuit het browservenster. 'Hij heeft een zus.'

Ze hoorde haar vader naar adem happen.

'Dat kan niet,' zei hij. 'Als hij een zus had, kan hij onmogelijk een Sanctus zijn geweest. Hij kan niet eens uit de Citadel afkomstig zijn geweest.'

'Maar hij heeft de littekens. Hij was zonder enige twijfel volledig ingewijd. Hij is gebrandmerkt met de Tau. Hij moet dus wel uit de Citadel zijn gekomen en hij moet het Sacrament hebben gezien.'

'Dan moet jij die zus vinden,' zei Oscar. 'En je moet haar beschermen, met alles wat we hebben. En dan bedoel ik echt álles.'

De lijn viel stil. Ze wisten beiden wat hij bedoelde.

'Ik begrijp het,' zei Kathryn ten slotte.

'Ik weet dat het gevaarlijk is,' zei Oscar. 'Maar dat meisje heeft geen idee wat haar te wachten staat. We móéten haar beschermen. Dat zijn we verplicht.'

'Dat weet ik.'

'En nog iets...'

'Ja?'

'Maak dat logeerbed maar op en haal wat goede whisky in huis,' zei hij; in zijn stem was de warme hartelijkheid weergekeerd. 'Ik denk dat het tijd is dat ik naar huis kom.'

40

Met rasse schreden was de abt onderweg door de donkere stenen gangen van de berg naar de prelaat, verontrust door het gebrek aan geruststellend nieuws dat hij meebracht. Het was al erg genoeg dat er voor het eerst in bijna negentig jaar iemand was ontsnapt uit de Citadel. Dat hij daarbij was omgekomen, was het enige lichtpuntje aan de horizon. Het feit dat er nu een familielid van hem in leven leek te zijn, maakte het mogelijkerwijs de ernstigste inbreuk op de veiligheid van de Citadel in de afgelopen tweehonderd jaar, misschien zelfs langer. En dat hij, als abt, daarvoor uiteindelijk verantwoordelijk was, was onontkoombaar.

Van hem zou niets minder worden verwacht dan een snelle en succesvolle indamming van de situatie. Om dat te bewerkstelligen moest hij de vrije hand krijgen om zo besluitvaardig mogelijk op te treden – niet alleen binnen de Citadel, maar ook daarbuiten – en daarvoor had hij de zegen van de prelaat nodig.

Hij knikte tegen de wachter die permanent bij de privévertrekken van de prelaat stond opgesteld. Traditioneel wisten de wachters van de Citadel kruisboog, zwaard en dolk te hanteren, maar de tijden waren veranderd. Tegenwoordig nestelde er een polsholster met een halfautomatische Beretta 92 en een magazijn vol parabellumpatronen in de wijde mouw van hun roestrode pij. De wachter duwde de zware deur open om hem door te laten. Het was niet een van de mannen die hij uit de stapel dossiers had gekozen.

Met een kortstondige echo in de spelonkachtige gang sloeg de deur achter hem dicht. De abt beklom de elegante trap die naar het staatsievertrek van de prelaat leidde. Ergens in het donker hoorde hij het sissen van een ventilator, die ritmisch lucht in de oude longen van de bewoner dwong.

In het vertrek was het nog donkerder dan op de gang en de abt moest zijn pas inhouden toen hij binnenkwam, omdat hij niet zeker was wat er op zijn weg lag. In de haard brandde een schamel vuur dat zuurstof aan de kamer onttrok in ruil voor wat licht en een droge, verstikkende hitte. Het enige andere licht kwam van de batterij elektrische apparaten die de klok rond werkten om het bloed van de prelaat van zuurstof te voorzien, zijn afvalstoffen te verwijderen en hem in leven te houden.

Aarzelend liep de abt naar het reusachtige hemelbed dat de ruimte beheerste en kon toen de witte, uitgeteerde gedaante onderscheiden die er middenin lag. In de schemerige gloed leek de prelaat op een valdeurspin, gevangen in het midden van een web van buizen en draden. Alleen zijn ogen leken iets van leven te bevatten. Die bekeken donker en waakzaam het naderen van zijn bezoeker.

De abt reikte over de meters linnen en nam de klauwachtige hand van de prelaat in de zijne. Ondanks de drukkende hitte in de kamer was de hand even koud als de berg. Hij boog zijn hoofd en kuste de ring die losjes rond de middelvinger hing en het zegel van zijn verheven officie droeg.

'Laat ons alleen,' zei de prelaat met een droge en moeizame stem.

Twee Apothecaria in witte pijen rezen als fantomen van hun stoel. De abt had hen in de schaduwen niet eens opgemerkt. Beiden controleerden en verstelden ze iets op een van de vele machines, zetten het volume van de alarmsignalen hoger zodat ze die vanaf de trap konden horen en gleden geluidloos het vertrek uit. De abt keerde zich weer naar zijn meester en zag de felle ogen op hem inbranden.

'Vertel me... alles...' fluisterde de prelaat.

De abt schetste de gebeurtenissen van die ochtend, zonder iets weg te laten, terwijl de prelaat hem bleef doorboren met zijn naaldscherpe ogen. Hardop uitgesproken klonk het allemaal nog erger dan toen hij het onderweg had gerepeteerd in zijn hoofd. Hij wist uit ervaring dat de prelaat niet toegeeflijk van aard was. De laatste keer dat een novice hen had bedrogen, tijdens de Eerste Wereldoorlog, was hijzelf abt geweest en zijn meedogenloosheid bij het afhandelen van die potentiële ramp bleek uiteindelijk zijn paspoort tot het prelaatschap. In het geheim hoopte de abt dat een succesvolle indamming van de huidige kwestie voor hem hetzelfde zou betekenen.

De abt beëindigde zijn verslag en de ogen van de oude man lieten hem los om zich op een plek ergens in het duister boven zijn hoofd vestigen. Zijn lange haar en zijn baard waren dun en nog witter dan de lakens die hem als een lijkwade omhulden. Zijn enige bewegingen waren het ritmisch op en neer bewegen van zijn borst en het beven van zwak kloppende slagaders onder de papierdunne huid.

'Een zus?' vroeg de prelaat uiteindelijk.

'Nog niet bevestigd, uwe heiligheid, maar desalniettemin een bron van ernstige bezorgdheid.'

'Ernstige bezorgdheid... voor haar, wellicht...'

Het praten van de prelaat werd opgebroken in kleine clusters van woorden, iedere zin om de paar seconden onderbroken door de beademingsapparatuur die lucht in zijn vermoeide longen pompte.

'Ik ben blij dat uwe heiligheid daarmee instemt,' antwoordde de abt.

De scherpe ogen richtten zich weer op hem.

'Ik heb nergens mee ingestemd,' zei de prelaat. 'Ik neem aan dat je met dit bezoek... waarbij je me niets... dan slecht nieuws... en vraagtekens bezorgt... wilt dat ik... je toestemming geef... om dit meisje... tot zwijgen... te brengen.'

'Dat lijkt mij verstandig.'

De prelaat zuchtte en wendde zijn blik weer op de overhuiving van duister boven zijn hoofd.

'Nog meer doden,' zei hij, bijna tegen zichzelf. 'Zoveel bloed.'

Hij haalde verschillende keren diep adem en de stilte vulde zich met het sissen van het beademingstoestel.

'Al duizenden jaren,' ging hij op dezelfde haperende manier verder, 'zijn wij de bewaarders... van het Sacrament... een geheim dat... ononderbroken is doorgegeven... vanaf de oorspronkelijke... stichters van onze kerk... Plichtsgetrouw hebben wij... het geheim bewaard... Maar het heeft ons ook... Het houdt ons nog altijd... afgesloten van de wereld... eist zoveel offers... zoveel bloed... alleen om het... verborgen te houden. Vraag jij... je nooit af... broeder abt... waartoe wij hier zijn?'

'Nee,' antwoordde hij, niet goed wetend waar de prelaat met zijn vraag heen wilde. 'Ons werk hier is duidelijk. Het is Gods werk.'

'Geen neerbuigende... gemeenplaatsen die op het... seminarie thuishoren,' zei de prelaat verrassend energiek. 'Ik ben geen... onwetende novice... Ik bedoel... ons specifieke doel... Geloof jij... werkelijk dat wij hier... het zuivere... werk van God doen?'

'Natuurlijk,' zei de abt fronsend. 'Onze roeping is rechtschapen. Wij dragen de last van het verleden van de mensheid in het belang van de toekomst.'

De prelaat glimlachte. 'Wat ben je gezegend... met zulk vertrouwen in... je antwoord.' Zijn blik dwaalde weer omhoog. 'Naarmate de dood nader sluipt... moet ik toegeven... dat de dingen er... anders uitzien... Het leven glanst... op vreemde manieren... eenmaal beschenen door het donkere licht... van de dood... Maar ik zal... snel genoeg... genezen zijn... van het leven...'

De abt wilde protesteren, maar de prelaat hief zijn bijna doorzichtige hand op om hem tot stilte te manen.

'Ik ben oud, broeder abt... te oud... Bij het naderen van mijn... tweede eeuw voel ik... de last van mijn jaren... Ik heb altijd gedacht dat... de ouderdom, en de robuuste... gezondheid genoten... dankzij het leven... in deze berg... een zegen was... Het bewijs... van Gods zegen over... ons en ons... werk... Nu ben ik daar... niet meer zo zeker van... In elke cultuur... en in alle literatuur... wordt een lang leven altijd... afgebeeld als... niets meer dan... een vreselijke vervloeking... voor de vervloekten...'

'Of de verhevenen,' zei de abt.

'Ik hoop dat je gelijk hebt... broeder abt... Ik heb er... de laatste tijd... veel over nagedacht... Ik vraag me af... als mijn tijd komt, zal... de Heer dan... tevreden zijn over... het werk dat ik... in zijn naam heb... verricht? Of zal Hij zich... schamen? Blijkt mijn levenswerk... straks niets meer... dan een bloederige exercitie in het... beschermen van de reputatie... van mannen die... allang... tot stof zijn wedergekeerd?'

Zijn stem stierf weg in een droog geratel en de donkere ogen gleden naar een kan water naast zijn bed.

De abt schonk een glas vol en tilde het hoofd van de prelaat op om hem kleine slokjes te laten nemen tussen de meedogenloze inblazingen van het ademhalingsapparaat door. Ondanks de drukkende warmte voelde het hoofd van de prelaat onmenselijk koud aan. Hij vlijde het voorzichtig terug op het kussen en zette het glas op tafel. Toen hij weer opkeek, waren de ogen van de prelaat opnieuw gericht op de donkere leegte boven zijn hoofd.

'Elke dag... kijk ik de dood in de ogen...' zei hij, terwijl hij het donker bestudeerde. 'Ik kijk naar hem... en hij kijkt naar mij... Ik vraag me af... waarom hij afstand bewaart... En dan kom jij... met zachte woorden... die geen kans zien om je... hardvochtige bloeddorst te... verhullen en ik denk... bij mezelf... misschien is de Dood wel sluw. Misschien houdt... hij mij in leven... zodat ik jou het... gezag kan verlenen... waar je om vraagt. Dan zullen je daden hem... veel versere zielen bezorgen... dan de mijne om... mee te spelen...'

'Ik dorst niet naar bloed,' zei de abt. 'Maar soms vereisen onze plichten het. De doden zijn beter in het bewaren van hun geheimen dan de levenden.'

De prelaat wendde zijn ogen van het duister en richtte zijn onwrikbare blik op de abt.

'Broeder Samuel... denkt daar wellicht... anders over...'

De abt zei niets.

'Ik ga je verzoek... niet inwilligen...' zei de prelaat plotseling; zijn blik kroop over het gezicht van de abt en scheen voldaan over diens reactie. 'Vind haar en houd haar... zeker... in de gaten... maar doe haar geen kwaad... ik verbied het uitdrukkelijk...'

De abt was ontzet.

'Maar Uwe Heiligheid, hoe kunnen we haar in leven laten als er ook maar de kleinste kans bestaat dat ze de identiteit van het Sacrament kent?'

'Ik betwijfel... of ze iets weet...' antwoordde de prelaat. 'Een telefoonnummer... is één ding... maar over een telefoon beschikken... is heel iets anders... Denk je nu echt dat... broeder Samuel... de tijd heeft gehad... om haar te bellen... tussen de openbaring... van ons grote geheim... en zijn onfortuinlijke dood? Ben je werkelijk bereid... iemand een leven te ontnemen... op basis van zo'n... onwaarschijnlijke mogelijkheid?'

'Ik vind dat we niet het minste risico moeten nemen als onze orde in gevaar is. De kerk is zwak. De mensen geloven nergens meer in. Elke onthulling over de oorsprong van hun geloof kan alles vernietigen. U heeft binnen deze muren gezien hoe ze reageren wanneer het Sacrament hun wordt geopenbaard, ook al zijn ze zorgvuldig gescreend en voorbereid. Wat zou er niet kunnen gebeuren als het aan de hele wereld geopenbaard werd? Chaos. Met alle respect, Uwe Heiligheid, we moeten het Sacrament juist nu beter beschermen dan ooit. De toekomst van ons geloof kan ervan afhangen. Dit meisje is te gevaarlijk om in leven te laten.'

'Aan alles komt een eind...' zei de prelaat. 'Niets is eeuwig... Als de kerk zo zwak is... gebeurt dit misschien... met een reden. Misschien... is het tijd om ons lot uit handen te geven aan de voorzienigheid. Laat de dobbelstenen maar vallen... waar ze willen... Mijn besluit staat vast... Vertel mijn verzorgers dat ik wil rusten. En doe de deur achter je dicht.'

De abt bleef even staan, vol ongeloof dat het onderhoud al voorbij was en dat zijn verzoek was afgewezen. Hij keek naar de prelaat die omhoog lag te staren, als een beeldhouwwerk op een grafmonument.

Lag je er maar vast ín, dacht hij terwijl hij met gebogen hoofd langzaam achterwaarts van het bed wegliep en het smoorhete vertrek verliet.

Buiten in de donkere gang wachtten de Apothecaria.

'Laat hem maar,' zei de abt terwijl hij hen voorbijbeende. 'Hij wil alleen zijn om zijn nalatenschap te overdenken.'

De witte pijen wisselden verbaasde blikken, niet zeker waar de abt op doelde. Tegen de tijd dat zij zich omdraaiden om het hem te vragen, was hij de trap al af.

Oude gek, dacht de abt toen hij de deur opende en langs de wachter stoof. *Geen wonder dat onze beminde kerk zo verzwakt is, met zo'n man aan het roer.*

Hij verwelkomde de kilte van de berg en veegde met zijn mouw het zweet van zijn voorhoofd op zijn weg naar de grote kathedraalgrot, waar de inwoners van de berg zo dadelijk de vespers zouden bijwonen.

Vind haar en houd haar in de gaten.

De woorden van de prelaat echoden treiterend in zijn hoofd. Hij had echter niet al zijn informatie gedeeld. Tijdens zijn telefoongesprek met de jonge vrouw had hij op de achtergrond een omroepbericht gehoord. Ze had op een vliegveld gestaan. Ze was op weg naar Ruïn.

Ja, hij zou haar vinden en haar ergens heen brengen waar ze héél goed in de gaten gehouden zou worden. En zodra de dodendans van zijn meester ten einde was, zou hij haar op zijn eigen manier aanpakken.

41

Nu was het rustiger op de afdeling Moordzaken en Diefstal. Het was net na zessen 's avonds. De stille tijd, op het gestage gekletter na van door tweevingertypisten bewerkte toetsenborden. In de middaguren werd er meestal niet geroofd en gemoord, zodat het een goed moment was om het papierwerk af te handelen. Arkadian zat met gefronst voorhoofd aan zijn bureau naar zijn computerscherm te kijken. Zijn telefoon had nauwelijks gezwegen. Op de een of andere manier had de pers zijn nummer te pakken gekregen, en elke twee of drie minuten belde er weer iemand die naar de zaak vroeg waarvan het dossier op dit moment zijn scherm vulde. Ook het hoofd van de politie had hem persoonlijk gebeld. Hij wilde weten wanneer ze een officiële verklaring zouden kunnen uitgeven. Arkadian verzekerde hem dat hij die voor hem zou hebben zodra de getuigenverklaringen binnen waren. En daarom fronste hij zijn voorhoofd.

Na zijn telefoongesprek met de vrouw had hij de naam die ze had opgegeven door de verschillende databases met persoonsgegevens gehaald en het begin van een dossier over Samuel Newton weten op te zetten. Hij had althans zijn geboortebewijs gevonden, ook al leek zelfs dat niet compleet te zijn. Het bevestigde dat hij was geboren in een plaats die Paradise, West

Virginia heette, met een biologische hovenier als vader en een botaniste als moeder, maar de naam van het kind stond geregistreerd als 'Sam', niet 'Samuel'. Verschillende andere onderdelen van het formulier waren niet ingevuld, zoals het geslacht van het kind, maar zijn zoektocht had ook een gerelateerde overlijdensverklaring opgeleverd, die het trieste feit boekstaafde dat zijn moeder acht dagen later was overleden.

Zijn eerste levensjaren waren vaag en van de gebruikelijke documenten die Arkadian had verwacht te vinden, ontbraken er vele. Een verzameling knipsels uit verschillende kranten pikte zijn verhaal weer op toen hij negen was en beschreef de ontwikkeling van zijn vroegtijdige klimmerstalent. Bij een van de artikelen stond een zwart-witfoto van de jonge Sam, vastgeklemd aan een steile rots die hij kennelijk zojuist had bedwongen. Arkadian vergeleek de afbeelding van de magere, lachende jongeman met de foto's die hij tijdens de sectie had genomen. De gelijkenis was onmiskenbaar.

Uit het laatste krantenknipsel van negen jaar later leek te blijken dat het klimtalent van de jonge Sam indirect tot zijn vaders dood had geleid. Toen ze in het voorjaar tijdens een hevige sneeuwstorm terugreden van een klimwedstrijd in de Italiaanse Alpen, was hij de macht over het stuur verloren en hun auto was in een ravijn gegleden. Zowel de vader als de zoon overleefden het ongeluk, al hadden ze beiden aanzienlijke verwondingen opgelopen. Toen Sam weer bij bewustzijn kwam, waaide de sneeuw door een kapot zijraam naar binnen; hij wist niet waar hij was of hoe hij er was terechtgekomen. Zijn arm deed verschrikkelijk veel pijn; afgezien daarvan had hij het koud maar voelde zich redelijk. Hij ontdekte dat zijn vader wel bij bewustzijn was en vrij alert, maar bloedde uit een diepe snee in zijn voorhoofd. Ook lag hij bekneld onder het volkomen verwrongen dashboard, en hij klaagde dat hij vanaf zijn middel geen gevoel meer in zijn leden had.

Sam had zijn vader zo warm mogelijk ingepakt met wat hij maar kon vinden in en rond de auto en was vervolgens naar boven geklommen, langs de wand van het ravijn, om hulp te gaan halen. Het had hem vrij veel tijd gekost om de ijzige rotswand te beklimmen, omdat hij moest optornen tegen een razende sneeuwstorm en omdat de arm waarvan hij zei dat hij 'verschrikkelijk veel pijn' deed in feite op twee plaatsen gebroken was. Ten slotte wist hij de weg te bereiken en een passerende vrachtauto aan te houden.

Tegen de tijd dat het reddingsteam arriveerde, had zijn vader al te veel bloed verloren en te lang in de kou gelegen, en hij was in een coma beland waarvan hij niet meer herstelde. Drie dagen later overleed hij. Sam was net achttien. Hij vloog naar de Verenigde Staten terug met zijn trofee in de hand en zijn vader in een kist in het bagageruim.

Arkadian had ook een paspoortaanvraag opgespoord die Sam had ingediend toen hij de wereld begon rond te reizen op klimexpedities. Onder het kopje 'Opvallende kenmerken' stond dat de drager onder aan de ribbenkast in zijn rechterzij een lateraal litteken had; een litteken in de vorm van een kruis. Arkadian had het gevoel dat hij zijn man had gevonden, maar er was nog steeds veel dat niet klopte.

De standaardprocedure voor slachtofferidentificatie vereiste verificatiecontroles van degenen die het lichaam kwamen identificeren, een noodzakelijke voorzorg om valse getuigen te voorkomen. Toen Arkadian die controles uitvoerde op Liv Adamsen uit Newark, New Jersey, vond hij alle gebruikelijke gegevens zoals waar ze woonde, wat haar kredietwaardigheid was en zo verder: niets bijzonder opmerkelijks. Maar hoe verder hij zocht, hoe minder hij ervan begreep.

Twee dingen in het bijzonder deden de alarmbellen in zijn van nature achterdochtige geest rinkelen. Het eerste was haar beroep. Liv Adamsen was onderzoeksjournaliste op de misdaadredactie van een grote krant in New Jersey. Dat was slecht nieuws, vooral voor een zaak die zo de aandacht trok en zoveel nieuwswaarde had. Het tweede was niet zozeer een probleem, als wel een mysterie. Ondanks het feit dat Liv de dode man correct had geïdentificeerd en had gereageerd zoals van een zus te verwachten viel, bleek er uit alle controles die hij had uitgevoerd geen enkele verwantschap. Voor zover Arkadian kon vaststellen in het ingewikkelde administratieve spoor dat Sam Newtons leven had getrokken, was er geen enkel bewijs dat hij een zus had.

42

Schuddend vertrok de Lockheed Tri-Star van Cyprus Turkish Airlines vanaf London Stansted op zijn reis naar de uiterste rand van Europa. Zodra de wielen het asfalt loslieten nam de wind het over, en het toestel slingerde alsof onzichtbare handen het in stukken gescheurd terug op de grond wilden smijten.

Het was een groot vliegtuig, dat was een troost; het was echter ook oud, en dat was een stuk minder geruststellend. In de stoelleuningen zaten nog de oude aluminium asbakken met klapdeksels, die rammelden terwijl het vliegtuig zich moeizaam omhooghees. Liv keek er verlangend naar, dromend van de tijd waarin ze haar zenuwen op de ouderwetse manier tot rust had kunnen brengen. Nu scheurde ze de bovenkant van een zakje ingelegde gember – het restant van de veel te dure afhaalsushi die ze tijdens het wachten op haar aansluitende vlucht had gegeten – en legde een plakje op haar tong. Gember hielp tegen stress en luchtziekte. Ze vouwde het zakje dicht en borg het zorgvuldig op voor de reis. Ze had zo'n gevoel dat deze vliegreis die gunstige reputatie van gember tot het uiterste op de proef zou stellen.

Ze kauwde langzaam op de gember en bekeek haar medereizigers. De cabine zat maar halfvol; het was een uitermate ongezellig uur van de nacht. De oude Lockheed slingerde weer toen een nieuwe windvlaag hem naar opzij schoof. Uit haar raam kon ze de bakboordvleugel zien. Hij leek, weliswaar stijfjes, te flapperen. Ze dwong zichzelf om de andere kant op te kijken.

Ze had gehoopt wat slaap te krijgen tijdens dit laatste stuk van haar reis, maar daar was absoluut geen kans meer op nu de angst om neer te storten haar zenuwuiteinden bleef prikkelen, dus haalde ze de andere aankoop tevoorschijn die ze tijdens haar oponthoud had gedaan: een reisgids van Turkije.

Ze bladerde naar de inhoudsopgave. Aan Ruīn was een heel hoofdstuk gewijd, compleet met topografische coördinaten. Eerst bekeek ze de landkaart. Net als de meeste mensen had ze slechts een vaag idee waar Ruīn lag. Voor de eeuwenoude stad, en met name de Citadel, gold hetzelfde als voor de piramiden van Egypte: iedereen weet hoe ze eruitzien, maar slechts weinigen kunnen ze aanwijzen in een atlas.

Op een uitklapblad van drie pagina's breed stond Turkije afgebeeld, dat zich als een brug uitstrekte tussen Europa en de Arabische landen, boven- en onderaan begrensd door respectievelijk de Zwarte en de Middellandse Zee. De coördinaten verwezen haar naar de rechterkant van de kaart, dicht bij de grens waar Europa tegen de Bijbelse landen rond de Middellandse Zee aanschurkte.

Ze vond de twee luchthavensymbolen ten noorden en ten zuiden van de stad Gaziantep, waar ze over een uur of vier geacht werd te landen. Maar Ruīn zag ze niet. Ze controleerde de coördinaten en keek nog eens. In de schemering van de cabine vond ze de stad pas na een paar minuten turen: ten westen van het bovenste vliegveld waar het oostelijke Taurusgebergte zich begon te verheffen, precies in de vouw van de bladzijde en bijna volledig verborgen onder de rechte zwarte lijn van het coördinatenrooster. Liv vond het op een bittere manier gepast dat haar broer zich op zo'n plek had willen verbergen; zo bekend en toch zo obscuur, raadselachtig genesteld in de vouw van een landkaart.

Ze bladerde snel door naar het hoofdstuk over Ruīn en begon te lezen, feiten opzuigend over de plaats waar ze naartoe ging, die ze met haar journalistenverstand in elkaar schoof tot ze zich een beeld had gevormd van de stad waar haar broer had geleefd en was gestorven. Het was een belangrijk religieus centrum; dat was logisch, na wat Samuel haar de laatste keer dat ze elkaar hadden gezien had verteld. Het was ook het oudste pelgrimsoord ter wereld vanwege de heilzame eigenschappen van het water dat rijkelijk uit de grond opborrelde, dooiwater uit de omliggende bergen. Ook dat was logisch. Ze kon zich hem voorstellen als een berggids die zich verschool achter een geleende naam ergens ver buiten de gebaande paden, waar hij de vrede vond waar hij naar op zoek was gegaan.

Ik wil dichter bij God zijn. Dat had hij gezegd.

Ze had vaak over die woorden nagedacht in de stilte die volgde op zijn verdwijning, gekweld door al hun mogelijke, al te duistere betekenissen. Maar op de een of andere manier had ze steeds geweten dat hij nog leefde, zelfs toen die stilte jarenlang voortduurde. Ze was het blijven geloven, ook toen de brief van de burgerlijke stand haar het tegendeel berichtte. En nu volgde ze het pad dat hij had bewandeld om meer te weten te komen over het leven dat hij daar had geleid. Ze hoopte dat de inspecteur haar zou kunnen aanwijzen waar hij had gewoond, en haar misschien in contact kon brengen met mensen die hem hadden gekend. Misschien zouden zij een paar van haar vragen kunnen beantwoorden en de leemten opvullen die weergalmden in haar geest.

Ze draaide de bladzijde om en bekeek een foto van de oude stad, samengeklonterd onder aan een hoog oprijzende berg. Het bijschrift identificeerde de stad als *Het onbetwiste centrum van de antieke wereld en de veronderstelde bewaarplaats van een machtig, eeuwenoud relikwie dat bekendstaat als het Sacrament.*

Op de bladzijde ertegenover stond een korte kroniek van de Citadel, over zijn ongelooflijke oudheid en voortdurende aanwezigheid in de geschiedenis van de mensheid. Liv had verondersteld dat de Citadel een christelijk heiligdom was, maar de tekst onthulde dat het klooster zich pas in de vierde eeuw bij het christendom had aangesloten, na de bekering van de Romeinse keizer Constantijn. Voor die tijd was het onafhankelijk geweest van elke georganiseerde godsdienst, al had het heiligdom enorme invloed uitgeoefend op vrijwel elke religie in de oudheid: de Babyloniërs noemden het de eerste en grootste ziggoerat, de oude Grieken vereerden de berg als de plaats waar de goden woonden en hernoemden hem tot Olympus; zelfs de Egyptenaren beschouwden de Citadel als heilig en de farao's reisden over zee naar het Hettitische rijk om de berg te bezoeken. Sommige mensen beweerden zelfs dat de grote piramiden van Gizeh pogingen waren om de heilige berg na te bouwen, in de hoop de magische eigenschappen van de Citadel in Egypte te kunnen reproduceren.

Toen de Citadel zich om politieke redenen voor het christendom had uitgesproken, verhuisde het zenuwcentrum van de kerk naar Rome om de bescherming van het Romeinse Rijk te genieten. De Citadel bleef echter de macht achter de troon, de éminence grise die zijn edicten en dogma's nu via Rome uitvaardigde, evenals een nieuwe versie van de geloofsstandaard, door het uitgeven van een gezaghebbende Bijbel. Elke afwijking van dit officiële gezichtspunt werd beschouwd als ketterij en genadeloos de kop in gedrukt, eerst door de macht van het Romeinse leger en later door elke koning of keizer die in de gunst wilde komen bij de kerk en, bij uitbreiding, bij God.

Liv nam de bloeddoordrenkte details snel door en stoorde zich in gelijke mate aan de overdaad van uitroeptekens en bijwoorden in de tekst als aan wat ze beschreven. De hardvochtige geschiedenis van het heiligdom of de geheimen die het zogenaamd verborg interesseerden haar niet; het enige wat haar interesseerde, was haar broer en wat hem in die eeuwenoude stad de dood in had gedreven.

Het vliegtuig schudde weer en Liv keek op toen ze een zacht 'ping' hoorde. Het pictogram voor het vastmaken van de veiligheidsriemen was aangeknipt. Het niet-rokensignaal bleef koppig branden. Het bleef haar kwellen tijdens de rest van de vlucht, waarin de nacht steeds donkerder werd en de storm gestaag verergerde.

43

De godsdienstige dag in de Citadel was verdeeld in twaalf verschillende getijden, waarvan de vier nocturnen de belangrijkste waren. Die vonden elke nacht plaats, want men geloofde dat de krachten van het kwaad floreerden in afwezigheid van Gods licht. Politieagenten in elke grote stad zouden met die theorie instemmen: duistere daden worden vrijwel altijd gepleegd onder dekmantel van de nacht.

De vespers waren de eerste nachtelijke godsdienstoefening: een plechtige mis in de enige ruimte die groot genoeg was om alle bewoners van de Citadel getuige te laten zijn van het sterven van de dag – de grote kathedraalgrot in het oostelijke deel van de berg. De voorste acht rangen werden er bezet door de zwarte pijen van de spirituele gilden: de priesters en bibliothecarissen die hun leven doorbrachten in het duister van de grote bibliotheek. Achter hen zat een witte rang Apothecaria, gevolgd door twintig rangen gevuld met de bruine pijen van de ambachtelijke gilden: metselaars, timmermannen, en andere handwerkslieden die tot taak hadden om het fysieke welzijn van de Citadel voortdurend te onderhouden.

De rang vol roestrode pijen van de wachters doorsneed de congregatie en scheidde de hogere gilden voorin van de vele grijze mantels achterin: de uitvoerende monniken die alles aanpakten, van koken en schoonmaken tot het leveren van handarbeid voor de andere gilden.

Boven de veelkleurige gemeenschap, op hun eigen galerij, zat de in het groen geklede broederschap der Sancti; dertien in totaal, met inbegrip van de abt, hoewel het er vandaag maar elf waren. De abt bevond zich niet onder hen, net zo min als broeder Gruber.

Toen de zon onder de drie grote vensters achter het altaar was gezonken – een door twee driehoeken geflankeerd roosvenster dat Gods alziend oog vertegenwoordigde – vertrok iedereen naar de avondmaaltijd in de refter alvorens zich terug te trekken in de slaapzalen.

Dat wil zeggen, iedereen behalve drie mannen in de rode pijen van de Carmina.

Een rossige monnik met een vlak, onbewogen gezicht en de bouw van een middengewichtbokser liep door de weergalmende ruimte naar een deur direct onder het balkon van de Sancti. De andere twee volgden hem. Er werd geen woord gesproken.

In de ogen van de abt was Cornelius de gedoodverfde leider van de groep vanwege zijn verleden als officier in het Britse leger en hij had hem onderweg naar de vespers een briefje toegestopt met de namen van de twee anderen, een aantal instructies en een plattegrond. Cornelius bekeek de plattegrond terwijl hij de kathedraalgrot uit liep, links afsloeg en door de smalle, minder begane tunnels naar het verlaten deel van de berg liep.

In de kronkelende straatjes van de oude stad verdiepte de schemering zich. De laatste toeristen werden door beleefde stewards de stad uit geloodst; valhekken kletterden luidruchtig op hun plaats om de stad te verzegelen. In het westen, het deel van de stad dat het Verloren Kwartier werd genoemd, kregen de schaduwen menselijke vormen toen de clandestiene vleeshandel zijn nachtelijke aanvang nam.

In haar woonkamer in het oosten van de stad wachtte Kathryn Mann tot haar printer klaar was met zijn opdracht. Ze had spijt dat ze hem op de hoogste afdrukkwaliteit had ingesteld terwijl ze toekeek hoe het beeld regel voor regel verscheen. Het televisiejournaal meldde dat zich grote mensenmenigten hadden verzameld in Amerika, Europa, Afrika, Azië, zelfs in China – waar publieke betogingen, vooral van religieuze aard, niet luchthartig werden opgevat – in een zwijgend eerbetoon aan de man die zij nog niet kenden als broeder Samuel. Een vrouw werd voor de kathedraal van Saint

John the Divine in New York gevraagd waarom de dood van de monnik haar zo raakte.

'Omdat we geloof nodig hebben, snapt u wel?' Haar stem klonk emotioneel en gespannen. 'Omdat we moeten weten dat de kerk het goed met ons voorheeft en voor ons zorgt. En als een van hun eigen mensen het nodig vindt om zoiets te doen en de kerk daar zelf helemaal niks over zegt... waar blijven we dan?'

Op elk continent zeiden mensen min of meer hetzelfde. De eenzame dood van de monnik had hen duidelijk diep getroffen. Zijn wake op de bergtop leek hun eigen gevoel van isolement te symboliseren, en het stilzwijgen dat erop volgde gaf blijk van een onverschillige kerk; een kerk die haar mededogen was verloren.

Misschien is de verandering ingezet, dacht ze toen ze het vel papier eindelijk uit de printer kon halen en de foto van Liv Adamsen uit het politiedossier bekeek.

Misschien wordt de profetie toch bewaarheid.

Ze schakelde de tv uit en greep onderweg naar buiten een paar appels van de fruitschaal. Het was dertig minuten rijden naar het vliegveld, en ze had geen idee hoe lang ze daar zou moeten wachten.

44

Op roestige scharnieren snerpte een zware deur open. Cornelius liep de deuropening binnen en reikte naar de brandende fakkel die daar voor hen was achtergelaten. Hij hield hem voor zich uit gestoken terwijl ze hun weg zochten door de vergeten krochten van de Citadel. Broeder Johann, wiens donkere uiterlijk deed denken aan een knappe B-filmacteur en zijn Scandinavische afkomst leek te logenstraffen, liep naast hem, zijn helblauwe ogen vervuld van het ijs van zijn geboorteland. Broeder Rodriguez vormde de achterhoede en torende een kop boven hen uit, zijn slanke, lange gestalte in tegenspraak met zijn stadse latino-wortels, zijn gouden ogen waakzaam en uitdrukkingsloos terwijl hij half gebukt door de lage tunnels schreed.

Om hen heen echoden het knarsen van hun voetstappen en het knisperen van de brandende toorts, en uit het donker rees de geschiedenis van de berg op om hen te begroeten. Hier en daar gaapten deuropeningen als in rouw vervroren monden. Erachter ving hun blik overblijfselen van ooit geleefde levens: bedden, ingezakt onder het gewicht van doorweekt stro, versplinterde houten banken die het gewicht van de spoken die er tegenwoordig zetelden nauwelijks nog konden dragen. Af en toe lag hun pad bezaaid met afgebrokkelde steen en lichtten strepen kalkaanslag wit op in het duister, als vluchtige schimmen van hen die hier ooit hadden gelopen.

Tien minuten later zagen ze in de verte een vaag oranje licht, flakkerend vanuit een deuropening waarachter rook langs een plafond gleed dat was uitgebeiteld toen de mensen minder lang waren. Naarmate ze dichterbij kwamen, roken ze brandend hout en voelden ze de koude lucht plaatsmaken voor een beetje warmte. Cornelius liep naar binnen een grot in die een keuken kon zijn geweest. Aan de andere kant van het vertrek zat een gehurkte gestalte bij een ouderwets fornuis met een stok een moeizaam vuurtje op te rakelen.

'Gegroet, broeders,' zei de abt, als een herbergier die reizigers onthaalt in een sneeuwstorm. 'Mijn verontschuldigingen voor dit armzalige vuurtje. Ik vrees dat ik de kunst verleerd ben. Alsjeblieft...' Hij gebaarde naar een tafel met twee grote broden en wat fruit erop. 'Ga zitten. Tast toe.'

De abt zette zich bij hen aan tafel, keek zwijgend toe hoe ze het brood deelden en at zelf niets. Hij nam hen op terwijl ze aten en voegde namen bij gezichten die hij voor het laatst in hun dossiers had gezien. De lange: Guillermo Rodriguez. Tweeëntwintig jaar oud. Oorspronkelijk afkomstig uit de Bronx. Voormalige straatrat en bendelid. Zijn strafblad vertoonde een reeks arrestaties voor brandstichting, met telkens strengere straffen. Bracht zijn halve leven door met zijn verslaafde moeder en de rest in een hele serie jeugdgevangenissen. Vond God nadat aids een wees van hem had gemaakt.

Tegenover hem zat Johann Larsson. Vierentwintig. Donker haar, blauwe ogen, opmerkelijk knap. Geboren in de bossen van Abisko in Noord-Zweden, in een sektarische religieuze gemeenschap. De politie ontdekte Johann slapend naast het lijk van zijn broer, nadat een vrachtwagenchauffeur alarm had geslagen. Hij had vlak voor zich op de weg een wolf met een menselijk been zien slepen. De gemeenschap had zichzelf uitgeroeid in een collectieve zelfmoord. Johann vertelde dat zijn vader hem pillen had gegeven 'opdat hij God zou zien' maar hij was kwaad op hem geweest omdat hij eerder die dag lelijk had gedaan tegen zijn broertje, dus had hij de pillen weggegooid. Een opeenvolging van pleeggezinnen slaagde er niet in om deze mooie, moeilijke jongen op de rails te krijgen en hij stevende duidelijk af op zelfvernietiging. Toen had de kerk hem opgenomen, hem naar een van hun rehabilitatieseminaries gestuurd in de Verenigde Staten en hem hoop gegeven.

Dan Cornelius Webster. Vierendertig. Opgegroeid in een weeshuis en rechtstreeks het Britse leger in gegaan toen hij oud genoeg was. Werd met een invaliditeitspensioen uit de dienst ontslagen nadat hij zijn peloton voor zijn ogen levend had zien verbranden toen hun pantserwagen werd getroffen door een raketwerper. De littekens op zijn gezicht, die leken op druppels gevallen was en zijn baardgroei slechts in toefjes doorlieten, vormden de uiterlijke tekenen van deze tragedie. Op de dag dat hij het leger verliet, verruilde hij het gestructureerde soldatenbestaan voor het al even gestructureerde monnikenbestaan. Nu was de Citadel zijn familie, en dat gold evenzeer voor de anderen.

De abt had hun diverse talenten gekoppeld aan de opdracht die hij ze ging geven: de leeftijd en het gezag van Cornelius; het aantrekkelijke uiterlijk en perfecte Engels van Johann; het Amerikaanse paspoort en de bekendheid met het harde straatleven van Rodriguez. Ieder van hen had geweld gekend in zijn verleden en bezat een vurige, fanatieke wens om zich te bewijzen voor God.

Hij wachtte tot ze klaar waren met eten voordat hij opnieuw het woord nam.

'Vergeef mij de onorthodoxe aard van deze bijeenkomst,' zei hij, door het vuur omlijst met een wazige rode gloed. 'Maar wanneer ik mijn redenen verklaar, zullen jullie de noodzaak van al die omzichtigheid en geheimhouding begrijpen.'

Hij tikte met zijn wijsvinger tegen zijn getuite lippen.

'In dit deel van de berg huisde ooit een garnizoen krijgshaftige monniken, de Carmina, de rode ridders van de Citadel, illustere voorzaten van het gilde waartoe jullie behoren. Zij trokken ten strijde om valse godsdiensten uit te roeien, valse goden te verbrijzelen, ketterse kerken te vernietigen en verblinde aanhangers van hun zonden te zuiveren in het vuur van de inquisitie. Deze kruistochten stonden bekend als de Tabula Rasa – de schone lei – want in hun kielzog lieten zij geen enkele ketterij achter.'

Hij dempte zijn stem en leunde voorover tegen de tafel, die kraakte als de planken van een heel oud schip.

'De Carmina waren niet gebonden aan de gewone menselijke wetten.' Hij keek de mannen beurtelings aan. 'Noch waren ze gehouden de wet te gehoorzamen van de landen waarin zij zich begaven; want dat waren de wetten van koningen en keizers, en de Carmina waren slechts verantwoording verschuldigd aan God. Ik heb jullie hier bijeengebracht om hun verheven mantel op te nemen. We worden weliswaar niet langer belegerd door krijgsmachten, maar we hebben nog altijd vijanden. En we hebben nog altijd soldaten nodig.'

Hij schoof een envelop over de tafel naar Cornelius.

'Dit zijn de gegevens over wat jullie moeten doen en instructies voor het verlaten van de berg. Ik heb jullie uitgekozen omdat jullie het karakter en het verleden bezitten om Gods werk te doen. Laat je door Hem leiden, niet door aardse wetten. Net als jullie voorgangers moeten jullie vastberaden zijn in de uitvoering van je taak. De dreiging is reëel. Jullie moeten die dreiging elimineren.'

Hij wees naar de andere kant van het vertrek, waar drie identieke canvastassen tegen de muur stonden.

'In die tassen vinden jullie geld, identificatiepapieren en burgerkleding. Twee uur na middernacht worden jullie buiten de muren van de oude stad opgewacht door twee mannen die jullie vervoer, wapens en alle andere benodigdheden zullen bezorgen. Net zoals jullie voorzaten gebruikmaakten van huurlingen om hen te helpen bij hun missies, moeten jullie van deze mannen gebruikmaken voor jullie opdracht. Vergeet echter niet: wat jullie doen uit liefde voor God, doen zij uit liefde voor geld. Maak dus gebruik van ze, maar vertrouw ze niet.'

Hij zweeg even.

'Ik stuur jullie niet lichtvaardig op deze missie. Mochten jullie er niet in slagen om je opdracht te vervullen, en dat kan gebeuren, weet dan dat je door God zult worden omarmd als een gezegende krijger, net als zij die in vroeger tijden vielen. Degenen die wel terugkeren, zullen niet worden onthaald als leden van jullie huidige gilde van wachters, maar als leden van ons meest verheven gilde, en verwerven het recht om de groene mantel van de Sancti te dragen. Jullie weten misschien al dat er twee plaatsen vrijgekomen zijn,' voegde hij daaraan toe. 'Maar ik zal indien nodig ons aantal vergroten om allen die zich zo waardevol betonen, te kunnen opnemen. En bij het bereiken van het hoogste niveau van onze broederschap zullen jullie uiteraard worden gezegend met de heilige kennis van datgene wat ik jullie nu vraag te beschermen.'

Terwijl hij opstond van zijn stoel haalde hij de crux van zijn touwriem. 'Jullie hebben een paar uur om je om te kleden en je terugkeer in de wereld voor te bereiden. Laat me jullie nu zegenen in de traditie van de orde die wij hier vanavond opnieuw tot leven wekken.'

Hij hief de Tau boven zijn hoofd en sprak de eeuwenoude krijgszegen uit, in woorden zo oud als de berg waarin hij bad, en achter hem knetterde en siste het vuur en het wierp zijn reusachtige schaduw over het plafond van de grot.

Enkele uren later beefde de grond bij de oude stadsmuur even licht, als een echo van de storm die over de bergtoppen in het noorden bulderde. Aan het einde van een steeg tussen twee parkeergarages schoof een zwaar stalen luik dreunend omhoog tot een kier die net breed genoeg was om een man door te laten. Drie schaduwen maakten zich los uit het duister, flarden van de nacht, verstrooid door de wind. Ze liepen door de steeg naar een geparkeerd busje waarvan de achterdeuren niet op slot waren.

Toen de drie gestalten in het busje klommen, plensden de eerste dikke regendruppels op het dunne metalen dak en kletterden op het beenkleurige plaveisel. De deuren sloegen dicht en de motor kwam grommend tot leven. De koplampen lichtten op en veegden over de stoffige weg, waar de regen als een besmettelijke ziekte op uiteenspatte.

Het busje reed in de richting van de ringweg en de grote oostelijke boulevard die hen helemaal naar de luchthaven zou brengen. De regen verhevigde toen ze om de oude stad heen reden; zwarte tranen vielen voor alles wat gebeurd was en gebeuren kon, stroomden langs de muren van de Citadel neer op de krijtachtige aarde waar ooit een slotgracht stroomde en waar een man gezwommen had, door de smalle keistenen straten waar de rode ridders reden, om de bloemen en kaarten weg te spoelen die de plek markeerden waar de monnik pas zo kort geleden was gevallen.

45

De Lockheed Tri-Star slingerde en zwalkte heen en weer tussen de onweerswolken die de afdaling naar de luchthaven van Gaziantep bewaakten. Bliksem flitste in het schemerige interieur en de motoren kreunden terwijl ze probeerden greep te krijgen op de glibberige lucht. Liv klemde haar reisgids vast alsof het een bijbel was en keek om zich heen naar het veertigtal passagiers. Zij sliepen al evenmin. Sommigen leken te bidden.

Moge God je vervloeken, Sam, dacht ze toen het vliegtuig weer een slinger maakte. *Acht jaar lang geen woord en nu doe je me dit aan.*

Ze keek net op tijd uit haar beregende raam om een nieuwe bliksemflits de vleugel te zien raken. De motoren brulden van de pijn. Ze hoopte vurig dat de twee incidenten geen verband hielden en wierp weer een blik op de asbak in haar armleuning, zich afvragend hoe hoog de boete voor roken in een passagiersvliegtuig zou zijn. Wat het bedrag ook was, ze overwoog het serieus.

Nogmaals tuurde ze de roerige nacht in, hopend op wat respijt. Als bij goddelijke opdracht scheidden de wolken zich en onthulden een donker, kartelig landschap dat rusteloos flakkerde onder de vrijwel constante bliksemflitsen. In de verte ontwaarde ze de gloed van een stad, als een ondiepe poel goud in de natuurlijke kom van het gebergte. In de regen die langs het raam stroomde, schitterde de stad wazig, alsof hij niet uit vaste materie bestond. In het midden lag een donkere vlek, waar vier rechte lijnen van uitstraalden. Dat was Ruīn, en de donkerte in het midden was de Citadel. Vanaf haar hoge uitkijkpost zag het heiligdom eruit als een zwarte edelsteen, gezet in een helder kruis. Liv bleef ernaar kijken en herinnerde zich alles wat ze erover had gelezen, en al het bloed dat had gevloeid om het geheim te bewaren dat de berg omvatte.

Toen begon de Lockheed met een onvaste bocht aan de afdaling naar Gaziantep, en de Citadel vergleed weer in de nacht.

Kathryn bekeek de mensenmassa die de aankomsthal binnenstroomde. Uit de onthullingen in het gestolen politiedossier had ze geconcludeerd dat de jonge vrouw zo snel mogelijk naar Ruīn zou komen om het stoffelijk overschot van haar broer op te eisen. Zij had hetzelfde gevoeld toen haar man twaalf jaar geleden was vermoord. Ze herinnerde zich nog altijd die dwingende behoefte om bij hem te zijn, ook al wist ze dat hij dood was.

Gezien het in het dossier genoemde tijdstip van het telefoongesprek was dit volgens de website van een reisbureau de eerste vlucht die ze had kunnen nemen.

Eenmaal bevrijd uit de douanehal haastten de reizigers zich naar taxi's of wachtende familieleden, of om als eerste in de rij te staan bij de parkeerautomaat. Omdat er twee vluchten tegelijk waren geland, was het moeilijk om iedereen die naar buiten kwam goed te bekijken. Kathryn had het gezicht van de jonge vrouw in haar geheugen geprent, maar bij wijze van back-up had ze ook een naambordje. Ze wilde het net omhoogsteken toen ze een man achter de reling tegenover haar zag staan die eenzelfde kaartje opstak. In blokletters van onwisbare viltstift stond er LIV ADAMSEN op geschreven.

Kathryn voelde haar hoofdhuid prikken.

Ze liet haar hand in haar jaszak glijden en klemde hem om de kolf van haar pistool terwijl ze hem vanuit haar ooghoeken in de gaten hield. Hij zou van de politie kunnen zijn. Er kon meer contact zijn geweest waarvan zij nog niet op de hoogte was.

Hij was vrij lang en stevig gebouwd. Een rossige baard bedekte wat eruitzag als littekens op zijn wangen. De manier waarop hij de menigte opnam had iets verontrustends: het was de blik van een beer die in een beek op jacht was naar zalm. Hij straalde gezag uit, en juist dat vond Kathryn beangstigend. Ze zouden geen hoge politiefunctionaris sturen om een getuige op te halen, zeker niet zo laat op de avond. Hij kon niet van de politie zijn.

Een jonge vrouw kwam uit de douanehal lopen en werd door de menigte meegevoerd. Haar smoezelige blonde haar viel over haar gezicht; haar blik was gevestigd op een weekendtas waarin ze ergens naar zocht. Ze leek de juiste lengte en de juiste leeftijd te hebben.

Kathryn keek weer naar de man met het naambordje. Hij had haar ook gezien. De vrouw haalde een mobiele telefoon uit haar tas en keek op. Ze was het niet. Kathryns vingers ontspanden zich en kropen uit haar zak. De man bleef de jonge vrouw indringend aanstaren terwijl ze zijn kant op wandelde. Toen ze nog maar een paar stappen van hem verwijderd was, stak hij zijn bordje omhoog met een vragende glimlach op zijn gezicht. Ze keek dwars door hem heen en liep hem voorbij.

De glimlach verdween en hij nam zijn afwachtende houding weer aan. Kathryn volgde zijn voorbeeld. Tegen de tijd dat de laatste passagier de terminal binnenliep, was het duidelijk dat de vrouw niet op deze vlucht had gezeten en had Kathryn nog twee andere dingen geleerd. Haar instinct had haar niet bedrogen: de Sancti hadden inderdaad mensen gestuurd om de jonge vrouw op te wachten. En om de een of andere reden hadden ze geen idee hoe ze eruitzag.

46

Het was nog geen twee uur 's ochtends toen Liv langs de douane de ruime aankomsthal met het hoge plafond in liep. Expressionistische wandschilderingen en hangende kunstwerken vulden de hoge, holle ruimte. Ze herkende een paar van de meer dramatische momenten uit de lange, bloederige geschiedenis van Ruīn waarover ze in haar vliegtuigboek had gelezen.

De energieke historische figuren vormden een scherp contrast met de echte mensen die eronder rondslenterden. Een paar strak in het pak gestoken zakelijke types tuurden op hun laptops en hun BlackBerry's, maar het waren er niet veel. Kleine kuddes toeristen met uitgebluste ogen dwaalden doelloos over de marmeren vloer onder het toeziend oog van een paar verveelde politieagenten, elk met een automatisch geweer over de schouder.

Het meeste toeristenverkeer richting Ruīn vloog naar de grotere luchthaven ten noorden van Gaziantep, omdat die dichter bij de antieke burcht lag. Daar had Liv helemaal niet over nagedacht toen ze haar ticket boekte; ze had de eerste vlucht gekozen die ze dacht te kunnen halen. Volgens de gids reden er nog altijd genoeg bussen naar de oude stad vanaf het vliegveld, maar op dit uur van de ochtend zou ze vermoedelijk een smak geld moeten uitgeven aan een taxi, zodra ze plaatselijke valuta had geregeld.

Terwijl ze de hal doorkeek op zoek naar een *bureau de change*, zag ze de lange, knappe man haar recht aanstaren. Eerst keek ze langs hem heen, in verwarring gebracht door zijn directe blik, en toen keek ze hem aan. Daarop glimlachte hij haar toe. Ze glimlachte terug. Vervolgens hield hij een bordje omhoog waar in viltstift haar naam op stond.

'Liv Adamsen?' vroeg hij, naderbij komend.

Ze knikte, niet zeker wat ze van hem moest denken.

'Arkadian heeft me gestuurd,' zei hij ter verklaring. Zijn stem was laag en klonk alsof hij aan een oudere man toebehoorde.

'Je bent Amerikaans?' vroeg Liv.

'Daar heb ik gestudeerd,' zei hij; zijn glimlach bleef koel en vast. 'Maar daar hoef je niet van onder de indruk te zijn. Dit is een toeristenstad, iedereen spreekt hier Engels.'

Ze knikte omdat er een mysterie was opgelost en fronste weer toen het volgende zich voordeed.

'Hoe wist je welk vliegtuig...'

'Dat wist ik niet,' onderbrak hij. 'Ik heb de laatste paar internationale vluchten opgewacht in de hoop dat je er toevallig in zou zitten.' Hij klonk heel vrolijk voor iemand die de halve nacht een hele luchthaven in de gaten had gehouden.

'Het was de eerste die ik te pakken kon krijgen...' zei ze, schuldbewust omdat hij zo'n vervelende opdracht had gekregen.

'Geen probleem.' Hij wees op de verfrommelde weekendtas aan haar arm. 'Is dat je bagage?'

'Ja, maar laat maar, ik neem hem wel.' Ze hees de tas over haar schouder en liep achter hem aan over de glanzende marmeren vloer.

Zulke service krijg je echt niet in Jersey City, dacht Liv met haar ogen gericht op de brede rug die een baan vrij maakte tussen de trage horden toeristen. Zijn lange zwarte regenjas bolde achter hem op toen hij vaart kreeg en gaf hem een vleugje flitsende ridderlijkheid dat mooi overeenstemde met de wandschilderingen.

Ze stapte in een traag rondwentelende draaideur. In die beperkte ruimte kwam ze zo dicht bij hem te staan dat zijn geur haar omringde. Schoon, scherp, een vleugje leer en citrusvruchten, en iets ouderwets en geruststellends... wierook misschien. De meeste politieagenten die zij kende beschouwden Old Spice als het summum van raffinement. Ze keek omhoog. Hij was langer dan ze had gedacht, en knap op een traditionele, lange, donkere manier met zijn ijzige blauwe ogen, al was zijn haar niet zwart, zoals ze eerst dacht, maar heel donkerbruin. Hij was precies het soort man waar moeders hun dochters tegen waarschuwden, zo'n man die waarzegsters in kristallen bollen zagen schuilen als je ze maar geld toeschoof.

De draaideur wentelde hen geleidelijk de nacht in en de geur van regen op beton omspoelde haar door het reizen afgestompte zintuigen. Die geur was het meest frisse dat ze in de afgelopen twaalf uur had geroken, maar als nicotineverslaafde met de bijbehorende vervormde geest deed het haar alleen maar denken aan haar hunkering naar een sigaret. Ze bleef net buiten de deur stilstaan en deed haar tas open. 'Waar sta je geparkeerd?'

De man draaide zich om en zag haar de rommelige inhoud van haar tas doorspitten. 'Daar,' zei hij met een knikje naar de bezoekersparkeerplaats aan de overkant van de weg.

Liv keek schuin naar de door felle regen gegeselde nacht. 'Ik heb nogal overhaast ingepakt,' zei ze. 'Ik geloof niet dat ik een jas bij me heb...'

De man stak zijn paraplu op, maar Liv negeerde hem. Ze had alleen maar oog voor het verkreukelde pakje Lucky Strikes dat ze eindelijk had opgediept. Ze tikte er eentje uit en plukte hem met haar lippen uit het pakje.

'Beetje winderig,' zei ze terwijl ze haar schouders optrok tegen de kou. 'Ik zou niet willen dat je door mij een paraplu kwijtraakt. Weet je wat... waarom ga jij je auto niet even halen? Ik blijf hier wel even staan roken, dan raak ik niet doorweekt en hoef jij me geen proces aan te doen wegens meeroken.'

De man aarzelde en wierp een blik op de vlagen regen die over de afhaalstrook zwiepten. 'Oké. Blijf hier maar staan. Ik ben zo terug.'

Ze keek hoe hij wegliep, hoe de wind de panden van zijn jas greep. Achter haar gebogen hand beschutte ze haar sigaret tegen de wind, stak hem aan en zoog nicotine en nachtlucht op tot diep in haar longen. Ze ademde uit en voelde de spanning van de vliegreis smelten en wegebben met de rook. Ze propte het pakje terug in haar tas, tastte erin rond naar haar mobiel en schakelde hem in.

Een busje zoefde langs in de regen, voorbij een bushokje aan de overkant waar een beveiligingsbeambte drie jongeren scheen te verjagen die zich er voor de nacht in wilden installeren. Ze zagen eruit als studenten die te lang gefeest hadden, of als gewone zwervers die al hun leven lang van het kastje naar de muur werden gestuurd.

Hartelijk welkom in Ruīn...

De telefoon zoemde in Livs hand toen hij een signaal opving. Het toestel meldde drie gemiste oproepen en twee nieuwe berichten. Ze schoof net haar duim over de toetsen om haar voicemail te bellen, toen er een onopvallende Renault naast haar stopte. Het raampje gleed omlaag en vanachter het stuur keek de goed geklede politieman haar glimlachend aan. Hij leunde opzij en maakte het achterportier open.

Liv zoog nog een keer hongerig aan haar sigaret, begroef hem in de met zand gevulde asbak bij de draaideur en greep toen haar tas om over de natte stoep naar het warme, droge comfort van de auto te hollen.

'Hoe heet je?' vroeg ze terwijl ze het portier dichttrok en naar de veiligheidsriem reikte.

Hij schakelde en voegde in tussen de rijen auto's en taxi's die langzaam naar de exitborden dromden. 'Gabriël,' zei hij.

'Net als de engel?'

Ze zag zijn kraaienpootjes verschijnen in de achteruitkijkspiegel. 'Net als de engel.'

Ze leunde tegen het portier en voelde de vermoeidheid zich als een deken over haar heen vlijen. Net toen ze haar ogen wilde sluiten, herinnerde ze zich haar berichten. Ze belde haar voicemail en hield de telefoon bij haar oor.

'Wie bel je?' vroeg de chauffeur.

'Ik haal even mijn berichten op.' Ze smoorde een geeuw. 'Waar gaan we precies naartoe?'

'Ruīn,' zei hij en stuurde de auto weg van het verkeer, een zijweg op. 'Waar anders?'

Door de krakende atmosferische storingen van de storm heen begon haar eerste bericht af te spelen.

47

'Hallo... eh... mevrouw Adamsen. Dit is inspecteur Arkadian. Ik wilde u alleen nogmaals condoleren... met uw verlies... foto's gemaild naar ene inspecteur Berringer... Newark PD*...'*

Liv klemde de telefoon hard tegen haar oor toen het gekraak toenam en delen van het bericht opslokte.

'Hij belt u... formele identificatie van... Hij kan daar alles regelen... aarzel niet... te bellen als u...'

Het bericht was afgelopen en haar blik vloog naar de man achter het stuur. Als Arkadian foto's had gestuurd om haar die te laten identificeren, verwachtte hij kennelijk niet dat ze zou komen. Waarom zou hij dan iemand sturen om haar af te halen? Het tweede bericht begon.

'Hallo, u spreekt met detective Berringer van de politie van Newark...'

Ze wachtte niet tot ze de rest had gehoord.

Hij zei dat hij Gabriël heette. Hij zei dat hij politieman was.

Nee.

Hij had nooit gezegd dat hij van de politie was. Hij had haar geen identificatie laten zien toen hij zich had voorgesteld. Hij had alleen gezegd dat Arkadian hem had gestuurd en de rest had zij klakkeloos aangenomen. *Stom.* Ze was erin gelopen door haar eigen vermoeidheid en omdat hij knap en beleefd was. Maar wie was hij dan verdorie wel?

'Alles goed?'

Ze keek op en ontmoette zijn blik in de spiegel.

'Ja hoor,' zei ze, ineens beseffend dat haar gezicht een toonbeeld van ongerustheid moest zijn. 'Gewoon werk. Ik ben nogal haastig op die vlucht gesprongen. Geen tijd gehad om wat dingen af te handelen voor mijn vertrek. Mijn baas is razend.'

Zijn ogen richtten zich weer op de weg toen er een busje langs stoof in een wolk van opspattend water. Banden piepten en het interieur van de auto stroomde vol rood licht. Het busje voor hen had hard geremd. Te hard.

Gabriël deed hetzelfde. De wielen van de Renault snerpten over het vettige wegoppervlak. Met geweld botste de voorbumper tegen de achterkant van het busje. Liv werd hard voorovergesmeten tegen haar veiligheidsriem. Er klonk een scherpe knal en heel even, voordat de airbags zich ontvouwden, dacht ze dat ze beschoten was.

Toen ging alles over in slow motion.

48

Al voordat de airbag van de bestuurder leeg begon te lopen gaf Gabriël er een dreun op, rukte zijn veiligheidsriem los en reikte naar het portier. Hij trapte het zo hard als hij kon open en rolde de regen in voordat het weer dichtklapte. Het gebeurde zo snel, dat Liv nog naar de lege bestuurdersstoel zat te kijken toen haar eigen portier openging.

Ze draaide zich om en keek in de loop van een geweer.

'Eruit!' schreeuwde een stem ergens achter de loop vandaan.

Ze keek langs het zwarte gat van de loop naar de jongeman die hem vasthield. Hij was bijna nog een jongen. Tussen het pluis van de spaarzame blonde baard onderscheidde ze jeugdpuistjes en van de klep van de laag over zijn lichtblauwe ogen getrokken honkbalpet druppelde de regen.

'Eruit!' schreeuwde hij weer.

Hij boog zich voorover en greep haar met zijn vrije hand, net toen de ruit achter haar explodeerde en het interieur van de auto bezaaide met kleine, glitterende scherven. De jongen deinsde in een pirouette achteruit, alsof er iemand hard aan een touw had getrokken dat aan zijn linkerschouder was bevestigd. Liv keek achterom en zag Gabriël staan, omlijst door de scherpe restanten van de achterruit.

'Rennen!' riep hij en verdween met een snelle beweging uit het zicht.

Liv draaide met een ruk haar hoofd terug en keek door het openstaande portier naar de jongen die nog steeds op de grond lag, zijn lichtblauwe ogen opengesperd in de striemende regen. Een tinkelende hagelbui van glazen juwelen kwam op de vloer terecht toen ze naar de knop van haar veiligheidsriem grabbelde en de riem van haar afgleed. Ze plonsde langs het lijk naar de schaduwen aan de overkant van de weg. Ieder moment verwachtte ze achter zich de knal van een geweerschot te horen, gevolgd door de dreun van een kogel die zich in haar rug drong en haar op de grond wierp.

Ze wist de stoep te bereiken en struikelde eroverheen naar een berm van lage struiken en ruw gras. Na twee jaar groeien en zachte winters hadden de taaie heesters wel wat beschutting kunnen bieden, maar in hun huidige staat waren ze weinig meer dan obstakels. Ze zigzagde ertussendoor, slipte op grond die zo doordrenkt was dat het leek alsof ze op ijs rende. Ze hield even in en riskeerde een blik achterom.

Het zicht door het dikke regengordijn was vrijwel nul. Ze kon net de omtrek van de auto onderscheiden en het busje dat ervoor stond, maar verder niets. Er botste iets tegen haar aan zodat ze met geweld naar achteren werd gesmeten. Even bleef ze liggen, knipperend tegen de regen terwijl de kilte van de aarde in haar lichaam kroop. Voor de tweede keer in evenzoveel minuten dacht ze dat ze beschoten was, tot ze zich bewust werd van een vorm die zich in het donker als een spinnenweb voor haar uitstrekte. Ze volgde de vage omtrek tot ze iets duns en stevigs uit de grond zag steken: een paal. Ze was in volle vaart tegen een hek geknald.

Ze riskeerde nog een blik in de richting van de twee auto's en zag haar mobiel opgloeien op de grond bij haar hoofd, uit haar greep gerukt door haar val. Ze raapte hem op, bang dat het schamele licht als een baken zou fungeren voor haar achtervolgers. Ze verborg het scherm met haar hand en drukte hard op de uitknop. Vanuit haar nieuwe positie kon ze de auto en het busje niet langer zien. Daardoor voelde ze zich beter – heel even maar.

Een schot weerklonk, gevolgd door het geluid van een startende motor en het gepijnigde krijsen van banden op asfalt. In de verte hoorde ze het gieren van kogels op metaal en een ruit die sprong. Het voertuig dat op de vlucht was, raasde een bocht om en verdween.

Ze keek weer naar de weg, maar zag alleen de gele nevel van de straatlantaarns. Ze verbeeldde zich dat er iemand achter de lage berm stond, het duister verkennend met een geweer in de hand. Op zoek naar haar. Maar wie zou het zijn? Een van de kerels die hen hadden overvallen, of Gabriël? Het enige wat zij wilde was volkomen stilliggen, niet rennen, geen aandacht trekken. Maar toen ze uit de auto was gesprongen, was ze rechtstreeks naar de eerste de beste dekking gerend die ze kon vinden. Ze was niet eens schuin overgestoken. Ze lag op de eerste plek waar diegene daarboven zou zoeken. Ze moest daar weg.

Ze keek naar rechts, de richting waarin ze hadden gereden. Een rijtje dienstgebouwen gaf een kruising aan. Opslagloodsen, waarschijnlijk. Vol bagage of vracht, en misschien zelfs mensen in de nachtdienst, op slechts een paar honderd meter afstand. In de andere richting lichtte de onderkant van een laaghangende wolk op in de gloed van de luchthaventerminal. Ze had geen idee hoe ver dat was, maar het was een stuk verder dan de rij loodsen. Ze luisterde of ze iemand hoorde aankomen, hoorde het sissen van de regen, haar eigen ademhaling. Verder niets.

Snel achter elkaar haalde ze drie keer adem. Het zou logisch zijn om naar de dichtstbijzijnde loods te lopen en alarm te slaan, dus zou ze de andere kant op gaan. Terug naar het warme, helder verlichte voorplein, naar de menigte toeristen met hun uitgebluste blik gericht op het vertrektijdenbord, en de twee politiemannen met automatische geweren over hun schouder.

Ze dook diep in elkaar naast het hek aan haar rechterkant en hoopte vurig dat degene die op de weg stond de andere kant op keek. De plotselinge bliksemflits die de nacht verlichtte brandde alles wat op haar weg lag op haar netvlies: de slagboom in het hek ongeveer twintig meter verderop, de in rijen gerangschikte geparkeerde auto's erachter. Als ze dat gesloten gelid van kogelwerende auto's en busjes kon halen, zou ze misschien veilig zijn.

Boven haar hoofd rommelde de donder. De slagboom was nu nog maar vijftien meter ver en de berm links van haar vlakte af om op gelijke hoogte te komen met de toegangsweg. Het beetje dekking dat ze aan die kant had zou verloren gaan, maar daar was niets aan te doen.

De zwart en geel gestreepte balken van een automatische slagboom strekten zich uit voor de opening in het hek. Ze dwong zich om zich daarop te concentreren en niet te denken aan een eventuele achtervolger.

Nog vier meter.

Nog drie.

Twee.

Haar rechtervoet raakte het stevige asfalt van de weg en ze gooide zich vooruit in de richting van de pilaar met het mechanisme van de slagboom, dook erachter, viel dankbaar achterover tegen het koude, natte staal en voelde zich heel even veilig.

Toen hield het op met regenen.

Het was zo abrupt dat het bijna onnatuurlijk leek. Het ene moment werd ze omspoeld door een bijna tropische zondvloed, het volgende moment was het gordijn verdwenen. Ze hoorde het gorgelen van de goten langs de weg en het zachte soppen van de verzadigde grond. In de plotselinge stilte klonk elke ademstoot als het raspen van een kettingzaag. Ze spitste haar oren om andere geluiden te horen. In haar koortsige verbeelding verhaalde de stilte van een nabije vijand, luisterend naar haar geringste bewegingen, zijn geweer gericht op de kille grond tot het een warmer doelwit vond.

Het luchthavengebouw was nog steeds te ver weg, maar ze kon er nu elk detail van onderscheiden – dus kon degene die haar zocht dat ook. Ze voelde een overweldigende aandrang om terug te rennen naar de dekking van de geparkeerde auto's, maar vermande zich.

Ze was er maar vijf meter asfalt van vandaan. En nu zag ze dat het stuk waar zij gehurkt zat, helderder verlicht was dan de rest. Elders zag ze geruststellende paden vol schaduw waar de poelen licht elkaar niet helemaal overlapten. Ze zou veel minder zichtbaar zijn als ze daarlangs rende. Het dichtstbijzijnde lag op een meter of zeven afstand. En dan nog eens vijf naar de auto's. Of ze kon het erop wagen en rechtstreeks naar de donkerdere plekken rennen.

Ze sloot haar ogen en legde haar hoofd even tegen de ijzeren paal. Toen zette ze zich af over het smalle stuk straat, haar hoofd ter hoogte van de slagboom.

Gabriël hoorde haar voetstappen even verderop op het natte asfalt en zag haar over de toegangsweg vliegen, van richting veranderen bij een beschaduwd stuk, en vervolgens verdwijnen in de zee van metaal.

Hij draaide zich weer om en keek of er op de plaats van de hinderlaag compromitterend bewijsmateriaal was achtergebleven. Er hingen een paar beveiligingscamera's aan de rand van het parkeerterrein, maar die waren allemaal naar binnen gericht, op de auto's. Voor de loodsen gold hetzelfde: geen camera's op de weg. Ze konden veilig veronderstellen dat er nergens iets was vastgelegd van de gebeurtenissen van de afgelopen minuten.

Hij raapte de koperen patroonhulzen op van de zeven schoten die hij had gelost op de vertrekkende auto. De meeste hadden hun doelwit geraakt, maar geen ervan had de bestuurder belet om te ontsnappen. Hij liet de hulzen met een dof gerinkel in zijn zak vallen en richtte zijn aandacht op het lijk.

49

Liv huilde bijna van opluchting toen ze door de draaideur het helder verlichte terminalgebouw binnenstrompelde. Ze hinkte verder, waarbij ze sporen van modder en regenwater achterliet; groepjes toeristen ontweken haar geschrokken. Gewaarschuwd door de onrust keek een van de agenten bij de paspoortcontrole op. Ze zag hem zijn partner aanstoten en in haar richting knikken. De tweede agent schrok toen hij het modderige, half krankzinnige schepsel dat op hem afkwam in het vizier kreeg. Hij drukte een knop in op zijn walkietalkie en sprak erin. Beide mannen lieten hun handen zakken naar de trekkers van hun geweren.

Hè ja.

Haal ik het helemaal hierheen, word ik zo meteen neergeschoten door die twee sukkels.

Ze groef diep in zichzelf naar haar schamele reservekrachten en stak haar trillende handen omhoog in het internationaal bekende teken van overgave. 'Alstublieft,' hijgde ze terwijl ze voor hen door haar knieën zakte. 'Bel inspecteur Arkadian. Afdeling Moordzaken in Ruīn. Ik moet hem echt spreken.'

Rodriguez stond bij de bagagecontrole en keek naar de beveiligingsbeambte die zijn reistas leegde op de metalen tafel en de inhoud doorzocht. Een alarm kraakte via de walkietalkie aan zijn riem, maar hij besteedde er geen aandacht aan. Het bericht vroeg om assistentie voor een vrouw die in moeilijkheden verkeerde. Rodriguez draaide zich om en keek over de rij mensen heen aan de andere kant van het detectiepoortje. Dankzij zijn lengte had hij goed zicht op het voorplein, maar de oorzaak van de onrust kon hij niet zien.

'Dank u wel meneer, goeie reis.' De beambte duwde zijn canvastas opzij en reikte naar de volgende tas die over de rollers van het röntgenapparaat aan kwam ratelen.

Rodriguez ging opzij en pakte snel het paspoort waarvan hij had gedacht dat hij het nooit meer nodig zou hebben, de bijbel die zijn moeder op haar sterfbed had vastgehouden, de kleren die een beetje slobberden om zijn slanke, bijna twee meter lange lichaam. Het laatste artikel vouwde hij zorgvuldig op, alsof het een vlag was voor de doodskist van een gestorven soldaat. Het was een rood nylonjack met een capuchon, zonder enige betekenis voor anderen, maar voor hem van symbolisch belang.

Hij trok de tas met het trekkoord dicht en pakte een in leer gebonden boekje op dat de abt hem had gegeven, een kroniek van de Tabula Rasa. Op het schutblad had de abt de naam van een vrouw en twee adressen geschreven. Het eerste was dat van het kantoor van een krant in New Jersey. Het tweede was een huisadres.

Hij zwaaide de tas over zijn schouder en liep naar de gate. Hij keek niet achterom. Wat er in het terminalgebouw gebeurde, was zijn zorg niet. Zijn missie lag elders.

III

Alles wat verborgen is, moet openbaar worden gemaakt, en alles wat in het geheim is ontstaan, moet aan het licht komen.

Marcus 4:22

50

Liv keek naar de lege, geluiddichte muren en het spiegeltje waarvan ze uit ervaring wist dat het een observatieruimte verhulde. Ze vroeg zich af of iemand haar nu zat te bekijken. Ze bestudeerde haar spiegelbeeld in het geharde glas, haar groezelige kleren, haar tegen haar schedel geplakte haar. Ze hief haar hand om haar pony glad te strijken maar gaf het op: verspilde moeite.

Eerst dacht ze dat ze haar hierheen hadden gebracht omdat de verhoorkamers in elk politiebureau de enige plaatsen waren waar je nog mocht roken, maar nu ze zichzelf bekeek, was ze daar niet meer zo zeker van. Misschien wilden ze haar afzonderen omdat ze eruitzag als een krankzinnige. Ze had zich ook een beetje krankzinnig gevoeld toen ze haar verklaring aflegde en het verloop van de gebeurtenissen beschreef, vanaf haar aankomst in de terminal tot het moment waarop ze daar weer was binnengestrompeld na de poging tot ontvoering.

Het leek alsof het allemaal iemand anders was overkomen. Dat ontkoppelde gevoel was nog toegenomen toen de agent die haar verklaring had opgenomen was vertrokken om nog een sigaret voor haar te halen en teruggekomen was met een subtiel andere houding. Zijn kalme mededogen had plaatsgemaakt voor een zekere koele afstandelijkheid. Hij had het ritueel bijna in stilte afgerond en was nadat hij haar het document had laten lezen en ondertekenen zonder een woord verdwenen; de jaloezieën aan de buitenkant van de ramen beletten haar te zien waarheen.

Aan de binnenkant van de deur bevond zich geen deurknop. Zijn veranderde houding en het zwijgende wachten in deze kale kamer met de aan de grond vastgeklonken tafel en stoelen gaven Liv het gevoel dat ze gearresteerd was.

Ze pakte de sigaret op die langzaam tot as verbrandde in de asbak en nam een trek. Hij smaakte buitenlands en onaangenaam, maar ze zette door. Haar eigen verkreukelde Lucky Strikes zaten nog in haar reistas achter in Gabriëls auto, samen met haar paspoort, haar creditcards, alles behalve haar mobiel. Arkadian was kennelijk onderweg. Hopelijk was hij sympathieker dan zijn collega. Ze dacht terug aan haar rit over de kronkelende weg tussen de donkere schaduwen van bergen, toen door de heldere straten van een stad die erin slaagde om zowel ongelooflijk oud als heel modern te zijn. Ze herinnerde zich de bezienswaardigheden die aan haar uitgeputte blik vanuit het achterraampje van de politiewagen voorbij waren getrokken: het vertrouwde logo van Starbucks en de chromen en glazen puien van moderne banken, naast in de rots uitgebeitelde oude winkels met open puien, waar koperwerk en tapijten en souvenirs werden verkocht zoals dat al sinds Bijbelse tijden gebeurde.

Ze nam nog een haal van haar smerige sigaret, trok haar neus op en drukte hem uit in de asbak met een foto van de Citadel op de bodem. Ze duwde hem aan de kant en legde haar hoofd op haar armen. Het geluid van de airconditioning zoemde aan de uiterste rand van haar zintuigen. Ze sloot haar vermoeide ogen tegen het felle licht van de tl-buizen en ondanks alles wat ze had doorstaan viel ze binnen een paar tellen in slaap.

51

De Kliniek voor Katten, Honden en Andere Huisdieren stond op de hoek van Genade en Absolutie midden in het Verloren Kwartier. De aanwezigheid van een dierenarts in zo'n verlopen en afgeleefd deel van de stad was op zich al verrassend, maar het feit dat er nu licht brandde achter de matglazen gevel was nog vreemder.

In de kringen waarin Kutlar zich bewoog werd het meestal de Tevenkliniek genoemd, ter getuigenis van het werk dat hier tijdens de donkere uren werd verricht. De meeste van die behandelingen – die geen medische dossiers vereisten en contant werden afgerekend – werden uitgevoerd op vrouwen. Er was geen pooier in de stad die de kliniek niet ooit had gebruikt voor allerlei zaken, van een haastig geregelde illegale abortus tot een goedkope sterilisatie onder het mom van het aanbrengen van een voorbehoedsmiddel. Spiraaltjes en anticonceptiepillen waren relatief duur, dus was sterilisatie een stuk economischer. De meeste vrouwen begrepen pas jaren later wat er gebeurd was.

De kliniek bood ook andere, meer gespecialiseerde voorzieningen; voorzieningen waar een veel hoger prijskaartje aan hing vanwege de veel hogere gevangenisstraffen die er op ontdekking stonden.

Kutlar had de kliniek nog nooit gebruikt. Hij had geen huisdieren en had tot voor kort, ondanks zijn werkterrein, het geluk gehad geen van de arrangementen nodig te hebben die onder de toonbank werden verkocht. Dat was allemaal veranderd op de door regen geteisterde dienstweg naar het vliegveld, toen de 9mm-kogel door de deur van het bestelbusje was geplet en in zijn rechterbeen in tweeën was gespleten. Een deel van de kogel lag nu op een stalen blad. Toen hij ernaar keek voelde Kutlar zijn maag omdraaien en hij wendde zijn blik af. In de deur van een medicijnkast ving hij een blik op van zijn spiegelbeeld. Zijn kortgeschoren hoofd glom van het zweet in het licht van de lampen aan het plafond, die holle schaduwen maakten van zijn diepliggende ogen. Hij besefte dat hij eruitzag als een doodshoofd, huiverde en keek weg.

Hij lag op zijn linkerzij tegen het verhoogde deel van de onderzoekstafel, terwijl een dikke man met een witte jas en een grauwe huidskleur zijn delicate zoektocht naar de andere helft van de kogel voortzette. Af en toe voelde hij iets trekken of hoorde een vochtig, scheurend geluid waarvan zijn maag omkeerde, maar hij verzette zich tegen de misselijkheid, dwong zichzelf om regelmatig adem te halen – in door de neus, uit door de mond – en concentreerde zich op een foto van een vrolijk kwijlende zwarte labrador op een grote poster aan de andere muur.

Kutlar had over de kliniek gehoord van een kennis gespecialiseerd in het importeren en exporteren van diverse artikelen die zelden of nooit in reclamefolders verschenen. Hij had hem verteld dat deze dokter gul was met pijnstillers, als hij tenminste geen terugval had en ze allemaal zelf opvrat. Het rinkelen van metaal op metaal verkondigde de hereniging van beide helften van de kogel.

'Zo, het grootste deel van de hardware lijkt terecht,' zei de dikke man met een stem die niet zou misstaan uit de mond van een duurbetaalde specialist. 'Nu moet ik de wond even doorspoelen om eventueel aanwezige kleinere fragmenten te verwijderen. Daarna kan ik de aderen sluiten en je dicht-naaien.'

Kutlar knikte en klemde zijn kaken op elkaar. De dokter pakte een doorzichtige plastic fles met een smalle tuit en kneep erin met zijn pafferige kleine hand om behoedzaam een koude zoutoplossing in de gapende rode wond op zijn bovenbeen te spuiten. Kutlar huiverde. Hij was nog nat van de regen. Door zijn vochtige kleren in combinatie met het bloedverlies, met waarschijnlijk een portie posttraumatische stress als toegift, was hij rillerig. Hij keek weer naar de poster van de blije hond, besefte dat hij een of andere wormenbehandeling aanprees en voelde zijn misselijkheid weer opkomen.

Hij dacht aan de hinderlaag op de ventweg en vroeg zich af waar alles mis was gegaan. Toen hij de eerste twee mannen bij het autoverhuurbedrijf voor de voornaamste luchthaven had afgezet, was hij met zijn neef Serko naar het andere vliegveld gereden om de magere Zuid-Amerikaan af te zetten, zodat hij zijn nachtvlucht naar de Verenigde Staten zou kunnen halen.

Ze hadden de donkerharige medespeler in de regenjas opgemerkt net nadat ze die magere hadden afgezet – bij de aankomsthal, met een bord waarop de naam van de vrouw stond. Hij zag eruit als een politieman, maar hij was alleen. Ze waren op de achtergrond blijven kijken tot die griet ineens opdook vanuit een halfvolle vlucht vanuit Londen. Kutlar had eens nagedacht en besloten dat er een aardige bonus in zou zitten als hij en Serko die vent zouden overmeesteren en met haar terugkwamen van de vliegveldrit, dus waren ze hen naar buiten gevolgd. Ze kregen bijna de kans om haar meteen te grijpen toen haar chaperon naar de auto liep en zij achterbleef om een sigaret te roken. Alleen waren er toen net een paar beveiligingsbeambten aan de overkant een stel zwervers uit een bushokje gaan jagen. Dus hadden ze niets gedaan, hadden die twee met het busje gevolgd, en toen besloten tot een hinderlaag op de ventweg.

Het plan was simpel geweest. Hij zou de babysitter voor zijn rekening nemen terwijl Serko die griet in het busje zette. Net zo makkelijk. Behalve dat de bestuurder zo snel uit de auto was komen vliegen dat hij achterover was geklapt en zijn geweer had laten vallen. Toen hij zich eenmaal had hersteld, was er een schot afgevuurd. Hij had zich op de man geworpen en het geweer uit zijn handen geschopt en was vervolgens teruggekrabbeld naar het busje en weggereden. Alleen was de jonge vrouw er niet. Evenmin als Serko. Toen hij weg racete, had hij in de achteruitkijkspiegel iemand op de grond zien liggen. Bijna was hij omgekeerd en teruggereden, toen er kogels in zijn zijpanelen sloegen en zijn ruit eruit knalden. Hij begreep pas dat hij was geraakt toen hij wilde remmen en zijn been niet kon bewegen. Teruggaan zou zelfmoord zijn geweest. Hij had geen enkele keus gehad. Dode mannen konden zich niet wreken. Neef of geen neef.

Er rinkelde een telefoon in de wachtkamer. Kutlar wist wie het was. Vroeg zich af hoeveel tijd hij nog had voordat ze hem te pakken kregen. Hij had in het verleden al eerder klusjes gedaan voor de kerk, meestal gevalletjes van intimidatie en het afgeven van dreigende boodschappen. Nog nooit zoiets als dit. Nooit een ontvoering. Nooit iets waar een pistool bij te pas kwam. Maar het geld was te goed geweest om de opdracht af te wijzen. Hoe het ook zij, zodra de dokter klaar was, was hij weg, betaald of niet. Hier wilde hij niet voor zitten. Hij luisterde naar het rinkelen van de telefoon en had spijt dat hij hun over de kliniek had verteld. Niet dat hij veel keus had gehad. De oudere man had specifiek gevraagd waar ze heen konden als er slachtoffers vielen. Dat was het woord dat hij had gebruikt – *slachtoffers*. Toen hadden ze meteen moeten weglopen. Nu was het te laat. Te laat voor Serko, in elk geval.

'Ik ga je wat antibiotica meegeven tegen de koorts,' zei de dikke man met de stem die hij had weten te redden uit een vorig leven. 'Dat beschermt ook tegen infecties.'

Kutlar knikte weer; hij voelde het zweet op zijn hoofdhuid prikken en langs zijn nek en zijn rug druipen. Er werd beweerd dat de dokter in het verleden echt de geneeskust had beoefend, voordat zijn gebrek aan wilskracht en de onbegrensde toegang tot morfine zijn ondergang werden. 'Je moet ergens gaan rusten,' zei de dokter. 'Kalm aan doen tot dit geneest.'

'Hoe lang?' zei Kutlar schor; zijn mond was droog en wollig van de novocaïne of wat het ook was dat ze bij hem naar binnen hadden gepompt.

De dokter keek nog eens naar het rafelige rode gat en bestudeerde het alsof het een zeldzame orchideeënsoort was. 'Een maand, misschien. In elk geval een paar weken voordat je zelfs maar kunt proberen om erop te lopen.'

Het geluid van een stem vanuit de deuropening deed hen allebei opschrikken.

'Als wij vertrekken, moet hij er klaar voor zijn.'

Kutlar zag Cornelius het vertrek binnenkomen; de wasachtige vlekken op zijn gezicht glommen onder de operatielampen. Johann volgde vlak achter hem. Hun rode windjacks glansden van de regen. Ze zagen eruit alsof ze waren gedoopt in bloed.

'Oké,' zei de arts. Hij keek wel uit om in discussie te gaan met zijn klanten. 'Ik zal het strak verbinden en hem een paar sterke pijnstillers geven.'

Cornelius kwam bij de tafel staan en boog zich voorover om met een kennersblik de wond te onderzoeken voordat de dokter hem zou verbinden. Hij keek even naar Kutlar en knipoogde, waarbij een glimlach zijn ooghoeken deed rimpelen en aan de bleke stukken huid op zijn gezicht trok. Ergens in de koude verdoofdheid van zijn been voelde Kutlar iets bewegen. Zijn vriend had gelijk, de dokter was gul met medicijnen, maar de novocaïnemuren begonnen in te storten en een heel leger van pijn stond op het punt om binnen te vallen.

De dokter was klaar met verbinden en reikte naar een injectiespuit. 'Nu ga ik je wat morfine geven en wat pillen om mee te nemen.'

Een flits rood vloog door het vertrek toen Johann de arts greep en zijn mond dichthield. Bloeddoorlopen ogen sperden zich wijd en doodsbang open achter vettige brillenglazen en snot borrelde uit zijn neus toen hij begon te hyperventileren. Cornelius plukte de injectienaald uit zijn mollige vingers en stak hem door de witte mouw heen in zijn arm. Hij drukte op de pomp en de blik in de opengesperde ogen ging van paniek over in glazige berusting toen de opiaten in zijn systeem doordrongen. Johann sleepte hem naar een stoel en liet hem erin vallen, terwijl Cornelius nog een ampul zocht en de injectiespuit opnieuw vulde. Hij stak hem in de buurt van de eerste prik, de pomp indrukkend tot hij leeg was.

'Tabula Rasa,' fluisterde hij met een blik op Kutlar. 'Geen getuigen.'

Hij trok de spuit uit de arm van de dikke man en kwam dichterbij.

Kutlar zou zijn weggerend als zijn been het had toegelaten, maar hij wist dat het zinloos was. Hij zou de behandelkamer niet eens uit komen. Hij dacht aan Serko, uitgestrekt op het natte asfalt. Hopelijk zouden deze meedogenloze hufters, wie ze ook mochten zijn, in elk geval de man te pakken krijgen die hem had gedood en hem met gelijke munt terugbetalen. Hij zag de injectiespuit naderen, losjes bungelend tussen de dikke vingers van Cornelius, de scherpe punt roze van het bloed van de dokter.

Ik hoop dat hij een andere naald gebruikt, dacht Kutlar, voordat hij zich realiseerde dat dat niet veel verschil zou maken.

'We moeten hier weg,' zei Cornelius. Hij pakte een papieren handdoekje uit een doos op tafel en wikkelde het om de spuit. 'Ben je er klaar voor?'

Kutlar knikte. Herademde. Cornelius schoof de spuit in de zak van zijn windjack, greep hem onder zijn schouder en hielp hem overeind. Kutlar voelde het gezwollen vlees van zijn been tegen het strakke verband drukken. De kamer begon te draaien. Hij probeerde een stap te zetten, maar zijn benen weigerden hem te gehoorzamen. Het laatste wat hij zag voordat hij flauwviel, was de hond op de poster met zijn vrolijke blik, gezond en uitbundig wormenvrij.

52

De dageraad begon door het bladerdak te filteren toen Gabriël de auto tot stilstand bracht op een meter of zeven van de rand van de groeve en de motor uitzette. De oude steengroeve was uitgegraven in de rand van de bergen ten noorden van de stad, aan het einde van wat ooit een belangrijke doorgaande weg was geweest, verbonden met de grote noordelijke boulevard van Ruīn. In vroeger tijden ratelden hier meer dan honderd ossenwagens per dag overheen, beladen met stenen voor de stad.

Het merendeel van het metselwerk voor de kapel in het centrum van Ruīn was hiervandaan gehaald, net als grote delen van de noordelijke en westelijke stadsmuren. Tegenwoordig lag de weg begraven onder dikke, heesterachtige bomen en honderden jaren van rottende bladeren, waaruit hier en daar een gebroken stuk steen stak als een versplinterd bot, als enige herinnering aan het feit dat hier ooit een groeve was geweest. Hij lag tweeënhalve kilometer verwijderd van elke bekende weg en stond niet meer op moderne landkaarten: bijna onvindbaar, zelfs bij daglicht, tenzij je wist dat hij er was.

Gabriël liep naar de rand van de groeve, ademde de zware oergeuren in die de stortbui van de vorige dag hadden losgemaakt en keek over de rand. Vijfentwintig meter lager bedekte een slijmerig tapijt van groene algen een poel waarvan de diepte onmogelijk was vast te stellen. Het was er zonder twijfel behoorlijk diep. Steengroeven verzamelden water als reusachtige regentonnen. Hij luisterde of hij motoren, honden of kettingzagen hoorde, of iets anders dat de aanwezigheid van andere mensen in de omgeving verraadde. Het enige wat hij hoorde was het plonzen van een paar stenen in het groene water in de verte beneden.

Toen hij ervan overtuigd was dat hij alleen was, liep hij naar de achterkant van de auto en opende de kofferbak. De lichte, blinde ogen van de dode man staarden hem aan. Op zijn borst werd een klein donker gat omringd door een grote roze ronde vlek. Hij pakte het pistool van de dode man: een Glock 22, het favoriete wapen van drugsdealers, bendeleden en de helft van alle politiemachten in de westerse wereld. Er zaten vijftien kogels in het magazijn en nog een in de kamer. Gabriël klapte het open zodat er een .40 S&W-patroon met een holle neus en een lichte lading uitvielen. De S en de W stonden voor Smith and Wesson, hoewel lasterlijke tongen beweerden dat het 'Slap en Wankel' betekende omdat de kogel door de lichte kruitlading relatief traag was. Maar hij veroorzaakte ook geen supersonische knal, dus veel minder lawaai – niet noodzakelijkerwijs een tekortkoming als je niet al te veel aandacht wilde trekken. De dode man had echter geen enkel schot kunnen lossen, en nu zou dat ook nooit meer gebeuren.

Gabriël reikte achter het lichaam en trok twee zwarte canvastassen uit de kofferbak. Hij legde ze op de grond en ritste de eerste open. Er zaten twee grote plastic flessen bleekwater in. Hij goot de hele inhoud van een van de flessen over het lijk, vooral over alle plekken die hij had aangeraakt, om elk spoor van zijn eigen DNA te vernietigen. De tweede fles was bestemd voor het interieur van de auto. Hij trok het achterportier open.

In de voetenruimte, gedeeltelijk begraven onder de bestuurderstoel, lag de tas die Liv bij zich had toen hij haar ophaalde. Hij haalde de tas uit de auto en liet hem op de grond vallen voordat hij bleekwater uitgoot over alles wat ze kon hebben aangeraakt. Toen draaide hij het contactsleuteltje om en drukte op de knoppen om de elektrische ramen open te schuiven. Drie ervan schoven helemaal omlaag. De vierde was er al uitgesprongen. De rest van de inhoud van de fles goot hij uit over het stuurwiel, de versnellingspook en de bestuurdersstoel, en de lege fles gooide hij weer in de kofferbak. Hij haalde zijn SIG P228 met geluiddemper uit zijn schouderholster en schoot een 9mm-kogel door de bodem van de kofferbak, sloot het deksel en vuurde daar ook een kogel doorheen.

Hij zocht op de bosgrond naar een flinke tak, brak die doormidden en sleepte hem naar de Renault. Vervolgens drukte hij het koppelingspedaal in, zette de wagen in zijn eerste versnelling en drukte met de stok op het gaspedaal tot de motor gestaag draaide. Nadat hij het andere eind tegen de stoel had geklemd, zorgde hij ervoor dat het stuurwiel in de middenpositie en recht vooruitgericht stond; toen drukte hij de handrem in één keer in zijn vrijstand en zette een stap achteruit.

Op het moment dat hij zijn gewicht van de koppeling weghaalde, greep de koppeling aan. De motor bleef draaien en de voorwielen tolden in de rulle grond. Even bleef de auto stilstaan, totdat elk wiel greep kreeg op de rotssteen onder de mat van verrotte bladeren en humus, en de wagen naar voren schoot. Gabriël zag de snelheid toenemen. De wielen raakten lucht en de Renault kieperde uit beeld. Hij hoorde hem tegen de rotswand knallen en daarop het water raken, met een klap die de jankende motor voorgoed tot zwijgen bracht.

Gabriël liep naar de rotsrand en keek omlaag. De auto dreef ondersteboven naar het midden van de poel en zonk dieper naarmate de lucht ontsnapte door de openstaande ramen en de geperforeerde kofferbak. Hij bleef kijken tot de wagen onder het wateroppervlak verdween en alleen een afnemende stroom luchtbellen en een kleine olievlek achterliet. Even bleef hij staan, zijn hoofd wat schuin, als een roofvogel.

In de stilte hoorde hij de deining tegen de rotswand kabbelen, steeds kalmer naarmate de herinnering aan de oorzaak van de deining vervaagde. Uiteindelijk was het zo stil dat het rinkelen van de telefoon in zijn zak klonk als een sirene. Hij greep ernaar en klapte hem open voordat het gerinkel weer begon, met een blik op de nummerweergave.

'Dag mam,' zei hij.

'Gabriël,' zei Kathryn Mann. 'Ik begon me af te vragen waar je bleef.'

'Er was een probleem op het vliegveld.' Hij keek even omlaag naar het groene water. 'Toen het meisje was aangekomen, dook er nog iemand op. Ik moest wat rommel opruimen.'

Het bleef even stil terwijl ze die informatie verwerkte.

'Is ze bij jou?'

'Nee. Maar ze is ook niet bij hen.'

'Waar is ze dan?'

'In veiligheid. Intussen zal ze wel bij de politie zijn. Ik ben over een minuut of twintig weer in Ruīn. Ik vind haar wel weer.'

'Is met jou alles goed?' vroeg ze.

'Prima,' zei hij. 'Maak je over mij maar geen zorgen.'

Hij verbrak de verbinding en liet de telefoon weer in zijn zak glijden.

Hij schopte de rulle massa grond en bladeren weer glad op de plekken waar de wielen het hadden omgewoeld en liep naar de tweede canvastas. Nadat hij die had opengeritst haalde hij er de twee wielen, verscheidene zwarte buizencomponenten en de motor van een draagbare crossmotor uit, die hij het grootste deel van die zomer had gebruikt in het Soedanese project. Zowel het frame als het 100cc motorblok waren van aluminium, zodat de machine heel licht was, en het geheel was zo klein opvouwbaar dat je er vier op een pakpaard kon binden om ze te vervoeren naar de verste uithoeken van de wereld. Gabriël zette de crossmotor binnen vijf minuten in elkaar.

Hij haalde een zwarte valhelm uit de tas en verving die door de reistas van Liv en de andere lege tas. Hij ritste hem dicht, gooide hem over zijn schouder en sprong in het zadel, op de vering wippend om die te versoepelen. Het kostte hem een paar kickstarts om genoeg benzine in de mechaniek te werken voordat de motor brullend tot leven kwam. Eventuele toehoorders zouden het geluid voor dat van een kettingzaag houden. Hij wendde de motorfiets om, schakelde en reed terug over de bandensporen die de Renault op de heenweg had gemaakt.

53

Liv schok wakker; haar hart bonkte als een razende in haar borst, alsof iemand zich een weg naar buiten wilde trappen. Ze had net een van die vallende dromen gehad, waarin je vooroverkantelt en wakker schrikt vlak voordat je de vloer raakt. Iemand had haar ooit verteld dat helemaal tot op de grond vallen zou betekenen dat je dood was. Ze vroeg zich altijd af hoe mensen dat soort dingen wisten.

Ze tilde haar hoofd van haar armen en kneep haar ogen half dicht tegen de schel verlichte verhoorkamer.

Er zat een man in de stoel tegenover haar.

Instinctief deinsde ze achteruit. De stoel kraakte tegen de bouten in de vloer die hem stevig op zijn plaats hielden.

'Goedemorgen,' zei de man. 'Goed geslapen?'

Ze herkende de stem. 'Arkadian?'

'Dat ben ik.' Hij keek omlaag naar een dossiermap die op tafel tussen hen in lag, en toen weer naar haar. 'De vraag is, wie ben jij?'

Liv keek naar de map en had het gevoel dat ze ontwaakt was op Planeet Kafka. Ernaast lag een zak broodjes, er stond een volle beker zwarte koffie en iets wat leek op een pak natte doekjes.

'Het beste wat ik bij wijze van douche en ontbijt kon opscharrelen in die korte tijd,' zei Arkadian. 'Tast toe.'

Liv reikte naar het brood, zag de staat waarin haar handen verkeerden en deed een greep naar de doekjes.

'Ik ben van nature redelijk goed van vertrouwen,' zei Arkadian terwijl hij toekeek hoe Liv de opgedroogde modder en ander vuil tussen haar vingers wegpoetste. 'Als mensen me dus iets vertellen, ben ik geneigd ze te geloven, tot er iets gebeurt wat me van het tegendeel overtuigt. Jij gaf me de naam van een man toen ik je belde, en die naam klopte.' Hij keek weer naar de dossiermap.

Liv voelde haar keel dichtknijpen toen ze besefte wat erin moest zitten.

'Maar je zei ook dat die man je broer was – en daar heb ik moeite mee.' Zijn voorhoofd fronste zich, als dat van een geduldige, toegeeflijke, maar teleurgestelde vader. 'En dan verschijn je ook nog eens midden in de nacht op een vliegveld met verhalen over mensen die in hinderlagen terechtkomen en beschoten worden, en ook dat stelt mijn vertrouwen behoorlijk op de proef, juffrouw Adamsen.' Met treurige ogen keek hij haar aan. 'Er zijn geen meldingen gedaan van aanrijdingen in de buurt van de luchthaven. Geen meldingen van geweerschoten. En tot dusver heeft niemand een lijk aangetroffen op welke weg dan ook. In feite is er op dit moment maar één persoon die beweert dat er iets van dien aard is gebeurd en dat...'

Liv boog haar hoofd en krabde met beide handen tegelijk hartstochtelijk aan haar bemodderde haar, als een manische hond op zoek naar een vlo, tot er iets wat leek op een regen van kleine diamantjes zachtjes tikkend op de tafel terechtkwam. Het manische krabben hield even snel op als het begonnen was en haar groene ogen vonkten in haar besmeurde gezicht. 'Denk je dat ik altijd stukjes kapotgeschoten raam in mijn haar bewaar, voor het geval ik een verhaal moet bevestigen?'

Arkadian keek naar de glimmende kleine kristallen op het bekraste tafelblad.

Met iets schonere handen, die nu naar babylotion roken, wreef Liv over haar ogen. 'Als je niet gelooft dat ik bijna ontvoerd ben, prima. Mij kan het niet schelen. Het enige wat ik wil is mijn broer zien, een poosje flink janken en dan de ongetwijfeld uitputtende regelingen treffen die nodig zijn om hem mee naar huis te nemen.'

'En dat zou ik je maar al te graag laten doen. Maar ik ben er nog niet van overtuigd dat hij inderdaad je broer is, en dat jij geen journalist bent op zoek naar een exclusief artikel over het grote verhaal.'

Livs gezicht betrok en kreeg een verwarde uitdrukking. 'Welk grote verhaal?'

Arkadian knipperde met zijn ogen, alsof er in zijn denken zojuist iets op zijn plaats was gevallen. 'Mag ik je iets vragen,' zei hij. 'Heb je sinds ik je voor het eerst gesproken heb een krant gezien of ergens nieuws gehoord?'

Liv schudde haar hoofd.

'Wacht even.' Arkadian klopte op het raam. De deur ging open en hij verdween.

Liv greep een broodje uit de zak. Het was nog warm. Ze schrokte het naar binnen met uitzicht op de sjofele, open kantoortuin door de kier in de deur; ze luisterde naar het gedruis van telefoongesprekken en conversaties, bekeek de stapels papieren op de randen van de bureaus en voelde zich op een vreemde manier thuis.

Arkadian kwam net terug toen ze het eerste broodje wegspoelde met de koffie en haar hand uitstak naar een tweede. Over de tafel schoof hij de avondeditie van de krant van gisteren naar haar toe.

Liv zag de foto op de voorpagina en voelde innerlijk iets scheuren, net als toen aan de oever van het meer in Central Park. Haar zicht vertroebelde. Ze stak haar hand uit om de onduidelijke foto van de bebaarde man op de top van de Citadel te strelen. Ergens diep vanbinnen maakte zich moeizaam een snik los, en eindelijk liet ze haar tranen de vrije loop.

54

De dageraad riep iedereen weer terug naar de grote kathedraalhal voor de metten, de laatste van de vier nocturnen, om te getuigen van het sterven van de nacht en de geboorte van een nieuwe dag. Omdat het aanbreken van de dag zoveel machtige symbolische ondertonen droeg van verlossing, wedergeboorte, bevrijding van het kwaad en de triomf van het licht over het duister, was iedereen in de Citadel verplicht om erbij aanwezig te zijn.

Alleen was het vandaag anders.

Athanasius merkte het tijdens de preek van vader Malachi die een van zijn retorische fantasieën de vrije loop liet vanaf de lessenaar, toen zijn blik afwezig langs de rijen in rode pijen gestoken wachters dwaalde. Ondanks de strenge regel dat iedereen de metten moest bijwonen, ontbrak er iemand. Met zijn bijna twee meter stak Guillermo Rodriguez meestal letterlijk boven de anderen uit. Vandaag was hij echter niet aanwezig.

Hij herinnerde zich de tweeënzestig persoonlijke dossiers die hij de vorige dag in de vertrekken van de abt had afgeleverd. Tweeënzestig dossiers voor tweeënzestig Carmina. Hij draaide zich wat om alsof hij beter naar de predicatie wilde luisteren en telde onopvallend de aanwezigen.

De besloten lucht in de kathedraalgrot dreunde van het diepe geluid van alle stemmen die in de Citadel de laatste lofprijzingen in de oorspronkelijke taal van hun kerk declameerden. 'Iedere dag zal ik u zegenen; uw naam zal ik loven voor altijd en eeuwig. Gezegend zijt gij, O HEER: leer mij Uw geboden.'

Athanasius was net klaar met tellen toen de gemeenschap zich begon te verspreiden. Negenenvijftig wachters. Er ontbraken er drie.

Toen de zon opkwam, lichtten de grote ramen boven het altaar op: God had Zijn grote oog geopend en keek neer op Zijn trouwe dienaren. Opnieuw had het licht het duister verslagen; de nieuwe dag was aangebroken.

Athanasius liep te midden van de menigte bruine pijen de kathedraal uit, zijn hoofd vol mogelijke verklaringen voor zijn ontdekking. Hij wist iets van het verleden van broeder Guillermo en vroeg zich af waarvoor de abt hem kon hebben uitgekozen. De gedachte verontrustte hem zeer. Hij was altijd trots geweest om zijn vermogen om de impulsiviteit van de abt in goede banen te leiden. Het feit dat er nu drie wachters ontbraken maakte hem nerveus – niet alleen omdat hij de reactie van de abt op de dood van broeder Samuel vreesde, maar omdat hij het zelf had moeten ontdekken.

Toen hem de dag tevoren de profetie was geopenbaard die het einde van het Sacrament en een nieuw begin leek te voorspellen, had hij gemeend dat de abt wellicht wat minder vastbesloten was om de verminkende geheimzinnigheid die de kerk naar zijn mening in het verleden bevroren hield, in stand te houden. Nu suggereerden zijn vermoedens het tegendeel. Hij vreesde dat de abt, in plaats van vooruit te kijken naar een verlichte toekomst, terugkeerde naar de middeleeuwse methodes uit hun duistere en gewelddadige verleden.

55

Zwijgend zat Liv in de helverlichte verhoorkamer.

Ze hield haar blik op de foto in de krant gevestigd terwijl Arkadian rustig de details aanvulde. Toen hij daarmee klaar was, legde hij zijn hand op de blauwe dossiermap naast hem. 'Ik wil je graag nog wat foto's laten zien,' zei hij. 'We hebben ze voor de lijkschouwing genomen. Ik kan me voorstellen dat het moeilijk is en dat je ze liever niet wilt bekijken, maar het kan ons helpen om de dood van Samuel beter te begrijpen.'

Liv knikte en veegde met haar hand de tranen van haar wangen.

'Maar eerst moet ik iets ophelderen.'

Ze keek hem aan.

'Je moet me ervan overtuigen dat je werkelijk zijn zus bent.'

Liv voelde de uitputting bezit van haar nemen. Ze wilde niet haar hele levensverhaal hoeven te vertellen, niet zoals ze zich nu voelde, maar ze wilde wel weten wat er met haar broer was gebeurd. 'Ik heb de waarheid zelf pas ontdekt toen mijn vader overleden was.' De dingen die ze acht jaar geleden had ontdekt kwamen omhoog, dingen die ze meestal achter slot en grendel hield. 'Ik had indertijd nogal heftige identiteitsproblemen. Ik had nooit echt zeker geweten waar ik bij hoorde. Ik weet dat de meeste kinderen een fase doormaken waarin ze denken dat ze geen deel uitmaken van hun familie, maar ik had zelfs een andere naam dan mijn vader en mijn broer. Ik heb mijn moeder nooit gekend. Ik heb het een keer aan mijn vader gevraagd, maar daar werd hij alleen maar stil en teruggetrokken van. Later die avond hoorde ik hem huilen. In mijn veel te fantasierijke tienerverbeelding nam ik aan dat hij huilde omdat ik de korst van een beschamend familiegeheim had losgepeuterd. Daarna heb ik hem er nooit meer naar gevraagd.

Toen hij stierf, leek mijn rouw, of mijn gevoel van verlies of hoe je het noemen wilt, zich te concentreren op die ene onbeantwoorde vraag. Het werd een obsessie. Ik had het gevoel dat ik niet alleen mijn vader verloren was, maar ook elke kans om te ontdekken wie ik werkelijk was.'

'Maar je hebt het toch gedaan,' zei Arkadian.

'Ja,' antwoordde Liv. 'Dat wel.'

Ze haalde diep adem en dook in haar verleden.

'Ik was net begonnen aan de universiteit van Columbia. Journalistiek. Mijn eerste grote opdracht was een onderzoeksartikel van drieduizend woorden over een onderwerp naar keuze. Ik besloot twee vliegen in één klap te slaan en het familiegeheim op te graven. Ik nam een Greyhoundbus naar West Virginia, waar mijn broer en ik geboren waren. Een van die stadjes die in de encyclopedie onder *americana* zouden worden vermeld. Eén enkele, lange hoofdstraat. Meestal gesloten winkels waarvan de markiezen zich ver boven de trottoirs uitstrekten. Het heette Paradise. Paradise, West Virginia. De stichters van de stad hadden er kennelijk hoge verwachtingen van.

Mijn vader en moeder hadden die zomer overal rondgereisd, op jacht naar werk, waar dan ook. Ze waren biologische tuinders; in veel opzichten waren ze hun tijd ver vooruit. Meestal kregen ze uiteindelijk gewoon tuinwerk, een paar gemeentelijke opdrachten hier, wat boerderijwerk daar, om maar genoeg geld te verdienen voor als de baby's arriveerden. Als er een medische voorziening in de buurt was, lieten ze controles uitvoeren, maar dat ging indertijd geloof ik niet veel verder dan bloeddruk opnemen en luisteren of er twee hartjes klopten. Echoscopieën werden nog niet gemaakt. Mijn vader en moeder hadden geen idee dat er iets mis kon zijn – tot het te laat was.

Het "ziekenhuis" waar ik werd geboren was een gezondheidscentrum aan de rand van de stad. Toen ik het bezocht, stond het in de schaduw van een enorme supermarkt die ongetwijfeld verantwoordelijk was voor al die gesloten winkels in de hoofdstraat. Het was een van die plattelandsvoorzieningen met als belangrijkste functie mensen oplappen en ze weer wegsturen met een doos aspirine, of ze doorverwijzen naar een echt ziekenhuis. Het was al rudimentair toen ik het aantrof, dus god weet hoe het eruitzag toen mama en papa er belandden.

Ik raakte aan de praat met de verpleegster bij de receptie, legde uit wat ik kwam doen en waar ik naar op zoek was. Ze liet me een magazijn vol hoog opgestapelde dozen vol medische dossiers zien. Het was een puinhoop. Alleen al de doos met het juiste jaar vinden kostte me een uur. De documenten die erin zaten, lagen allemaal door elkaar. Ik doorzocht ze en las de geboortebewijzen die ik vond. Dat van mij zat er niet bij, dus noteerde ik de namen van alle medewerkers uit die tijd en haalde de receptioniste over om me met een van hen in contact te brengen, een verpleegster die in de jaren tachtig in het centrum had gewerkt, mevrouw Kintner. Ze was al een paar jaar met pensioen, maar ze woonde nog in de buurt. Ik ging bij haar op bezoek. We dronken limonade op de veranda. Ze herinnerde zich mijn moeder. Zei dat ze mooi was. Dat ze twee dagen had gevochten om ons ter wereld te brengen. Pas toen ze ons met een keizersnede "uit het schuifdak" haalden, zoals zij het noemde, hadden ze begrepen wat er aan de hand was.'

Langzaam kwam ze overeind uit haar stoel.

'Ik ben geboren als Sam Newton,' zei ze, nog net niet fluisterend. 'Mijn broer heette Sam Newton. We werden op dezelfde tijd geboren, op dezelfde dag, uit dezelfde ouders. We zijn een tweeling.' Ze keerde hem haar rechterkant toe en trok haar bloes uit de tailleband van haar spijkerbroek. 'Maar geen gewone tweeling.'

Ze tilde haar bloes op.

Arkadian zag een litteken, wit afstekend op haar lichte huid. Een omgevallen crucifix. Identiek aan het litteken dat hij op de monnik had aangetroffen.

'Van broers en zussen wordt vaak gezegd dat ze zo'n hechte band hebben,' zei Liv. 'Die hadden wij ook. Letterlijk. Onze drie onderste ribben waren samengegroeid. We waren wat de roddelbladen zo sensationeel een Siamese tweeling noemen. Om precies te zijn, wij waren een omphalopagustweeling: twee baby's die bij de borstkas aan elkaar vergroeid zijn. Soms delen ze ook belangrijke organen, zoals de lever. Wij deelden alleen maar bot.'

Liv liet haar bloes weer zakken en ging zitten.

'Volgens zuster Kintner veroorzaakte het heel wat opschudding. Een samengegroeide tweeling van verschillende geslachten was nog nooit eerder voorgekomen, dus de dokters raakten behoorlijk opgewonden. Toen de conditie van mijn moeder en van ons verslechterde, raakten ze in paniek. Ze had zoveel bloed verloren terwijl ze ons op de wereld probeerde te zetten, ze was inwendig zo beschadigd door het bevallen van een afwijkend gevormde dubbele baby, dat ze niet meer bij bewustzijn kwam. Ik veronderstel dat ze begrepen dat zij verantwoordelijk waren, of in elk geval het gezondheidscentrum, dus stopten ze alles in de doofpot. Ze stierf acht dagen na onze geboorte – juist op de dag dat Samuel en ik met een operatie van elkaar gescheiden werden. Toen pas ontdekten ze dat er maar één geboortebewijs was uitgegeven. Ze maakten voor mij snel een nieuw bewijs, met de datum van onze scheidingsoperatie als mijn geboortedatum. Ik veronderstel dat ik theoretisch op die dag een individu werd. Het was mijn vaders idee om me naar mijn moeder te vernoemen. Liv Adamsen was haar meisjesnaam, de naam van de jonge vrouw op wie hij verliefd was geworden en met wie hij was getrouwd. Daarom wilde hij er nooit over praten.'

Arkadian nam de nieuwe informatie in zich op. Vergeleek het met wat hij al wist, op zoek naar vragen die nog steeds niet waren beantwoord. 'Waarom was de naam van je grootmoeder anders dan die van je moeder?'

'Een hele oude Noorse traditie. Oma hechtte aan de oude gebruiken. Kinderen nemen de naam aan van hun vader. Oma's vader heette Hans, dus heette zij Hansen, wat vreemd genoeg "zoon van Hans" betekent. Mijn moeders vader was Adam, dus werd zij Adamsen. Je afkomst natrekken is een ramp als je Scandinavisch bent.' Ze keek naar de krant. Het gezicht van Samuel keek terug. 'Je zei dat je me iets wilde laten zien wat zou kunnen helpen om de dood van mijn broer te verklaren,' zei ze. 'Wat dan?'

Ze zag Arkadians hand onzeker op de blauwe map tikken. Hij was nu wel wat milder gestemd, maar nog steeds op zijn hoede.

'Hoor eens,' zei ze. 'Ik wil net zo graag weten wat er met hem is gebeurd als jullie. Dus je kunt me vertrouwen of niet, dat moet je zelf weten. Maar als de manier waarop ik mijn brood verdien je nog steeds dwarszit, ben ik bereid elk spraakverbod te ondertekenen dat je maar kunt verzinnen.'

Arkadian tikte niet langer op het dossier. Hij stond op, liep de kamer uit en liet de map liggen.

Liv keek ernaar en bedwong haar aanvechting om het te grijpen en door te bladeren terwijl de inspecteur de kamer uit was. Hij kwam een paar tellen later terug met een pen en de standaardgeheimhoudingsverklaring van de afdeling Moordzaken. Ze tekende en hij vergeleek de handtekening met een gefaxte kopie van haar paspoort. Toen sloeg hij de map open en schoof een glanzende foto over de tafel.

Op de foto lag het schoongewassen stoffelijk overschot van Samuel op de onderzoekstafel; in het felle licht was het donkere netwerk van littekens duidelijk zichtbaar, grotesk op zijn lichte huid.

Verstomd van verbijstering keek Liv ernaar. 'Wie heeft dat gedaan?'

'Dat weten we niet.'

'Maar jullie moeten toch mensen hebben gesproken die hem kenden. Wisten zij niets? Hebben zij niet gezegd of hij zich vreemd gedroeg – of ergens depressief over was?'

Arkadian schudde zijn hoofd. 'De enige met wie we hebben kunnen praten ben jij. Je broer is van de top van de Citadel gevallen. We nemen aan dat hij daar al enkele jaren verbleef, aangezien er geen bewijs is dat hij elders in de stad heeft gewoond. Hoe lang zei je dat hij al vermist werd?'

'Acht jaar.'

'En in al die tijd heb je geen contact met hem gehad?'

'Geen enkel.'

'Als hij daar dus al die tijd is geweest, zijn de andere bewoners van de Citadel de laatste mensen die hem in leven hebben gezien, en ik vrees dat we met geen van hen zullen kunnen praten. Ik heb een verzoek gestuurd, maar dat is niet meer dan een formaliteit. Niemand zal met me willen praten.'

'Kun je ze niet dwingen?'

'De Citadel heeft zijn eigen wetten. Het is een staat binnen een staat, met eigen regels en een eigen rechtssysteem. Ik kan ze nergens toe dwingen.'

'Dus zij kunnen besluiten om niets te zeggen, ook al is er iemand dood, en dan kan niemand daar iets aan doen?'

'Daar komt het wel op neer,' zei Arkadian. 'Al weet ik zeker dat ze uiteindelijk wel iets zullen zeggen. Ze kennen het nut van positieve pr net zo goed als ieder ander. In de tussentijd zijn er andere dingen te onderzoeken.'

Hij haalde nog drie foto's uit de map en schoof de eerste naar haar toe.

Liv zag haar telefoonnummer in een reepje leer gekrast.

'Dat vonden we in de maag van je broer. Daarom konden we al zo snel contact met je opnemen.' Hij schoof de tweede foto naar haar toe. 'Maar dat is niet het enige wat we gevonden hebben.'

56

De straten in het Verloren Kwartier waren aan het begin van de zesde eeuw lukraak in de aarde gekerfd door handkarren en paarden, en nu waren ze absoluut niet opgewassen tegen het volume, de snelheid en de breedte van het moderne verkeer. Omdat het verbreden van de straten sloopwerkzaamheden zou inhouden, wat hier geen optie was, hadden de stedenbouwkundigen een dusdanig ingewikkeld eenrichtingssysteem ingesteld dat auto's erin verstrikt raakten als vliegen in een ondoorgrondelijk web.

Zijn ambulance door deze middeleeuwse straten rijden was iets waar Erdem nachtmerries over had. Volgens zijn handboek ambulanceverpleegkunde was hij verplicht om binnen vijftien minuten ter plekke te zijn na elke oproep binnen de grootstedelijke agglomeratie. Het handboek vereiste ook dat zijn voertuig bij terugkomst in dezelfde staat verkeerde als bij het vertrek. Dat wilde zeggen dat een tocht naar dit versteende konijnenhol van met lak bekraste muren met iets wat ook maar enigszins leek op de benodigde snelheid om aan de eerste verplichting te voldoen, onvermijdelijk een dramatisch tekortschieten in de tweede eis met zich meebracht.

In zijn spiegel zag hij het kruis op de zijkant van de ambulance langzaam tevoorschijn komen uit de schaduw van een stenen poort, zodat de staf van Aesculapius met de slang eromheen in het midden zichtbaar werd. Hij zette wat meer vaart en richtte zijn blik weer op de weg om wat tijd te winnen tot het volgende obstakel hem opnieuw tot een schuchter kruiptempo dwong.

'Hoe gaat het?' vroeg hij.

'We zitten al op veertien,' antwoordde Kemil na een blik op de klok. 'Ik geloof niet dat we dit keer een record gaan breken.'

Het slachtoffer naar wie ze onderweg waren was een blanke man die bewusteloos was aangetroffen in een van de zijstraten aan de rand van het Verloren Kwartier. Gezien de tijd van de dag en de locatie van de man, veronderstelde Erdem dat hij ofwel een overdosis had genomen, ofwel een kogel of een messteek had opgelopen. Degene die de politie had gebeld had weinig informatie verstrekt, net genoeg om het uitrukken van een ambulance te rechtvaardigen; kortom, een volmaakt begin van een volmaakte dag.

'Nog nieuws van de politie?' vroeg Erdem.

Kemil keek op het scherm van de radioscanner of het een patrouilleautonummer vermeldde. 'Nee,' zei hij. 'Die zitten waarschijnlijk nog aan hun koffie met broodjes.'

De patrouilleauto beschouwde de melding duidelijk niet als een noodgeval. In tegenstelling tot de ambulanceverpleegkundigen stonden zij niet onder druk om binnen vijftien minuten ter plaatse te zijn – vooral niet rond het ontbijt.

'Daar ligt-ie.' Erdem nam voorzichtig een bocht en zag aan het andere eind van de schemerige straat een verkreukelde hoop kleren liggen. Er was geen politieauto te bekennen. Er was helemaal niemand te bekennen.

'Zeventien minuten,' zei Kemil en drukte op de knop die hun aankomsttijd op de centrale zou registreren. 'Niet gek.'

'En zonder een krasje,' zei Erdem terwijl hij met een enkele geoefende beweging de ambulance tot stilstand bracht, de sleutels uit het contact haalde en zich van de bestuurdersstoel liet glijden.

De man op de stoep was dodelijk bleek en zodra Erdem hem in de herstelpositie rolde, ontdekte hij waarom. Zijn hele rechterbovenbeen was nat van het bloed. Hij tilde een lap stof in de gescheurde broek op om te kijken hoe ernstig de wond was – en bevroor. In plaats van een gapende wond keek hij neer op het bloeddoordrenkte gaas van een strak en redelijk nieuw verband. Hij wilde zich net omdraaien om Kemil te roepen, toen hij de koude harde loop van een pistool in zijn nek voelde.

Kemil was nog niet eens uitgestapt toen de bebaarde man bij zijn open raampje verscheen en het pistool op zijn gezicht richtte.

'Doorbellen,' zei hij met een accent dat Engels klonk. 'Geen assistentie nodig. Vertel ze dat de man die jullie hebben gevonden gewoon dronken was.'

Kemil greep blindelings naar de radio; zijn blik vloog heen en weer tussen het zwarte gat van de loop en de kalme blauwe ogen van de man die hem vasthield. In bijna zes jaar was dit pas de tweede keer dat hij werd overvallen. Hij wist dat hij kalm en behulpzaam moest blijven, maar deze vent was echt verontrustend. De laatste keer dat hij was beroofd, droegen de bendeleden bivakmutsen en waren zo opgefokt en nerveus geweest, dat ze hun pistolen net zo makkelijk hadden kunnen laten vallen als afschieten. Deze vent was rustig en hij droeg geen muts. Het enige wat zijn uiterlijk verhulde, was een dikke baard die in toefjes groeide rond de littekens van oude brandwonden, en de rode capuchon van een windjack die ver over zijn lange rossige haar was getrokken.

Kemils hand vond de radio. Hij pakte hem op en deed wat hem gezegd werd.

57

Liv bekeek de nieuwe foto.

Opnieuw een stalen blad bedekt met een witte papieren handdoek met daarop vijf bruine pitten, en op elk ervan stond iets in het glanzende oppervlak gekrast.

Arkadian schoof een derde foto over de tafel.

'De symbolen waren op beide kanten ingekerfd,' zei hij. 'Vijf pitten, tien symbolen – meest letters, onderkast en bovenkast door elkaar.'

Hij legde de foto's zo neer dat de een de ander overlapte. Nu lagen de letters in paren:

T a M + k
? s A a l

'Ze liggen op beide foto's in dezelfde volgorde, zodat je kunt zien welke tekens op welke pit werden gekrast, voor het geval ze opzettelijk in paren gerangschikt zijn. Zelf zie ik er helemaal niets in, maar misschien is dat juist het punt. Misschien hoefde het ook niet voor iedereen duidelijk te zijn. Misschien was het alleen voor jou bestemd.'

Liv keek naar de wirwar van letters.

'Zegt het je iets?'

'Niet direct,' zei ze. 'Mag ik die pen nog even?'

Arkadian stak zijn hand in zijn zak en overhandigde haar de pen.

Ze pakte de krant, streek hem glad en kopieerde de symbolen op de foto in de lege stukken lucht rond haar broer. Ze zag zijn eigen naam uit de letters tevoorschijn komen en schreef hem op, waarna ze de rest van de symbolen eronder toevoegde om de oorspronkelijke paren te behouden.

s a M l ?
a + A k T

Was het steno om haar te vertellen over een AANVAL op SAMUEL? Dat leek nogal vergezocht. Bovendien waren de pitten ontdekt tijdens de sectie, wat de waarschuwing nogal overbodig maakte.

'Hebben jullie geen gespecialiseerde codebrekers voor dit soort dingen?'

'Er is een hoogleraar cryptografie aan de grote universiteit in Gaziantep die ons soms bijstaat, maar ik heb hem niet gebeld. Ik heb de indruk dat je broer uitzonderlijk veel moeite heeft gedaan om te zorgen dat dit bericht niet door de verkeerde mensen zou worden gevonden, dus het minste wat ik kon doen was dat respecteren. Ik denk echt dat het voor jou bestemd was en dat jij de enige bent die er iets uit kunt opmaken.' Arkadian dempte zijn stem. 'Niemand anders weet van deze pitten. Alleen de patholoog die ze heeft gevonden, ikzelf, en nu jij. Ik heb de foto's buiten het dossier gehouden. Als hier iets over bekend wordt, krijg ik elke Ruïn-deskundige en elke Sacramentele samenzweringstheoreticus aan mijn deur met ideeën over de betekenis. Ik wil deze zaak oplossen, niet de identiteit van het Sacrament ontdekken. Hoewel...' Hij tuurde nog eens naar de pitten.

'Hoewel wat?' vroeg Liv.

'Hoewel ik eigenlijk vermoed dat dat op hetzelfde neerkomt.'

58

Twee verdiepingen lager tikte een sproetige hand de gebruikersnaam en het wachtwoord in die hem toegang zouden verlenen tot de politiedatabank. Het scherm knipperde en er verscheen een e-mailprogramma met de melding dat hij zeven nieuwe berichten had. Zes ervan waren afdelingsmemo's die niemand ooit zou lezen, de zevende kwam van iemand met de naam GARGOUILLE. De onderwerpregel was leeg. De man blikte even nerveus over zijn monitor heen voordat hij het bericht open klikte. Er stond maar één woord in. *Groen*.

Hij verwijderde grondig elk spoor van het bericht tot diep in het netwerk en opende toen een commandomodule. Er verscheen een zwart vak op het scherm met een verzoek om een andere gebruikersnaam en een ander wachtwoord. Hij voerde ze in, wrong zich nog dieper in het netwerk en scande de onlangs bijgewerkte bestanden.

GARGOUILLE was een relatief eenvoudig, door hemzelf geschreven stukje software waarmee het veel en veel gemakkelijker werd om de status bij te houden van zaken die hij niet geacht werd te bekijken. In plaats van telkens moeizaam de centrale databank te moeten hacken om handmatig naar nieuwe versies te zoeken, kon hij het programma koppelen aan de architectuur van elk willekeurig bestand en zodra dat werd gewijzigd, liet GARGOUILLE hem dat onmiddellijk per e-mail weten.

Hij vond het bestand over de dode monnik, klikte het open en las het door. Op pagina 23 zag hij een blokje tekst dat door zijn software met gifgroen was gemarkeerd. Het beschreef het in bewaring nemen van ene Liv Adamsen na haar onbevestigde verklaring van een poging tot ontvoering bij de luchthaven. Ze zat boven in een verhoorkamer op de vierde verdieping. Dat was Diefstal en Moordzaken. Hij fronste zijn voorhoofd en vroeg zich af wat dat allemaal met de dode monnik te maken had.

Maar... dat was zijn probleem niet.

Beide partijen hadden gevraagd om elke toevoeging aan het dossier van deze zaak direct aan hen door te geven. Wie was hij om voor poortwachter te spelen?

Hij stak een geheugenstick in de USB-poort op de voorkant van de computer, kopieerde en plakte de gegevens; vervolgens sloot hij het bestand en volgde zorgvuldig zijn eigen spoor terug door het labyrint van de databank, waarbij hij al zijn onzichtbare poorten achter zich sloot.

Toen hij weer bij het bureaublad was aanbeland, opende hij een onschuldige spreadsheet, voor het geval er iemand nieuwsgierig genoeg was om een blik op zijn scherm te werpen, greep zijn jas en zijn telefoon en liep de deur uit. Hij verstuurde nooit iets vanaf zijn eigen computer, zelfs niet met encryptie. Het was te riskant en hij was te voorzichtig. Bovendien zat er een internetcafé om de hoek waar de barista's bijna net zo lekker waren als de koffie.

59

De volgende paar minuten zocht Liv naar woorden in de wirwar van letters en maakte er een lijst van. Ze kreeg woorden als MAAK, SLAK, LAAT, KALM – niets wereldschokkends, zoals 'GRAAL' of 'KRUIS' of iets anders waarvan men beweerde dat het het Sacrament was; zeker niets om voor te sterven.

Ze probeerde een enkel woord te maken van de hoofdletters – MAT – en bekeek wat er overbleef – s a l a k. Ze keek op naar Arkadian en vroeg: 'Welke taal spreken ze in de Citadel?'

Hij haalde zijn schouders op. 'Grieks, Latijn, Aramees, Engels, Hebreeuws... alle levende talen en een heleboel dode. Er schijnt daarbinnen een enorme bibliotheek te zijn vol teksten uit de oudheid. Als je broer iets te maken had met dat deel ervan, kan het elke mogelijke taal zijn.'

'Heel fijn.'

'Maar ik denk niet dat hij dat zou doen. Waarom zou hij jou een bericht sturen dat je niet kunt lezen?'

Liv zuchtte diep en raapte de foto van het stoffelijk overschot van haar broer op. Haar ogen volgden de trefzekere lijnen die zijn schouders, zijn bovenbenen en zijn hals omringden, het T-vormige kruis dat diep in het vlees van zijn linkerschouder was gebrand.

'Misschien is er iets met deze littekens,' zei ze. 'Misschien is het een plattegrond.'

'Ik denk dat die zeker van betekenis zijn, maar deze symbolen lijken me belangrijker. Hij heeft de moeite genomen om ze op vijf kleine pitten te krassen en die door te slikken, samen met je telefoonnummer, en toen is hij ons rechtsgebied in gesprongen zodat ze tijdens een sectie zouden worden gevonden.'

Liv richtte haar aandacht weer op de krant, waar de foto van Samuel nu omringd werd door de letters die hij met zoveel moeite had verborgen.

'Ik wil hem zien,' zei ze.

'Dat lijkt me niet verstandig,' zei Arkadian zachtjes. 'Je broer is van grote hoogte gevallen. Hij heeft veel verwondingen opgelopen en we hebben een grondige sectie verricht. Je kunt beter even wachten.'

'Waarop wachten? Tot hij er weer netjes bij ligt?'

'Miss Adamsen, ik geloof niet dat je beseft wat er met een lichaam gebeurt tijdens een sectie.'

Liv haalde diep adem en keek hem met haar heldergroene ogen strak aan. 'Na een grondig extern onderzoek maakt de lijkschouwer een Y-vormige snede in de borstkas, breekt het borstbeen en verwijdert het hart, de longen en de lever voor verder onderzoek. Vervolgens wordt de bovenkant van de schedel gelicht met een zaag en wordt het gezicht naar voren afgepeld om toegang te krijgen tot de hersenen, die eveneens voor onderzoek worden verwijderd. Ben je ooit in New Jersey geweest, inspecteur?'

Arkadian knipperde even. 'Nee,' antwoordde hij.

'Vorig jaar hadden we in Newark honderd en zeven moorden – meer dan twee per week. In de afgelopen vier jaar heb ik artikelen geschreven over elke misdaad in al zijn aspecten en onderzoek gedaan naar elk onderdeel van de politieprocedures, waaronder lijkschouwingen. Ik heb meer secties persoonlijk bijgewoond dan de meeste beginnende politieagenten. Dus ik weet dat het geen fraai gezicht zal zijn, en ik weet dat het mijn broer is, maar ik weet ook dat ik hier niet helemaal naartoe ben gevlogen op een overbelaste creditcard – die overigens sindsdien gestolen is – om alleen maar naar een stapeltje foto's te kijken.' Terwijl ze de foto omdraaide en terugschoof over de tafel, zei ze: 'Breng me dus alsjeblieft naar mijn broer.'

Arkadians ogen keken van het gezicht van Liv naar de foto in de krant en weer terug. Ze hadden dezelfde kleur haar, dezelfde huidskleur, dezelfde hoge jukbeenderen en dezelfde wijd uiteen staande ogen. Samuels ogen waren dicht, maar hij wist zeker dat ze dezelfde intens groene kleur hadden gehad.

Het zoemen van zijn telefoon verbrak de stilte.

'Pardon, momentje,' zei hij terwijl hij opstond en naar de andere kant van de kamer liep.

'Dit ga je niet geloven,' tetterde een opgewonden stem in zijn oor zodra hij het gesprek aannam. 'Net als je denkt dat een zaak niet gekker kan worden,' zei Reis, 'komen de laboratoriumresultaten terug!'

'Wat heb je?'

'De cellen van de monnik; ze zijn...'

Een schelle sirene zorgde dat Arkadian de telefoon van zijn oor rukte.

'*WAT IS DAT IN GODSNAAM?*' schreeuwde hij, de telefoon zo dicht bij zijn oor als hij kon verdragen zonder een trommelvlies te scheuren.

'*BRANDALARM!*' riep Reis terug door het gejammer van de sirene heen. '*IK DENK DAT WE ONTRUIMD WORDEN. WEET NIET OF HET EEN OEFENING IS. IK BEL JE ALS HET VOORBIJ IS.*'

Arkadian keek naar Liv. Ontmoette haar blik. Nam een besluit.

'*MAAK JE NIET DRUK,*' schreeuwde hij in de telefoon. '*IK KOM WEL NAAR JOU TOE.*' Hij glimlachte en voegde er evenzeer voor Liv als voor Reis aan toe: '*EN IK BRENG BEZOEK MEE.*'

60

Het oorverdovende lawaai van de propellers werd nog luider toen er een paar duizend paardenkrachten in de Double Wasp-motor aan de rechtervleugel werden gepompt, waardoor het vliegtuig om zijn as draaide tot het achterste bagageluik ter hoogte van de deur van de loods tot stilstand kwam.

Kathryn zag mannen in rode overalls naar voren rennen om houten wiggen klem te trappen onder de bovenmaatse wielen van het C-123 vrachtvliegtuig, dat ze voor het vorstelijke bedrag van één dollar hadden overgenomen van de Braziliaanse luchtmacht, op voorwaarde dat Ortus het luchtwaardig zou maken en binnen dertig dagen van de militaire basis verwijderde, anders zou het als doelwit voor het schijfschieten worden gebruikt. Het toestel was er zo slecht aan toe geweest dat ze dat maar net hadden gered, maar sindsdien had het meer dan twintigduizend vlieguren op de klok gezet.

Het gejank van de motoren viel weg en de waterige mist die ze hadden opgeworpen werd al minder toen het achterluik omlaag zakte. Kathryn beende over het natte asfalt, gevolgd door Becky de stagiaire en een douanebeambte met één hand aan zijn pet om die op zijn plaats te houden, en in de andere een klembord. Kathryn had Becky meegebracht om alles in de volgepakte vrachtruimte te vergelijken met de cargolijst, en om met haar schattige enthousiasme de douanebeambte en de rest van het grondpersoneel af te leiden terwijl het kostbaarste en nergens vermelde deel van de lading discreet werd verwijderd.

Kathryn had haar vader vaak gezien in de afgelopen jaren, maar nooit in Ruīn. Het was te gevaarlijk, zelfs na al die tijd. Daarom vloog zij altijd naar hem toe in Rio, of ze spraken ergens anders af om wat tijd met elkaar door te brengen, de meest recente projecten van de organisatie te bespreken, te foeteren over al het onrecht waar de planeet op dat moment door werd bezocht, en goed glas whisky te drinken.

Ze bereikte de bovenste trede van de vliegtuigtrap en keek naar het grote corporate logo dat op de dunne aluminium behuizing van de eerste pallet was aangebracht. Het grootste deel van deze lading bestond uit stikstofrijke kunstmest, geschonken door de directie van een groot petrochemisch bedrijf om hun geweten te sussen voor alle schade die ze de wereld toebrachten. Kathryn raakte altijd in gewetensnood bij het aanvaarden van dergelijke donaties, maar besloot dat de mensen die er uiteindelijk van zouden profiteren niets gaven om hoogstaande grondbeginselen; de enige grond die voor hen belangrijk was, was van het soort waar ze voedsel op konden verbouwen.

Over een paar dagen zou deze kunstmest zich vermengen met het steriele stof rond een Soedanees dorp – áls de Soedanese regering hun tenminste toestemming gaf om het land in te vliegen, en als Gabriël de plaatselijke krijgsheren wist over te halen om het niet te stelen om er bommen van te maken. Hij had goede vorderingen gemaakt voordat zij hem naar huis haalde. Nu moest hij straks helemaal overnieuw beginnen.

Kathryn keek even opzij.

Becky en de douanebeambte waren al bezig met het controleren van de serienummers op de kratten. Achter hen zag ze twee van de drie man personeel om de vleugel heen naar de achterkant van het vliegtuig lopen. Het vergde al haar wilskracht om niet rechtstreeks naar ze te kijken, maar ze wachtte tot ze uit de rand van haar gezichtsveld verdwenen waren voordat ze de laadtrap weer afdaalde. 'Ik ga de chauffeur van de vorkheftruck waarschuwen dat hij kan beginnen,' riep ze over haar schouder.

'Bedankt,' zei de douanebeambte zonder om te kijken.

Kathryn liep in de richting van de loods. Die stond voor bijna driekwart vol met pakkisten en pallets in gelijkmatige rijen. Ilker was kratten met waterfilterkits aan het verplaatsen. Ze wees naar het vliegtuig en hij stak zijn duim op, keerde de vorkheftruck en reed naar de openstaande deur. Kathryn liep via een van de gangpaden tussen de pakkisten naar het kantoor achter in het magazijn.

Een van de personeelsleden stond zichzelf een kop koffie in te schenken uit een kan onder de televisie aan de verste muur. Hij draaide zich om en keek haar aan; zijn door en door gebruinde gezicht was al tot een enorme grijns gerimpeld. 'Kapitein Miguel Ramírez, tot uw dienst,' zei hij met een tikje op het ID-kaartje op zijn pak.

Kathryn vloog door het vertrek en gooide hem bijna om in haar wanhopige behoefte hem te omhelzen. Ondanks haar vermoeidheid, haar zorgen, de trauma's van de afgelopen dag en de last van het verleden die de komende dagen overschaduwde, vergat ze heel even alles om zich heen en hield hem alleen maar heel stevig vast.

Na negentig jaar in ballingschap was Oscar de la Cruz eindelijk weer thuis.

Ze omhelsden elkaar innig tot Kathryns telefoon rinkelde en de betovering verbrak. Ze trok zich terug, kuste haar vader op beide wangen en haalde toen de telefoon uit haar zak. Oscar zag haar gezicht tot een frons vertrekken toen ze het doorgestuurde e-mailbericht las.

'Gabriël?'

Kathryn schudde haar hoofd. 'De zus. Ze is op het politiebureau.'

'Wie is je bron?'

'Iemand op het hoofdbureau.'

'Betrouwbaar?'

'Nauwkeurig.'

Nu schudde Oscar zijn hoofd. 'Dat is niet hetzelfde.'

Kathryn haalde haar schouders op. 'Hij levert als het nodig is en de informatie is altijd goed.'

'En welke informatie heeft hij ons in het verleden bezorgd?'

'Politierapporten over elk onderzoek naar de kerk van de afgelopen drie jaar. We hebben hem via een contact bij de pers.'

'Ik mag dus aannemen dat hij ons die informatie niet bezorgt uit liefde voor de goede zaak?'

'Nee. Hij bezorgt ons die informatie voor baar geld.'

Ze keek weer naar haar telefoon en herlas het bericht, boos op zichzelf omdat ze het niet eerder had opgemerkt toen ze zag wanneer het was aangekomen. Ze klikte het scherm weg en drukte op een sneltoets om een nummer te bellen. Ze vroeg zich af of haar bron hun de informatie eerder of later had gestuurd dan aan de Citadel. Het maakte niet echt uit. Ondertussen hadden de mensen die de jonge vrouw hadden willen ontvoeren op de luchthaven ongetwijfeld dezelfde informatie als zij, en waren ze zich al aan het hergroeperen.

Het nummer verscheen op haar scherm.

Ergens in Ruīn begon een andere telefoon te rinkelen.

61

De Basilica Ferrumvia was het grootste gebouw in Ruīn dat niet tot het bezit van de Citadel behoorde. Het had zich stukje bij beetje verheven vanaf halverwege de negentiende eeuw, als een rood baken van hoop en moderne vooruitgang in de middeleeuwse sloppenwijken ten zuiden van het Verloren Kwartier. Ondanks de kerks klinkende naam was geloof in handel en nijverheid het enige geloof dat er beleden werd. De 'Kerk van de IJzeren Weg' was het centrale treinstation van Ruīn.

Tegen de tijd dat Gabriël bij de gotische voorgevel kwam aanrijden, was het spitsuur in volle gang. Hij bracht de lichtgewicht crossmotor tot stilstand onder de enorme luifel van glas en smeedijzer die zich vanaf de voorzijde van het gebouw uitstrekte en parkeerde hem naast een rij scooters.

Hij schopte de standaard los, schakelde de motor uit en liep kordaat het station binnen, net als elke andere forens die zijn trein moest halen.

Snel wandelde hij door de kakofonische spoorwegkathedraal naar de trap en daalde af naar de gedempte stilte van het bagagedepot, diep ingegraven in het gesteente onder perron 16.

Kluis 68 bevond zich in de verste hoek, recht onder een van de zes bewakingscamera's die het vertrek in de gaten hielden. De plaatsing van de camera zorgde dat Gabriëls gezicht wel zichtbaar was voor iedereen die de beelden bekeek, maar de inhoud van de kluis niet. Hij toetste een vijfcijferige code in en trok het deurtje open.

In de kluis bevond zich nog een zwarte canvastas, in omvang en model identiek aan die over zijn schouder. Hij ritste hem open en haalde er een zwart doorgestikt jack en twee geladen munitiemagazijnen uit. Hij legde de magazijnen op de bodem van de kluis, haalde zijn SIG 9mm tevoorschijn, schroefde de geluiddemper voorzichtig los en liet hem in de open tas vallen. Geluiddempers waren voor 's nachts. Schieten overdag moest luidruchtig genoeg zijn om iedereen af te schrikken die niet in de buurt hoorde te zijn. Hij wilde geen onschuldige omstanders verwonden. In het leger werd dat 'nevenschade' genoemd. In de stad heette het moord.

Hij keek om zich heen, liet de andere tas van zijn schouder op de grond glijden en deed zijn jasje uit, dat hij verving door het doorgestikte jack. De geladen magazijnen verdwenen in zijn jaszak. De SIG, minder omvangrijk zonder de geluiddemper, ging terug in de platte schouderholster. Hij raapte de tas op, zette hem in de kluis en ritste hem toen open om de tas van Liv eruit te halen. Hij aarzelde omdat het hem met zijn aangeboren hoffelijkheid tegenstond om het persoonlijke eigendom van een dame te doorzoeken, maar maakte hem toen toch open.

Hij vond kleren, toiletartikelen, een telefoonoplader, al die dingen die je in een tas propt als je ergens in grote haast heen wilt. De tas bevatte ook een kleine laptop in een beschermhoes, een portefeuille, creditcards, een perskaart en een bijna volle spaarkaart van Starbucks. Een zijvakje leverde een paspoort, een stel huissleutels en een papieren envelop van een snelle foto-ontwikkelcentrale op. Daarin zat een tiental glanzende foto's van Liv en een jongeman tijdens een bezoek aan New York. Op de foto's was ze een paar jaar jonger dan de vrouw die hij op de luchthaven had ontmoet – vroeg in de twintig misschien. De jongeman was duidelijk haar broer. Hij had hetzelfde donkerblonde haar, hetzelfde zachte, ronde, aantrekkelijke gezicht – knap bij hem, mooi bij haar – dezelfde heldergroene ogen die vanuit beide gezichten straalden met de vreugde van gedeeld plezier.

De laatste foto bewees dat het uitstapje van vóór 2001 dateerde. De jongeman stond in zijn eentje met gestrekte armen tussen de twee torens van het World Trade Center, zijn gezicht vertrokken in een karikatuur van uiterste inspanning. Met zijn lange haar en zijn zweem van een baard leek hij op Simson in de tempel van de Filistijnen. Het was een onheilspellend beeld, beladen met tragedie, niet alleen om wat er met de torens was gebeurd, maar omdat het beeld van de vrolijke jongeman met zijn uitgestrekte armen de houding imiteerde die hij uiteindelijk zou aannemen in de laatste uren voor zijn val.

Gabriël schoof de foto's weer in de portefeuille. Zijn praktische instinct gebood dat hij de tas in de kluis moest laten staan, maar hij hees hem over zijn schouder, sloeg de kluis dicht en liep naar de uitgang. De tas bij zich houden zou hem een talisman bieden, een geluksamulet, een lens waardoor hij zijn vastbeslotenheid en doelbewustheid kon concentreren, om die tas terug te kunnen geven zodra hij de jonge vrouw had gevonden en in veiligheid had gebracht.

Voor zijn gevoel was haar veiligheid zijn persoonlijke missie geworden. Hij kon niet zeggen waarom of wanneer hij dat had besloten. Misschien toen hij haar over het glimmende, verregende parkeerterrein zag rennen, opgejaagd door een angst die deels aan hem te danken was. Misschien zelfs eerder – toen hij haar verbazend groene ogen zag zoeken naar de waarheid in de zijne. Van die angst kon hij haar in ieder geval bevrijden, als hij de kans kreeg.

Hij keerde vanuit de schemering van het bagagedepot terug in de helder verlichte stationshal. Het gewelfde glazen plafond, in het midden minstens dertig meter hoog, leek elk geluid op te vangen en te weerkaatsen. Het was er zo lawaaiig dat hij zijn telefoon niet hoorde, maar alleen in zijn zak voelde trillen.

'Ze is naar het hoofdbureau van politie overgebracht,' zei Kathryn. 'Ze legt een verklaring af over wat er vannacht is gebeurd in een verhoorkamer op de vierde verdieping.'

'Van wanneer dateert die informatie?'

'Net binnen. Maar we denken dat degene die het ons heeft geleverd ook de Sancti bedient.'

Dat klonk logisch. Het betekende ook dat de mensen die Liv de vorige avond hadden geprobeerd te grijpen, in de buurt zouden zijn en hun kans afwachtten om het nog eens te proberen.

'Ik bel je terug,' zei hij en hing op.

Hij zette zijn helm op toen hij bij de crossmotor aankwam en overwoog zijn volgende stap. Hij veronderstelde dat ze veilig was zolang ze in de verhoorkamer bleef – maar daar zou ze niet eeuwig blijven, en het hoofdbureau was enorm groot. Haar daar vinden zonder de aandacht te trekken zou bijna onmogelijk zijn. Hij trapte de motor aan en kreeg een kiosk in het oog die de ochtendeditie van de plaatselijke krant verkocht. Een nieuwe foto van de monnik vulde de voorpagina, van dichterbij dit keer, kennelijk met een heel lange lens genomen. De kop erboven luidde DE ZONDEVAL.

Hij schakelde en voegde de crossmotor in tussen het traag voortbewegende ochtendverkeer.

Hij wist precies waar ze straks heen zou gaan.

62

Arkadian duwde de grote glazen deur van het hoofdbureau van politie open en hield hem vast. Liv kwam naar buiten, haar ogen toegeknepen tegen de felle ochtendzon. Een groepje geüniformeerde agenten en kantoormedewerkers stond rond een in het asfalt geplante asbak, een altaar voor hun gezamenlijke verslaving. Liv liep erheen om zich bij de eredienst te voegen.

'Zou ik er daar misschien eentje van mogen?' vroeg ze iemand in een wit overhemd met een blauwe stropdas. De kantoorjongens waren meestal gemakkelijker te paaien dan de agenten in uniform. Hij keek op en schrok even van haar verfomfaaide verschijning.

'Het is goed, ze hoort bij mij,' zei Arkadian.

De man haalde een pakje Marlboro Light tevoorschijn.

'Bedankt,' zei Liv terwijl ze er een uit plukte en op de rug van haar hand in vorm tikte. 'Heel vriendelijk van je.'

De man hield haar een aansteker voor en Liv boog haar hoofd ernaartoe. Ze zoog de droge rook in, hunkerend naar de nicotinehit. Het smaakte net zo beroerd als de sigaretten in de verhoorkamer. Desalniettemin schonk ze de man een glimlach voor ze zich afwendde om achter Arkadian aan te lopen.

'Wanneer heb je je broer eigenlijk voor het laatst gezien?' vroeg Arkadian toen ze hem had ingehaald.

Liv trok nog eens aan haar sigaret, in de hoop dat de vertrouwde kalmte nu snel over haar zou neerdalen.

'Acht jaar geleden,' zei ze, de bittere rook uitblazend. 'Net voordat hij verdween.'

'Enig idee waarom hij vertrok?'

Liv trok een vies gezicht van de nasmaak. Wat was dat toch met die buitenlandse peuken? Ze smaakten allemaal naar verbrand rubber. 'Dat is een heel lang verhaal.'

'Dan lopen we wat minder hard. Het mortuarium is maar een paar straten verderop.'

Liv nam nog een voorzichtig trekje van de sigaret en liet hem toen zo discreet mogelijk in een afvoerput vallen, in de hoop dat de aardige man die hem haar gegeven had niet stond te kijken. 'Ik denk dat het begon toen mijn vader stierf. Ik weet niet wat je daar precies van weet...'

Arkadian dacht aan zijn dossier over het verleden van de dode monnik en het artikel over het tragische auto-ongeluk in het ijzige ravijn. 'Ik ken de details.'

'Wist je dat mijn broer zichzelf daarvoor verantwoordelijk hield? Het "overlevendensyndroom" noemen de artsen dat. Hij kon het gevoel niet van zich afzetten dat hij de oorzaak was van alles en dat hij het daarom niet waard was om nog in leven te zijn. Hij is heel lang in therapie geweest om daarmee om te leren gaan. Uiteindelijk wendde hij zich maar tot de godsdienst. Dat gebeurt vaak, geloof ik. Mensen gaan op zoek naar antwoorden. Als ze die niet in het hier en nu vinden, gaan ze verderop kijken.'

Ze haalde zich de gebeurtenissen van acht jaar geleden weer voor de geest: haar reis naar West Virginia; het geluid van de krekels op de veranda toen zuster Kintner haar vertelde wat ze wist; hoe duidelijk en begrijpelijk het haar voorkwam... en hoe alles weer was verduisterd toen ze Samuel deelgenoot maakte van haar bevindingen. 'Ik had het hem nooit moeten vertellen.'

'Maak jezelf geen verwijten,' zei Arkadian. 'Toen Samuel zichzelf de dood van je vader kwalijk nam, was jij het daar toen mee eens?'

'Nee.'

'En heb je hem verteld dat het zijn schuld niet was?'

'Natuurlijk.'

'Dan vertel ik jou nu: Samuels dood was jouw schuld niet. Wat je ook tegen hem hebt gezegd, wat je ook denkt dat je gedaan hebt om jullie verwijdering te bewerkstelligen, hij was al op zijn eigen weg. Jij had, hoe dan ook, niets kunnen doen om dat te veranderen.'

'Hoe kun je daar zo zeker van zijn?'

'Als hij echt oude wrokgevoelens tegen jou koesterde, of je ergens voor verantwoordelijk hield, waarom zou hij dan zoveel moeite hebben gedaan om te zorgen dat wij je zouden vinden?'

Liv schokschouderde. 'Misschien om me te straffen.'

Arkadian schudde zijn hoofd. 'Maar zo werkt het niet. Je hebt vast wel eens artikelen geschreven over kidnappings, ontvoeringen, vermiste personen...'

'Een paar.'

'En wat is het ergste daaraan? Voor de familie, bedoel ik.'

Liv dacht aan de mensen die ze had geïnterviewd: de gejaagde blikken, het vertwijfelde gissen naar wat er gebeurd zou kunnen zijn, de nooit aflatende zorg en onzekerheid. Ze dacht aan de demonen die haar teisterden sinds Samuel was verdwenen. 'Het ergste is de onwetendheid.'

'Juist. Maar jij wéét wat er met Samuel gebeurd is, omdat hij daarvoor heeft gezorgd. Daarmee strafte hij je niet. Daarmee bevrijdde hij je juist.'

Het gillen van een sirene deed hen beiden opschrikken; een brandweerauto drong zich door het verkeer en sloeg de volgende hoek om. Arkadian zag hem verdwijnen en zette het op een lopen. Liv keek even verbaasd toe en haastte zich toen achter hem aan. Ze haalde hem in toen hij de hoek om liep.

63

De straat stond vol groepjes mensen in laboratoriumjassen en hemdsmouwen, handen in hun zakken, schouders opgetrokken tegen de kou. De wagen die hen voorbij was gereden parkeerde naast een andere die al voor een soort reusachtig mausoleum stond. Brandwachten in fluorescerende jassen controleerden namen op een vel papier.

Arkadian liep meteen op de dichtstbijzijnde brandweerman af terwijl hij vlug de gezichten in de menigte opnam en een nummer in zijn telefoon toetste. 'Dokter Reis al gezien?'

De brandwacht keek op zijn lijst. 'Nee,' zei hij. 'Nog niet.'

In zijn oor vroeg de stem van Reis op het bandje hem om een boodschap achter te laten. Arkadian klapte de telefoon dicht en liep naar twee brandweermannen die het mausoleum uit kwamen. 'Wat is er aan de hand?' Hij liet zijn penning zien. Hij rook hun brandgeur.

'Niks,' zei de langste man, terwijl hij zijn helm afzette en het zweet van zijn voorhoofd veegde. 'Alarm afgegaan in een gang: een prullenbakbrandje in een van de toiletten.'

'Aangestoken?'

'Zeker weten.'

Arkadian fronste zijn wenkbrauwen. 'Kan ik naar binnen?'

De brandweerman boog zijn hoofd en praatte in een microfoon op zijn revers. 'Charlie Vier, heb jij nog wat gevonden?'

Statisch geruis werd gevolgd door een blikkerige stem: 'Negatief. We zijn onderweg naar buiten.'

'Ga uw gang,' zei hij tegen Arkadian.

Arkadian liep over de stoep naar de treden. Liv ging hem achterna, vlak achter hem, haar blik vastberaden vooruit en licht gefronst in de hoop dat het haar een air van ernstige vakkundigheid zou verlenen, die de brandweerman het idee zou geven dat ze Arkadians partner was. De brandweerman keek haar wel na, maar merkte vooral haar groezelige kleren en verwarde haren op. Hij deed zijn mond open om iets te zeggen, maar gekraak op zijn radio leidde hem lang genoeg af om Liv de tijd te geven de trap op te rennen en in het gebouw te verdwijnen.

Ze kwam in een groot atrium terecht waar verschillende deuren op uitkwamen, met een verlaten receptie tegenover haar en een paar liftdeuren aan de linkerkant. Arkadian drukte op knoppen en wachtte even, om ineens af te slaan en een dubbele klapdeur binnen te lopen. Liv volgde hem naar een trappenhuis waar het geluid van zijn voetstappen luid weergalmde. Ze zorgde dat ze gelijke tred met hem hield, helemaal tot in de kelders, zodat hij haar niet zou kunnen horen en sommeren om weer naar buiten te gaan.

Arkadian kwam het trappenhuis uit en liep de gang in. Hij werd onmiddellijk getroffen door de stilte die overal heerste. Op de grond lag een laboratoriumjas, kennelijk door iemand van de kapstok gerukt tijdens de haastige aftocht. Verderop in de gang zag hij de deur naar het kantoor van Reis. Hij stond open. Terwijl hij op de herhaalknop van zijn telefoon drukte, liep hij er door de lange gang naartoe.

Hij keek naar binnen en zag de mobiele telefoon van Reis over een verlaten bureau huppelen. Het toestel botste tegen een zwarte beker half vol melkachtige koffie waar de damp nog vanaf sloeg. Arkadian klapte zijn telefoon dicht. Hoorde de stilte terugkeren. Hoorde een geluid in de gang achter zich. Draaide zich razendsnel om, één hand onderweg naar het pistool in zijn schouderholster.

Liv zag Arkadians hand in zijn jasje verdwijnen en de irritatie die over zijn gezicht flakkerde toen hij merkte dat zij het was. Over zijn schouder keek ze naar het lege kantoor, razend benieuwd wat er aan de hand was, maar zich wel bewust dat dit niet het moment was om vragen te stellen.

Arkadian gebruikte de mouw van zijn colbert om de deur dicht te trekken en het kloppen van haar hart versnelde in haar oren. Ze had genoeg politieonderzoeken meegemaakt om te herkennen wat die beweging betekende. Hij behandelde het kantoor als een plaats delict.

De deur klikte dicht en Arkadian draaide zich naar haar om.

'Blijf hier,' zei hij, terwijl hij naar een ander stel deuren aan het einde van de gang liep. 'Nergens aankomen.'

Met zijn schouder duwde hij de deuren open. Liv holde achter hem aan, glipte door de kier voordat ze dicht konden vallen en kwam terecht in een smalle, kale ruimte.

Het was er maar enkele graden boven het vriespunt en er hing een geur van ontsmettingsmiddel en van iets zoets en weeïgs. De ene muur werd in beslag genomen door grote archiefladen in een raster – ongeveer dertig in totaal. Liv huiverde van de plotselinge kou en het besef wat de laden bevatten.

In het midden van het vertrek was een brancard achtergebleven. Over de onderste helft lag een plastic laken, verkreukeld als beddengoed. Het zag eruit alsof de bewoner was opgestaan toen het brandalarm had geklonken en het gebouw samen met alle anderen had verlaten. Arkadian liep eromheen en hield halt bij een lade aan de andere kant van het vertrek, tweede rij van onderen, derde la, waarop een acht was aangebracht boven een ruitje; in het ruitje achter een doorzichtig stuk plastic was een met de hand geschreven mededeling zichtbaar. Vanaf haar plek kon Liv het niet goed lezen, maar ze wist wat erop stond.

Arkadian pakte de handgreep vast met de mouw van zijn jas. Toen de lade openschoof, hoorde Liv een geluid achter zich. Ze draaide zich snel om. Een bleke, dunne man aarzelde op de drempel. Hij had een half opgegeten broodje in zijn hand en veegde met de andere een gordijn van zwart haar uit zijn gezicht.

'Waar kom jij in godsnaam vandaan?' brulde Arkadian.

Reis boog zich opzij en keek langs Liz heen. 'Niet ontbeten,' zei hij en stak het broodje omhoog. Toen daalde zijn blik omlaag en er verscheen een uitdrukking van onbegrip op zijn gezicht.

Liv volgde zijn blik en zette zich schrap. Maar het stoffelijk overschot van haar broer was nergens te bekennen. De lade was leeg.

64

Liv, Arkadian en Reis bleven roerloos staan.

Het was Arkadian die de geschokte stilte verbrak. Met een blik omhoog naar een hoek van de kamer zei hij: 'Naar buiten,' dreef hen naar de relatieve warmte van de gang en liep vervolgens naar de trap. 'Laat niemand naar binnen gaan,' riep hij Reis toe. 'Kijk je kantoor na of er iets ontbreekt – en blijf overal van af.'

Reis en Liv keken elkaar aan. Er flakkerde herkenning in zijn blik, gevolgd door onbehaaglijkheid toen hij zich realiseerde wie ze moest zijn. Liv keek de gang weer in voordat het onbehagen in medelijden veranderde. Ze zag Arkadian verdwijnen door de deuren naar het trappenhuis en liep hem achterna, deels om te ontdekken wat er aan de hand was en deels om niet van de patholoog te hoeven horen hoezeer het hem speet.

Arkadian holde met twee treden tegelijk de trap weer op en stoof de klapdeuren naar de receptie door. Die stond al vol mensen, onderweg naar hun werkplek in het gebouw. Hij baande zich een weg naar de beveiligingsafdeling.

'Bel het meldnummer,' zei hij tegen de grimmig ogende matrone achter de balie. 'Zeg dat er een inbraak heeft plaatsgevonden in het mortuarium. Laat ze een technisch team sturen en stand-by blijven voor een beschrijving van de verdachten.'

De vrouw keek hem streng aan over haar halvemaanvormige brillenglazen; haar gezicht was een toonbeeld van verontwaardiging.

'Nú!' brulde hij, iedereen opschrikkend. 'En er gaat niemand naar de tweede kelder.'

Het zenuwcentrum van de beveiligingsafdeling van het mortuarium was net groot genoeg om plaats te bieden aan een stoel en een bureau, naast verscheidene torens vol computergeheugen die de opnames van achttien beveiligingscamera's bewaarden. Op het bureau stonden een paar flatscreens, hun beeld verdeeld in drie rasters met in elk vak het beeldmateriaal van telkens een andere camera. Een man van rond de vijftig in uniform keek op toen Arkadian binnenkwam; de gloed van de twee monitors vonkte in zijn meekleurende brillenglazen, die nog donker waren na het felle daglicht buiten.

Arkadian liet zijn penning zien. 'Kun je de opnames laten zien van de koelkamer in de onderste kelder?'

Licht stroomde de verduisterde kamer in toen de deur naast hem weer openging. Arkadian draaide zich om en zag dat Liv zich achter hem naar binnen drong. Ze richtte haar blik stug op de monitors om oogcontact te vermijden. Hij overwoog haar te vragen om te vertrekken, maar besloot dat hij haar liever in de buurt hield.

Hij haalde zijn telefoon tevoorschijn en nam de bellijst door tot hij bij het telefoontje kwam dat Reis had gepleegd toen het brandalarm was afgegaan. Negen uur veertien. Op een van de schermen verscheen nu de opname van de camera die hij in de hoek van de koelkamer had zien hangen. 'Kun je hem terugspoelen naar nul-negen-veertien en vanaf daar afspelen?'

De bewaker klikte op het menu en tikte de tijd in. Het beeld versprong en er verscheen een man in het midden van de zojuist nog lege ruimte, die een brancard naar een van de laden reed.

'Wie is dat?' vroeg Arkadian.

De bewaker tuurde naar het scherm. De man stond stil en keek om zich heen toen hij het schrille geluid van het alarm opving.

'Ik weet zijn naam niet, maar hij werkt hier,' zei de bewaker. 'Ik denk dat hij een van de labtechnici is.'

De opname ging haperend verder in stukjes van drie seconden tot de man verdween; zijn bewegingen waren die van een slecht gehanteerde marionet.

'Kijk eens naar het laken.' Liv wees naar het scherm. 'Netjes opgevouwen op de brancard. Toen wij aankwamen was het helemaal verkreukeld.'

'Kun je het iets versnellen?' vroeg Arkadian.

De bewaker drukte een paar keer op een toets en de cijfers gingen met vijf seconden per keer vooruit, toen tien. Toen de klok op nul-negen-zeventien stond, kwam er een andere gedaante in beeld.

'Stop,' zei Arkadian.

De bewaker schakelde over naar het gewone tempo van drie seconden.

De nieuwkomer was lang, met zwart haar en zwarte kleren. Zijn gezicht konden ze niet zien. Hij hield zijn rug voortdurend naar de camera gewend. Hij liep langs de brancard en stopte voor de lade die Arkadian had geopend. Met een gehandschoende hand reikte hij naar de handgreep en trok eraan. Liv voelde haar hart tegen haar ribben bonken. Ze zag de omtrek van een lijkzak.

De man ritste hem open. Ondanks de slechte beeldkwaliteit herkende Liv het bebaarde gezicht onmiddellijk en ze voelde de tranen prikken in haar ogen. Even later veranderde de indringer van positie en onttrok Samuel met zijn lichaam aan het zicht. Hij leek in zijn jaszak ergens naar te zoeken. Hij worstelde even met de stof en verwijderde zijn rechterhandschoen om opnieuw te zoeken, waarna hij wat het ook mocht zijn al snel te pakken kreeg. Met wat hij uit zijn zak had gehaald boog hij zich over de openstaande lade, maar toen wendde hij ineens zijn gezicht naar de deur, klaarblijkelijk gestoord in zijn werkzaamheden. Hij hield zijn hoofd omlaag, alert op de camera, maar Liv zag genoeg om hem te herkennen.

'Gabriël...' zei ze zacht. 'Hij heeft me gisteren van het vliegveld gehaald.'

Arkadian greep de telefoon op het bureau zonder zijn blik van het scherm los te maken terwijl de man de lijkzak dichtritste, de lade terug op zijn plaats schoof, op de brancard klom en het plastic laken over zich heen trok.

'Inspecteur Arkadian hier. Er is zojuist een inbraak gepleegd in het mortuarium; ik wil dat alle eenheden uitkijken naar een verdachte. Een blanke man. Slanke bouw. Misschien één meter vijfentachtig of negentig lang. Zwarte kleding...'

Twee nieuwe, als ambulanceverpleegkundigen geklede gedaantes duwden een brancard het koelvertrek in. De langste keek op naar de camera, maar zijn gezicht was onmogelijk te onderscheiden. Beiden droegen operatiemaskers, kapjes, laboratoriumjassen en latex handschoenen. Arkadian zag hen rechtstreeks naar de lade van Samuel lopen. Ze keken in de lijkzak, hesen die op de brancard, duwden de lade dicht en reden het stoffelijk overschot van Samuel Newton uit beeld. De hele operatie had minder dan vijftien tellen in beslag genomen.

Gabriël kwam overeind als iets uit een griezelfilm en ging hen achterna; het laken liet hij achter zoals Liv en Arkadian het hadden aangetroffen.

Arkadian bedekte het mondstuk van de telefoon met zijn hand. 'Hangt er een camera bij de laadruimte?'

Het beeld van de koelkamer werd vervangen door een verhoogd betonnen platform met een ambulance aan de ene kant en een stel overlappende plastic deuren aan de andere. In Livs ogen leek het op de ingang van een vleesverwerkingsfabriek.

Na een paar tellen weken de deuren uiteen en knalde er een brancard doorheen. Het lijk werd door de twee verpleegkundigen zonder veel plichtplegingen in de ambulance gegooid.

Arkadian verwijderde zijn hand van de microfoon. 'We hebben een nieuwe prioriteit. Ik wil een dringend algemeen 'alert' voor een ambulance die vanaf het gemeentelijke mortuarium in de richting van de Hallelujastraat rijdt. Kenteken onbekend. Verdachten zijn twee blanke mannen, gemiddeld tot zwaar gebouwd, de één misschien een meter vijfennegentig, de ander ongeveer één zestig, beiden gekleed als ambulancebroeders. Wees gewaarschuwd dat de verdachten worden gezocht voor inbraak en wederrechtelijke toe-eigening, en dat ze zijn gevlucht van de plaats van de misdaad. Een foto van de secundaire verdachte wordt zo rondgestuurd.'

Hij legde de hoorn met een klap op de haak. 'Kun je beelden van de verdachten uit de opnames halen en naar de meldkamer mailen?' Het was geen verzoek.

Arkadian wachtte het antwoord van de bewaker niet af. Hij moest Reis spreken.

65

Gabriël glipte de verlaten postkamer binnen en dook onder de centrale balie, die nog steeds vol lag met post en pakjes van die ochtend, achtergelaten zodra het brandalarm klonk. Hij pakte zijn tas en zijn motorhelm van de plek waar hij ze had verborgen en greep een niet al te grote, dikke envelop toen hij stemmen hoorde in de gang.

'Kan ik u helpen?' In de deuropening was een vrouw van middelbare leeftijd verschenen die hem van achter een dik designmontuur bekeek met een harde, argwanende blik.

'Ja... ik heb een pakketje voor...' Gabriël wierp een blik op het etiket. 'Een dokter... Makin?' Hij schonk haar een stralende glimlach van minstens vijfhonderd watt.

Na ongeveer een seconde in dat licht fladderde haar hand naar haar borst, en haar blik verzachtte zich. 'Je bedoelt dokter *Meachin*,' zei ze. 'Moet ik er even voor tekenen?'

'Nee, het is al goed,' zei Gabriël. 'De man die me hierheen stuurde, heeft er al voor getekend.'

Hij liep de gang weer op. Het stond er vol mensen. In de receptieruimte achter hem hoorde hij iemand roepen. Snel liep hij door naar het laadplatform. De achterkant van het gebouw was verlaten. Aan het einde van de steeg zag hij hoe een ambulance zich tussen het ochtendverkeer op het Hallelujaplein voegde.

Hij sprong van het betonnen platform en sprintte naar de plek waar hij zijn motor had achtergelaten, achter een grote afvalbak. Met twee flinke trappen op het startpedaal joeg hij hem de steeg uit om vervolgens vol op zijn rem te gaan staan. De Hallelujastraat was een eenrichtingsweg en stond op dit uur van de dag altijd vol verkeer. Gabriël keek naar links. Geen ambulance. Terwijl hij zijn motor tussen de auto's door vlocht, nam hij het verkeer op dat voor hem reed. De weg rechtte zich stukje bij frustrerend beetje, tot het kruispunt bij de zuidelijke boulevard waar hij zich splitste – rechts naar de buitenwijken, links naar de Citadel. Hij gokte op links, maar ging voorlopig op de middelste baan rijden, klaar om in een van beide richtingen af te slaan zodra hij zijn doelwit in het oog kreeg.

Hij stampte met zijn hak op de rem, zodat zijn achterwiel blokkeerde. Een toeter brulde en een busje reed om hem heen; de chauffeur schreeuwde hem nijdig toe vanuit de veiligheid van zijn cabine. Gabriël merkte het niet eens. Hij stond de boulevard in beide richtingen af te kijken, en kwam tot de conclusie dat de ambulance ergens tussen de steeg en dit kruispunt in het niets was verdwenen.

66

Reis stond een vel papier te bekijken toen Arkadian zijn kantoor binnenliep.

'Ontbreekt er iets?'

'Nee.' Reis bleef bij zijn bureau staan. 'Ik dacht dat ze dit meegenomen zouden hebben – het laboratoriumrapport waar ik je over belde – maar ik denk dat ze niet wisten wat het was. Het is... uitzonderlijk.'

Hij keek over de schouder van de inspecteur en zijn blik drukte verbazing uit. Liv stond achter hem in de deuropening.

Arkadian zuchtte. 'Reis, dit is Liv Adamsen. Ze is verwant aan... Ze is de zus van de monnik.'

'Ja, ik... eh... hallo...' Een nerveuze glimlach vertrok zijn mondhoeken. 'Ik vind het heel erg dat... eh...' Stotterend struikelde hij in zijn gedachten door een mijnenveld van ongepaste reacties op wat zich zojuist had afgespeeld.

'Je vindt het heel erg dat je het lijk van mijn broer kwijtgeraakt bent?' opperde Liv.

'Ja... dat...' zei hij. 'Eerste keer dat er zoiets gebeurt.'

'Nou, dat is een hele geruststelling.'

Reis bloosde, wat zijn zorgvuldig gecultiveerde bleekheid tenietdeed, en sloeg zijn ogen neer. 'Nee, dat niet... eh... neem ik aan.' Hij deed zijn mond dicht voordat hij zichzelf nog verder in moeilijkheden bracht.

Arkadian kneep in zijn neusbrug. 'Liv...' Hij keek haar aan met een blik waarvan hij hoopte dat die gezaghebbend genoeg was. 'Ik weet dat je boos bent, en dat is je goed recht, maar ik heb al onze agenten gewaarschuwd om naar die ambulance uit te kijken. We krijgen je broer terug. Ik had je toch al niet naar beneden moeten laten komen, en nu het een plaats delict is mag je hier niet eens zijn. Ik wil graag dat je naar de receptie teruggaat en wacht tot we deze ruimte hebben onderzocht.'

'Nee.'

'Het was geen verzoek.'

Heel bedaard stapte Liv het kantoor binnen en ging tegenover Reis zitten. 'Ik zal even uitleggen waarom ik blijf. In de afgelopen vierentwintig uur heb ik ontdekt dat mijn broer, van wie ik meende dat hij al dood was, nu inderdaad overleden is. Ik heb duizenden kilometers gevlogen in allesbehalve comfortabele vliegtuigen om hem te komen identificeren. Ik ben ontvoerd, beschoten en nu – net toen ik dacht dat ik eindelijk met hem herenigd zou worden – zijn jullie hem kwíjt.'

Ze liet haar woorden even bezinken.

'Ik weet hoe ik me moet gedragen op een plaats delict. Ik kan deze plaats delict niet eens verder vervuilen, want ik ben hier al geweest. Dus kunnen jullie me evengoed hier laten blijven en me tevreden houden. Want als je me probeert weg te sturen,' zei ze, terwijl ze de krant die ze in haar handen hield omhoogstak, 'is het eerste wat ik doe mijn hoofdredacteur bellen. Wat denk je, houdt hij de voorpagina voor me vrij?'

Reis keek beurtelings naar Arkadian en de jonge vrouw die elkaar strak aankeken, tot Arkadian uiteindelijk met zijn ogen knipperde.

'Oké,' zei hij. 'Blijf dan maar hier. Maar als er ook maar iets uitlekt naar de pers, wát dan ook, ga ik ervan uit dat het van jou afkomstig is en klaag ik je aan wegens het belemmeren van een lopend politieonderzoek. Is dat duidelijk?'

'Volkomen.' Ze wendde zich af; het ijs in haar groene ogen was al gesmolten. 'Dus... Reis, is het niet?'

De patholoog knikte. Strijdbare vrouwen joegen hem altijd angst aan. Hij vond ze ook ongelooflijk aantrekkelijk. Deze verbrak alle records.

'Je zei iets over een laboratoriumrapport?'

Reis keek even naar Arkadian, die berustend zijn schouders ophaalde.

'Oké. Eh... labrapporten zijn een normaal onderdeel van de klinische procedure... zoals je waarschijnlijk wel weet. Hier laten we altijd een standaardreeks weefsel- en bloedtesten doen om bepaalde dingen vast te stellen en andere uit te sluiten, zoals of het slachtoffer iets heeft ingenomen, of iets toegediend heeft gekregen, dat met zijn of haar dood te maken kan hebben. Een van die testen meet de mate van necrose ofwel afsterving van de lever, wat vaak helpt om het tijdstip van overlijden te bepalen. We hadden het in dit geval niet echt nodig gezien alle getuigen, maar het is nu eenmaal de standaardprocedure. Dit zijn de resultaten...' Hij wees naar een rood briefje dat aan het bovenste blad was vastgeniet.

'Het kwam terug met een verklaring van verontreiniging. Zij denken dat het weefsel verkeerd gelabeld is. Er was geen enkel teken van necrose; integendeel zelfs. De cellen leken zich te... herstellen. Levercellen herstellen zich natuurlijk altijd wel, maar alleen als de gastheer in leven is...'

Arkadian vroeg zich – te laat – af of het wel zo slim was om Liv dit te laten horen.

'Ik heb het grondig nagekeken. Het weefsel dat zij hebben gekregen was beslist afkomstig van de monnik. Als we dus op deze resultaten afgaan, en het feit dat ik de sectie zelf heb verricht even negeren...' Hij aarzelde. 'Dan zou ik zeggen dat hij aan de beterende hand is ...'

67

Op een derde van de Hallelujastraat, in een hoog, elegant gebouw dat vanbinnen was gestript en vervolgens versterkt en verbouwd tot een buitensporig dure parkeergarage schoof een metalen luik omhoog, vanwaaruit een effen witte bestelbus zich bij het verkeer voegde.

Vanaf de overkant van de straat keek Gabriël toe, zijn gezicht verborgen achter zijn vizier. Hij blikte even omlaag op de pda in zijn hand, als een motorkoerier die de details van een levering controleert. Boven in het scherm pulseerde zachtjes een kleine witte stip op een verglijdende plattegrond. De beweging van de stip kwam precies overeen met de beweging van het busje, of liever gezegd, van het lijk van Samuel, want het zendertje dat Gabriël in zijn keel had gestopt gaf zijn locatie door.

Hij schoof de pda in zijn jaszak en trapte de motorfiets aan. Het busje bereikte het einde van de straat en sloeg links af naar het centrum van de oude stad. Gabriël volgde het op een paar auto's afstand.

Net voor de noordelijke boulevard nam het busje een ventweg achter een groot bord dat bezoekers verwelkomde in het Umbra Kwartier.

Al zo lang als Ruīn bestond, was het Umbriaanse of Schaduwkwartier het minst populaire en daarmee het minst bevolkte deel van de stad. Omdat de wijk onder de noordelijke flank van de Citadel was gebouwd, bleven de straten hier altijd gehuld in de schaduw van de berg, zelfs midden in de zomer. In deze moderne tijden was de wijk door de lage grondprijzen de ideale stadslocatie voor de enorme parkeergarages die de toestromende legers van toeristen vereisten. Naar deze kille, grijze vallei van beton was het busje nu onderweg.

Toen ze de anonimiteit van de rondweg eenmaal hadden verlaten, hield Gabriël meer afstand en ging achter een pendelbus rijden. Het witte busje nam een scherpe bocht naar rechts, een nauw steegje in tussen twee monstruositeiten van vele etages hoog.

Gabriël reed door, maakte een snelle draai van honderdtachtig graden, reed de stoep op, schakelde de crossmotor uit en liet hem schuin op de standaard zakken. Hij haalde de afneembare zijspiegel eraf en holde naar de hoek van het gebouw terwijl hij ondertussen zijn vizier opentrok. Gehurkt tegen de muur hield hij de spiegel laag bij de grond op de steeg gericht, die uitliep op een steile rotswand waar de oude stadsmuren op rustten. Hij zag het busje tot stilstand komen. Een man met lang donker haar en een baard leunde uit het bestuurdersraampje en schoof een kaart door een toegangsapparaat, waarna hij een blik over zijn schouder wierp in de richting van Gabriël.

Gabriël verstijfde.

Zolang de spiegel geen zonlicht weerkaatste, was beweging het enige wat zijn aanwezigheid zou kunnen verraden.

Hij bekeek de chauffeur. De man leek meer op een popster of een acteur dan op een ingehuurde schurk. Na een paar minuten reed het busje naar voren en verdween in de zijkant van het gebouw.

Gabriël haalde zijn pda uit zijn zak. De knipperende witte stip verplaatste zich langs de bovenzijde van het scherm, waar de achterkant van de garage de zijkant van de berg ontmoette. Hij duwde de spiegel in zijn zak en kwam overeind. Over een lage muur aan zijn linkerkant tuurden honderden koplampen, als gevangenen die naar de vrijheid verlangden. Gabriël sprong over de muur en repte zich het gebouw binnen.

Het was er koud en vochtig en het rook er naar olie en benzinedampen en urine. In de wetenschap dat hij waarschijnlijk op de bewakingscamera's te zien was, liep hij naar een verderop geparkeerde Audi, maakte aanstalten om in te stappen, liet zich op zijn hurken zakken alsof hij een gevallen sleutel moest oprapen en keek nog eens goed op zijn pda.

Het witte stipje bevond zich niet langer in de parkeergarage, maar was dwars door het gesteente dat erachter lag vertrokken. Hij zag het over de straten en de gebouwen van de oude stad bewegen, rechtstreeks naar de Citadel. Toen het twee derde van de weg daarheen had afgelegd, stopte het stipje, knipperde nog even, en verdween.

Gabriël liep naar het koude beton van de achtermuur en hield de pda ertegenaan om een sterker signaal te krijgen. Het stipje knipperde weer aan, nog dichter bij de Citadel.

Bijna aan de rand van de oude slotgracht knipperde het nog eenmaal en verdween.

68

Kutlar zat voor in het busje en tuurde door het grillige, kartelige duister van de tunnel. Het gedreun van de banden over de ongelijke grond en het gehamer van de dieselmotor produceerden samen een vreemd treurig geluid. De trillingen ratelden door in het kunststof dashboard en trokken aan de hechtingen in zijn been. Hij was blij met de pijn – die hield hem wakker en bewees dat hij nog leefde.

Zijn hoofd was wazig van alle pillen die hij had geslikt. Hij besefte dat hij daarmee moest oppassen. Hij moest scherp blijven als hij een manier wilde bedenken om hieruit te komen. Het was hem allemaal duidelijk geworden toen Cornelius en Johann hem vanuit de kliniek in de auto hadden geholpen.

'Jij gaat ons vertellen wat er gebeurd is,' had Cornelius gezegd, op een toon alsof hij slechts een vriendelijk advies gaf. 'Je gaat ons vertellen hoe die meid heeft kunnen ontsnappen. En,' vervolgde hij van zo nabij dat zijn baardharen tegen Kutlars oor streken, 'je gaat ons vertellen hoe ze eruitziet.'

Dat was waarom hij nog kon ademhalen: zij kenden alleen haar naam, maar hij had haar gezicht gezien. Zolang ze nog naar haar op zoek waren, was hij levend een stuk nuttiger dan dood.

De tunnel helde plotseling omhoog en kwam uit in een enorm, grotachtig vertrek. Johann draaide aan het stuur en de koplampen beschenen een stalen deur voordat het busje knerpend tot stilstand kwam. Johann schakelde de motor uit en verliet met Cornelius de auto. Kutlar bewoog zich niet. Hij keek toe via de zijspiegels. Het chassis bewoog toen de achterportieren opengingen en Kutlar hoorde het kraken van dik plastic toen het eerste lijk eruit werd getild.

Hij was geschokt geweest toen ze de twee ambulancebroeders omlegden. De dood van de dokter was op de een of andere manier aanvaardbaarder geweest en zou niemand verbazen wanneer zijn lichaam uiteindelijk werd gevonden, ineengezakt in de stoel waarin ze hem hadden achtergelaten. De man was al heel lang geleden aan lager wal geraakt, toen hij verslaafd raakte aan de rotzooi en schotwonden ging behandelen. Maar die ambulancebroeders – dat waren gewone burgers geweest.

Rood verlicht door de remlichten verschenen de monniken van achter het busje met de eerste lijkzak en legde hem naast de stalen deur. Toen ze die procedure twee keer hadden herhaald, schoof Johann zijn kaart door de sleuf, waarop de stalen deur openzwaaide. Een paar tellen later klikte hij weer dicht, met de lijken aan de andere kant.

Cornelius en Johann klommen weer in het busje.

'Ik kan jullie helpen om haar te vinden,' zei Kutlar.

Cornelius keerde hem zijn gezicht toe, zijn mond in een sneer vertrokken. 'Hoe dan?'

'Als je ons weer naar buiten brengt, laat ik het je zien.' Kutlar probeerde een glimlach tevoorschijn te toveren, maar het bleef bij een grimas. 'Ik moet bellen.' Theatraal haalde hij zijn schouders op. 'Hier heb ik geen bereik.'

Cornelius bleef even stil, keek alleen naar de dunne laag zweet die Kutlars huid bedekte, ondanks de kilte van hun omgeving. 'Goed,' zei hij ten slotte.

Johann draaide de contactsleutel om.

De motor kwam donderend tot leven; het geluid klonk plotseling overweldigend in de besloten ruimte. Kutlar keek in de zijspiegel naar de rode gloed in de grot die vervaagde naarmate ze zich verder verwijderden.

De drie lijkzakken lagen in de zwarte stilte van de berg, terwijl er in het doolhof van gangen erboven fakkels werden aangestoken door de mannen die ze zouden komen halen. Iets meer dan vierentwintig uur nadat hij uit de Citadel was ontsnapt, was broeder Samuel teruggekeerd.

IV

In den beginne was de Wereld.
En de Wereld was God, en de Wereld was goed.

Fragment uit de ketterse Bijbel

69

Een betere plaats delict dan de koelkamer van het gemeentelijk mortuarium was moeilijk te bedenken. De uiterst beperkte toegankelijkheid had de gebruikelijke opeenhoping van gedeeltelijke vingerafdrukken, haarzakjes en andere sporen verhinderd die de meeste onderzoeken bemoeilijkten. Alle oppervlakten waren letterlijk klinisch schoon. En er waren complete cameraopnames, waarop te zien was waar de verdachten waren geweest en wat ze hadden aangeraakt.

'Daar,' zei Arkadian, en hij wees naar de zoom van het verkreukelde plastic laken op de brancard. 'De eerste verdachte heeft dat aangeraakt toen hij het laken over zich heen trok.'

Petersen glimlachte. Het enige waar vingerafdrukken nog gemakkelijker op te detecteren waren, was glas.

'Die la heeft hij ook aangeraakt.' Arkadian wees naar lade nummer 8. 'Laat het me meteen weten als je iets gevonden hebt.' Toen hij wegliep, was Petersen zijn kwasten al aan het uitstallen terwijl hij ondertussen de dop van een busje fijn aluminiumpoeder losdraaide.

Bij de deur stond een agent in uniform om te zorgen dat er niemand anders in of uit liep. Reis liep in de gang buiten zijn kantoor te ijsberen. Hij stak een verpakte reageerbuis omhoog toen Arkadian dichterbij kwam.

Arkadian pakte het in het voorbijgaan aan. 'Waar is ze?'

'Stafkamer, eerste verdieping,' riep Reis hem achterna.

De verklaring somde op wat haar allemaal was overkomen vanaf het moment dat ze het mortuarium was binnengelopen tot het identificeren van de mysterieuze man op de beveiligingsopnames. Liv stond op het punt om te ondertekenen toen Arkadian verscheen. Ze vroeg zich nog steeds af waar Gabriël mee bezig was en waarom. Ze had hem niet beschreven als 'de man die mij wilde ontvoeren'. Hij had alleen maar gedaan alsof hij een politieman was en haar een lift naar de stad aangeboden. Hij was niet degene die een pistool onder haar neus had gehouden. En hij had ook het stoffelijk overschot van haar broer niet gestolen, al wist ze nog steeds niet wat hij dan wel had gedaan in de koelkamer. Uiteindelijk had ze hem omschreven als 'de man die me op de luchthaven aansprak en zich voordeed als mijn politie-escorte'. Het was niet elegant, maar wel accuraat. Ze krabbelde de datum naast haar naam.

De agent in uniform controleerde haar handtekening en schoof toen zijn stoel weg van de smalle tafel. Arkadian deed de deur achter hem dicht.

Liv trok een gedeprimeerd ogende geranium over de tafel naar zich toe en begon hem te snoeien; ze plukte de verdorde bloemen van de verdroogde stengels en verkruimelde ze op de potgrond. 'Gevonden?'

Arkadian keek uit het raam naar de straat. Dit zou het perfecte moment zijn geweest om een politiewagen piepend tot stilstand te zien komen voor het gebouw met alle drie de verdachten geboeid achterin, maar dat gebeurde niet.

'Nog niet,' zei hij. Waar de brandweerauto's hadden gestaan op de natte straat glom een uitgesmeerde regenboog van dieselolie. 'Wordt aan gewerkt.' Hij keerde zich om naar de verkreukelde krant op de tafel tussen hen in, waarvan de voorpagina nu een caleidoscoop van letters en doorhalingen was. 'Wordt dat al wat?'

'Ik heb niet zoveel tijd gehad om me erop te concentreren, eerlijk gezegd. Beetje druk geweest.'

Arkadian zei niets, in de hoop dat stilte haar milder zou stemmen.

'Denk je echt dat ze hem hierom hebben meegenomen?' Opnieuw bestudeerde ze de symbolen en letters die ze her en der op de krant had gekalkt.

'Misschien. Zodra we ze te pakken hebben, zullen we het ze vragen. Ondertussen wil ik nu jou graag iets vragen.' Hij legde het pakket dat Reis hem had gegeven op tafel.

Livs ogen vernauwden zich. 'Dat is een slijmvliestest.'

Arkadian knikte. 'Gezien de gegevens die Reis van het lab heeft teruggekregen, zou het voor ons heel nuttig zijn om jouw DNA met dat van je broer te vergelijken. En het zou jullie biologische verwantschap onomstotelijk vaststellen.' Hij schoof de testkit naar haar toe.

Liv plukte de laatste dode bloem uit de geranium en verpulverde hem bij de andere. Ze wreef in haar handen en draaide toen het testpotje open om het bekende wattenstaafje langs de binnenkant van haar wang te halen. Ze schroefde het deksel weer dicht en gaf het aan Arkadian. De Citadel rees op achter de gebouwen aan de overkant van de straat, grimmig en ongenaakbaar, scherp afgetekend tegen de lucht. De aanblik deed haar huiveren.

Arkadian volgde haar blik. Hij ving een flits van beweging op in de straat onder hen. 'Jezus,' zei hij, overeind springend uit zijn stoel. Voor het gebouw was een busje van het tv-journaal gestopt.

'Ik heb ze niet gebeld,' zei ze. 'Ik ben puur van het papier. Wij hebben een bloedhekel aan die jongens.'

Er werd op de deur geklopt.

'Neem me niet kwalijk, baas,' zei Petersen. 'Ik heb een vrijwel complete set latente afdrukken van dat laken gehaald, wil je dat ik ze als routine verstuur of met spoed?'

'Wacht even, ik ga met je mee.' Hij wendde zich weer tot Liv. 'Ik weet dat jij de nieuwsploeg niet hebt gebeld, dus vat dit niet verkeerd op: ik denk dat we jou het gebouw uit moeten zien te krijgen.'

Livs gezicht betrok.

'Het is geen poging om van je af te komen; ik denk gewoon dat je ergens anders veiliger zult zijn. Als de pers weet wat er gebeurd is, wordt het een belegering. Ik wil niet dat die lui die je broer hebben meegenomen op het nieuws van zes uur horen dat jij hier zit. Dus ik denk dat we je het beste onder onze hoede kunnen houden. Ik ga iemand regelen om je terug te brengen naar het hoofdbureau, zodat je kunt douchen en je omkleden. Dan kom ik straks daarheen, goed?'

Liv keek omlaag naar haar bemodderde kleren.

'Oké,' zei ze. 'Maar als je dit als excuus gebruikt om me op een zijspoor te zetten, loop ik meteen weer naar buiten om een persconferentie bijeen te roepen.'

'Afgesproken,' zei hij. 'Maar blijf bij de ramen vandaan. Ik wil je gezicht niet op het journaal zien.'

Ik ook niet, dacht Liv terwijl ze haar groezelige bloes inspecteerde. Ze trok aan een pluk van haar pony die stijf stond van het vuil en wierp een blik in het raam om haar spiegelbeeld te bekijken. Haar ogen werden echter opnieuw aangetrokken door de smalle, donkere berg, die hoog oprees tegen de heldere hemel.

70

Athanasius was kort na de metten ontboden in het kantoor van zijn meester, die hem had gevraagd om hem te vergezellen bij een opdracht. 'Voor de broederschap,' had de abt gezegd. '*Een opdracht waar je met niemand over mag praten.*'

Daar liepen ze dus, behoedzaam langs een met puin bezaaide smalle trap omlaag, slechts bijgelicht door de brandende fakkel in zijn hand. Af en toe passeerden ze andere smalle en geheimzinnige gangen.

Na bijna vijf minuten gestaag afdalen zag Athanasius in de verte een vaag licht schijnen vanuit een stenen boogpoort die er nieuwer en meer bewerkt uitzag dan de rest van de verwaarloosde gewelven. Hij liep achter de abt aan een kleine grot binnen waar twee zwijgende monniken stonden, elk met hun eigen fakkel. Beiden waren ze gekleed in de groene gewaden van de Sancti.

Athanasius keek om zich heen en zag een andere deur, verzonken in de muur, een deur van zwaar staal. Aan de ene kant ervan bevond zich een smalle sleuf, vrijwel gelijk aan de hightechsloten die de toegang tot de grote bibliotheek bewaakten. De abt knikte de Sancti zwijgend toe bij wijze van begroeting, reikte in zijn mouw en haalde er een magneetkaart uit. Er klonk een dof metalig geluid. De abt duwde de deur open en de drie mannen liepen naar binnen. Even bleef Athanasius in zijn eentje staan, toen ging hij hen achterna.

Het vertrek was iets kleiner dan de grot die ze zojuist hadden verlaten en de lucht erbinnen leek warmer, verdicht door een fijn stof dat in de oranje gloed van de fakkel gevangen werd. Er zat een identieke stalen deur in de verste muur, waar drie cocons van zwaar plastic voor lagen. Athanasius wist meteen wat ze zouden bevatten.

Een van de Sancti ritste de dichtstbijzijnde cocon ver genoeg open om een hoofd te onthullen. Vanuit een gaatje in de slaap druppelde een dun streepje bloed naar de haargrens. Athanasius herkende de man niet, evenmin als het tweede lijk. Maar het derde kende hij wel. Hij keek neer op het gezicht van zijn dode vriend en moest steun zoeken bij de muur om overeind te blijven.

'Het kruis is weergekeerd naar de Citadel,' zei de abt zachtjes terwijl ook hij op het gehavende gezicht van Samuel neerkeek.

Even bekeken ze hem alle vier; toen ritsten de Sancti hem terug in de zak en droegen hem weg, alsof ze een tevoren afgesproken bevel uitvoerden. Hij verwachtte dat ze zouden terugkeren voor de andere twee lijken, maar dat deden ze niet.

'Deze ongelukkige zielen moeten worden opgeruimd,' zei de abt. 'Het spijt me dat ik die taak aan jou moet overlaten. Ik weet dat je het weerzinwekkend zult vinden, maar ik heb zeer belangrijke zaken af te handelen, je broeders mogen niet in de lagergelegen delen van de Citadel komen, en jij bent de enige die ik kan vertrouwen...'

Hij deed geen moeite om uit te leggen wie de mannen waren of waarom ze hier dood op de vloer van deze vergeten grot lagen.

'Breng ze naar het verlaten deel van de oostelijke vertrekken,' zei hij. 'Laat ze in een van de oude kerkers vallen. Hun lichaam zal worden vergeten, maar hun ziel zal in vrede rusten.' Bij de deur bleef hij even staan en wreef in zijn handen, alsof hij ze waste. 'Deze deur sluit automatisch over vijf minuten,' zei hij. 'Zorg dat je dit vertrek dan verlaten hebt.'

Athanasius luisterde naar zijn voetstappen, die zich in het duister verwijderden.

Het kruis is weergekeerd in de Citadel...

Athanasius herinnerde zich de woorden van de ketterse Bijbel:

Het kruis zal vallen
Het kruis zal herrijzen

Hij vroeg zich af wat ze van plan waren met het geschonden lichaam van zijn vriend. Hij zou ongetwijfeld naar de Sacramentskapel worden gebracht; waarom zouden het anders de Sancti zijn geweest die hem kwamen halen?

Maar denken dat hij zou herrijzen...

Het was de logica van een krankzinnige.

Hij keek neer op de twee overgebleven zakken, twee anonieme lijken in een stille crypte, en vroeg zich af in wat voor leven zij die ochtend waren ontwaakt, en wie er zich nu zorgen zou maken over hun stilzwijgen. Een vrouw? Een geliefde? Een kind?

Hij liet zich op zijn hurken zakken en sprak in stilte een gebed uit over ieder van hen terwijl hij ze voorzichtig weer in hun plastic lijkwaden ritste. Toen sleepte hij ze een voor een naar de voorkamer, bang dat de deur elk moment dicht kon klikken om van het stoffige vertrek zijn graf te maken.

71

In de stafkamer van het gemeentelijk mortuarium zat Liv naar de foto van haar broer te kijken en riep beelden op uit het verleden. Door haar familiegeschiedenis aan Arkadian te vertellen, leek het alsof ze er een lamp op had gezet. Ze dacht eraan hoe ze Samuel op haar bed in de slaapzaal had gepoot en hem opgewonden alles had verteld wat ze te weten gekomen was op haar reis naar Paradise, West Virginia.

Ze zag hem weer op de rand van het smalle bed zitten, zijn gezicht, toch al betrokken van pijn en verdriet, tot een asgrauwe kleur verblekend toen ze hem vertelde hoe zij beiden ter wereld waren gekomen. Voor haar verklaarde het alle onbeantwoorde vragen over haar identiteit die haar in haar jeugd en jonge jaren hadden gekweld. Ze had gehoopt hem ook rust en vrede te schenken door hem het verhaal te vertellen. Maar haar poging om zijn smeulende zelfhaat te doen bekoelen was slechts olie op het vuur gebleken. Hij voelde zich al schuldig aan de dood van zijn vader. Nu had ze hem een reden gegeven om zichzelf die van zijn moeder te verwijten.

Hij was weggeschuifeld als een geest.

Maandenlang had hij niet met haar gesproken. Al haar telefoontjes bleven onbeantwoord. Ze had zelfs bericht achtergelaten bij het kantoor van zijn therapeut, tot ze ontdekte dat hij die niet meer bezocht en in plaats daarvan een fervent kerkganger was geworden.

De laatste keer dat ze hem had gezien was in New York geweest. Hij had haar zomaar ineens opgebeld en gelukkig en levenslustig geklonken, net als zijn vroegere zelf. Hij vertelde dat hij een reis ging maken en dat hij haar wilde zien voor zijn vertrek.

Ze hadden afgesproken bij het Grand Central Station en de hele dag samen toeristische dingen gedaan. Hij had haar verteld dat hij zich een aantal dingen had gerealiseerd die hem een nieuwe richting hadden gegeven. Hij had geleerd dat wanneer er iemand sterft opdat iemand anders kan blijven leven, die ander met een reden gespaard blijft. Diegene had een hoger doel; de reis waaraan hij op het punt stond te beginnen, was zijn manier om te ontdekken wat zijn hogere doel was.

Ze had verondersteld dat zijn reis het beklimmen van bloedstollende bergen zou behelzen, maar hij vertelde haar dat dat niet de manier was om dichter tot God te komen. Hij ging er niet op door, en zij vroeg niet verder. Ze was alleen maar blij geweest dat hij een opwindende nieuwe levensrichting leek te hebben gevonden. Toen ze hem uitzwaaide op het vliegveld, had ze geen moment gedacht dat ze hem nooit meer levend terug zou zien.

Liv knipperde de tranen weg uit haar ogen en keek op naar de Citadel, die zich als een scherf van de nacht tegen de voorjaarshemel aftekende. Nu voelde zij de pijn die haar broer indertijd moest hebben ervaren. De dood van haar vader of haar moeder had ze zichzelf nooit verweten, maar die van Samuel verweet ze zich nu wel. Wat Arkadian er ook van mocht denken, haar verlangen naar zelfkennis had ertoe geleid dat ze de waarheid ontdekte over hun geboorte, en haar onnadenkende onthulling daarvan had geleid tot Samuels val van de top van die verrekte berg.

Het geluid van de deur die openklikte bracht haar terug in het heden. Ze wreef haar natte ogen droog en draaide zich om naar een forse politieagent in burger met een rond, pafferig gezicht en spaarzaam wordend, baksteenkleurig haar. Zijn ogen tuurden naar haar vanuit zijn weke gezicht en zijn handen rustten op zijn heupen, waardoor zijn jack iets open kwam te staan zodat een stukje van zijn schouderholster en de handboeien aan zijn riem zichtbaar werden. Zijn hemd zat strak over zijn buik en daarop rustte een politiebadge, die aan een koord om zijn hals hing.

Ze had er duizenden ontmoet zoals hij: onzekere types die altijd moesten laten weten dat ze bij de politie waren, zelfs als ze geen uniform droegen. Dit was het soort waar ze het altijd mee aanlegde als ze met een artikel bezig was, omdat ze zo spraakzaam waren.

Zijn voorhoofd fronste zich. 'Gaat het?'

'Ja hoor. Ik moest gewoon even... terugdenken...'

Hij knikte weifelend. Probeerde een glimlach. Gaf het op en wees met zijn duim over zijn schouder. 'Het is namelijk zo, ik heb een wagen klaarstaan als je zover bent. Ik moet je ongezien meenemen naar het hoofdbureau. Daar hebben we een sportzaal waar je een warme douche en schone kleren kunt krijgen.'

Liv depte haar ogen met de mouw van haar bloes. 'Prima,' zei ze, met een glimlach die nog zwakker was dan de zijne. 'Hoe heet je...?'

'Ik ben Süleyman,' zei hij en hij tilde zijn identiteitskaart op. 'Sulley, als je dat liever hebt.' Toen ze de foto bekeek merkte ze op dat er iets wat eruitzag als een verchroomde .38 uit zijn platte holster stak. De flits van de camera had zijn gezicht wat doen vervagen en hij zag er op de foto serieuzer uit dan in het echt, maar het was hem wel: Süleyman Mantus, onderinspecteur, RPF.

'Oké,' zei ze, gerustgesteld dat ze niet opnieuw ontvoerd zou worden. 'Laten we dan maar gaan, Sulley.' Ze pakte de krant van tafel en volgde hem het vertrek uit.

De receptiehal gonsde terwijl ze erdoorheen liepen. Twee geüniformeerde agenten stonden op wacht bij de ingang en controleerden iedereen die naar binnen of naar buiten wilde. Achter hen zag Liv een nieuwsploeg staan, lampen aan, lopende camera's, de verslaggever met haar rug naar het gebouw terwijl ze haar rapportage op de band opnam; of misschien was het wel live. Liv wandelde afwezig achter de onderinspecteur aan door een verstilde gang die naar de achterkant van het gebouw leidde. Bij een paar elkaar overlappende plastic deuren stond weer een agent in uniform. Hij knikte toen ze dichterbij kwamen.

'Ga je gang...' Sulley deed een stap opzij.

Het plastic bolde even op voordat het Liv naar buiten liet, in wat ze even voor verblindend zonlicht hield.

Toen riep een vrouwenstem: 'Heeft u iets te maken met de verdwijning van de monnik?'

Liv draaide meteen om haar as om weer beschutting te zoeken in het gebouw, maar de onderinspecteur greep haar bij de arm en trok haar haastig mee naar een ongemerkte politiewagen iets verderop in de steeg. Ze boog haar hoofd zodat haar haar voor haar gezicht viel.

'Staat u onder arrest?' riep de verslaggever.

Rechts van haar ontplofte een flitslicht en een mannenstem voegde een nieuwe vraag toe.

'Wat is uw relatie tot de vermiste?'

'Zijn de dieven van binnenuit geholpen?'

De onderinspecteur trok het achterportier van de auto open, duwde Liv ferm op de achterbank en knalde het portier achter haar dicht.

Net toen Liv opkeek, werd het interieur van de auto hel verlicht door de flits van een tegen het raam gedrukte camera. Ze keerde haar gezicht met een ruk af.

De auto stuiterde op zijn schokbrekers toen Sulley zich in de bestuurdersstoel liet zakken.

'Het spijt me ontzettend.' Terwijl hij de motor startte, ving hij haar blik in de achteruitkijkspiegel. 'Het is altijd weer verbazend hoe snel de pers lucht krijgt van dit soort dingen.'

Hij trok de handrem los en ze verwijderden zich langzaam van de horde. Het laatste wat Liv zag toen ze een blik door de achterruit wierp, was het doodse oog van een cameralens, recht in haar gezicht.

72

Kathryn Mann wees naar een plek op de stoffige betonnen vloer van de loods en de vorkheftruck maakte een elegante pirouette om een van de pallets van de C-123 er precies op te zetten. Ze probeerde de pallets zo te plaatsen dat de eerstvolgende lading – agrarische benodigdheden voor een van hun projecten in Oeganda – niet ergens midden in de stapel verzeild raakte. Om elke pallet heen zat een dunne aluminium plaat, en ze hadden de omvang van twee flinke ijskasten. Het leek op een reusachtige driedimensionale puzzel, maar het was beter dan in het kantoor met Oscar naar het journaal te kijken en te wachten tot Gabriël belde.

De truck haalde zijn vorken voorzichtig onder de pallet vandaan en zoefde terug naar het vrachtvliegtuig buiten de loods. Het merendeel van de kunstmest zou binnen een paar dagen weer wegvliegen, met een beetje geluk.

Een luid geklop deed Kathryn opkijken. Door de smalle gang van kratten heen zag ze dat Oscar haar wenkte achter het raam van het kantoor. Hij keek grimmig.

Kathryn overhandigde haar lijst aan Becky. 'Wil jij ervoor zorgen dat deze vooraan blijven staan?'

'Kijk eens,' zei Oscar zodra ze het kantoor binnenliep. Hij wees met de afstandsbediening naar de tv aan de muur en zette het volume harder.

'Het onderzoek naar de dood van de monnik heeft sinds vanmorgen een macabere wending genomen,' kondigde de nieuwslezer aan op een toon die meestal gereserveerd bleef voor slachtpartijen en oorlogsverklaringen. 'Bronnen dicht bij het onderzoek vermoeden dat zijn stoffelijk overschot uit het mortuarium is verdwenen...'

Er verscheen een onvaste opname in beeld van een verfomfaaide vrouw die naar een auto werd gevoerd.

'Heeft u iets te maken met de verdwijning van de monnik?' schreeuwde de stem van de verslaggever. 'Staat u onder arrest?'

De vrouw keek even op, recht in de lens, voordat ze haar hoofd boog en uit het zicht verdween achter een gordijn van vuil ogend haar.

'Dat moet ze zijn,' zei Oscar.

Maar Kathryn hoorde hem niet. Ze keek verstijfd naar de politieman in burger naast Liv. Ze zag dat hij haar ruw op de achterbank neerpootte. Zag de camera naar zijn gezicht zwenken. Zag hem zijn sproetige hand opsteken om hem weg te duwen.

Toen stapte hij in de auto en reed met haar weg.

73

Als verdoofd liep Athanasius naar de privékapel om te bidden. Hij zweette nog van de inspanning van het verslepen van elk weerspannig lijk door de ingewikkelde reeks tunnels naar de middeleeuwse spelonken in het oostelijke deel van de Citadel. Nu bevond hij zich weer in het hoofdgebouw, maar de beproeving leek aan hem gehecht te blijven, samen met de flauwe, chemische geur van de lijkzakken. Hoe hard hij zijn handen ook had geschrobd in de regenwaterbakken van de wasserij, hij kon die lucht maar niet kwijtraken.

De oude kerkers bevatten indringende herinneringen aan het gewelddadige verleden van de kerk: roestige boeien en angstaanjagende nijptangen met de kleur van gedroogd bloed. Natuurlijk was hij bekend met de geschiedenis van de Citadel, de kruistochten en vervolgingen uit brutere tijden, toen onwrikbaar geloof in God en in de leer van de kerk uit angst werd gesmeed; hij had echter geloofd dat die tijden voorbij waren. Nu sloeg het schrikbeeld van dat gewelddadige verleden zijn klauwen uit naar het heden, als de geur van eeuwenoude dood die opsteeg uit de kerker toen hij de lijken erin had laten vallen, één voor één. Bij het gekraak dat hij hoorde toen ze op een bed van vergeten beenderen belandden, voelde hij innerlijk ook iets breken, alsof zijn daden en zijn overtuigingen zo ver uiteen waren getrokken, dat ze ten slotte waren gescheurd. Terwijl hij daar huiverend en eenzaam in de koude berg had gestaan, straalden de twee zinnen die hij had gezien in de ketterse Bijbel als zuivere, lichtende waarheden in het duister.

Buiten de kapel aarzelde hij even, bang om naar binnen te gaan vanwege de schande die hij met zich meedroeg. Hij wreef afwezig over zijn schedel en rook opnieuw de antiseptische smet van de lijkzak op zijn mouw.

Hij moest bidden. Waar moest hij anders hoop uit putten? Hij haalde diep adem en bukte zich om de deur door te gaan.

De kapel werd verlicht door kleine, flakkerende votiefkaarsen rond een T-kruis op de achterste muur. Er waren geen stoelen, alleen matten en dunne kussens om benige oude knieën te beschermen tegen de stenen vloer. Hij had niet opgemerkt dat er buiten de kapel een kaars brandde, maar toen hij binnenkwam zag hij dat er al iemand aan het bidden was. Toen hij zag wie het was, snikte hij bijna van opluchting.

'Beste broeder...' Vader Thomas stond op en legde een arm om de bevende gestalte van zijn vriend. 'Wat is er met je aan de hand?'

Athanasius haalde een paar keer diep adem, vechtend om zichzelf in bedwang te krijgen. Het duurde even voordat zijn hartslag en zijn ademhaling rustiger werden. Hij keek even om naar de deur, toen naar het bezorgde gezicht van zijn vriend. In gedachten beraadde hij zich of hij hem in vertrouwen zou nemen of hem niets zou vertellen, voor zijn eigen veiligheid. Hij voelde zich alsof hij aan de rand van een afgrond stond en wist dat hij, als hij nu een stap vooruit deed, nooit meer terug zou kunnen.

Hij keek diep in de bezorgde en belangstellende ogen van zijn vriend en begon te praten. Hij vertelde hem over het bezoek aan het verboden gewelf met de abt, over de ketterse Bijbel en de profetie die erin stond, over de afschuwwekkende opdracht die hij zojuist had uitgevoerd. Hij vertelde hem alles.

Toen hij uitgepraat was, zaten de twee mannen lange tijd zwijgend bij elkaar. Athanasius wist dat hij hen beiden in gevaar had gebracht met wat hij zojuist had verteld. Vader Thomas keek op, wierp een snelle blik op de deur en boog zich dichter naar hem toe. 'Wat waren dat voor zinnen die je in het verboden boek zag staan?' Zijn stem was nauwelijks meer dan gefluister.

Athanasius werd overspoeld door een golf van opluchting. 'De eerste luidde "het licht Gods, verzegeld in het duister",' fluisterde hij. 'De tweede "geen geheiligde berg, maar een vervloekte gevangenis".'

Hij leunde achterover terwijl de intelligente blik van Thomas door de schemerige ruimte flitste op het ritme van de koortsachtige bewegingen van zijn geest.

'De laatste tijd heb ik steeds vaker het gevoel dat er iets... verkeerd... is met deze plek...' Zorgvuldig koos hij zijn woorden. 'Al deze verzamelde kennis, het product van de scherpste intellecten van de mensheid, verborgen in het duister van de bibliotheek, zonder dat iemand er iets van leert. Ik heb mijn werk hier ondernomen om al die geleerdheid te beschermen en te bewaren, niet om haar gevangen te houden.

Toen ik klaar was met mijn verbeteringen aan de bibliotheek en zag hoe goed ze werkten, heb ik de prelaat verzocht om de blauwdrukken te mogen publiceren, zodat andere grote bibliotheken zouden kunnen profiteren van het systeem dat wij hier nu gebruiken. Hij weigerde. Hij zei dat boeken, en de kennis die ze bevatten, gevaarlijke wapens zijn in de handen van onwetenden. Hij zei dat het des te beter was als ze vervaagden en tot stof vergingen in bibliotheken buiten deze muren.' Toen hij Athanasius even aankeek, stonden op zijn gezicht de pijn en de teleurstelling te lezen die hij tot op dit moment voor zich had gehouden. 'Het schijnt dat ik een systeem heb gecreëerd waarvan alleen degenen profiteren die dat meest goddelijke geschenk – kennis – willen opsluiten.'

'"Het licht Gods, verzegeld in het duister",' citeerde Athanasius zachtjes.

'"Geen geheiligde berg, maar een vervloekte gevangenis",' antwoordde vader Thomas.

Weer zwegen ze.

Ten slotte zei Athanasius: 'Het is zowel frustrerend als ironisch, dat jouw ingenieuze beveiligingssysteem ons verhindert te ontdekken wat er nog meer in het verboden boek staat.' Zijn blik daalde naar het flakkerende vlammetje van een votiefkaars.

Vader Thomas keek even naar hem en haalde toen diep adem. 'Er zou wel een manier kunnen zijn,' zei hij, met van overtuiging glanzende ogen. 'We moeten wachten tot na de vespers, als de meeste broeders eten of naar de slaapzalen gaan; dan is de bibliotheek het rustigst.'

74

Gabriël voelde zijn telefoon trillen in zijn zak en keek wie er belde.

'Mam.'

'Waar ben je?'

'Achter de lijkenpikkers aan. Ze hebben de monnik teruggebracht naar de Citadel. Nu zitten er twee van hen in een of andere kroeg aan de rand van het Verloren Kwartier. De andere past op het busje.'

'Wat zijn ze aan het doen?'

'Geen idee, maar ik vond dat ik maar in de buurt moest blijven. Liv zal wel veilig genoeg zijn – zolang ze bij Arkadian blijft.'

'Dat is het nou juist,' zei Kathryn. 'Ze is niet veilig. Ze is absoluut niet veilig.'

Kutlar zat in de achterkamer van de overvolle tweedehandswinkel. Cornelius zat links van hem. Tegenover hen zat een andere man, achter een bureau dat bezaaid lag met ingewanden van computers en mobiele telefoons. Zilli was 'de man bij wie je wezen moest' voor technologie van onder de toonbank. Zijn stoel kraakte telkens als hij een stapel geld uit een rode plastic doos in zijn telmachine stopte. Van onder een honkbalpet met het logo van een allang ter ziele gegaan tractorbedrijf slierde lang zwart haar. Kutlar wist dat de pet een kale plek verborg die niemand mocht zien.

Het hawaïhemd van Zilli was het kleurrijkste object in de winkel, die eruitzag als elke rommel- en reparatiewinkel in elke vervallen achterbuurt, maar tevens diende als dekmantel voor allerlei andere zaken, van het helen van gestolen goederen tot het smokkelen van wapens, drugs, en soms zelfs mensen. Het was Zilli die Kutlar de Tevenkliniek had aanbevolen als een handige plek om met schotwonden heen te gaan.

Met de starende blik van een junk die een shot opkookt keek Zilli hoe het laatste biljet door de teller schoof. Toen reikte hij onder het bureau, met zijn blik strak gevestigd op Cornelius. In de stilte zoemde een kleine ventilator, die het moederbord van een ontmantelde computer moest afkoelen.

Kutlar voelde een steek in zijn been toen Zilli iets dofs en metaligs tevoorschijn haalde en het op Cornelius richtte. Cornelius gaf geen krimp.

'Aangenaam zaken met u te doen,' zei Zilli, op wiens gezicht een scheve grijns verscheen die verbazend volmaakte tanden blootlegde. 'Voor vrienden van Kutlar...'

Hij schoof de stapel contanten opzij, legde een soort kleine laptop midden op het bureau en klapte hem open. Het scherm kwam tot leven en toonde een wereldkaart met een lege kolom aan de rechterkant onder twee zoekvensters.

'Chinese technologie,' zei Zilli, alsof hij hun een horloge wilde verkopen. 'Hackt naadloos elk telecommunicatienetwerk waar ook ter wereld. Je tikt simpelweg een nummer in en krijgt alle mogelijke gegevens over uitgaande en inkomende oproepen: tijd, duur, zelfs factuurgegevens en officiële adressen.'

Cornelius keek Zilli even onbewogen aan en haalde toen een stuk papier tevoorschijn dat in de envelop van de abt had gezeten. Er stonden twee namen en twee nummers op. Dat van Liv was het eerste. Hij tikte het in in het zoekvenster en drukte op enter. Op het scherm verscheen het bekende zandlopericoontje om aan te geven dat de software aan het zoeken was. Na een paar tellen verscheen er een nieuw nummer in de kolom onder het zoekvenster.

'Hij heeft het netwerk gevonden,' zei Zilli. 'Dat is de enige inkomende of uitgaande oproep in de laatste twaalf uur geweest. Twaalf is de standaardinstelling. Dat kun je veranderen onder "voorkeuren", als je wilt, maar dat zou ik je niet aanraden. Je krijgt dan alleen maar iedere pizzabezorger ter wereld en allerlei andere zooi. Maar kijk, dit hier...'

Hij parkeerde de cursor op het nieuwe nummer. Ernaast verscheen een dialoogvenster met de mededeling dat het een antwoorddienst betrof. En een postadres in Palo Alto, Californië.

'Dat zal de provider zijn. Als het telefoonnummer van een persoon was geweest, had je nu geweten waar die woonde.'

Cornelius bleef toekijken hoe het apparaat door de mobiele telefoonnetwerken brabbelde om contact te leggen met de telefoon van Liv. Kutlar probeerde Zilli met een doordringende blik te dwingen om hem aan te kijken. Het lukte niet. Hij bleef maar naar het scherm staren. Uiteindelijk verscheen er een nieuw dialoogvenster: nummer niet gevonden.

Cornelius keek Zilli aan.

'Oké... het zit namelijk zo...' Zilli's stoel kraakte toen hij achteroverleunde. 'Het werkt alleen als het apparaat dat je zoekt ingeschakeld is. Mobieltjes sturen om de paar minuten een signaal om te controleren waar de dichtstbijzijnde zendmast staat. Geen power, geen signaal, geen spoor. Tik maar eens een nummer in waarvan je weet dat het actief is. Dan zie je wat ik bedoel.'

De pijn in Kutlars been laaide weer op en de ventilator zette een tandje bij.

Cornelius toetste zijn eigen nummer in in het tweede zoekvenster en drukte op enter. Zilli vouwde zijn handen achter zijn hoofd; de klep van zijn pet hing laag over zijn ogen. Zijn gezicht was een masker.

Het duurde ongeveer tien seconden. De kaart in het hoofdvenster werd gedetailleerder, als een camera in vrije val vanuit de ruimte inzoomend op het midden van Ruīn. Het tempo vertraagde toen de omtrek van gebouwen zichtbaar werd en het beeld kwam abrupt tot stilstand boven een netwerk van straten. Er verscheen een pijl op het scherm, halverwege een straat die Triniteit heette.

'Zie je wel,' zei Zilli met genoeg vertrouwen in de technologie om niet op het scherm te hoeven kijken. 'Er zit ook een soort satellietnavigatie op; het programma kan een actief signaal tot binnen drie meter terugvinden. Het kan ook twee nummers tegelijk opzoeken, en je laten zien hoe ver ze van elkaar verwijderd zijn. Daarmee kun je dus een telefoon opsporen in relatie tot die van jou, en de software de meest directe route laten berekenen. Je moet alleen zorgen dat ze hun mobiel aanzetten.'

Cornelius klapte de laptop dicht. 'Bedankt voor de hulp.'

'Tot je dienst.'

Cornelius keek even naar Kutlar, die opstond en dankbaar de deur uit hinkte. Cornelius draaide zich om en liep hem achterna.

'Moet je lunchbox niet mee?' riep Zilli hem achterna met een knikje naar de rode plastic doos op het bureau.

'Hou maar,' zei Cornelius zonder achterom te kijken.

75

Liv stond onder de felle straal van de douche en draaide de hete kraan zo ver open als ze kon verdragen. De pijn voelde goed. Zuiverend. Ze zag het water van grijs naar helder verkleuren waar het van haar lichaam af stroomde en tollend in de afvoer verdween, al het vuil van de afgelopen nacht met zich meevoerend.

Ze streek met een hand over haar zij en vond haar kruisvormige litteken, volgde de omtrek ervan met haar vingertoppen, vooral over het deel van haar lichaam dat ooit fysiek verbonden was geweest met dat van haar broer. Haar hand bewoog zich van haar zij omhoog over haar schouder en langs haar arm weer omlaag, naar de plek waar een arcering van kleinere littekens haar huid verkreukelde, tientallen dunne lijntjes, ingekrast tijdens een jeugd die werd bezwaard door het ontbreken van een moeder en het idee dat ze een vreemde was in haar eigen familie.

De pijn die ze nu onder het hete water voelde, bracht de brandende beet van het scheermes in herinnering die haar tienerverstand had afgeleid van de verlammende chaos van haar emoties. Had haar vader haar indertijd maar verteld wat ze uiteindelijk zelf had ontdekt op die beschaduwde veranda in Paradise, West Virginia. Nu begreep ze dat het verdriet in zijn ogen wanneer hij naar haar keek niet werd veroorzaakt door teleurstelling. Hij had in haar de vrouw gezien wier naam zij droeg. Hij zag de liefde die hij had verloren.

Het hete water bleef op haar neer klateren en haar gedachten dwaalden naar haar eigen verlies: eerst haar moeder, toen haar vader, nu haar broer. Ze draaide de kraan helemaal open tot gloeiend hete staven van water in haar vlees boorden en de tranen meenamen die uit haar ogen lekten. Pijn voelen was beter dan helemaal niets voelen.

Onderinspecteur Süleyman Mantus ijsbeerde door de gang. Hij was te nerveus en te opgewonden om te kunnen gaan zitten. Het was echter een aangenaam gevoel: het gevoel van een atleet midden in een wedstrijd; het gevoel waarvan een jager zo geniet wanneer hij zijn prooi nadert.

De pers tippen over de diefstal uit het mortuarium was pas het topje van de ijsberg. Hij wist hoe zulke dingen werkten. De afdeling zou proberen de zaak te bagatelliseren, want hoe je het ook bekeek, het stonk harder dan de plee in een gevangenis; en hoe harder ze hun best deden om het deksel erop te houden, hoe wanhopiger de pers naar informatie zou zoeken. Het journaille betaalde beter dan wie ook, en dit verhaal was voor elke persdienst internationaal voorpaginanieuws, dus ontving hij nu grote bedragen van zowel een belangrijk nieuwsnetwerk als van beide oorspronkelijke partijen, die geen van alle enig teken van afnemende belangstelling vertoonden.

Hij keek de gang door. Bij de deuren stonden een paar agenten in uniform zichtbaar te mopperen over het een of ander. Hij kon het gemurmel van hun gesprek horen, maar verstond niet wat ze zeiden. Hij haalde zijn telefoon tevoorschijn, scrolde door het keuzemenu en belde een nummer. 'Ik heb iets wat jullie zou kunnen interesseren,' zei hij.

76

Cornelius stond bij het busje te kijken hoe Kutlar zich pijnlijk over straat naar hem toe bewoog. Als het nog erger werd, zouden ze zijn nut opnieuw moeten beoordelen. Johann was in de bestuurdersstoel aan het telefoneren met de informant. Hij noteerde een adres en hing op.

'Ze zit hier,' zei hij.

Cornelius pakte het stukje papier aan en keek de straat weer in. Kutlar was de enige van hen die haar had gezien, maar hij had zelf een beeld in gedachten, al sinds de abt hun missie had beschreven. Hij wreef over de lelijke plooien in de huid van zijn wang waar zijn baard niet wilde groeien en herinnerde zich een straat in de buitenwijken van Kaboel en de klaaglijke gestalte in de blauwe boerka die hem een bundeltje vodden toestak dat een kind had kunnen zijn, waardoor hun voertuig net lang genoeg vertraagde om in het vizier van de granaatwerper terecht te komen.

Het was goed om een beeld te hebben van je vijand.

Het versterkte je concentratie.

Voor hem was hun doelwit dus de vrouw die had geholpen om zijn hele peloton uit te roeien, de vernietiger van de enige familie die hij ooit had gekend – tot de Kerk hem had opgenomen. Hij stelde zich voor dat ze deze nieuwe familie bedreigde en putte daar kracht en doelbewustheid uit. Deze keer zou hij haar tegenhouden.

Johann gleed achter het stuurwiel vandaan en liep naar de achterkant van de bus toen Kutlar eindelijk hinkend naast hen tot stilstand kwam.

'Stap in,' zei Cornelius.

Kutlar deed wat hem gezegd werd, als een hond die blindelings gehoorzaamt aan de baas die hem mishandelt.

Johann verscheen weer in zijn rode windjack en liep zonder een woord langs hen heen, in de richting waar Kutlar net vandaan gekomen was.

Cornelius klom in de bestuurdersstoel en overhandigde Kutlar het adres. 'Breng ons daarheen.'

Kutlar voelde de trillingen door zijn gehavende been trekken toen het busje over het goedkope gemeenteasfalt hobbelde, dat direct op de oude keistenen was gestort. Hij dacht aan de pillen in zijn zak, maar wist dat hij het zich niet kon veroorloven om er een in te nemen. Ze stilden weliswaar de pijn, maar ze gaven hem ook het gevoel dat alles in orde was, en dat kon hij zich niet veroorloven.

Niet als hij in leven wilde blijven.

Johann keek niet op toen het busje voorbijreed. Hij liep de hoek om naar de winkel van Zilli. Toen hij dichterbij kwam, greep hij zijn telefoon in zijn rechterhand en liet de linker in zijn windjack zakken, waar hij zich om de kolf van zijn Glock sloot.

Zilli stond op een stoel achter de kassa en duwde een rode plastic doos op een hoge plank tussen een lege cd-klos en een oude Sega Megadrive.

'Ontgrendel je deze dingen hier ook?' Johann stak zijn telefoon in de lucht.

Zilli draaide zich om en tuurde ernaar.

'Jazeker.' Hij stapte van de stoel. 'Wat heb je daar, een BlackBerry?'

Johann knikte.

'Mooi ding.' Hij tikte iets op het toetsenbord van een computer die elke telefoon kon hacken, niettegenstaande het verouderde uiterlijk van het apparaat.

Hij drukte op de menuknop en besefte te laat dat het apparaat al ontgrendeld was.

77

Het aroma van gebrande koffie uit het apparaat in de hoek van het kantoor was niet bij machte om de geur van het mortuarium te verdoezelen. Arkadian zat achter de hopeloze warboel op het bureau van Reis te wachten tot er een groot pdf-bestand op de computer gedownload was. Buiten gaven het gekletter en de drukte van de forensische laboratoria blijk van een terugkeer tot een min of meer normale gang van zaken.

Het bestand werd verstuurd door de afdeling Persoonsgegevens van het Amerikaanse ministerie van Binnenlandse Veiligheid in antwoord op de vingerafdruk die ze op het plastic laken hadden aangetroffen. Binnen een minuut hadden ze een positieve match. Arkadian kon het nauwelijks geloven. Natuurlijk hoefden ze in alle politieseries alleen maar een paar vingerafdrukken door de computer te halen om binnen een paar tellen de naam, het adres en een recente foto op te duiken van een dader die eruitzag als een krankzinnige; daar werden op elk politiebureau grappen over gemaakt. Maar in de echte wereld werden vingerafdrukken zelden gebruikt om verdachten te identificeren; vingerafdrukken maakten deel uit van de gedetailleerde verzameling bewijsmateriaal die een verdachte aan een misdaad verbonden *nadat* ze eenmaal waren opgepakt met behulp van andere, meer tijdrovende middelen. De meeste vingerafdrukken waren gewoon niet beschikbaar als vergelijkingsmateriaal.

Het bestand was compleet en Arkadian klikte op het pictogram. Toen de eerste pagina het scherm vulde, begreep hij waarom ze zo snel een match hadden gevonden. Het was een personeelsdossier van het leger. Van mannen en vrouwen in de strijdkrachten werden altijd vingerafdrukken geregistreerd. Dat was nuttig bij de identificatie indien ze bij de uitoefening van hun taak kwamen te overlijden. Tot voor kort deden de meeste landen uiterst geheimzinnig over hun militaire personeelsbestanden, maar dat was vóór de val van de Twin Towers. Nu waren ze klaarblijkelijk beschikbaar voor elke bevriende natie die erom vroeg.

Arkadian scrolde voorbij de inhoudsopgave en het colofon naar de eerste pagina en begon te lezen.

Het dossier omvatte het complete militaire verleden van sergeant Gabriël de la Cruz Mann (b.d.), voorheen behorende tot de 5e Special Forces Group van de Verenigde Staten. Op de foto stond een man in uniform met een gemillimeterd tondeusekapsel en doordringende lichtblauwe ogen. Arkadian vergeleek de foto met een afdruk van de opnames van de beveiligingscamera. Het haar was gegroeid, maar het was dezelfde man.

Arkadian scande door het hele dossier: achtergrond, psychologische rapporten, staatsveiligheidscontroles, alles. Hij was tweeëndertig, Amerikaanse vader, half Braziliaanse, half Turkse moeder. Vader archeoloog, moeder werkte voor – en kreeg later de leiding over Ortus, een internationale humanitaire hulporganisatie; in zijn jeugd had hij dus de hele wereld bereisd.

Opleiding: een allegaartje van afgebroken studies aan een reeks internationale scholen, vervolgens een beurs voor Harvard, afgestudeerd in moderne talen en economie. Sprak vijf talen vloeiend, waaronder Engels, Turks en Portugees, en kon zich redden in het Pasjtoe en Dari na zijn detacheringen in Afghanistan.

Ergens in het bestand bleef Arkadians oog haken, en daar stopte hij met scannen en begon te lezen. Aan het begin van zijn laatste jaar op Harvard was er iets gebeurd wat een schokkend effect had gehad op de jonge Gabriël. Tijdens het catalogiseren van een belangrijke nieuwe vondst van oude teksten, opgegraven in de Irakese woestijn in de buurt van de stad Al-Hillah, was dr. John Mann gedood, samen met een aantal collega's. Het incident veroorzaakte grote internationale opschudding. Saddam Hoessein, indertijd nog dictator, legde de schuld bij Koerdische rebellen. De wereldgemeenschap vermoedde dat Saddam zelf verantwoordelijk was en de Koerden de schuld gaf, terwijl hij de kostbare schatten voor zichzelf plunderde. Geen van de teksten was ooit weergezien.

Uit het dossier bleek niet duidelijk aan wie Gabriël de dood van zijn vader weet, maar het feit dat hij van school ging en dienst nam bij het Amerikaanse leger in de aanloop naar de ophanden zijnde oorlog met Irak, suggereerde wel dat hij bepaalde verdenkingen koesterde. Hij nam dienst als soldaat – al kwam hij met zijn opleiding gegarandeerd in aanmerking voor een officiersaanstelling – en slaagde met zulke hoge cijfers voor zijn basistraining dat hij direct werd geaccepteerd in de Special Airborne Service.

Hij bracht negen maanden door op Fort Campbell aan de grens van Kentucky met Tennessee, waar hij leerde om vliegtuigen te besturen, eruit te springen en mensen te doden op een hele reeks manieren en met een heel scala aan wapens. Het dossier werd minder transparant naarmate de details van zijn opdrachten geheimzinniger werden, maar hij deed dienst als pelotonssergeant in Afghanistan tijdens Operation Enduring Freedom en werd twee keer gedecoreerd, één keer voor betoonde moed en één keer voor zijn aandeel in een geheime reddingsoperatie van gijzelaars; hij had met zijn peloton een groep ontvoerde ontwikkelingswerkers gered uit een bastion van de taliban. Vier jaar geleden had hij de dienst verlaten. Het dossier vermeldde niet waarom.

Aan het eind van het bestand was een pagina toegevoegd waarin zijn levensloop na zijn ontslag werd beschreven. Hij werkte als beveiligingsadviseur voor Ortus en had veel gereisd in Zuid-Amerika, Europa en Afrika.

Arkadian googelde Ortus. Op de homepage van de website stond een griezelig bekend beeld: het stenen monument van een bebaarde man met uitgestrekte armen – het beeld van Christus de Verlosser op de berg boven Rio de Janeiro. Ortus beweerde de oudste charitatieve instelling ter wereld te zijn, in de elfde eeuw ontstaan na de ontbinding van een oude monniksorde – de Broederschap van de Mala – met een verleden dat tot in de prehistorie reikte. Nadat de kerk hen tot ketters had bestempeld, waren ze gedwongen om hun geloften af te zweren. Velen van hen waren tot de brandstapel veroordeeld vanwege hun geloof dat de Wereld een godin was en de Zon een god, en dat alle leven ontstond uit hun vereniging. Anderen waren ontsnapt, hadden zich opnieuw gegroepeerd en zich vervolgens als seculiere organisatie gewijd aan het voortzetten van de werken die zij voorheen als heilige mannen uitvoerden.

Hij scrolde omlaag naar hun lopende projecten, waar Gabriël de la Cruz Mann bij betrokken zou zijn. Er liep een groot project in Brazilië ter bescherming van uitgestrekte regenwouden tegen illegale houtkappers en goudzoekers; een ander project in de Soedan hield zich bezig met het herbeplanten van door de burgeroorlog braak gelegde akkers, en in Irak liep een project dat zich inzette voor het herstel van door systematische industriële landroof en jarenlange oorlogen verdroogde natuurlijke moeraslanden.

Arkadian kon zich nauwelijks voorstellen wat het betekende om beveiligingsadviseur te zijn op zulke locaties. Ongewapende vrijwilligers beschermen tegen guerrillero's en schurken terwijl ze voedsel en water bezorgden in de armste gebieden ter wereld; de wet laten gelden op plaatsen waar geen wet was. Wie die man ook was, hij was duidelijk een heilige – en dat maakte zijn aanwezigheid in het mortuarium die ochtend alleen maar raadselachtiger.

Terug op de homepage klikte hij op 'Contact'. Het eerste adres op de lijst was in Rio de Janeiro. Dat verklaarde het standbeeld. Er stonden ook adressen op in New York, Rome, Jakarta en eentje in Ruīn – in de Exegesestraat in het Tuinkwartier, net ten oosten van het politiebureau.

Hij noteerde het op de achterkant van de korrelige cameraopname van Gabriëls gezicht en liet de afdruk dubbelgevouwen in de zak van zijn colbert glijden.

78

Alleen in de witbetegelde kleedkamer depte Liv haar rood geworden huid met de dunne, ruwe handdoek. Ze hoorde iemand baantjes zwemmen in het zwembad achter het doucheblok.

Het stapeltje witte en blauwe sportkleren dat de onderinspecteur haar had gegeven sprankelde bijna in vergelijking met haar oude bloes en spijkerbroek. Ze stapte in de joggingbroek en trok het witte T-shirt over haar hoofd. Zowel op de voorkant als de achterkant stond met grote zwarte letters het Turkse woord voor politie, POLIS. Ze haalde haar zakken leeg, stopte de paar dollar en het kleingeld in de nieuwe broek en veegde haar bemodderde telefoon schoon. Ze drukte op de aanknop en het scherm lichtte op. Het apparaat trilde zachtjes in haar hand: een nieuw sms-bericht. Ze herkende het nummer niet.

Ze opende het bericht en voelde de kilte terugkeren.

VERTROUW NIET OP DE POLITIE

De hoofdletters konden niet duidelijker zijn.

BEL MIJ VOOR UITLEG

Ze dacht aan de waarschuwing van de avond tevoren, vóór de botsing en de geweerschoten.

Liv bleef onbeweeglijk staan. Ze hoorde het nadruppelen van de douche, het geplons van wie er dan ook in het zwembad mocht liggen en het gezoem van de airco boven haar hoofd, maar verder niets. Geen naderende voetstappen. Geen gedempte conversatie op de gang. Ze had echter ineens het idee dat er nog iemand in het vertrek was, achter de muur die de kleedkamer van de toegangsdeur scheidde, iemand die luisterde wat ze deed.

Ze liet de telefoon in haar zak glijden en trok een paar witte sportsokken aan.

Ik denk dat we je het beste onder onze hoede kunnen houden...

Dat had Arkadian gezegd voordat hij haar met haar begeleider meestuurde.

Politiebescherming. Haar broer had er weinig aan gehad...

Ze veterde haar groezelige sportschoenen over de smetteloze sokken. Haar tengere gestalte verdronk in het donkerblauwe sweatshirt. Ook daar stond POLIS op. Ze keek nog eens naar de deur, greep haar met inkt besmeurde krant en liep de andere kant op, voorbij de nog altijd druppelende douche in de richting van het zwembad.

De lucht in de zwemzaal was warm en vochtig en schuurde met chloornagels langs Livs keel toen ze om het bad heen naar de nooduitgang liep. Op de een of andere manier had een streep ochtendzonlicht zich tussen de omringende hoogbouw door gewrongen en fonkelde op het lichtblauwe water.

Liv duwde de horizontale grendelbalk omlaag. Het schelle gejank van een sirene weergalmde door het gebouw. Ze sloot de deur achter zich en het alarm zweeg even plotseling als het was afgegaan. De zwemmer zwom zonder opkijken door, en bracht glitterende weerspiegelingen teweeg op de wit geschilderde muren.

Sulley had een verslaggever aan de telefoon. Het alarm weerklonk slechts enkele seconden, maar trok onmiddellijk zijn aandacht.

'Wacht,' fluisterde hij. 'Ik moet je straks even terugbellen.'

Hij liep naar de deur van de dameskleedkamer; de zolen van zijn schoenen piepten op de glanzende linoleumvloer. *Vrouwen. Jezus.* Ze zat daar al een eeuwigheid. Hij luisterde of hij het geluid van de douche hoorde. Hoorde niets. Klopte zachtjes aan.

'Miss Adamsen?' Hij duwde de deur ver genoeg open om zijn hoofd erdoor te steken.

Geen antwoord. Er stond een scheidingswand net achter de deur, dus hij kon niets zien.

'Liv Adamsen?' Iets luider deze keer. 'Gaat alles goed daar?'

Nog steeds niets.

Hij keek om het hoekje. Op een hoopje vuile kleren en een natte handdoek na was het vertrek leeg. Sulley voelde onder zijn hemd een blos opkomen die zijn bleke vlees roze kleurde. '*Miss Adamsen*?'

Hij keek naar links. De deuren van alle vier de toiletten stonden wijd open.

Hij keerde zich om naar de douches.

Leeg.

Hij liep door en kwam uit in de helverlichte chemische bedomptheid van de zwemzaal. Met half toegeknepen ogen tuurde hij naar de zwemmer in de hoop dat zij het was, zag het korte zwarte haar en het politiezwempak dat hij haar niet had gegeven en wist zeker van niet. Zijn blik vond de nooduitgang en zijn mond werd droog. Hij holde erheen. Zodra hij hem openduwde en het alarm hoorde, begreep hij wat er was gebeurd.

Buiten krioelde het in beide richtingen van de mensen; mannen in pakken, toeristen in vrijetijdskleding. Hij zocht naar een donkerblauwe politiesweater. Vond niets. Achter hem zwaaide de deur dicht en het alarm hield op met loeien. In zijn hand begon zijn telefoon te trillen; hij keek er even naar, bang dat het Arkadian was die belde voor een update. Het nummer was onbekend.

'Hallo?'

Naast hem stopte een wit busje.

'Hallo,' antwoordde de bestuurder.

79

Liv baande zich een weg door de menigte. Ze had geen idee waar ze heen ging maar besefte wel dat ze uit het zicht moest blijven en dat ze er goed aan deed om zo ver mogelijk van het politiebureau vandaan te komen terwijl ze eens goed nadacht. Ze trok de capuchon van haar nieuwe sweatshirt over haar natte haar en paste haar tempo aan aan dat van een groep vrouwen, waar ze dicht genoeg bij bleef om eruit te zien alsof ze erbij hoorde. Op dit uur van de dag waren de meeste mensen op straat toeristen. Met haar kleding zou ze in het oog lopen in een rivier van colberts en mantelpakken, en ze had weinig blonde inwoners gezien.

Energiek prezen straatverkopers bij de langslopende mogelijke gegadigden hun handelswaar aan, voornamelijk etnische koperen spulletjes en opgerolde kleden, en midden op de stoep vóór haar doemde een krantenkiosk op, die de stroom mensen scheidde als een eiland in een rivier. In het voorbijgaan bekeek Liv de voorpagina's: op elk ervan stond een foto van haar broer. Ze voelde de emoties weer opwellen, maar deze keer was het geen verdriet – eerder woede. Zijn dood riep te veel vraagtekens op om nog meer tijd te verspillen aan het oplossen van woordraadsels. Ze voelde zich wel verantwoordelijk voor de tragische koers die haar broer had gekozen, maar iets anders had hem ertoe gebracht zich van het leven te beroven, en ze was het aan hem verplicht om uit te vinden wat dat was.

Ze keek omhoog naar de Citadel, hoog oprijzend boven de dobberende hoofden van de toeristen die er allemaal langzaam naartoe onderweg waren, ertoe aangetrokken als bladeren door een draaikolk. Ook zij voelde zich erdoor aangetrokken, om geheel andere redenen, maar voorlopig moest dat wachten. Het kostte twintig lira om de oude stad in te komen, had ze in de gids gelezen, en momenteel had ze slechts een paar dollar in haar bezit.

Ze haalde haar mobiele telefoon uit haar zak, opende het recentste bericht en drukte op terugbellen.

Langzaam reed het busje door de straat. Sulley zat bij de deur, naast de man die zweette alsof het hoogzomer was. Die grote vent met de patchworkbaard zat aan het stuur. Ze hielden alle drie zwijgend de straat in het oog.

Sulley was net zo lief niet ingestapt. Informatie verkopen was nog tot daar aan toe, maar rechtstreeks betrokken zijn bij iets wat duidelijk op een ontvoering zou uitlopen was iets heel anders. Dit kon hij niet maken. Het was misdadig, verdomme. Het bracht alles in gevaar. Maar de grote man met het gesmolten gezicht was onvermurwbaar geweest. En omdat Sulley niet vlak voor het politiebureau een lange discussie wilde aangaan, was hij maar ingestapt.

Vanuit het raampje keek hij of hij in de menigte soms een flits van het blonde haar van de jonge vrouw of van de witte belettering op het donkerblauwe sweatshirt opving, en hoopte op geen van beide. Op het bureau zou hij in de problemen komen omdat hij haar kwijt was, maar zulke problemen kon hij wel aan. Dat nog liever dan haar vinden met deze kerels.

'Hebbes!' De zweterige vent in het midden van de bank hield de bestuurder het scherm van de laptop voor. Die keek er twee tellen naar en tuurde toen voor zich uit naar de plek waar de weg naar links afboog en een weids plein zich uitstrekte achter een barrière van betonnen bolders; een autovrije zone waar de eeuwenoude gebouwen waren uitgehold tot winkels. Het wemelde er van de mensen. 'Daar loopt ze ergens tussen,' zei hij.

Ze kwamen steeds dichterbij en Sulley speurde het plein af. Hij zag een groepje toeristen dat zich van hen verwijderde. Een van hen droeg een donkerblauw sweatshirt. Net voordat ze achter een kiosk verdwenen, weken de mensen even uiteen en hij ving een glimp op van het woord POLIS op de achterkant.

De chauffeur zag het ook. 'We rijden naar de andere kant, waar het plein weer op de weg uitkomt.' Hij stopte aan de stoeprand. 'Jij haalt haar op.'

Sulley voelde een koude golf van paniek oplaaien.

'Jij bent haar al een keer kwijtgeraakt,' zei de bestuurder. 'Ze zal voor jou niet zo gauw wegrennen.'

Sulley deed zijn mond open en dicht als een vis terwijl zijn ogen heen en weer schoten tussen de kille, blauwe blik van de bestuurder en de gerimpelde brandwond op zijn wang. Hij was niet het type waar je mee in discussie kon gaan, dus deed hij geen moeite. Hij duwde het portier open, sprong op de stoep en liep naar de plaats waar hij de jonge vrouw voor het laatst had gezien.

80

De telefoon klikte in Livs oor.

'Hallo?'

Ze herkende de stem van de vrouw die de avond tevoren het bericht had achtergelaten.

'Je stuurt me steeds berichten,' zei Liv. 'Wie ben je?'

Heel even bleef het stil. Normaal gesproken zou dat haar niet eens zijn opgevallen; nu wekte het onmiddellijk haar wantrouwen.

'Jij weet het nog niet, maar we zijn vrienden,' antwoordde de vrouw. 'Waar ben je nu?'

Liv bleef met de toeristenstroom mee drentelen, voelde het geruststellende gedrang van andere, gewone, ongecompliceerde mensen om zich heen. 'Waarom zou ik dat aan jou vertellen?'

'Omdat we je kunnen beschermen. Omdat er op dit moment mensen naar je op zoek zijn. Mensen die je tot zwijgen willen brengen. Liv, er is geen gemakkelijke manier om je dit te vertellen... Die mensen willen je vermoorden.'

Liv aarzelde, om de een of andere reden meer van slag door de onverwachte vertrouwelijkheid waarmee de vrouw haar naam gebruikte dan door het bericht dat iemand haar dood wilde hebben.

'Wie wil me dan vermoorden?'

'Meedogenloze, machtige mensen. Ze willen je tot zwijgen brengen omdat ze denken dat je broer je iets heeft verteld: kennis die niemand behoort te bezitten.'

Liv keek naar de letters die op de krant in haar hand gekrast stonden. 'Ik weet van niets,' zei ze.

'Dat maakt hun niets uit. Als zij ook maar vermoeden dat je iets weet, is dat al genoeg. Op het vliegveld hadden ze je bijna te pakken. Daarom hebben ze het lijk van je broer gestolen en daarom zullen ze naar je blijven zoeken, tot ze je vinden. Ze nemen geen enkel risico.' De vrouw liet de verklaring even in de lucht hangen voordat ze op zachtere toon verder sprak. 'Als je me vertelt waar je bent, kan ik iemand sturen om je naar een veilige plek te brengen. Dezelfde man die ik gisteren stuurde om je te beschermen.'

'Gabriël?'

'Ja,' antwoordde Kathryn. 'Hij hoort bij ons. Hij was erop uitgestuurd om op je te passen. Dat heeft hij gedaan. Vertel me waar je bent en ik stuur hem naar je toe. Liv, hij is mijn zoon...'

Liv wilde haar wel geloven, maar ze had tijd nodig voordat ze opnieuw iemand kon vertrouwen. Behalve de geleende kleren die ze droeg, had ze slechts een paar dollar in kleingeld, een telefoon waarvan de batterij bijna leeg was en de krant van gisteren. Ze keek er even naar, zag het gezicht van haar broer haar aankijken vanuit een stralenkrans van slordige letters en symbolen en kreeg een inval. Ze draaide de krant om en las de kleine lettertjes op de achterkant.

'Ik bel je terug,' zei ze.

Sulley passeerde de kiosk.

De jonge vrouw liep nog geen twintig meter voor hem uit. Hij drong zich door de traag voortbewegende mensenmassa en verkleinde geleidelijk de afstand tussen hen, nog weifelend over wat hij zou doen als hij haar had ingehaald. Hij overwoog even om zich om te draaien en terug te lopen naar het politiebureau. Maar als hij dat deed, kon die vent in het busje hem verraden: een anonieme tip met de naam van degene die informatie had gelekt, met de computerbestanden als bewijs. Hij had zijn sporen zorgvuldig gewist, maar toch. Als de verdwijning van de monnik met hem in verband werd gebracht, stond hem heel wat te wachten: in gevaar brengen van een lopend onderzoek; belemmeren van de rechtsgang; verkopen van beschermde informatie. Hij zou gevangenisstraf kunnen krijgen – de ergste nachtmerrie van elke politieagent.

Dus bleef hij lopen, met een flinke menigte tussen hem en de vrouw voor het geval ze omkeek en hem zag. Standaardpraktijk bij een surveillance. Terwijl hij haar naderde, overwoog hij haar toe te roepen om weg te rennen en dan zelf te verdwijnen tot dit allemaal overgewaaid was.

Hij vestigde zijn blik op de donkerblauwe capuchon en versnelde zijn pas. Nog maar een meter of drie.

Twee.

Toen hij haar bijna had ingehaald, zag hij het witte busje stilstaan aan het andere eind van de voetgangersstraat, zodat ze als een rat in de val zat. Ze kon nu echt niet meer wegkomen. Dat gold trouwens voor hen allebei. Hij moest wel doorzetten.

Hij ging langzamer lopen en liet de afstand tussen hen toenemen nu de stroom van mensen haar in de richting van het busje meevoerde. Hij wilde haar niet verder hoeven meesleuren dan strikt noodzakelijk was. In de verte zag hij de grote man met de baard uit het busje stappen en eromheen lopen om de achterportieren open te zetten. Ze waren nu nog maar vier meter van het busje verwijderd. Hij liep op haar toe. Strekte zijn arm om haar vast te pakken. Zag de andere man in het busje met een frons naar de laptop kijken en vervolgens hoofdschuddend naar hem.

Te laat.

Zijn sproetige arm kwam op de schouder van de vrouw neer en hij draaide haar om.

'Hé!' Ze wrong zich los uit zijn greep.

Sulley keek naar het geschokte gezicht, omlijst door de blauwe capuchon. Ze was het niet.

'Sorry,' zei Sulley, die zijn hand wegtrok alsof hij een stroomkabel had vastgepakt. 'Ik dacht dat je...' Hij wees op de opdruk POLIS. 'Hoe kom je aan die sweater?'

De jonge vrouw keek hem boos aan. Hij haalde zijn badge tevoorschijn en zag haar opstandigheid verdwijnen.

Ze wees in de richting waar ze vandaan waren gekomen. 'Geruild met iemand.'

Sulley volgde haar gestrekte arm met zijn blik, zag alleen een massa vreemden. 'Hoe lang geleden?'

Ze haalde haar schouders op. 'Een paar minuten.'

'Waar heb je hem voor geruild?'

'Gewoon, een andere sweater.'

'Kun je die beschrijven?'

Ze stak haar handen in de lucht. 'Wit. Nogal... verwassen. Beetje versleten bij de mouwen.'

In de middagwarmte hadden de meeste mensen op straat hun jassen en jacks uitgetrokken; meer dan de helft droeg iets wits. Met zijn rug nog steeds naar het busje veroorloofde Sulley zich een glimlachje.

Knap gedaan, juffie, dacht hij bij zichzelf. *Heel knap gedaan.*

81

Liv liep het toeristenbureau uit en tegen de mensenstroom in, wat ze een beetje vervelend vond, terug in de richting van het politiebureau, wat ze heel vervelend vond.

Ze keek op de gratis plattegrond die ze had gekregen en zocht verschillende routes naar de met zwarte stift omringde straat. Ze had een omweg kunnen nemen, maar dat zou langer duren en ze had toch al te weinig tijd. Ze zou het moeten riskeren. Ze haalde haar telefoon uit haar zak en keek op het scherm. Het batterijpictogram was leeg. Desondanks drukte ze op de sneltoets, biddend dat er nog genoeg prik in zou zitten voor één telefoontje.

'Ze was het niet,' zei Kutlar voordat de politieman zijn mond open kon doen. Hij wilde Cornelius herinneren aan zijn onmisbaarheid.

'Nee, ze was het niet,' zei de agent die door het open raampje naar binnen leunde. 'Ze heeft een effen witte trui aangetrokken. Die griet met wie ze heeft geruild wist niet meer welke kant ze op ging.'

Cornelius startte de motor weer. 'Stap in,' zei hij.

De politieman schuifelde aarzelend heen en weer, wees met zijn duim over zijn schouder. 'Je weet dat ik eigenlijk...'

'Stap in,' herhaalde Cornelius.

Hij stapte in.

Kutlar keek op het scherm en ontspande een beetje. Het feit dat hij wist hoe de vrouw eruitzag, was het enige wat hem nog in leven hield. Dat de politieman nu ook meeging, maakte hem zenuwachtig omdat die ook wist hoe ze eruitzag. Hoe sneller hij weer verdween, hoe beter.

Het busje reed weg en de oneffen weg joeg opnieuw felle steken door Kutlars been.

Hij toetste de enterknop in en het zandlopertje verscheen om aan te geven dat het systeem op zoek was naar het signaal van de jonge vrouw.

82

De ringtoon klonk toen Liv langs een kraampje liep dat platte, versgebakken broden verkocht. De zware, hete geur van geroosterde specerijen en uien deed haar beseffen hoe lang ze al niet behoorlijk gegeten had. De zon scheen fel op beenderkleurige leisteen en gebouwen die allemaal op kerken leken.

'Waar heb jij in godsnaam gezeten?' brulde de vertrouwde stem. De eigenaar en hoofdredacteur van de *New Jersey Inquirer*, Rawls Baker, behoorde niet tot 's werelds fluisteraars. 'Ik hoop dat je belt met kopij voor dat bevallingenverhaal; ik heb in dat katern een gat zitten waar wel een vrachtwagen door kan.'

'Luister, Rawls, ik...'

'Geen smoesjes. Geef me gewoon dat verhaal.'

'Rawls, ik heb het niet geschreven.'

Het bleef even stil. 'Nou, dan kun je maar beter meteen...'

'Wat staat er vandaag op de voorpagina van de *Inquirer*?' vroeg ze, voordat hij in een volwaardige donderpreek kon uitbarsten.

'Wat heeft dat ermee te maken!?!'

'Geef nou maar gewoon antwoord.'

'De monnik. Net als in elke andere krant.'

'Hij was mijn broer.'

De telefoon viel stil.

'Je neemt me in de zeik!'

'Ik ben in Ruīn; vanmorgen aangekomen. Er is hier iets raars aan de hand. Ik weet niet wat het is, maar het is groot. Ik zit ermiddenin en ik heb je hulp nodig.'

De stilte stroomde weer terug. Ze zag hem in zijn kantoor naar de rivier staren en uitrekenen hoeveel een exclusief verhaal kon opbrengen. Haar telefoon piepte luid in haar oor en even dacht ze dat ze de verbinding kwijt was. Toen gromde de stem van Rawls weer door de ether. 'Wat heb je nodig?'

'Ik ben onderweg naar het kantoor van een plaatselijke krant, de *Itaat Eden Kimse*. Ik wil dat je ze belt en zorgt dat ze me geld, een blocnote en een paar pennen bezorgen. En me misschien een paar uur een bureau lenen.'

'Geen probleem.' Ze hoorde het gekras van zijn pen. 'Maar zorg dat je ze niks belangrijks vertelt. Vergeet niet wie je loonstrook tekent. Zeg maar dat je met een reisartikel bezig bent of zo.'

'Oké,' zei ze. Weer piepte de batterijwaarschuwing in haar oor. 'Mijn telefoon is vrijwel leeg. Kun je ze vragen of ze me meteen ook aan een oplader kunnen koppelen?' Ze vertelde welk merk en welk model het was, maar aan zijn kant van de verbinding heerste alleen nog stilte.

Het scherm was donker. Ze stopte de telefoon weer in haar zak. Toen ze om zich heen keek, zag ze een voertuig aankomen.

83

'Daar...' Kutlar wees naar een groep mensen die Turkse broodjes döner kebab stonden te eten aan een kraampje, maar hield zijn ogen op het scherm gericht. Cornelius draaide zich naar hen om. Sulleys portier was al open voordat ze stilstonden. 'Ik kijk wel rond,' zei hij, voordat hij het dichtsloeg in een wolk van specerijen en uiengeur. Kutlar keek even op van zijn scherm. Hij zag de politieman zijn broek ophijsen en de menigte afzoeken.

'Zie jij haar?' vroeg Cornelius.

Kutlar bekeek de massa gezichten aan beide kanten van de straat. 'Nee,' zei hij ten slotte. De etensgeuren maakten hem misselijk.

Cornelius pakte de laptop van hem aan. De plattegrond stond stil; de pijl in het midden wees naar de plek waar ze geparkeerd stonden. In de kolom aan de zijkant stond het laatste nummer dat ze had gebeld en ernaast gaf een ronddraaiend zandlopertje aan dat het systeem de netwerken doorzocht om het nummer op te sporen.

Kutlar wierp een blik in de zijspiegel. De politieman praatte nu met de man achter het kraampje en bediende zich van het eten. Zijn maag draaide zich om en hij keek weg. Dankzij het strenge eenrichtingsbeleid had het hun bijna vijf minuten gekost om hier te komen. Het had in de helft van de tijd gekund, maar het navigatiesysteem had hen langs de drukke hoofdwegen gestuurd en hij had geen enkele behoefte om daarmee in discussie te gaan. Hoe langer ze naar haar zochten, hoe meer kans hij had om zich uit deze situatie te redden.

Hij had ook nog een andere agenda, niet zo sterk als zijn overlevingsinstinct, maar toch heel sterk. Het betrof de man die hem die kogel in zijn been had geschoten en hem had gedwongen om zijn dode neef midden op straat achter te laten. Hij had nooit echt een hechte band met Serko gehad, maar het was wel familie. Als deze mannen die meid vonden, zouden ze misschien de vent die hem had vermoord ook wel vinden, dacht hij. Kutlar hoopte oprecht dat hij hen ooit nog eens in de wielen zou proberen te rijden.

Het zandlopertje was van het scherm verdwenen en vervangen door een dialoogvenster met een naam en een adres. Hij zag Cornelius de gegevens in een sms zetten.

'Die man zegt dat hij vijf minuten geleden iemand heeft gezien die klinkt als die vrouw.' De politieman leunde door het open raam, kauwend op zijn laatste hap brood. Kutlar deinsde achteruit voor zijn knoflookadem. 'Volgens hem zou ze in een taxi kunnen zijn gestapt.'

Cornelius drukte op *verzenden* en wachtte tot het bericht weg was.

'Luister even,' zei Süleyman. 'Als ze mobiel is, kan ze ondertussen overal wel zijn. Ik bedoel, jullie vinden haar toch weer zodra ze haar telefoon aanzet. Maar ik moet nu echt terug naar het bureau. Ik heb een enorm risico genomen om jullie een voorsprong te geven... en als ik nu niet gauw terugga en die meid als vermist opgeef, ziet het er beroerd voor me uit.'

Cornelius wachtte tot er *bericht verzonden* op het scherm verscheen en keek toen even met half toegeknepen ogen naar het verkeer. Om de andere auto reed er een taxi. 'Ja, tuurlijk,' zei hij uiteindelijk. 'Stap in, we geven je een lift.'

Süleyman aarzelde een tel en klom toen in de auto.

Kutlar schoof zo ver mogelijk van hem weg; hij kokhalsde bijna van de geur van knoflook en zweet die de politieman uitwasemde.

84

Het was koud in New York, kouder dan Rodriguez zich herinnerde, en hij had het rode windjack aangetrokken zodra hij tussen de andere passagiers het vliegtuig uit schuifelde. Toen hij door de aankomsthal voor internationale vluchten liep, voelde hij zijn mobiele telefoon trillen in zijn zak. Hij keek naar de nieuwe gegevens: een naam en adres ergens in Newark; een woonwijk, zo te zien.

Hij keek zoekend rond naar een kiosk of een boekenwinkel. Het oude TWA Flight Centre was een en al afgeronde hoeken en elegante gebogen lijnen; het zag er eerder uit alsof het was gebouwd door enorme insecten dan door bureaucraten en bouwvakkers. Hij vond een vestiging van de boekwinkelketen Barnes and Noble.

Zes jaar geleden was hij hier voor het laatst geweest. Indertijd had hij gedacht dat hij zijn land en zijn vroegere leven voorgoed achterliet. Maar hier stond hij weer, terug in de stad en terug naar iets wat niet ver van zijn oude levenswijze af leek te staan. Hij sloot het sms-bericht en belde een nummer dat hij uit zijn hoofd kende. Hij had geen idee of het nummer nog werkte, of zelfs of degene die hij wilde bellen nog leefde, of misschien in de gevangenis zat. De beltoon klonk toen hij de boekwinkel in liep, langs tafels met kookboeken door televisiekoks en pocketboeken met titels die uit een enkel woord bestonden.

'Hallo?'

De stem klonk als het geritsel van oud papier. Hij hoorde een tv hard aanstaan op de achtergrond; boze stemmen schreeuwden, anderen joelden en klapten.

'Mevrouw Barrow?' Hij was bij de stelling aangekomen waar de stadsgidsen meestal stonden.

'Ja, met wie?' De toon was waakzaam.

'Guillermo,' zei hij, met zijn oude straataccent dat nu vreemd smaakte op zijn tong. 'Guillermo Rodriguez. Vroeger noemden ze me Gil. Ik ben een oude vriend van JayJay, mevrouw B. Tijdje de stad uit geweest. 't Zou leuk zijn om hem weer eens te zien – als hij in de buurt is.'

Er viel een stilte, die gevuld werd met nog meer televisieapplaus en aanmoedigingskreten. Het klonk als *Jerry Springer*, of *Ricki Lake*. Het soort programma waarvan hij het bestaan vergeten was.

'Loretta's jongen!' zei de vrouw opeens. 'Jullie woonden in dat tweekamerflatje op Tooley Street.'

'Klopt als een bus, mevrouw B., ik ben de zoon van Loretta.'

'Die heb ik al een tijd niet gezien.'

Een beeld flitste door zijn hoofd. Strakgespannen huid op broze botten. Slangen die medicijnen in haar armen dreven op de plekken waar voorheen de dope in ging.

'Ze is overleden, mevrouw B.,' zei hij. 'Zo'n zeven jaar geleden.'

'O ja? Dat spijt me, jongen. Ze was een best mens, als ze de kans kreeg.'

'Dank u wel,' zei hij; hij wist wat ze bedoelde maar ging er niet op in.

De schelle stemmen van de tv namen de stilte weer in beslag tot hij zich afvroeg of ze hem vergeten was.

'Weet je wat vent, geef mij je nummer maar,' zei ze plotseling. 'Ik geef het wel door aan Jason. Als hij je wil spreken, belt-ie je wel.'

Rodriguez glimlachte. 'Bedankt, mevrouw Barrow,' zei hij. 'Heel graag.'

Hij gaf haar zijn nummer en ze hing op terwijl hij haar nog aan het bedanken was. Hij pakte een plattegrond van Newark mee en liep naar de kassa. Terwijl hij het wisselgeld bij elkaar raapte, ging zijn telefoon. Hij bedankte de kassajuffrouw en liep terug naar het plein in de terminal.

'Gil? Ben jij dat, jongen?'

'Jazeker JayJay, ouwe maat van me, ik ben het.'

'Godverdomme. Gilly Rodriguez.' In zijn stem klonk een stralende lach.

'Ik hoorde dat jij bij Gods team ingelijfd was.'

'Nee, man. Gewoon een tijdje de stad uit geweest.'

Hij liet de stilte hangen. In zijn vorige leven betekende 'de stad uit' meestal 'de bak in'.

'Waar ben je nu dan, man?'

'Queens. Even paar dingen regelen, je weet hoe het gaat. Ik moet er weer even in komen.'

'Ja?' JayJay's toon verstrakte net als die van zijn grootmoeder had gedaan. 'Wat heb je zoal nodig?'

Hij dacht aan wat hij had gelezen tijdens zijn vlucht: verslagen uit de eerste hand over ketters die gezuiverd werden in de vlammen van de Tabula Rasa. 'Denk je dat je me iets... bijzonders kan bezorgen?'

'Ik bezorg je wat je hebben wilt, als jij maar genoeg geld meebrengt.'

Rodriguez glimlachte. 'O ja,' zei hij, en hij duwde de deur open om de ijzige ochtend van New York tegemoet te gaan. 'Geld zat.'

85

De koperen plaat aan de muur verkondigde dat het gebouw de burelen van *Itaat Eden Kimse* herbergde, eronder vertaald als de *Ruīn Observer*. De taxichauffeur zette zijn knipperlichten aan en Liv overhandigde hem haar telefoon. 'Ik stuur zo iemand naar buiten,' zei ze.

Ze werd door 's werelds oudste receptioniste naar het buitenlandbureau op de eerste verdieping gedirigeerd. Zodra ze de kantoortuin binnenkwam, voelde ze zich thuis. Elke perskamer die ze ooit had bezocht zag er precies zo uit: zwevende lage plafonds, door halfhoge wanden gescheiden bureaucombinaties, tl-buizen die de ruimte altijd op dezelfde onbestemde manier verlichtten, dag en nacht. Ze vond het nog altijd verbazend dat alle bijzondere prestaties van de moderne journalistiek, al dat regeringen provocerende, Pulitzer-prijzen winnende, levensverrijkende materiaal dat dagelijks de kiosken binnenstroomde, werd geproduceerd in een omgeving die zo volstrekt ongeïnspireerd was, dat er net zo goed levensverzekeringen verkocht hadden kunnen worden.

Ze keek om zich heen in het non-descripte en toch zo indrukwekkende kantoor en zag een levendige, donkerharige vrouw aan komen lopen met een kapsel uit 1940 en het grootste deel van de weg een glimlach rond haar perfect gestifte lippen. Ze zag er zo enthousiast en energiek uit, dat het Liv niet zou hebben verbaasd als ze plotseling in een liedje of een choreografisch verantwoord dansje was uitgebarsten.

'Liv Adamsen?' zei de vrouw, haar gemanicuurde hand uitgestoken in een laagvliegende nazigroet.

Gebiologeerd knikte Liv en stak haar eigen hand uit.

'Ik ben Ahla,' zei het visioen terwijl ze haar hand aanpakte, schudde en teruggaf alsof het een geknipt kaartje was. 'Bureauchef.' Haar stem was verrassend diep en hees, in scherp contrast met haar popperige verschijning. 'Ik ben net bezig met het akkoord voor je contanten,' voegde ze toe alvorens zich om te draaien en Liv voor te gaan door de kantoortuin.

'O ja,' zei Liv, die bij het horen van het woord contanten weer bij haar positieven kwam. 'Er staat een taxi beneden die losgeld wil voor mijn telefoon. Kan iemand die voor me vrijkopen? Ik heb geen cent op zak.'

De volmaakt ingekleurde lippen persten zich op elkaar. 'Geen probleem,' zei ze, op een toon die Liv meer dan duidelijk maakte dat het dat beslist wel was. Met een gebaar van een gemanicuurde hand in de richting van een onbezet bureau zei ze: 'Voor vandaag kun je deze gebruiken, maar als je meer tijd nodig hebt, zul je moeten delen. Iedereen is in de stad vanwege het verhaal over de Citadel. Jij ook?'

'Eh... nee,' zei Liv. 'Ik schrijf een... reisverhaal.'

'O! Oké, dan ligt hier alles waar je om hebt gevraagd. Ik breng geld zodra ik iemand heb gevonden om te tekenen. Dan ga ik... je taxi betalen.' Ze draaide zich om op een elegant hakje. 'O, en je baas vraagt of je hem wilt bellen,' zei ze nog met een blik over haar schouder. 'Negen voor een buitenlijn.'

Liv zag haar weg marcheren, een en al energie en doelbewustheid. In een film zou ze gespeeld worden door een jeugdige Katharine Hepburn.

Ze bekeek het geleende bureau. Zag de standaard beige computer en de telefoon met meerdere lijnen, een cactus die langzaam doodgemarteld werd door te veel water en een ingelijste foto van een man van halverwege de dertig, gebogen over een vrouw met een wriemelend driejarig jongetje op schoot dat ze stevig tegen zich aan drukte. Het kind was een miniatuurversie van de man. Liv vroeg zich af van wie van de twee het bureau was – waarschijnlijk van de man. Hij zag er nogal neurotisch uit. De eigenaar van dit bureau was verdacht ordelijk, voor een journalist.

Of misschien was ze gewoon jaloers.

Ze bekeek het verstilde tafereel van een gelukkig gezinsleven. De gloed van de emoties die de foto uitstraalde, drie mensen verbonden door onzichtbare, maar onverbrekelijke banden. Ze kreeg het gevoel dat ze door een folder van een fantastische vakantiebestemming bladerde die zij vast nooit zou bezoeken.

Ze rukte haar blik los van de foto en greep een blocnote, zo'n ouderwetse met een spiraal bovenaan. Ze klapte hem open en schreef datum en locatie boven aan de eerste pagina. Normaal gesproken verbruikte ze zoveel van die dingen, dat het van levensbelang was om de inhoud te koppelen aan een tijd en een plaats.

Vervolgens tekende ze de omtrek van een lichaam en daarop voor zover ze het zich kon herinneren het lijnenpatroon van littekens dat ze op de sectiefoto's had gezien. Toen ze klaar was, bleef ze er even naar kijken; elke potloodstreep deed verslag van het lijden van haar broer.

Ze sloeg de pagina om en schreef de oorspronkelijke combinaties van letters en symbolen op de pitten over van haar krant, en alle woorden die ze er tot dusver uit had kunnen samenstellen. Toen ze het resultaat bestudeerde, merkte ze dat twee ervan herhaaldelijk haar aandacht trokken: 'Sam', om vanzelfsprekende redenen, en: 'Ask' omdat het eruit sprong; het was een van de weinige werkwoorden, en het klonk als een bevel.

Op de opleiding had haar docent haar verteld dat alle journalistiek te herleiden was tot dat ene woord: vragen. Hij zei dat het verschil tussen een goede verslaggever en een slechte eenvoudigweg berustte op het vermogen om de juiste vraag te stellen. Hij had ook gezegd ze de vijf 'W'-vragen moest stellen als ze ooit vastliep in een verhaal, en haar inspanningen op de ontbrekende antwoorden moest richten.

Liv sloeg een nieuwe pagina op en noteerde:

Wie – Samuel

Wat – Zelfmoord

Wanneer – Gisterenochtend rond halfnegen, plaatselijke tijd.

Waar – Vanaf de Citadel, in de stad Ruīn

Waarom –

Achter die laatste vraag strekte de lege regel zich eindeloos uit. Waarom had hij het gedaan? Normaal gesproken zou ze iedereen gaan opzoeken en ondervragen die in de aanloop tot de daad met het slachtoffer had gesproken, maar volgens Arkadian was dat onmogelijk. De Citadel praatte met niemand. Het heiligdom was de stilte in het middelpunt van alles.

'Zo,' zei de bureauchef die plotseling opdoemde met Livs telefoon en een dikke envelop. 'Ik heb er twintig lira uit gehaald. Voor de taxi. Kwitantie zit erin. Hier tekenen alsjeblieft...' Ze stak haar een kwitantieblok toe met blauw carbonpapier tussen de blaadjes.

Liv tekende en stak de telefoonoplader in de stekker. Het scherm lichtte op en het oplaadsymbool verscheen. 'Zeg, met wie kan ik hier praten voor achtergrondgegevens over de Citadel?'

'Doctor Anata. Maar ze heeft het druk met verhaal van de monnik. Misschien te druk om praten over een reisverhaal...'

Liv haalde diep adem en dwong zich tot een glimlach. 'Nou ja, kun je me toch haar nummer geven?' vroeg ze, en ze wenste dat ze een smoes had bedacht die haar wat meer punten zou hebben opgeleverd. 'Ik kan het in elk geval proberen.'

86

Rodriguez zag zijn vroegere leven langs de ramen van de taxi schuiven. Pas geschrobde nieuwbouw op voorheen braakliggende stukken grond en gezandstraalde hoge huurhuizen voor mensen die zich Manhattan of zelfs Brooklyn niet konden veroorloven en het met de South Bronx moesten doen. Hoe dichter ze bij het 16th District kwamen, hoe bekender het hem allemaal voorkwam. Het nieuwe geld had deze stadsdelen nog niet bereikt, in ieder geval niet op zo'n manier dat het op de belastingaangiftes te bespeuren was, en tegen de tijd dat de taxi Hunts Point bereikte, was het alsof hij nooit weg was geweest.

De chauffeur stopte op Garrison Avenue en draaide zich om in zijn stoel.

'Verder ga ik niet, maat,' zei hij vanachter zijn pokdalige perspex beveiligingskooi. Ze waren nog drie blokken verwijderd van het adres dat JayJay hem had gegeven. Rodriguez zei niets, betaalde de man, stapte uit en begon te lopen.

De buurt mocht dan hetzelfde zijn gebleven, in de jaren dat hij weg was geweest was Rodriguez iemand anders geworden. De laatste keer dat hij hier was, werd zijn leven overschaduwd door angst en wantrouwen. Nu stond hij in de warmte van Gods licht. Hij voelde het in zijn rug stralen terwijl hij door de vervuilde straten liep. Anderen voelden het ook, dat merkte hij aan de manier waarop ze naar hem keken. Zelfs de dealers en de crackhoertjes op de hoek vielen hem niet lastig. Hij was een van die mannen geworden die hij vroeger vermeed door de straat over te steken. Een man met een doel. Zeker van zichzelf. Onbevreesd. Gevaarlijk.

Hij passeerde een op metselblokken geparkeerde, gestripte auto en een winkel met zwarte schroeivlekken aan de randen van de stalen luiken. Hij herinnerde zich dat hij die zelf nog in de hens had gestoken toen hij hier woonde. Indertijd was het een pizzatent geweest. Hij had vodden door het kapotte raam gepropt, die aangestoken en vanuit de schaduwen de brand bekeken, tot er een stel gasten verscheen die het doofden. Dingen zien branden had hij altijd heerlijk gevonden. Nu had hij een vlam gevonden die nooit doofde. Hij voelde de zuiverheid ervan in zijn binnenste, een zuiverheid die zijn weg door deze altijd duistere plek verlichtte.

Het huis zag er leeg uit, net als de hele straat, maar hij kon de blikken voelen toen hij de stoeptreden beklom. De deur ging open voordat hij hem had bereikt. Een knul in een G-Star-sweater met capuchon dook naar buiten, wierp een blik door de straat en bekeek hem van top tot teen. Hij maakte geen aanstalten om hem binnen te laten. Van ergens achter hem hoorde Rodriguez het geluid van geweervuur.

'JayJay thuis?' vroeg hij.

'Laat de man doorlopen,' brulde een stem tussen de ontploffingen door. Het joch knipperde sloom met zijn ogen en stapte opzij.

Vanbinnen was het een ander huis. De korte gang leidde naar een kamer vol splinternieuwe meubels en elektronica. Een van de muren ging verscholen achter een reusachtig aquarium en een andere achter een flatscreen-tv, zo groot als een tweepersoonsbed. Een vechtspel in hoge resolutie en met quadrafonisch geluid was in volle gang. Twee mannen zaten aan het scherm gekluisterd met hun duimen op controllers te drukken om computerwapens af te vuren terwijl hun eigen, echte pistolen naast een asbak en een crackpijp op tafel lagen. Een van hen keek even vluchtig op en richtte zijn aandacht toen weer op het virtuele oorlogsgebied.

'Gilly Rodriguez!' schreeuwde hij dwars door de slachting heen. 'Kijk nou eens, man, helemaal bebaard! Je ziet eruit als Jezus in een windjack.' Hij lachte om zijn eigen grap.

Rodriguez glimlachte alleen maar en zag in zijn oude vriend een schaduw van wat hijzelf had kunnen worden. JayJay was een kilo of vijftien afgevallen sinds hij hem voor het laatst had gezien en zijn huid had dezelfde grijstint als zijn moeder had gehad toen ze te diep in het leven zat en al te ver heen was om er nog iets om te geven. Hij bezat alle accessoires van een succesvol straatleven, de kleren en de kerels, maar de jaren op straat wogen zwaar. Zijn jeugd was bijna verdwenen en zijn licht was aan het dimmen. Rodriguez gaf hem nog twee jaar. Misschien minder. 'Fijn om je te zien,' zei hij. 'Je ziet er goed uit, man.'

Spijtig schudde JayJay zijn hoofd. 'Niet echt, ik moet het nodig rustiger aan doen. Misschien moet ik mijn baard laten staan en met jou meegaan naar je kleermaker.' Hij drukte op de pauzeknop en stak de controller uit naar de jongen naast Rodriguez. 'Neem jij het even over,' zei hij. 'Schiet maar een zootje blanken voor me neer.'

Hij hees zich overeind uit de zachte leren bank en stond voor Rodriguez. 'Man,' zei hij. 'Ben jij gegroeid of zo?'

Rodriguez schudde zijn hoofd. 'Ik ben altijd zo lang geweest. Je hebt me gewoon een tijd niet gezien.'

Ze omhelsden elkaar, op schouders en ruggen kloppend alsof het nog steeds die goeie ouwe tijd was, en keken elkaar vervolgens onbeholpen aan, omdat het dat niet meer was.

'Heb je wat voor me?' vroeg Rodriguez.

JayJay stak zijn hand in de vissenkom en trok een druipende plastic zak achter een toren van koraal vandaan. 'Je hebt een behoorlijk exotische smaak, gast.'

Rodriguez pakte de zak aan en onderzocht de inhoud: een Glock 43, een extra magazijn, een Evolution-9 geluiddemper en een plastic lunchbox die een pistool met een dikke loop en twaalf korte, dikke, jachtgeweerachtige kogels bevatte.

'Waar heb je dat voor nodig?' vroeg JayJay. 'Bang in het donker?'

Rodriguez klikte het deksel dicht en liet zijn tas van zijn schouder glijden. 'Ik ben nergens bang voor,' zei hij, en wierp de ander een dikke stapel bankbiljetten toe.

Hij keek hoe JayJay het geld telde, met zijn rusteloze vingers om de paar biljetten over zijn neus wrijvend alsof hij onophoudelijk jeuk had. Dat had zijn moeder ook gedaan. Wrijven tot haar neus rauw was. Hij keek even naar de andere twee, die elkaar beschoten met virtuele wapens terwijl er echte op tafel lagen. JayJay zou het zeker geen twee jaar meer volhouden, tenzij hij het licht zag dat tot verlossing leidde. Hij mocht al van geluk spreken als hij de kerst haalde.

87

Doctor Miriam Anata stond bij de drankenautomaat in de gang van een plaatselijke nieuwszender toen de blikkerige klanken van *Ode an die Freude* weerklonken in de zak van haar colbertje – antraciet vandaag, maar als altijd een krijtstreepje; dat beschouwde ze graag als haar handelsmerk.

Ze werd geacht haar telefoon te hebben uitgezet, maar er belden te veel mensen voor interviews en ze vertikte het om iemand een excuus te geven om een ander te bellen. Toen ze in haar jasje reikte om op te nemen, verbrak ze per ongeluk de verbinding. Ze keek rond om te zien of iemand het had opgemerkt.

Ze wendde haar aandacht weer naar de drankenautomaat en stopte er voldoende muntjes in om een flesje frisdrank te helpen ontsnappen en met een dreun in het vakje onderaan te laten belanden. Ze draaide de dop er af en dronk gulzig. Sinds de monnik de vorige dag was doodgevallen, had ze bijna voortdurend onder hete studiolampen gezeten. Niet dat ze het erg vond. Deze kans om de verkoopcijfers van haar boek op te schroeven was een geschenk uit de hemel. Ze had al vroeg geleerd dat het handig was om in elk van haar antwoorden te verwijzen naar een van haar boektitels, dan kon de producent ze er niet meer uitknippen.

De *Ode an die Freude* klonk weer en ze drukte op de antwoordknop voordat de eerste maat gespeeld was.

'Hallo, doctor Anata?' Het was een vrouwenstem. Amerikaans, dacht ze, of misschien Canadees – het verschil kon ze nooit echt onderscheiden; hoe dan ook, het waren allebei grote afzetmarkten voor haar boeken.

'Daar spreekt u mee.'

'Geweldig,' ging de vrouw verder. 'Luister, ik weet dat u het druk hebt, maar ik zou uw hulp heel goed kunnen gebruiken voor wat achtergrondinformatie.'

'Is dit een verzoek voor een interview?'

'Eh... ja, ik denk het wel.'

'En van welke zender zei u dat u was?'

De lijn viel even stil.

'Doctor Anata, ik bel niet namens een nieuwszender... ik ben onderdeel van het verhaal,' zei Liv voordat de andere vrouw de kans kreeg om op te hangen. 'Ik ben... ik ben de zus van de monnik.'

Miriam zweeg, niet zeker of ze haar goed had gehoord – of geloofde.

'Ik heb zijn lijk gezien,' zei Liv. 'Of in elk geval foto's ervan. Voordat ik hem echt kon zien, was hij verdwenen. Er stonden merktekens op zijn lichaam, een soort rituele littekens. Ik vroeg me af of u ernaar zou willen kijken om uw deskundige mening te geven over wat ze zouden kunnen betekenen.'

Miriam voelde zich licht in het hoofd worden bij het woord 'littekens'. 'Heeft u die foto's?' fluisterde ze.

'Nee,' zei Liv. 'Maar ik kan u laten zien hoe ze eruitzien. En er zijn nog een paar andere dingen. Dingen die iets te maken zouden kunnen hebben met het Sacrament.'

Miriam leunde zwaar tegen de drankenautomaat. 'Wat voor dingen?'

'Het is waarschijnlijk gemakkelijker om ze u te laten zien.'

'Natuurlijk.'

'Wanneer bent u vrij?'

'Nu meteen. Ik ben in een televisiestudio, dicht bij het centrum. Waar bent u?'

Liv zweeg, onwillig om haar locatie te onthullen. Een bevriende agent had haar ooit verteld dat midden in een mensenmenigte de beste plek was om je te verbergen. Ze had een drukke, openbare en niet al te verafgelegen locatie nodig. Ze keek naar de krant met de foto van Samuel op de top van 's werelds drukst bezochte klassieke attractie. 'Ik zie u bij de Citadel,' zei ze.

88

Kutlar rook nog steeds de geur van knoflook en zweet vanuit de lege stoel naast hem. Hij knipperde met zijn ogen toen het busje de tunnel uit reed. Door het pad tussen de parkeergarages kwam een silhouet op hen aflopen.

Kutlar klapte de laptop open. Hij tuurde naar het zandloperpictogram, keek hoe de piepkleine zwarte pixels erin neerdaalden – virtueel zand dat hem liet zien hoe snel zijn eigen tijd ten einde liep.

Johann bereikte het busje en ruilde van plaats met Cornelius, terwijl de plattegrond op het scherm opnieuw geconfigureerd werd. Een pijl wees naar de locatie van Livs telefoon. De zandloper verscheen weer even en vervolgens verbreedde de plattegrond zich om een tweede pijl te laten zien, links boven de eerste – hun eigen positie, getraceerd via het signaal vanaf de telefoon van Cornelius.

Ze waren dichtbij.

Cornelius zag de pijl midden in het beeld verspringen naar verderop in de straat. 'Ze loopt weer op straat.'

Johann sloeg af in de richting van de ringweg.

De volgende keer dat het scherm zich ververste bewoog de tweede pijl ook, om de eerste heen, als een buizerd die steeds dichter rond zijn prooi cirkelt.

Het lichaam van broeder Samuel was tot het middel uitgekleed en neergelegd met gestrekte armen, als een beeldrijm met de vorm die verrees op het altaar aan de andere kant van de Sacramentskapel. De abt liet zijn ogen over het verminkte vlees glijden, helder en wasachtig glanzend tegen de stenen vloer, herhaaldelijk doorstoken door gebroken botten, door ruwe hechtingen bij elkaar gehouden op de plekken waar de lijkschouwer erin had gesneden.

Zouden deze overblijfselen van een man werkelijk kunnen herrijzen en de profetie vervullen?

De abt merkte de dunne loot op van een bloedwingerd die zich rond het altaar krulde. Hij volgde hem in het donker tot hij de wortel vond, die tevoorschijn kwam uit een van de in de stenen vloer uitgehakte vochtige groeven. Hij wikkelde de loot om zijn hand en trok er hard aan tot hij losscheurde, liep naar een van de grote toortsen van hennep en talg en hield de langgerekte plant boven de vlam. De loot siste in de hitte en verschrompelde tot niets meer dan zwart beroete vezel en een veeg rood sap op de hand van de abt.

De toortsvlam sputterde achter hem toen er een deur opengging. De abt draaide zich om, zijn hand intussen afvegend aan de ruwe wol van zijn pij omdat het plantensap zijn huid irriteerde. Broeder Septus, een van de monniken die had geholpen om Samuel de berg op te dragen, stond aarzelend op de drempel.

'We zijn klaar voor u, broeder abt,' zei hij.

De abt knikte en volgde hem naar een andere kamer in de bovenste vertrekken van de Citadel, een kamer die vrijwel altijd stil was gebleven sinds de tijd van de Grote Inquisitie.

De deur sloot zich achter hem, zodat broeder Samuel werd opgesloten met het Sacrament. De kaarsen flakkerden weer in de luchtverplaatsing en hun licht glansde zachtjes op het lichaam.

Even leek hij te bewegen.

89

Ook Rodriguez keek naar Samuel, op de beroemde brug in Central Park; zijn arm lag over de schouder van een jonge vrouw die precies op hem leek. De foto zat in een goedkoop plastic lijstje, waarvan er verschillende aan de muren van het appartement hingen.

Inbreken was een fluitje van een cent geweest. Ze woonde op de begane grond van een appartementenblok, dicht genoeg bij het centrum van de stad om aantrekkelijk te zijn voor jonge professionals, en op het tijdstip dat hij er aankwam, was iedereen aan het werk. Hij had alleen haar tuintje in hoeven te springen – waar de dichte begroeiing ruim voldoende beschutting bood – en had vervolgens zijn windjack als geluiddemper tegen het raam gehouden en het ingeslagen. Met de vrouw zelf zouden zijn broeders in Ruīn afrekenen. Hij moest zich ervan verzekeren dat ze geen aanknopingspunten had achtergelaten.

Hij had Samuel niet goed gekend in de Citadel en het was dan ook een vreemde ervaring om verstilde fragmenten van zijn vroegere leven aan te treffen op de muren van zijn zus. Er was ook een foto waarop hij er veel jonger uitzag, in een roeiboot met een al even jeugdige versie van de vrouw, beiden met hun ogen toegeknepen tegen het zonlicht. Hij had de foto's bij de telefoon zien staan, deels verborgen onder de uitlopers van een van de vele planten die bijna elk horizontaal oppervlak in het appartement bedekten.

Rodriguez drukte op de knipperende berichtentoets en luisterde naar het afspelen, terwijl hij al het papier dat hij kon vinden midden in de kamer opstapelde. Er was twee keer gebeld, beide keren door iemand die klonk als haar baas en haar uitfoeterde omdat ze de stad uit was gegaan zonder haar kopij in te leveren.

Hij trok het dekbed van haar onopgemaakte bed en legde het op de stapel; het deed hem denken aan een film die hij als kind had gezien, over een vent die geobsedeerd werd door buitenaardse wezens en zijn huis net zo had volgestopt met bergen rommel.

Nu voelde híj zich een buitenaards wezen.

Toen hij genoeg brandbaar materiaal had verzameld in de woonkamer, liep hij door de rest van het appartement en plensde benzine op het bed, de vloerbedekking, de bank. Hij had te weinig tijd om de flat grondig te doorzoeken, dus moest hij zorgen dat alles werd verwoest.

Hij vertrok langs dezelfde weg als hij gekomen was, gooide een brandende lucifer door de gebroken ruit en hoorde de andere ramen springen door de drukgolf toen de gasdampen vlam vatten. Hij bleef niet staan om het te zien branden, al had hij dat graag gewild. Hij moest nog twee andere haltes aandoen voordat hij hier voorgoed weg kon vliegen.

Hij was bezig met Gods werk. Er was geen tijd om te genieten.

90

Liv had de plattegrond niet nodig om de Citadel te vinden. Het enige wat ze hoefde te doen was die kant op lopen tot de stroom van toeristen haar oppikte en meesleepte, tot voorbij de kaartverkooploketten, door de poorten en de smalle straten naar de beroemdste berg ter wereld.

Ze had niet werkelijk begrepen hoe oud de stad was tot ze hier aankwam, in het oudste deel ervan. Hier waren de straten geplaveid met keistenen, maar door de gebouwen aan weerszijden drong het pas echt tot haar door. Ze waren allemaal heel klein, met piepkleine raampjes en lage deuren, gebouwd voor mensen met ongezonde voedingsgewoontes en een zwaar leven dat zelden langer dan dertig jaar duurde. Ze waren ook gebouwd en hersteld met verschillende soorten materialen uit de lange geschiedenis van de stad. Romeinse zuilen staken uit middeleeuwse muren, waarin de kieren waren gevuld met eiken balken en vitselwerk van leem en twijgen. Ze kwam langs een half geopende deur met een ijzeren hand van Fatima in het midden, een herinnering aan de lange Moorse bezetting van de stad in de tijd van de kruistochten. Erachter bevond zich een kleine binnentuin, omringd door geschulpte bogen en vol verschillende kleuren groen – bloeiende citroenbomen, bananenplanten die hun lange, gekrulde bladeren ontvouwden en zich uitstrekten over muren en vloeren met ingewikkelde mozaïekpatronen. Het volgende huis dat ze passeerde, leek op een achttiende-eeuwse Italiaanse stadswoning; het huis daar weer naast was half klassieke Griekse villa, half napoleontisch fort. Hier en daar viel er een opening tussen de ongelijke huizen waardoorheen ze moderne gebouwen zag staan op de vlakte beneden, die zich in de verte uitstrekten tot de rood stenen kartelige rand van de bergen die de stad aan alle kanten omringden.

Er tuimelde een briesje door de smalle straat dat warme lucht en etensgeuren met zich meevoerde en haar eraan herinnerde dat ze honger had. Ze wandelde omhoog, aangetrokken door het kraampje waar de verleidelijke aroma's vandaan kwamen. Aan de kraam waren platte broden en dipsauzen te koop, weer een overblijfsel van de verschillende invloeden die de stad in de loop der eeuwen had opgezogen. Architectuur en heerlijke gerechten waren, zoals zo vaak het geval was, de enige overblijfselen van de verloren keizerrijken die een rol hadden gespeeld in de bloederige geschiedenis rondom de Citadel en de godsdienstoorlogen die in zijn schaduw hadden gewoed.

Liv viste een bankbiljet uit haar envelop en wisselde het in voor een driehoekig, met zaden bezet brood en een kuipje *baba ganoush*. Ze schepte de dikke pasta op met het brood en stak het in haar mond. Het smaakte gegrild en knoflookachtig, een mengsel van geroosterde sesamolie, gegrilde aubergine en komijn met nog andere specerijen in het achtergrondkoor. Ze had nog nooit zoiets heerlijks gegeten. Ze doopte het brood nog eens in het kuipje en had het juist weer volgeladen, toen haar telefoon rinkelde in haar zak. Ze propte het brood in haar mond en haalde hem tevoorschijn.

'Hallo,' zei ze met haar mond vol.

'Waar ben je in godsnaam geweest?' brulde Rawls door de telefoon. Liv kreunde geluidloos. Ze had haar telefoon aangezet toen ze het kantoor van de krant verliet zodat de Ruïn-deskundige haar zou kunnen bereiken; Rawls was ze helemaal vergeten.

'Ik maak me hier doodongerust,' schreeuwde hij. 'Ik zag je net op CNN in een politiewagen geduwd worden. Wat gebeurt er daar verdomme allemaal?'

'Maak je geen zorgen,' antwoordde Liv. 'Met mij gaat alles goed.'

'Weet je het zeker?'

'Ja, ja.'

'Waarom heb je me dan niet gebeld? Ik had dat meisje op het perskantoor gezegd dat je me moest bellen!'

'Is ze zeker vergeten. Ze kwam nogal chaotisch over.'

'Vertel eens wat er allemaal aan de hand is.'

Dit was precies het gesprek dat ze had gehoopt te vermijden. 'Ik probeer gewoon uit te zoeken wat er met mijn broer gebeurd is,' zei ze. 'Het gaat prima. Je hoeft je over mij echt geen zorgen te maken.'

'Je klinkt buiten adem.'

'Ben ik ook. Ik loop heel snel een hele steile berg op.'

'O, oké. Nou, je zou toch niet zo moeten hijgen. Zorg eens wat beter voor jezelf. Je zou moeten stoppen met roken.'

Liv realiseerde zich dat ze ondanks alle spanningen al uren geen trek meer had gehad in een sigaret. 'Ik geloof dat ik dat al heb gedaan,' zei ze.

'Goed zo. Dat is mooi. Hoor eens, je moet één dingetje voor me doen.'

Nu kwam het. Ze wist wel dat hij niet belde vanwege een overweldigende bezorgdheid over haar welzijn. 'Noteer dit nummer,' zei hij.

'Wacht even.' Ze greep haar pen en krabbelde het nummer op haar hand.

'Wie is het?' vroeg ze.

'Die verkeersagente die je laatst hebt zien bevallen van een tweeling.'

'Bonnie?'

'Ja, Bonnie. Luister, ik weet dat de timing slecht is, maar ik heb dat artikel dit weekend nodig. Ik heb nog steeds een gat in het stijlkatern, dus moet jij haar even bellen om de weg vrij te maken zodat iemand anders het verhaal kan oppakken, oké?'

'Ik ga haar meteen bellen. Nog iets anders?'

'Nee, dat is het. Doe jij maar voorzichtig – en maak aantekeningen.' Liv glimlachte.

'Ik ben altijd voorzichtig,' zei ze. Daarop verbrak ze de verbinding.

Rawls klapte zijn telefoon dicht en sloot zijn voordeur. Hij was te laat voor een benefietborrel op het stadhuis en hij wilde de man ontmoeten van wie iedereen zei dat hij de volgende burgemeester zou worden. Het was altijd verstandig om bij een aanstaande koning in de gunst te komen.

Hij liet zich achter het stuur van zijn Mustang glijden, die vanzelfsprekend helemaal niets te maken had met zijn midlifecrisis, en wilde net het contactsleuteltje omdraaien toen er op zijn raam werd getikt. Hij keek opzij en zag de wijde loop van een geweer op zich gericht. De man die het vasthield gebaarde dat hij het raampje open moest draaien. Hij droeg een of ander rood windjack en had een baard die niet paste bij zijn jonge, magere gezicht.

Rawls stak zijn handen omhoog en deed wat hem gezegd werd. Toen het raam halfopen was, werd er een grote fles mineraalwater door de opening geduwd. 'Hou vast,' zei de overvaller. Rawls pakte de fles aan. 'Wat wil je?' Hij rook de vreemde geur die aan de plastic fles hing en besefte dat er helemaal geen water in zat.

'Jouw stilzwijgen,' antwoordde de man, en schoot dwars door de fles terpentine heen een brok brandend magnesium uit het alarmpistool in de borst van Rawls Baker.

91

Bonnies antwoordapparaat sloeg net aan toen Liv onder de grote stenen boog door liep naar het plein bij de kerk. Luisteren naar de kleinsteedse stem die haar beleefd verzocht om een bericht achter te laten en tegelijkertijd geconfronteerd worden met de gigantische, gotische pracht van de kerk was een surrealistische ervaring.

'Hé, Bonnie,' zei ze terwijl ze met de hordes toeristen over het plein wandelde. 'Je spreekt met Liv Adamsen van de *New Jersey Inquirer*. Ik hoop dat alles goed gaat met jou en de tweeling, en het spijt me echt ontzettend dat ik je hiermee moet overvallen, maar ik moest een paar dagen de stad uit. Je verhaal vinden we nog steeds geweldig, dus heel binnenkort neemt er iemand contact met je op om verder te gaan waar ik gebleven was. Ik weet dat ze je nog steeds in de weekendeditie willen zetten, als dat wat jou betreft oké is. En ik bel je zodra ik weer in de stad ben. Pas goed op jezelf.' Ze hing op en liep de tweede poort door.

Toen ze uit de schaduw kwam, kneep ze haar ogen half dicht tegen het helle licht – en bleef abrupt stilstaan. Recht voor haar, oprijzend als een muur van duisternis, stond de Citadel. Van zo dichtbij gezien was hij even angstaanjagend als ontzagwekkend. Liv sloeg haar ogen op naar de top en liet haar blik langzaam afdalen langs het spoor van Samuels val. Toen haar blik onderaan was aangekomen, zag ze een grote menigte naast een lage stenen muur staan. Een van hen, een vrouw met lang blond haar en een lange jurk, hield haar armen zijwaarts uitgestoken. Bij die aanblik kropen er ijzige spinnen over Livs huid. Eén afschuwelijke seconde lang dacht ze dat de geest van haar broer daar stond. De menigte toeristen botste in het voorbijgaan tegen haar op, drong haar dichter naar de groep, tot ze kleur zag oplaaien in het midden van de mensenmassa. Het was een zee van bloemen die onbekenden hadden neergelegd en die er nu uitzagen alsof ze uit de gebarsten plaveistenen opbloeiden in een zwijgend eerbetoon aan de man die ze had gebroken. Livs ogen bewogen zich eroverheen, lazen verborgen betekenissen in hun kleuren en vormen: gele narcissen voor respect, donkerrode rozen voor rouw, rozemarijn voor herinnering, en sneeuwklokjes voor hoop. Hier en daar staken er kaarten uit omhoog, als de zeilen van halfvergane boten in een ondiepe zee. Liv bukte om er een op te rapen en voelde een koude vinger over haar ruggengraat strijken toen ze las wat erop stond. 'Martelaar van de Mala'– en de bovenste helft van de kaart was gevuld met een grote T.

'Miss Adamsen?'

Met een ruk wendde Liv haar hoofd en boog zich instinctief van de stem weg terwijl haar ogen naar de oorsprong ervan zochten.

Boven haar uit torende een stijlvolle vrouw van een jaar of vijftig in een antracietkleurig krijtstreeppak, een paar tinten donkerder dan haar zorgvuldig gekapte haar. Ze keek van Liv naar de bloemenzee die zich uitstrekte op de grond en weer terug.

'Doctor Anata?' vroeg Liv terwijl ze overeind kwam om haar te begroeten. De vrouw glimlachte en stak haar hand uit. Terwijl Liv die aannam, vroeg ze: 'Maar hoe wist u dat ik het was?'

'Ik kom net uit een nieuwsstudio,' zei de vrouw en boog zich samenzweerderig naar haar over. 'En jij bent groot nieuws, lieve meid.'

Liv keek nerveus naar de mensenmassa. Hun aandacht was verdeeld tussen de berg en het tafereel van de zwijgende vrouw met haar gespreide armen. Niemand keek naar haar.

'Zullen we een rustiger plekje zoeken?' suggereerde dr. Anata met een knikje naar de cafés aan de rand van het plein, waar een klein leger van plastic tafeltjes stond opgesteld.

Liv keek even om naar de gedenkplaats waar haar broer was gestorven, knikte kort en liep toen met Miriam mee.

Het busje kwam tot stilstand bij de muur van de oude stad, dicht bij de zuidelijke toegangspoort. Cornelius keek op het scherm. De pijl wees roerloos naar een punt bij de drooggelegde slotgracht op de vroegere vestingwal. De jonge vrouw had zich al een paar minuten niet verplaatst.

Hij liet zich uit de passagiersstoel zakken en hield de deur open. Kutlar klapte de laptop dicht, overhandigde hem aan Cornelius en schoof verkrampt over de bank om zich bij hem te voegen op de stoep. De bus was niet hoog, maar op het moment dat zijn voet contact maakte met de straat voelde het aan alsof iemand hem weer in zijn been had geschoten. Hij klemde zijn tanden op elkaar tegen de pijn, vastbesloten om geen zwakte te tonen; onder zijn hemd voelde hij zweetdruppels parelen. Hij hield zich aan de deur vast om zijn evenwicht te vinden; onwillekeurig boog zijn hoofd voorover toen hij zijn been dwong om zich te strekken. Vanuit zijn ooghoek zag hij dat de laarzen van Cornelius zijn kant op gericht waren. Afwachtend. Er was geen enkele kans dat hij dit alleen afkon.

Kutlar stak zijn hand in zijn zak en haalde er de pot met de pillen uit die hij zichzelf de laatste paar uur had ontzegd, schroefde het deksel los en schudde een paar capsules in zijn vochtige handpalm. Op het etiket stond dat hij er elke vier uur één moest nemen. Hij wierp er twee in zijn mond en kokhalsde bijna toen hij ze droog doorslikte.

Hij hief zijn hoofd en keek voorbij Cornelius naar de zuidelijke poort. Ze bevond zich ergens in de oude stad. En aangezien hij de enige was die wist hoe ze eruitzag en er alleen fietsen door de eeuwenoude steile straten mochten rijden, zouden ze moeten lopen. Hij stopte de pot pillen weer in zijn zak, liet het busje los en hinkte in de richting van de kaartjesloketten bij de ingang. Voordat hij halverwege was, was zijn been al verdoofd.

92

Het café zat stampvol, ook al lag het op een afstandje van de voormalige slotgracht en niet aan de voornaamste doorgangsweg. Het was iets minder populair dan de andere cafés omdat het geen uitzicht bood op de Citadel, maar Liv voelde de aanwezigheid ervan nog altijd, dwars door het stenen gebouw heen dat haar het zicht erop benam. Als een vormgegeven schaduw, of een aanrollende storm. Ze zat tegenover de Ruīn-deskundige met haar rug naar de menigte en haar gezicht naar de muur; een kwieke jonge ober met een zwart gilet aan en een wit schort voor kwam hun bestelling opnemen. Hij scheurde het bonnetje van de bestelling en legde het klem onder de asbak.

‘En,’ zei Miriam zodra hij buiten gehoorsafstand was. ‘Wat kan ik voor je betekenen?’

Liv legde haar blocnote op tafel. De kaart die ze had meegenomen, had ze nog in haar hand. Ze draaide hem om en herlas de woorden:

T

MALA
MARTELAAR

'Je zou me kunnen vertellen wat dit betekent,' zei ze terwijl ze de kaart over de tafel schoof.

'Goed,' zei Miriam. 'Maar eerst moet jij me iets vertellen.' Ze wees op de T. 'Je zei dat je littekens had gezien op het lichaam van je broer. Was deze erbij?'

Liv bladerde naar de eerste pagina van haar blocnote en draaide het om, zodat de ruwe schets die ze van Samuels lichaam had gemaakt zichtbaar werd. 'Die stond in zijn arm gebrand.'

Miriam keek neer op het netwerk van littekens, zichtbaar gefascineerd door hun barbaarse schoonheid. Toen de ober terugkwam en hun bestellingen op het papieren tafelkleed zette, sloeg ze de blocnote snel weer dicht. 'Het heet de Tau,' zei ze zodra hij weer haastig weggelopen was. 'Het is een heel machtig en heel oud symbool, even oud als dit land dat zijn naam draagt.'

Liv fronste haar wenkbrauwen; ze begreep niet hoe het woord Tau 'Turkije' kon worden.

'Ik heb het over het land waar de Citadel op staat,' zei dokter Anata toen ze haar verwarring opmerkte. Ze knikte naar de pieken in de verte, nog net zichtbaar tussen de gebouwen, hun kartelige omtrek als tanden afgetekend tegen de lucht. 'Het koninkrijk van de Tau.'

Liv volgde haar blik en herinnerde zich de landkaart in haar gids met de bergketen die zich om de stad heen krulde en zich als een ruggengraat over het land uitstrekte. 'Het Taurusgebergte,' zei ze; nu was de eerste lettergreep beklemmend vol nieuwe betekenis.

Dr. Anata knikte. 'Om het belang van de Tau echt te kunnen begrijpen, moet je wat geschiedenis kennen.' Ze leunde voorover op haar ellebogen en legde haar vingertoppen tegen elkaar in een torenspits van lange, zilver beringde vingers boven het smetteloze wit van het papieren tafelkleed. 'De eerste overleveringen van menselijke bewoning in deze regio beschrijven een strijd tussen twee strijdende stammen, die elkaar de heerschappij over het land betwistten. Een van die stammen heette de Jahwe. Zij woonden in grotten halverwege een berg en men geloofde dat ze een heilig relikwie beschermden dat hun grote macht bezorgde. Zelfs in die prehistorische tijden werden zij door andere stammen zo vereerd, of in ieder geval zo gevreesd, dat die stammen pelgrimstochten maakten naar de berg en offers van voedsel en vee brachten aan de goden van wie zij geloofden dat ze op de berg leefden.

Mettertijd ontstond er een stad, die bloeide door de pelgrims die naar de berg kwamen om offers te brengen en te drinken van het water uit de wonderbaarlijke bronnen die er uit de grond opwelden, waarvan men zei dat het mensen die ervan dronken met goede gezondheid en een lang leven bedeelde. Er kwam ook een kerk om de wereldse belangen van de Citadel te beheren en om het woord van God te preken dat in geschreven vorm van de berg kwam. In deze heilige geschriften werd de naam van God geschreven als YHVH, wat zich laat lezen als Jehova of Jahwe – dezelfde naam als die van hun stam. Die geschriften beschreven hoe de wereld was gemaakt en hoe de mensen de wereld kwamen te bevolken. Iedereen die twijfelde aan deze officiële versie, werd tot ketter verklaard en achtervolgd door meedogenloze krijgerpriesters die uitreden onder een vlag met het symbool van het goddelijk gezag van de Citadel.' Ze wees naar het teken van de T. 'De Tau. Het enige ware kruis. Het symbool van het relikwie dat hun als eerste macht over anderen had geschonken. Het symbool van het Sacrament.'

Net voor de grote stenen poort naar het plein hield Cornelius halt en klapte de laptop open om het signaal te controleren. Zijn eigen pijl was dichterbij gekomen, maar die van de jonge vrouw wees nog steeds naar hetzelfde punt.

Hij keek omlaag door de steile straat om een blik te werpen op Kutlar. Die worstelde zich een meter of zeven achter hem met stijve benen de helling op, het voorpand van zijn hemd doordrenkt van zweet, elke strompelende stap had dezelfde ritmiek als de stap ervoor: het slechte been zwaaide eerst naar voren, landde voorzichtig op de grond, het goede been werd snel bij getrokken om zo min mogelijk gewicht op het eerste te laten rusten.

Cornelius was van plan om hem dood te schieten met het van een geluiddemper voorziene pistool zodra hij de jonge vrouw had aangewezen, en hem vervolgens op een van de banken langs de oude vestingwal van de slotgracht neer te zetten. Hopelijk zou ze daar zo van schrikken dat ze volgzaam alleen de berg af zou lopen, al had hij voor de zekerheid ook een met Haldol gevulde injectiespuit in zijn zak. Hij keek even naar de metronomische voortgang van Kutlar. Wachtte tot hij hem had bereikt en keek toen weer op het scherm. Ze had zich nog steeds niet verroerd. Hij klapte de laptop dicht, borg hem weg in zijn zak en liep de schaduw van de poort in.

93

Liv bekeek het T-symbool – de Tau. Onderweg hierheen had ze veel over het Sacrament gelezen, maar ze had nooit kunnen dromen dat het iets te maken zou hebben met de dood van haar broer.

'Het feit dat je broer dit merkteken op zijn arm had, betekent dat hij kennis had van het Sacrament,' ging de Ruīn-deskundige verder. 'Misschien wilde hij die kennis delen.'

Liv herinnerde zich wat Arkadian had gezegd: als je het mysterie van het Sacrament oplost, los je het mysterie van de dood van Samuel op. Ze keek doctor Anata aan. 'U moet zelf tot een conclusie zijn gekomen over wat het Sacrament zou kunnen zijn,' zei ze.

De Ruīn-deskundige schudde haar hoofd. 'Telkens als ik denk dat ik het bijna heb, ontglipt het me weer. Ik kan je wel vertellen wat het níet is. Het is niet het kruis van Christus, zoals sommige mensen denken. Vergeleken met de religieuze orde in die berg is Christus een relatieve nieuwkomer. Dus is het ook niet Zijn doornenkroon, noch de speer die Zijn zijde doorboorde, noch de Heilige Graal waaruit Hij dronk. Dat zijn allemaal mythen die in de loop der jaren door de Citadel in het leven zijn geroepen als afleiding, ter bescherming van de ware identiteit van het Sacrament.'

'Hoe weten we dan dat er überhaupt iets is?' vroeg Liv. 'Als niemand het ooit heeft gezien.'

'De grootste godsdienst ter wereld wordt niet gevestigd op een gerucht.'

'Niet? Denk er eens over na. Twee prehistorische stammen die oorlog voeren. Om de bovenhand te krijgen, verschanst de ene zich in deze berg en beweert een goddelijk wapen te hebben. Misschien heerst er een langdurige droogte of is er een zonsverduistering, en zij beweren die te hebben veroorzaakt. Mensen gaan geloven dat ze inderdaad macht hebben en behandelen de stam als goden. Dat bevalt ze goed, dus houden ze de bluf vol. Zolang niemand ontdekt dat er niets is, blijft het werken. Spoel een paar duizend jaar door en de mensen geloven het nog steeds, alleen is er nu een enorme godsdienst op gevestigd.' Voor haar geestesoog zag ze Samuel weer van haar weglopen. Omdat hij nader tot God wilde komen. 'En als mijn broer dat heeft ontdekt, dat het enige wat hem op de been had gehouden na alles wat hij had doorstaan, zijn geloof, uiteindelijk was gegrondvest op... niets...'

Miriam zag de tranen in Livs ogen. 'Maar er is wel iets,' zei ze. 'Iets met macht.' Ze pakte haar fles water op en keek naar het plaatje op het etiket. 'Laat me je iets vragen...' Ze schonk water in; haar zilveren ringen tinkelden tegen het glas. 'Wat wil jij van het leven? Wat willen we allemaal? We willen gezondheid, geluk, een lang leven, nietwaar? Net als iedereen altijd heeft gewild. Onze aller-, allervroegste voorouders, de voorouders die als eersten vuur maakten en stokken scherpten om zich te beschermen tegen de wilde dieren, die wilden precies diezelfde dingen, en ook toen bestond de berg al, en de heilige mannen die erin wonen bestonden ook. En die eenvoudige stammenvolkeren, die alleen wat langer wilden leven en niet ziek wilden worden, vereerden die mensen, niet vanwege een of ander doortrapt gerucht, maar omdat de mannen in de berg heel erg lang leefden, en niet door ziekte werden gekweld. Vertel eens, als jij aan God denkt, wat zie je dan?'

Liv schokschouderde. 'Een man met een lange witte baard.'

'Waar denk je dat dat beeld vandaan komt?' Ze draaide de fles om en wees naar de afbeelding van de Citadel op het etiket. 'De vroegste mens keek omhoog naar deze berg en ving af en toe een glimp op van de goden die er woonden: mannen met lang haar en lange witte baarden. Heel oude mannen, in een tijd waarin je geluk had als je de dertig haalde.

Dit water wordt over de hele wereld verkocht, al sinds de Romeinse tijd, toen de keizers het voor het eerst ontdekten. Denk je dat ze het helemaal naar Rome verscheepten omdat het zo lekker smaakte? Zij wilden wat elk mens altijd heeft gewild, en koningen nog meer dan anderen: ze wilden meer levensjaren. Zelfs nu nog heeft men in Ruīn een levensverwachting die zeven jaar boven die van elke andere grote stad ligt, en de mensen komen nog altijd met duizenden tegelijk hierheen om van allerlei aandoeningen te genezen. Dat zijn geen geruchten. Dat zijn feiten. Denk je nog steeds dat er daar niets is?'

Liv sloeg haar ogen neer en zag de asbak. Haar tien jaar oude nicotineverslaving leek te zijn verdwenen sinds ze in Ruīn was. Miriam had gelijk, er moest daar wel iets zijn. Samuel zou haar hier niet zonder reden bij betrokken hebben; hij zou die letters niet op die pitten hebben gekrast, tenzij ze iets betekenden. De vraag was alleen: *wat*?

Ze sloeg de blocnote open op de pagina waarop ze de letters had genoteerd. Bekeek ze nog eens. En net als wanneer de zon plotseling door de wolken breekt, herkende ze er ineens iets nieuws in.

94

Cornelius stond in de schelle middagzon naar de krioelende massa busreizigers en andere toeristen te kijken die over de brede vestingwal van de voormalige slotgracht stroomden: mensen die voor foto's poseerden, mensen die zich rond gidsen verzamelden, mensen die alleen maar opkeken naar de Citadel, verdiept in hun eigen gedachten. Er waren heel veel jonge vrouwen; ieder van hen kon hun doelwit zijn. Hij streek over de verschrompelde huid op zijn wang en stelde zich zijn vijand voor. Toen hij in het ziekenhuis in een waas van morfine lag te genezen van de huidtransplantaties, had hij vaak aan haar gedacht. Telkens zag hij haar tevoorschijn komen, uit het niets, een bundeltje vodden in haar uitgestrekte armen, haar lichaam gehuld in een boerka die alleen haar ogen en handen vrijliet. Soms hield ze een pakje in krantenpapier vast, net als het pakje dat zijn moeder voor hem had ingepakt voordat ze hem achterliet bij de deur van het weeshuis en zich voor de sneltrein naar Liverpool gooide. Ook haar gezicht had hij nooit gekend. Maar hij hoefde hun gezichten niet te zien om te weten wat ze waren. Verraders, stuk voor stuk.

Achter hem kondigden Kutlars hijgende ademhaling en haperende voetstappen zijn komst aan, als van een melaatse die uit zijn grot kwam strompelen. Cornelius liet zijn hand in zijn zak glijden en pakte de kolf van zijn Glock vast.

Liv staarde naar de letters op de pitten die ze had overgeschreven in hun oorspronkelijke combinaties:

T a M + k
? s A a l

Ze vergeleek ze met de kaart die ze tussen de bloemen had gevonden:

T

MALA

MARTELAAR

Ze pakte haar pen en schreef het woord 'Mala' op haar blocnote en streepte de letters door om te zien wat er overbleef.

Aangenomen dat de T de Tau was, bleven er maar drie letters over – S, k en A – en twee symbolen – + en?. Ze keek er even naar, schreef nog een laatste woord op en de laatste twee symbolen, en las wat ze had geschreven:

T +?
Ask Mala

Met deze plaatsing van de onderstreepte symbolen leek het te kloppen. Net als de hoofdletters aan het begin van elk woord. Was dit de boodschap die haar broer haar had gestuurd? Er zat wel iets in. De T was de Tau, het symbool van het Sacrament, en het plusteken zou een kruis kunnen zijn. Het vraagteken symboliseerde het mysterie van de identiteit van het Sacrament, zodat de resterende woorden een opdracht leken: 'Ask Mala', vraag het aan de Mala. Ze keek de Ruīn-deskundige aan.

'Wie zijn de Mala?' vroeg ze.

Miriam keek op van de blocnote waar ze de woorden had gelezen die Liv had opgeschreven. 'Zoals ik al zei, waren er in het begin twee stammen,' zei ze. 'Een ervan heette de Jahwe, de mensen van de berg. De andere was de verstoten stam die geloofde dat de Jahwe het Sacrament hadden gestolen en gevangen hielden, en daarmee de natuurlijke orde hadden verstoord. Zij geloofden dat het Sacrament gevonden en bevrijd moest worden – die stam heette de Mala. Zij werden door de Jahwe vervolgd, opgejaagd en gedood vanwege hun overtuigingen. Maar ze behielden hun geloof en er ontstond een geheime kerk, zelfs in de schaduw van de dominante berg. Tegen de tijd dat de Jahwe met de Romeinen afspraken om de staatsgodsdienst 'een nieuw jasje' te geven, was hun giftige haat van de andere stam al in de taal versmolten: in het Latijn betekent *mala* 'slecht'. Maar zelfs al demoniseerde de Citadel dit volk, zelfs al staken ze hun heiligdommen in brand en namen ze hun heilige teksten in beslag om ze te vernietigen, ze konden hun geest niet vernietigen.'

Liv voelde haar huid verstrakken. 'Bestaan ze nog?' vroeg ze.

Miriam deed haar mond open om antwoord te geven maar ineens richtte haar blik zich omhoog. Liv draaide zich om en zag een lange man achter zich staan, donker afgetekend tegen de heldere lucht. Haar ogen pasten zich aan aan het licht en zijn gelaatstrekken kregen vorm in zijn donkere silhouet, het eerst de ogen – lichte, blauwe ogen die recht in die van Liv keken. Er vlinderde een nerveuze trilling door haar borst toen ze zag wie het was.

'Ja,' zei Gabriël. 'We bestaan nog.'

95

Van waar Kutlar stond, zag hij de hele vestingwal in een bocht om de voet van de berg heen lopen naar een rij stenen gebouwen in de verte, waar allerlei kuurbehandelingen genezing en herstel beloofden.

'Ze is er niet,' zei hij.

Cornelius liet het pistool in zijn zak los. Kutlar hield hem aan het lijntje, daar was hij van overtuigd. Hij sloeg de kleine laptop open en keek naar de grafische weergave van de vestingwal. De twee pijltjes overlapten elkaar bijna in het midden, precies op de plek waar zij nu stonden. 'Ze moet hier zijn,' zei hij, terwijl hij zijn telefoon uit zijn zak haalde en snel Livs nummer overtikte van het zoekvenster.

Hij zette een stap naar voren, drukte op de belknop en liet de telefoon in zijn hand zakken zodat hij het rinkelen van een ander toestel zou kunnen horen. Hij liep naar de bloemenzee ter ere van de monnik, filterde het gemurmel van de menigte uit zijn gehoor en hoorde ergens voor zich een geluid.

Hij hield zijn hoofd oplettend schuin en toen het opnieuw weerklonk, ving zijn blik een minieme beweging op. Het kwam van de grond, tussen de bloemen, een gezoem als van een boze, beklemde bij. Cornelius hurkte neer en stak zijn hand tussen de zachte bloembladen. De hand sloot zich om het harde plastic omhulsel van een telefoon. Het toestel trilde nog een keer toen hij het opraapte, en liet een kleine krater achter in de bloemenzee. Vanuit zijn andere telefoon hoorde hij een blikkerige stem hem vragen om een bericht achter te laten. Hij verbrak de verbinding en zocht in het menu van Livs telefoon naar het log, het adresboek en de sms-berichten. Allemaal leeg.

Iemand had de telefoon gereset en weggegooid.

Miriam zag de bebaarde man zich snel verwijderen van het eerbetoon. Ze zag hem stilstaan bij de verre muur, tegen een andere man praten en omlaag kijken op een soort kleine laptop. Gabriël had gelijk. Ze hadden Livs telefoonsignaal opgespoord.

Ze stak haar hand in haar zak en haalde haar eigen telefoon tevoorschijn. Ze wandelde in de richting van de kuurinrichtingen, weg van de mannen met de laptop. Ze schakelde haar telefoon uit en overwoog om hem in een van de vuilnisbakken langs de vestingwal te laten vallen, maar stopte hem weer in haar zak en besloot liever een paar dagen de stad uit te gaan. Ze kon hem altijd later nog wegdoen, afhankelijk van hoe dit afliep. Het meisje was nu in elk geval veilig. Dat was het belangrijkste.

De motorfiets laveerde grommend door de smalle keistenen straten, tussen de toeristen en de kraampjes door. Liv had geen helm op en de wind blies haar haren voor haar gezicht terwijl ze zich aan Gabriël vastklemde. Ze voelde de hardheid van zijn lichaam door zijn kleren heen, en telkens als de motor steigerde en slipte op het ongelijke plaveisel klemden haar benen zich krampachtig tegen zijn dijen. De geur die haar zo was opgevallen toen ze elkaar nog geen vierentwintig uur geleden hadden ontmoet, vloeide weer om haar heen in de stroom van de warme middagzon. Nu haar hoofd ter hoogte van zijn schouder reikte – en ze de aandrang weerstond om het erop te laten rusten – besefte ze dat het geen aftershave was die ze rook, maar zijn eigen geur, en hij rook verrukkelijk.

Ze had geen idee waar ze heen gingen of hoe ze iemand moest bereiken nu ze geen telefoon meer had, en ze wist ook niets over de man aan wie ze zich vasthield. Toch voelde ze zich vreemd genoeg voor het eerst sinds dagen veilig. Iets in zijn dringende stelligheid had haar gedwongen met hem mee te gaan. Hij gaf haar het gevoel dat alles wat hij haar vroeg te doen voor haar welzijn was, niet voor het zijne. Alsof háár veiligheid zijn enige zorg was. En hij hoorde bij de Mala. En als het klopte wat ze net had ontdekt bij de Ruïn-deskundige, was hem haar vertrouwen schenken en daarmee de richting volgen die haar broer haar had gewezen wel het minste wat ze kon doen.

Bovendien, dacht ze toen de motor zich onder de westelijke poort door bij het kruipende verkeer op de ringweg voegde, de stad uit, *wat moet ik anders?*

96

Arkadian zat in de passagiersstoel van een ongemerkte politieauto naar een rij stilstaand verkeer te kijken toen de centrale opnam.

'Politiebureau Ruïn.'

'Ja, mag ik onderinspecteur Sulley Mantus van u,' zei hij.

'Met wie spreek ik?'

'Inspecteur Arkadian.'

De verbinding viel stil en een blikkerige versie van de *Vier Jaargetijden* van Vivaldi telde de seconden af. Het verkeer was een hele autolengte vooruitgeschoven tegen de tijd dat de telefoniste terugkwam.

'Sorry, die lijn neemt niet op.'

'Oké, kun je me dan doorschakelen naar zijn mobiel?'

Weer viel de lijn stil. Deze keer werd hij meteen doorgeschakeld naar het antwoordapparaat. *Waar was hij in godsnaam heen gegaan?* 'Arkadian aan de lijn,' zei hij; zijn stem klonk mat en geïrriteerd. 'Bel me onmiddellijk terug.'

Hij hing op en staarde weer naar het aaneengesloten verkeer. Zodra hij over de hinderlaag van nieuwsploegen bij het mortuarium had gehoord, had hij Sulley gebeld. Op televisie had hij gezien hoe Sulley Liv zo ongeveer langs de camera's sleurde en haar in een politiewagen schoof alsof ze een verdachte was. Als hij hem te pakken kreeg, zou hij hem een tweede bilspleet bezorgen. Misschien vermoedde Sulley dat ook wel, en was dat de reden dat hij niet terugbelde. De telefoon kweelde in zijn hand en hij klapte hem open. 'Sulley?'

'Nee, met Reis. Ik heb nieuws voor je.'

Arkadian blies zijn frustratie uit in een lange zucht tegen de voorruit. 'Is het goed nieuws?'

'Het is... intrigerend. Ik ben net het laboratorium binnengeslopen om de DNA-vingerafdruk te bekijken en te zien hoe dat opschiet. Ik heb het slijmmonster van de vrouw met dat van de monnik vergeleken. De elektroforese is halverwege, maar ik heb het toch gefluoresceerd om te zien hoe de strengen zich scheidden.'

'Ik heb geen idee wat dat allemaal betekent. Vertel het me nou maar: overeenkomsten?'

'Ze moeten nog een tijdje blijven staan voordat ze helemaal uitgewerkt zijn, maar zoals het er nu uitziet zou ik zeggen dat het wel iets meer is dan een overeenkomst: ze zijn identiek. En dat is raar.'

'Waarom? Dat klopt met haar verhaal.'

'Ja, dat wel. Maar ik verwachtte eigenlijk dat de resultaten zouden uitwijzen dat zij níét de zus van de monnik was.'

'Hoezo?'

'Omdat het, voor zover wij weten, in de hele geschiedenis van vergroeide tweelingen nog nooit is voorgekomen dat het twee verschillende geslachten betrof. Genetisch moeten ze hetzelfde geslacht hebben, omdat ze in feite één mens zijn.'

'Dus het kan niet?'

Reis zweeg even. 'Medisch gezien is het uiterst onwaarschijnlijk.'

'Maar niet onmogelijk?'

'Nee. Er zijn meer dan genoeg gevallen bekend van tweeledige geslachtskenmerken bij mensen, hermafrodieten en dergelijke; en gezien de religieuze invalshoek van deze zaak, denk ik dat dit, als je in een onbevlekte ontvangenis gelooft, de deuren wijd openzet voor de mogelijkheid van allerlei soorten...'

'Wonderen?'

'Ik wilde zeggen "onverklaarbare fenomenen".'

'Is dat dan niet hetzelfde?'

Reis zei niets.

'Dus op basis van het bewijs denk jij dat ze de waarheid vertelt?'

Behept als hij was met de aangeboren twijfelzucht van de ware wetenschapper, zweeg Reis opnieuw. 'Ja,' zei hij ten slotte. 'Ik denk van wel. Ik dacht eerst van niet, tot ik deze DNA-resultaten zag, want die zijn niet te vervalsen.'

Arkadian glimlachte, tevreden dat zijn vertrouwen in de jonge vrouw niet misplaatst was. Nu was hij er meer dan ooit van overtuigd dat zij de sleutel van de zaak was. 'Doe mij een plezier, wil je?' vroeg hij. 'Zet dat allemaal even in het dossier, dan kan ik het doornemen als ik weer op kantoor ben.'

'Natuurlijk. Geen probleem. Waar ben je nu?'

Arkadian keek even naar het stilstaande verkeer dat klem zat in de smalle straten die naar het Tuinkwartier leidden. 'Nog steeds op zoek naar de dode monnik,' zei hij. 'Hoewel een dode op het moment nog sneller zou zijn dan ik. Hoe is het daar? Is de pers al verveeld afgedropen?'

'Je maakt een grapje, er staan er nu een paar honderd voor de deur. Ik durf te wedden dat je haast niet kunt wachten op het nieuws van zes uur.'

'Ja, vast,' antwoordde Arkadian en hij stelde zich de onvermijdelijke koppen voor: LIJK MONNIK GESTOLEN ONDER NEUS POLITIE. 'Tot kijk, Reis,' zei hij en hing op voordat de man nog iets kon zeggen. Hij wendde zich tot de agent in burger die zwijgend naast hem zat. 'Misschien moest ik maar eens een eindje wandelen,' zei hij terwijl hij zijn veiligheidsriem losmaakte. 'Je weet het adres, ik zie je daar.'

Hij wrong zich uit de passagiersstoel voordat de chauffeur antwoord kon geven en begon de straat op te lopen, tussen de traag voortbewegende auto's door, wat hem behalve een langdurig en doordringend getoeter ook een opgestoken middelvinger van de chauffeur van een busje opleverde. Lopen deed hem goed. Het schudde iets van zijn frustratie los. Maar het stilzwijgen van Sulley baarde hem zorgen. Hij doorzocht zijn ontvangen berichten tot hij bij het nummer van Liv belandde, drukte op de beltoets en keek op. In de verte zag hij door de hittenevel en de opstijgende uitlaatgassen heen een wazig bordje met 'Exegesestraat'.

Terwijl hij erheen liep, beluisterde hij een robotachtige stem die hem vertelde dat degene die hij probeerde te bellen niet bereikbaar was. Hij fronste zijn wenkbrauwen. De vorige keren dat hij had gebeld, had de stem van Liv hem verzocht om een bericht achter te laten. Hij belde opnieuw. Kreeg dezelfde robotjuffrouw aan de lijn. Het was beslist haar nummer – maar niet haar stem. Hij verbrak de verbinding zonder een bericht achter te laten.

De Exegesestraat was veel breder dan de straat waar hij vandaan kwam en had aan beide zijden herenhuizen staan, die ooit chic waren geweest, maar nu nog slechts een afgeleefde verzameling kantoorgebouwen vormden, zwart beroet door het verkeer en de tijd. Hij liep aan de schaduwkant en telde de huizen tot hij bij 38 aankwam. Het huisnummer stond diep ingekerfd in een stenen pilaar naast een brede deur. Eronder glansde een vierkante, op de steen vastgeschroefde koperen plaat met het woord *Ortus* boven een logo waarop te midden van vier bloembladen een wereldbol was afgebeeld. Hij schoof de telefoon in zijn zak en sprong drie treden op naar zware glazen deuren, ongerijmd modern in de uit de rots gehakte stenen portiek. Hij duwde ze open en liep naar binnen.

97

Sulley kwam langzaam bij.

Hij had het gevoel dat hij geleidelijk opsteeg uit de diepten van een donkere, olieachtige poel. Al voordat hij zijn ogen opendeed, wist hij dat er iets mis was. Waar hij ook was, het stonk er naar vocht en rook en... duisternis.

Hij probeerde zijn ogen open te doen, maar kon ze alleen laten rollen achter zware oogleden die alle medewerking weigerden. Zijn hoofd klopte alsof hij het hele weekend had gefeest, maar hij wist zeker dat dat niet het geval was – het was lang geleden dat hij had gefeest. Hij haalde diep adem, liet nog meer van de klamme, duistere geur door zijn neus spoelen en stopte, grommend als een gewichtheffer, al zijn gebundelde energie in het openen van zijn linkeroog. In de korte glimp die hij opving voordat zijn ooglid weer dichtklapte, zag hij waar hij was. Hij lag in een soort grot.

Hij rustte even, uitgeput van de inspanning, en probeerde zijn gedachten bij elkaar te rapen om te begrijpen wat hij had gezien. Hij luisterde of hij geluiden hoorde die hem een aanwijzing konden geven. Het enige wat hij hoorde, was het suizen van het bloed in zijn oren. Het klonk als zware golven, brekend op een kiezelstrand. Het gestage ritme kalmeerde hem tot zijn ademhaling dieper werd en hij weer terugzonk in de diepe, gedrogeerde poel van zijn bewusteloosheid; in zijn benevelde brein was hij nog steeds aan het bedenken hoe hij in godsnaam in een grot aan zee was beland.

De volgende keer dat hij uit de zwarte diepten van de slaap oprees, had niets geleidelijks. Deze keer was het alsof hij aan een spijker in zijn schedelbasis omhoog werd gesleurd. Hij probeerde een kreet te slaken, maar het enige wat naar buiten kwam was een verstikt gemauw. Hij probeerde zijn hoofd van de pijn weg te draaien, maar het wilde niet bewegen. Zijn zware oogleden worstelden zich omhoog; zijn ogen rolden krachteloos in hun kassen op zoek naar de bron van zijn foltering. Hij ving een beeld op van ongelijke stenen muren, verlicht door dansende vlammen, en ontwaarde de omtrek van sinister ogende instrumenten tegen het zwart. De oorzaak van zijn pijn kon hij niet zien, en juist de angst die dat in hem opwekte, bracht hem sneller bij bewustzijn dan ijskoud water had kunnen doen.

Eindelijk begon de pijn af te nemen en doemde er uit de mist een herinnering op. Hij wist weer dat hij in het busje was gestapt, zich half had omgedraaid naar zijn veiligheidsriem en toen een scherpe pijn in zijn rechterbeen had gevoeld. Hij herinnerde zich de schokkende aanblik van de injectiespuit, en hoe hij ernaar had gegrepen met handen die al niet meer gehoorzaamden. Verder niets.

Nu keek hij omlaag naar het punt waar de naald hem had getroffen en tastte ernaar, maar zijn armen wilden niet bewegen. Hij probeerde zijn hoofd te buigen, maar dat wilde ook niet. Zijn ogen rolden echter zo ver omlaag als hun kassen toestonden. Hij kon zijn onderarmen zien, strak vastgebonden aan de armleggers van een soort stoel. Hij zag ook iets anders, iets wat volstrekt verbijsterend en ongerijmd was in de muffe omgeving van de grot: op een tafeltje naast zijn rechterhand lag een laptop, via een kabeltje verbonden met een mobiele telefoon. Hij dacht even dat hij een surrealistische droom had, maar de pijn in zijn hoofd en het sijpelen van iets warms en nats achter in zijn nek waren realistisch genoeg. Hij probeerde zijn voeten te bewegen, maar die zaten te strak vastgebonden aan de stoel waarop hij zat. Hij worstelde met zijn riemen, verzette zich ertegen, tot het pijnpunt ineens weer opkwam in zijn nek, erin doordrong met een gruwelijke scherpte. Hij wilde zich ervan weg buigen, maar de band om zijn voorhoofd en zijn keel hielden hem tegen. Hij kon zich niet bewegen. Hij kon niet ademhalen. De punt drukte door tot de marteling zo intens werd dat hij dacht dat zijn ruggengraat zou breken. Zo werd hij een paar tellen vastgehouden, op het toppunt van zijn pijn, voordat de priem langzaam losliet en een bijna onmerkbare maar welkome opluchting bood.

Door het suizen van het bloed in zijn hoofd heen hoorde hij achter zich op de vloer het schrapen van een voet. 'Wie is daar?' kraste hij, zonder de beving van angst uit zijn stem te kunnen weren.

Hij voelde iets aan zijn rechterhand trekken en merkte dat die los was. Hij probeerde hem op te tillen om in zijn nek te wrijven, maar een ferm *klink!* verijdelde dat vrijwel onmiddellijk. Zijn pols werd omhuld door een dikke leren handboei, die met een korte ketting aan de arm van de stoel verbonden was. Hij liet zijn hand met een gerinkel van metaal weer vallen en luisterde of hij nog meer beweging hoorde.

'Ik ben politieagent,' riep hij het duister in, de woorden gebruikend als een bezwering.

Bij de plotseling nabijheid van de stem aan zijn linkeroor jammerde hij van verrassing.

'Je hebt zelfs de kleur van een verrader,' zei de stem. 'Had Judas immers geen rood haar?'

Sulley draaide zijn ogen naar links. Hij zag slechts donkere muren en flakkerend licht.

'Je zit in een wurgstoel,' ging de stem verder, diep en vast, bassend vanuit het duister vlakbij. 'Tijdens de inquisitie een van de belangrijkste wapens om de kanker van de ketterij te vernietigen. Het ontwerp is van een simpele zuiverheid die je ongetwijfeld zult weten te waarderen. Er zit een metalen vlinderschroef in de hoofdsteun, net onder je schedel. Als ik die de ene kant op draai...' – Sulley voelde hoe de scherpe punt weer in zijn nek drong en hapte pijnlijk naar adem – '...draai ik de schroef strakker en doe ik je pijn. Als ik hem de andere kant op draai...' – de stekende druk nam weer af – '... lucht dat op. Dus...' zei de stem, dichterbij nu. 'Wat gaat het worden?'

'Wat wilt u?' vroeg Sulley aan het donker. 'Ik kan u geld geven. Is dat wat u wilt?'

'Het enige wat ik wil, is jouw loyaliteit,' mompelde de stem. 'En informatie. Weet wel, dat ik jou niet voor mijn plezier hierheen heb laten brengen, maar uit bittere noodzaak, veroorzaakt door je eigen daden. Wij vroegen je om loyaliteit. Jij verkoos ons die niet te schenken. Je hebt de kerk verraden – en dat is een zonde.' De stem kwam dichterbij tot hij de lucht kon voelen die het gefluister naar zijn oor droeg. 'Wil je nu je zonden biechten?'

In Sulleys suizende hoofd streden pijn en besluiteloosheid om voorrang. Moest hij toegeven dat hij informatie had verkocht aan anderen, of moest hij het ontkennen? Als hij het ontkende, werd hij misschien gemarteld tot hij het alsnog toegaf. Hij wilde niet dat de pijn terugkwam.

'Het spijt me,' zei hij snel. 'Ik heb een fout gemaakt. Als dat een zonde is... vergeef mij dan alstublieft.'

'Steek je rechterhand op,' beval de stem.

Hij stak hem zo hoog op als hij kon tot de boei hem tegenhield.

'Die metalen ketting heet de *mea culpa*,' zei de zware stem. 'Zo kon de ketter zijn bekentenis ondertekenen aan het einde van zijn inquisitie. *Mea culpa* betekent "mijn schuld". Een fout toegeven is de eerste stap naar vergiffenis. Weet je wat de tweede stap is?'

'Nee,' zei hij; zijn stem piepte, hoog opgerekt tussen de toppen van angst en pijn.

'Boetedoening. Je moet een goede daad verrichten om boete te doen voor je zonden.'

Sulley ademde een paar keer haastig in, in een poging om de paniek te kalmeren die hem dreigde te overweldigen, maar hij wist een deal te herkennen als die hem aangeboden werd.

'Oké,' zei hij. 'Wat wilt u dat ik doe?'

98

Arkadian liet zijn penning zien toen hij bij de receptiebalie aankwam.

'Ik zoek Gabriël Mann,' zei hij met een geruststellende glimlach. 'Werkt hij hier?'

'O,' zei de receptioniste geschrokken. Ze wierp een blik op de penning en toen weer op hem, met de verwarde, verdachte reactie van de oprecht onschuldigen. 'Ja. Nou... nee, meestal niet. Ik bedoel, meestal is hij ergens anders, maar hij werkt wel voor de organisatie. Ik zal even voor u kijken.'

Ze toetste een doorschakelnummer in in de telefoon op de balie en mompelde er iets in. Achter haar wentelde een elegante houten trap omhoog, waarlangs geluiden omlaag dreven vanuit de kantoren op de bovengelegen verdiepingen. De receptioniste drukte op een toets en keek hem aan.

'Hij zit in de Soedan,' zei ze. 'Hij wordt pas over minstens een maand terug verwacht.' Arkadian knikte en dacht aan de vingerafdruk die bewees dat hij zich nog geen twee uur geleden in het mortuarium had opgehouden. 'Ik kan proberen om een telefoonnummer voor hem te vinden, als u wilt,' opperde ze. 'Er is waarschijnlijk wel een verbinding met het basiskamp, of misschien via satelliet. Ik probeerde zijn moeder te pakken te krijgen om te horen of zij hem had gesproken. Zij heeft de leiding van de organisatie,' legde ze uit.

'Heeft u haar nummer wel?' vroeg Arkadian. 'Of enig idee wanneer ze terugkomt?'

'Natuurlijk,' zei de vrouw; ze pakte een pen en schreef het nummer van een adressenlijst over op een kladblok. 'Dit is haar mobiele nummer. Ik verwacht dat ze nu wel terug is van het vliegveld. Ik kan haar vragen om u te bellen...'

'Nee, het is al goed,' zei hij terwijl hij de naam en het nummer bekeek op het papier dat hij aanpakte. 'Ik bel haar wel. Van welke luchthaven komt ze?'

'City. Daar komt al onze luchtvracht binnen.'

Arkadian knikte met een glimlach. 'Bedankt voor uw hulp,' zei hij. Toen keerde hij zich om en liep de zware glazen deuren uit naar de straat, waar de geparkeerde politieauto op hem stond te wachten.

99

De abt zag de bevende hand van de informant zich naar de laptop bewegen; de korte ketting rinkelde toen hij een opeenvolging van inlogcodes intikte. De internetverbinding via de telefoon was traag en het duurde een paar minuten voordat hij eindelijk het dossier van de monnik kon openen.

'Ik ben binnen,' verkondigde hij tegen het duister. Zweet drupte van het puntje van zijn neus, ondanks de stenen kilte van de grot.

De abt boog zich gretig naar het scherm. 'Is er iets bijgekomen?' vroeg hij.

De ketting strekte zich en kromp weer toen de sproetige hand nog een paar codes intikte om een e-mailprogramma te openen, vervolgens naar een inbox ging en een bericht opende van GARGOUILLE, dat slechts een enkel woord bevatte: 'Rood.'

'We moeten kijken wat er met rood gemarkeerd is,' legde de informant met bevende stem uit. 'Dat is allemaal nieuw.'

Hij verwijderde het e-mailbericht, opende het dossier van de monnik en scrolde erdoorheen. De abt zag pagina's over het scherm flitsen, elk vol details van dingen die niemand buiten de Citadel ooit had mogen zien. Hij werd misselijk bij de gedachte aan al die gretige ogen die over deze pagina's waren gekropen, gulzig pikkend aan de brokken informatie, als mieren aan een bot. Een rode streep spatte van het scherm en wierp een scharlaken licht over de gezichten die erop gericht waren. De sproetige hand hield stil. De abt begon te lezen. Het was een korte beschrijving van het gesprek tussen Liv en Arkadian met het bizarre verhaal van haar geboorte en de reden waarom ze een andere naam en een andere geboortedatum had dan haar broer. De abt las het door en knikte bij zichzelf. Dat verklaarde waarom er geen zus was gevonden bij het controleren van zijn achtergrond toen Samuel bij de Citadel was gekomen.

'Ga verder,' zei hij.

De rode tekst rolde weg en minutenlang kwamen er alleen witte pagina's langs terwijl de informant het hele dossier doornam. Pas helemaal aan het eind, in de forensische rapporten, kwam de rode streep terug om zijn bloederige licht op de grot te werpen.

Het nieuwe stuk bestond uit twee delen. Het eerste was een aantekening dat een monster van de levercellen van de monnik als besmet was aangemerkt op grond van de observatie dat de cellen leken te regenereren. De abt vroeg zich af of dit bewees dat broeder Samuel weer tot leven kwam, zoals de profetie had voorspeld, of alleen het gevolg was van zijn latente nabijheid tot het Sacrament. Bij het lezen van het tweede deel werd hij echter bevangen door een nieuwe interpretatie en zijn hart sloeg op hol. Het was een korte aantekening van dokter Reis met de resultaten van vergelijkend DNA-onderzoek, tussen de gevallen monnik en de jonge vrouw.

De abt staarde naar het rode scherm, de bevindingen en conclusies van de patholoog zongen rond in zijn hoofd. Ze waren hetzelfde. Niet alleen had broeder Samuel een zus, ze waren een *eeneiige* tweeling.

Dat stukje informatie verklaarde alles. De profetie was waar. Inderdaad was Samuel het kruis geweest. Maar hij was gevallen, en in zijn plaats was nu zijn zus herrezen: vlees van zijn vlees, been van zijn gebeente. Hetzelfde.

Zíj was nu het kruis.

Zíj was nu het instrument dat het Sacrament zou doden en de wereld zou bevrijden van diens ketterij. Zíj was de sleutel van alles.

'Vernietig het bestand,' zei hij. 'Kopieer het naar de laptop, en verwijder het uit de politiedossiers.'

De informant aarzelde, kennelijk onwillig om die naspeurbare daad van vandalisme te plegen. De abt legde zijn hand lichtjes op de schroef en zond een trilling door de priem en in zijn ruggengraat. Dat volstond om de ketting zich met veel gerinkel over de arm van de stoel strak te laten trekken toen de informant haastig gehoorzaamde; hij koppelde een virus aan het oorspronkelijke bestand in de politiedatabank dat de inhoud, het bestand en vervolgens zichzelf zou vernietigen.

De abt keek even naar de mobiele telefoon die aan de laptop verbonden was; zijn geest gloeide in het licht van de nieuwe informatie. Hij moest Cornelius waarschuwen: de jonge vrouw moest snel en ongedeerd worden opgehaald; dan kon hij haar gebruiken om de profetie te vervullen en een duizenden jaren oude belofte aan God gestand te doen. Dat was zijn lotsbestemming, besefte hij nu, daartoe was hij op aarde. Hij dacht aan de prelaat, die daar lag in het donker, bezorgd over de mening van God over zijn eigen levenswerk, en had medelijden met de oude man. De prelaat had hem verboden om iets te doen, maar hij had de moed gehad om zijn hart te volgen en de noodzakelijke actie ondernomen. En dit was het resultaat.

De manier waarop de prelaat zich bij dat laatste onderhoud van hem had afgewend, kwam hem weer voor de geest: het wegwuiven van zijn verzoek om tot handelen over te mogen gaan, met die skeletachtige hand. Hij was zwak, maar hij was koppig, en bijna had die koppigheid hun deze kans op verlossing ontnomen.

De prelaat was echter nog steeds de baas.

De abt dacht na. De zwakte van de prelaat en zijn onwil om tot handelen over te gaan, konden hem nog steeds beletten om zijn lotsbestemming te vervullen. Buiten de berg tegen het woord van de prelaat in gaan was één ding, maar binnen de berg was zijn invloed veel sterker: mensen waren loyaal, zo niet aan de man, dan toch aan zijn ambt. De prelaat kon hem tegenhouden. Erger nog, hij kon de zaak overnemen. Hij kon van zijn bed komen en de profetische sequentie uitvoeren, als de laatste daad van een man die er wanhopig naar verlangde om zijn lange, lege leven te bekronen met ware betekenis. En als de profetie eenmaal was vervuld, wat dan? Zouden zij de macht van het Sacrament verwerven, zoals veel theologen geloofden? Zouden ze dan de eeuwige onsterfelijkheid deelachtig worden, in plaats van hun huidige kleine aandeel daarin? Als dat het geval was, zou de prelaat nooit sterven en bleef de abt voor eeuwig zijn adjudant.

De abt keek op toen hij zich plotseling bewust werd van de stilte. Op de laptop vulde een voortgangsbalk zich kruipend voor honderd procent en verdween. 'Is alles verwijderd?'

'Ja,' zei de informant. 'Het is weg.'

'Mooi,' zei de abt, en legde beide handen op de schroef. De prelaat was een probleem. Hij kon nog steeds alles bederven. 'Tabula Rasa,' fluisterde hij. En draaide de schroef naar rechts.

V

Een tovenares mag niet in leven blijven.

Exodus 22:18

100

De randen van de middaghemel verkleurden al in de vroege voorjaarsschemering toen de motor optrok en vanaf het wachthuisje langs de stille loodsen naar het plompe vrachtvliegtuig bij hangar 12 reed.

Gabriël stak zijn hand op om terug te zwaaien naar de bewaker die hen zojuist had doorgelaten. Liv kon nauwelijks geloven dat de man haar had binnengelaten zonder identiteitspapieren. De luchthavenbeveiliging thuis was beslist niet zo gemakkelijk – dat hoopte ze althans. Gabriël had de bewaker verteld dat hij iets moest afgeven bij de hangar en haar als zijn vriendin voorgesteld. Ze had hem niet tegengesproken. Eigenlijk vond ze het wel leuk.

Ze zoefden onder de vleugel van het vliegtuig door de hangar binnen, het geluid van de motor ineens oorverdovend in de besloten ruimte. Het stond er volgestapeld met zilverkleurige pakkisten; de smalle gangen ertussen waren net breed genoeg om de motorfiets door te laten. Ze reden door een van de gangen naar de achterkant van de hangar, waar warm licht brandde achter de ramen van een kantoor. Gabriël bracht de motor met een zwierige bocht tot stilstand voor de ramen en schakelde hem uit. 'Eindpunt van deze rit,' zei hij.

Liv liet zijn middel los en gleed van het zadel. Ze streek juist haar door de zwiepende wind in de war geblazen haar glad, toen de deur van het kantoor openging en een knappe, elegante vrouw naar buiten kwam, gevolgd door een kwieke oude man in een vliegtuigoverall. De vrouw gunde haar nauwelijks een blik en liep naar Gabriël, die de motor op de standaard zette. Met gesloten ogen sloeg ze haar armen om hem heen, haar zijdeachtige donkere haar platgedrukt tegen zijn borst door haar innige omhelzing. Liv voelde zich plotseling in verwarring gebracht en verrassend jaloers. Ze wendde haar blik af en keek recht in het aandachtige gezicht van de oude man.

'Ik ben Oscar de la Cruz,' zei hij met een hartelijke, karamelzachte stem terwijl hij de openstaande deur van het kantoor weer binnenging. 'Kom binnen alsjeblieft.'

Ze keek nog even om naar de lange omhelzing die Gabriël nog steeds aan de elegante vrouw kluisterde en volgde hem toen naar binnen. Het kantoor was warm na de verkillende motorrit en door de geur van koffie en het geruststellende gemurmel van een televisie leek het er bijna huiselijk.

'Wil je koffie?' vroeg Oscar, zijn donkere ogen twinkelend in zijn door en door gebruinde gezicht. 'Of... misschien iets sterkers?' Hij keek even naar de deur. 'Onder ons gezegd en gezwegen, ik heb een fles whisky in mijn jaszak.'

'Koffie is prima,' zei Liv, en ze ging op een stoel zitten naast een bureau met een stapel papieren en een computer.

Ze keerde zich iets af toen Gabriël binnenkwam. Zijn arm lag om de mooie vrouw heen en hij hield zijn hoofd gebogen. Hij praatte zachtjes maar snel, met een blik van ernstige concentratie op zijn gezicht. De vrouw sloot de deur toen Gabriël uitgepraat was, keek toen naar Liv en liep om het bureau heen om tegenover haar te gaan zitten; een glimlach verzachtte haar gezicht. 'Ik ben blij dat je veilig bij ons bent,' zei ze. 'Ik ben Kathryn. Ik heb de waarschuwingsberichten achtergelaten. Mijn zoon heeft me net bijgepraat over wat er gebeurd is.'

Livs blik schoot tussen haar en Gabriël heen en weer.

Haar zoon?!

Gabriël trok twee stoelen bij van een ander bureau en ging zitten, zette de zwarte canvastas op de grond en maakte hem open. Nu ze hen naast elkaar bekeek, zag Liv een sterke gelijkenis – hoewel de vrouw er niet oud genoeg uitzag om zijn moeder te zijn. Gabriël haalde iets uit de tas en gaf het aan haar. Het was haar weekendtas. Ze glimlachte, intens dankbaar voor zijn simpele, maar attente gebaar. Het voelde aan alsof ze werd herenigd met een stukje normaliteit. Ze vond de papieren envelop in het buitenvakje, haalde hem eruit en keek naar de bovenste foto van haar en Samuel.

'Ik vind het zo erg voor je dat je je broer verloren bent,' ging Kathryn verder. 'En dan alle beproevingen die je hebt doorstaan sinds je zijn dood hebt vernomen. Ik had veel liever gewild dat jij niet in onze eeuwenoude strijd verstrikt was geraakt, maar het lot heeft anders beschikt.'

Oscar verscheen naast haar. Hij zette een beker zwarte koffie voor Liv op het bureau en ging in de overgebleven stoel zitten. Toen zijn gezicht op dezelfde hoogte was als dat van de twee anderen, zag Liv ook daar de gelijkenis.

'Je broer was lid van een eeuwenoude broederschap van monniken,' zei hij, vooroverleunend in zijn stoel. 'Hun enige doel is het bewaken en beschermen van het Sacrament. Wij denken dat zijn dood een daad van de allerhoogste zelfopoffering was, om een bericht te kunnen sturen dat de identiteit van dat Sacrament zou onthullen.' Hij keek Liv doordringend aan; de diepe rimpels die zijn ogen omringden duidden op een leven waarin veel gelachen was. 'Wij denken dat hij dat bericht aan jou heeft gestuurd.'

Liv keek hem even aan en tilde toen langzaam haar blocnote op om het voor hem neer te leggen. Ze sloeg de tweede bladzijde op, waar ze de symbolen in de appelpitten had uitgewerkt.

'Dit heeft hij me gestuurd,' zei ze terwijl ze de blocnote over het bureau naar hem toe schoof. 'Ik heb ze op alle mogelijke manieren geschikt om er iets van te kunnen maken. Toen ontmoette ik doctor Anata, en vond dit op de plek waar mijn broer gevallen is.' Ze haalde een kaartje tussen de bladzijden vandaan en liet hun de raadselachtige boodschap zien:

T

MALA

MARTELAAR

'Daarmee heb ik de letters zo kunnen rangschikken...' Ze wees naar het laatste wat ze had opgeschreven:

T +?
Ask Mala

'En toen kwam jij,' zei ze met een blik op Gabriël, en ze ontdekte dat hij haar al aankeek. Hij glimlachte met een klein lachje dat helemaal naar zijn ogen trok. Ze keek weg, voelde de warmte van een blos opstijgen onder haar huid. 'Dus,' zei ze terwijl ze haar blik naar de oude man wendde. 'Jullie zijn de Mala. Ik denk dat ik jullie moet vragen: wat is de T?'

Oscar keek haar aan met plotseling vermoeide en bedroefde ogen. 'De T was ooit van ons,' zei hij. 'Soms wordt hij ook de "Mala-T" genoemd. Maar wat het is – ik vrees dat we dat niet weten.'

Liv staarde hem even aan alsof ze niet wist wat ze hoorde. 'Jullie móéten het wel weten,' zei ze. 'Mijn broer heeft zijn leven ervoor gegeven. Waarom zou hij me naar jullie laten zoeken als hij niet dacht dat jullie me zouden kunnen helpen?'

Oscar schudde zijn hoofd. 'Misschien is dat niet de boodschap.'

Liv keek weer naar de zin onder aan de pagina. Ze had alle woordcombinaties uit de letters gehaald die ze maar kon bedenken. Dit was het enige wat iets zou kunnen betekenen. Ze trok haar blocnote naar zich toe en sloeg de eerste pagina op. 'Kijk,' zei ze, wijzend op de schets van het lichaam van haar broer met de in zijn arm gebrande T. 'Hij had hetzelfde teken gebrandmerkt op zijn lichaam, naast al die andere littekens. Misschien zit de boodschap daarin!'

Een onverwacht, scheurend geluid deed haar opkijken. 'Die littekens zijn de boodschap niet,' zei Oscar terwijl hij nog een klittenbandsluiting van zijn vliegoverall opentrok. 'Die zijn slechts een kenmerk van zijn functie. Ze maken deel uit van het met het ritueel verbonden Sacrament, maar onthullen niet wat het is.'

Schokschouderend schudde hij zijn armen uit het groene uniform, rolde het omlaag over de witte coltrui die hij eronder droeg en trok de trui over zijn hoofd. Liv staarde naar zijn bovenlichaam. Het had de kleur van mahoniehout en was overdekt met de donkere, gerimpelde lijnen van oud littekenweefsel. Met haar ogen volgde ze de bekende vormen. Allemaal heel nauwkeurig en opzettelijk aangebracht. Allemaal identiek aan de littekens die ze had gezien op het dode lichaam van haar broer.

101

De angelusklok echode nog zachtjes door de donkere gangen van de Citadel toen vader Thomas via de luchtsluis naar de grote bibliotheek liep. Dat klokgelui beduidde het einde van de vespers en het begin van het avondeten. De meeste bewoners van de berg zouden nu naar de refters lopen voor hun avondmaal. Hij verwachtte er weinigen in de bibliotheek aan te treffen.

De tweede deur opende zich om hem de toegangshal binnen te laten, en hij keek om zich heen naar de paar dobberende lichtkringen in de duisternis, elk met de donkere gestalte van een monnik in het midden, als bijna volgroeide kikkervisjes. Het waren meest zwarte pijen, bibliothecarissen die kwamen opruimen aan het einde van een dag vol studieuze maar chaotische monniken. Naast de toegang tot de eigenlijke bibliotheekvertrekken zag hij broeder Malachi zitten, de hoofdbibliothecaris. Hij keek op toen Thomas binnenliep en kwam meteen overeind. Thomas had hem daar al verwacht. Toch fladderden bevreesde vleugels tegen de wanden van zijn borstkas toen hij hem op zich af zag komen met zijn scherp getekende, ernstige gezicht. Thomas was niet gewend om geheimen te hebben. Het paste niet bij hem.

'Vader Thomas,' zei Malachi, samenzweerderig naar hem toe gebogen. 'Zoals verzocht heb ik die perkamentrollen en tafelen uit de prehistorische afdeling verwijderd.'

'Goed, mooi zo,' zei Thomas, zich bewust van de spanning in zijn stem.

'Mag ik vragen wat de bedoeling is van die verwijdering?'

'Ja, natuurlijk,' zei Thomas, die moeite had om zijn stem laag en beheerst te laten klinken. 'De sensors hebben in dat deel van de grot ongewone pieken in vochtigheid gesignaleerd. Ik heb de locatie tot een specifieke plek bepaald en nu moet ik daar achter de planken de leidingen controleren en wat diagnostische klimaattechniektesten uitvoeren. Het is slechts een voorzorgsmaatregel.'

Hij zag Malachi's ogen glazig worden. Wat de oude man betrof was de komst van de drukpers het hoogtepunt van technisch vernuft geweest. Alles wat daarna kwam, was hem een raadsel. 'O,' zei de bibliothecaris. 'Laat me even weten wanneer je werk af is, dan laat ik de teksten terugplaatsen.'

'Natuurlijk,' zei Thomas. 'Het zal niet al te lang duren. Ik ga nu de diagnostiek uitvoeren.' Hij maakte een lichte buiging en wendde zich af om, zo ontspannen als zijn gejaagde hart hem toestond, naar een kleine deur tegenover de ingang te lopen die hij opgelucht binnengleed.

Achter de deur bevond zich een kamertje met een bureau, een computer en een man in de roestkleurige pij van een wachter. Hij keek op.

'Goedenavond, broeder,' zei Thomas opgewekt terwijl hij hem voorbijliep naar een deur in de verste muur. 'Problemen?' De wachter schudde traag zijn hoofd. Hij zat te kauwen op een stuk brood dat iemand hem had gebracht. 'Mooi zo,' zei Thomas toen hij bij de deur aankwam en een code intoetste in het veiligheidsslot op de muur ernaast. 'Ik ga een paar controles uitvoeren op de verlichtingsmatrix. Sommige volglichten vertonen wat vertraging. Het kan zijn dat je computer even offline gaat,' zei hij met een gebaar naar de computer op het bureau van de monnik. 'Het zou niet al te lang moeten duren.' Hij draaide aan de deurknop en verdween in het aangrenzende vertrek voordat de wachter kon reageren.

Binnen gonsde de koele lucht met het insectengezoem van drukbezette elektronica. Tegen elke muur stonden schappen gevuld met het hardwarebrein van de verlichting, de klimaatbeheersing en het beveiligingssysteem van de bibliotheek. Thomas liep langs de gangpaden vol draden en luchtgekoelde circuits naar de terminal in het midden van de muur aan de rechterkant.

Hij logde in met een beheerderswachtwoord en op de flatscreenmonitor verscheen een grafiek van de plattegrond van de bibliotheek. Stipjes trilden over het scherm, als heldere plukjes pollen, drijvend in het zwart. Elk ervan vertegenwoordigde iemand die zich momenteel in de bibliotheek bevond. Hij bewoog de cursor over een van de stipjes en er verscheen een venster waarin het werd geïdentificeerd als broeder Barabas, een van de bibliothecarissen. Hij herhaalde het proces, liet de cursor om beurten op elk trillend stipje rusten tot hij eindelijk degene vond die hij zocht, heen en weer dwalend in het midden van de grot met Romeinse teksten. Nerveus keek hij even naar de deur, al wist hij dat de wachter de toegangscode tot dit vertrek niet bezat. Toen hij zeker wist dat hij alleen was, drukte hij tegelijkertijd op drie toetsen om een commandovenster te openen en startte een programmaatje dat hij eerder op een andere terminal had geschreven. Het scherm bevroor even toen het programma opstartte, maar daarna kwamen alle stipjes weer tot leven en begonnen net als tevoren trillend over het scherm te dwalen.

Het was gebeurd.

Thomas voelde zweet op zijn voorhoofd prikken, ondanks de gekoelde lucht in de machinekamer. Hij haalde een paar keer diep adem om tot rust te komen voordat hij de module afsloot en de kamer verliet.

'Alles nog online?' vroeg hij toen hij de deur uit kwam en langs de wachter naar zijn scherm tuurde. De wachter knikte; hij had zijn mond te vol met kaas en brood om te kunnen spreken. 'Mooi,' zei Thomas. Hij draaide zich op zijn hakken om en liep snel het vertrek uit naar de toegangshal om verdere vragen of opmerkingen te ontwijken.

Bij het gangpad naar de oudere teksten zag hij Athanasius staan; hij raadpleegde een plattegrond aan de muur en volgde met zijn wijsvinger de doolhof van vertrekken, zijn hoge, gladde voorhoofd vol concentratierimpels. Vader Thomas ging naast hem staan en deed alsof hij ook op de plattegrond keek. 'Hij staat bij de Romeinen,' zei hij zachtjes, waarop hij zich omdraaide en wegwandelde.

Athanasius wachtte een paar tellen voordat hij hem achternaging, zijn blik gevestigd op de lichtkring van zijn vriend die voor hem uit dobberde, het uitgestrekte duister van de grote bibliotheek van Ruīn in.

102

Liv staarde naar het netwerk van littekens dat de donkere huid van de oude man kriskras bedekte. Met vragend opgetrokken wenkbrauwen keek ze in zijn ogen.

'Ik heb vier jaar lang in de Citadel gewoond,' zei Oscar ter verklaring. 'Ik stond op de nominatie om ingewijd te worden tot de Sancti toen ik... ontmaskerd werd.'

Liv schudde even haar hoofd; ze herinnerde zich wat ze over de achtergrond van de Citadel had gelezen tijdens haar vlucht. 'Ik dacht dat er nog nooit iemand uit vertrokken was?'

'O, jawel. Maar nooit voor lang. Ze werden altijd meedogenloos opgejaagd en tot zwijgen gebracht.' Een glimlach plooide zijn gezicht terwijl hij zijn shirt opvouwde. 'Je hebt een dode man voor je.' Hij legde het shirt op zijn schoot en streek het zorgvuldig glad met zijn hand. Toen keek hij op en vroeg: 'Ken je het verhaal van het paard van Troje?'

Liv knikte. 'Het klassieke voorbeeld van het doorbreken van een belegering.'

'Precies. Net als de gefrustreerde Grieken aan de poort van Troje, besloot ons volk uiteindelijk om met slinksheid in plaats van met geweld door te dringen tot het ondoordringbare, en het goddelijke mandaat van het Sacrament terug te eisen. Ze bedachten hun eigen paard van Troje.'

'U!'

'Ja. Ze vonden me in een weeshuis rond de vorige eeuwwisseling. Geen ouders. Geen broers en zussen. Helemaal geen familie: de volmaakte achtergrond om in aanmerking te komen voor de broederschap. Ik kwam in de Citadel toen ik veertien was, op een geheime missie voor onbepaalde tijd, om de identiteit van het Sacrament te ontdekken en vervolgens met die kennis uit de berg te ontsnappen.

Het kostte me drie jaar om er zelfs maar in de buurt te komen. Het grootste deel van die tijd werkte ik tussen de enorme collectie boeken die ze in hun bibliotheek oppotten; ik sorteerde de kisten met pas verworven boeken. Op een dag, een paar jaar nadat ik er was komen wonen, arriveerde er een krat vol relikwieën uit een archeologische opgraving in het oude Nineve. Volgens de bijgeleverde documentatie maakte de inhoud deel uit van een verboden boek, dat mogelijk verband hield met het Sacrament. Er zaten honderden scherven leisteen in de kist. Ik stal een van de grotere stukken voordat de hoofdbibliothecaris in de gaten kreeg wat de kist bevatte en me iets anders te doen gaf. Toen ik eenmaal alleen was, onderzocht ik het fragment, maar het was geschreven in een taal die ik nog nooit had gezien, dus begon ik te studeren. Ik hielp de oudere monniken in de bibliotheek en verzamelde zo de kennis en de vaardigheden waarvan ik hoopte dat ze me zouden helpen om het mysterie van het Sacrament te ontraadselen.'

Liv keek naar zijn littekens, dezelfde als die van haar broer. 'Waardoor zijn die littekens veroorzaakt?' vroeg ze.

'Een deel van de voorbereiding is een ceremonie die elke maand wordt gehouden in een antichambre in het besloten bovenste deel van de berg. Elke novice krijgt een houten Tau, waar een offermes in verborgen zit. We werden geacht diep te snijden,' zei hij, zijn blik was ingekeerd terwijl hij met zijn vinger langs de cirkellijn boven aan zijn linkerarm streek en zich herinnerde waardoor hij was veroorzaakt. 'Diepe sneden. Om onze diepgaande toewijding te bewijzen. Een ware geloofsdaad – telkens beloond met een wonder.' Zijn vinger dwaalde langzaam naar de andere kant van zijn borst, langs de lijnen de herinnering naspeurend van de pijn die hij geleden had. 'Want hoe diep we ook in ons vlees sneden, onze wonden genazen vrijwel onmiddellijk,' zei hij. Hij keek weer op. 'De nabijheid tot het Sacrament werd beloond met een fantastische gezondheid en een fantastische leeftijd. Ik ben bijna honderd en zes jaar oud,' zei hij, 'en toch ben ik zo fit als een man van veertig jaar jonger. Als je broer was blijven leven, zou hij ook een lang leven hebben genoten, want hij werd voorbereid, net als ik in mijn tijd voorbereid werd.'

Hij tikte iets in op het toetsenbord op het bureau zodat de schermbeveiliging plaatsmaakte voor een bekend beeld. Het was een van de foto's van de sectie met het verdikte brandmerk op Samuels linkerarm – het teken van de Tau. 'Je broer is verder gekomen dan ik,' zei Oscar, en hij wees op het scherm. 'Hij draagt het symbool van het Sacrament. En zoals je ziet, heb ik dat niet,' zei hij, zich omdraaiend om zijn eigen blote arm te laten zien. 'Alleen volledig ingewijden kregen dat merkteken. Hij kende het geheim.'

Livs zicht vertroebelde doordat haar ogen zich vulden met tranen. 'Wat gebeurde er dan?' vroeg ze. 'Waarom heeft u het niet ontdekt?'

'Wij waren niet de enigen die onze geschiedenis kenden,' zei hij terwijl hij de katoenen coltrui weer over zijn hoofd trok. 'De Sancti hadden ook iemand binnen onze organisatie geplaatst en ontdekten mijn bestaan, maar gelukkig niet mijn identiteit.' Hij trok de trui glad over zijn armen en verschoof de hals om zijn nek tot alle littekens verborgen waren. 'Er ontstond een heksenjacht binnen de Citadel om me te vinden. Collega-monniken beschuldigden elkaar, vaak alleen om oude grieven te vereffenen. Het was een onhoudbare situatie. Ik wist dat mijn dagen geteld waren en nam risico's; ik werd onvoorzichtig. Een medenovice, Tiberius, zag dat ik een stukje leisteen in mijn zak stak. Toen hij zich omdraaide om de bibliotheek te verlaten, wist ik dat hij me ging verraden, al waren we bevriend. Daarom stak ik de bibliotheek in brand en maakte gebruik van de rook en de chaos om mijn vlucht te verbergen. Ik rende naar het lagere deel van de berg, smeet een bank door een van de ramen en sprong erachteraan, de nacht in. Ik viel meer dan dertig meter omlaag in de slotgracht en zwom voor mijn leven. Indertijd was de wereld in oorlog; het was juli 1918. Er werd een vals spoor van mijn vlucht gelegd tot in België en ik ruilde van identiteit met een arme ziel die onherkenbaar was verminkt door een uiteenspattende granaat. De Sacramentsridders – de Carmina – volgden het spoor, vonden de gehavende man en keerden terug, tevreden dat ik slechts aan de Citadel was ontsnapt om in de armen van de dood te belanden. Ondertussen werd ik naar Brazilië gebracht. Daar heb ik sindsdien gewoond, in het geheim.'

'Waarom bent u dan nu teruggekomen?' vroeg Liv. 'Wat is er zo belangrijk aan de dood van mijn broer dat het u uit uw schuilplaats haalt en zorgt dat anderen mij willen doden?'

'Omdat ik bij mijn ontsnapping dat gestolen stuk leisteen in handen had, en de kennis in mijn hoofd om het te vertalen. Het onthulde de eerste regels van een profetie die een tijd voorspelde waarin het Sacrament zou worden onthuld en de juiste wereldorde zou worden hersteld. *Het kruis zal vallen/ Het kruis zal herrijzen/ Om het Sacrament te ontsluiten/ En een nieuwe tijd voort te brengen.*

Dat gaf ons hoop. En toen werd er twintig jaar geleden nog een stuk van de profetie gevonden. De man die het ontdekte heette John Mann.' Hij keek even naar Kathryn, wier heldere ogen leken te dimmen bij het noemen van die naam. 'De echtgenoot van mijn dochter. Gabriëls vader. Het zat in een collectie fragmenten die deel uitmaakten van een boek. Uit de paar stukken die hij vond, maakte John op dat het een alternatief beschreef voor het scheppingsverhaal in het boek Genesis. Het nieuws van zijn vondst kwam echter in de Citadel terecht. Ze hebben overal informanten. De opgraving vond plaats op een afgelegen locatie. Er werd een brute aanval uitgevoerd, we weten niet zeker door wie, maar we kunnen het wel raden. Zijn lichaam hebben we nooit teruggevonden, evenmin als het materiaal dat hij ontdekte.' Oscar knipperde even met zijn ogen en keek omlaag; zijn zwijgen was veelzeggender dan woorden. Het was stil in het kantoor terwijl iedereen zich verloor in zijn eigen herinneringen; alleen het flikkerende scherm van de vergeten televisie bewoog.

'Mijn vader stierf op zoek naar de waarheid,' zei Gabriël. 'En niet alle scherven die hij had gevonden zijn verloren gegaan. Hij had voorzorgsmaatregelen genomen. Het belangrijkste fragment was veilig. Wij legden het naast het stuk dat mijn grootvader had meegebracht en vonden een completere versie van de profetie:

Het enige ware kruis zal op aarde verschijnen
In een enkel moment zullen allen het aanschouwen – allen zullen zich verwonderen
Het kruis zal vallen
Het kruis zal herrijzen
Om het Sacrament te ontsluiten
En een nieuwe tijd voort te brengen

Liv hoorde de woorden en zag het beeld van haar broer op de top van de berg staan en met zijn lichaam het teken van de Tau vormen. Hij begon te wankelen.

Het kruis zal vallen.

Ze keek naar de tekening op haar blocnote en haar ogen vonden een ander gevallen kruis, dat in de zijde van haar broer de plaats aangaf waar zij ooit met hem verbonden was geweest. Haar handen rezen naar de plaats van haar eigen litteken.

Het kruis zal herrijzen.

Ze keek Oscar aan.

'Er is iets wat u moet weten over mij en mijn broer,' zei ze. Toen stond ze op en begon, als in een echo van Oscars gebaar, haar shirt omhoog te trekken.

103

Athanasius en vader Thomas liepen de Romeinse afdeling van de bibliotheek binnen en stonden even stil, op zoek naar tekenen van leven in het duister en de doodse stilte.

De Romeinse afdeling was een van de grootste van de oudere gewelven en bevatte, naast vele andere kostbaarheden, alle apostolische documenten die waren verzameld in de eerste Bijbel. Vandaar dat de individuele aura's van licht die hen vergezelden door de uitgestrekte duisternis nu waren gedimd tot een roodachtige koperkleur. Het enige andere licht in het vertrek kwam van een dunne gloeidraad van gidslampjes die in de stenen vloer waren geplaatst. Verder leek het er helemaal leeg te zijn.

Athanasius keek even naar vader Thomas en wendde zich toen af om langs de eerste rij schappen te lopen. Terwijl hij zich door het donkere gangpad haastte, versnelde zijn ademhaling zich; de uitgedroogde lucht zoog vocht uit zijn mond tot die even droog was als de in honingraatformaties opgestapelde perkamentrollen om hem heen. Hij bereikte het einde van het gangpad en kwam bij een kruising waar een andere gang naar rechts afsloeg en langs de muur leidde, evenwijdig aan het middenpad. Even stond hij stil en keek achterom naar het pad dat hij net af was gelopen. Aan het einde zag hij de oranjerode lichtkring van vader Thomas, als een kaars in het donker flakkerend in de verte. Hij hield zijn blik erop gevestigd en liep langzaam het nieuwe gangpad in. Toen hij het einde van de boekenkast bereikte, zag hij het lichtje opnieuw in de verte schijnen; Thomas hield gelijke tred met hem. Op die manier, had Thomas geopperd tijdens hun eerdere overleg in de kapel, zouden ze alles in het gangpad tussen hen in moeten kunnen onderscheiden, als een silhouet tegen elkaars licht. Met een beetje geluk zou het zoeken dan sneller gaan.

Ze liepen gestaag verder, zodat elke rij geschriften, perkamentrollen en stenen tafelen zich openbaarde en weer in het donker vergleed terwijl het licht van Thomas aan en uit knipperde als een verafgelegen vuurtoren. Met elke ritmische lichtflits dimde de gloed iets verder, tot Athanasius zijn ogen moest toeknijpen om de verre lichtvlek te ontwaren. Het vervagende licht creëerde ook de illusie dat Thomas steeds verder weg raakte, en bracht bij Athanasius een lichte paniek teweeg. Hij had al een hekel aan de bibliotheek als hij op zijn best was, en dat was hij nu beslist niet.

Net toen die verontrusting de kop opstak en zijn geest dreigde te benevelen met onberedeneerde angst, kwam hij weer aan het einde van een boekenkast en zag het – een rafelige menselijke vorm, in silhouet afgetekend tegen het licht van Thomas in de verte, ongeveer halverwege de rij planken.

Athanasius stond stil en tuurde ernaar. Hij probeerde te zien of de vorm al dan niet bewoog. Thomas moest hem ook hebben gezien, want zijn licht bleef stabiel aan het einde van de rij. Athanasius haalde een paar keer oppervlakkig adem om zijn zenuwen tot rust te brengen en liep erheen, geluidloos bewegend terwijl hij de afstand tussen hemzelf en de verschijning verkleinde. Hij zag de oranje lichtvlek van Thomas wiebelen en in omvang toenemen toen hij hetzelfde deed. Thomas bereikte de schaduw als eerste. 'Broeder Ponti,' riep hij uit, luid genoeg om het Athanasius te laten horen. 'Jij bent het.'

Athanasius zag de gekromde gestalte van de blinde conciërge vorm aannemen in de duisternis een paar meter voor hem, beschenen door het licht dat om Thomas heen hing.

'Wie anders,' zei Ponti met zijn raspende stem, verdroogd door stof en duister.

Zelfs in de plotselinge warmte van hun gedeelde licht leek alles aan Ponti wit en bloedeloos, zoals de spinnen en andere bleke wezens die op de een of andere manier in leven wisten te blijven in het eeuwige duister van de berg.

'Ik wist het niet zeker,' zei Thomas vriendschappelijk. 'Ik deed net een routinetest en er was twijfel aan je spoor. Het systeem scheen je niet te herkennen. Heb je wel goed ingelogd?'

'Net als anders,' zei Ponti, met een magere hand voor zijn melkachtige ogen.

Athanasius kwam dichterbij, zonder een woord, zijn voeten zorgvuldig neerzettend om geen geluid te maken. Hij zag de rand van zijn eigen lichtkring de spookachtige gestalte van de conciërge naderen tot het licht over hem heen gleed en hij bijna dicht genoeg bij hem stond om hem aan te raken.

Op dat moment werd het programma geactiveerd dat vader Thomas in de controleruimte had geïnstalleerd. Iemand die op het hoofdscherm met de plattegrond keek, had kunnen zien dat er drie stippen bij elkaar kwamen in het Romeinse gewelf, maar zou niets ongewoons hebben opgemerkt. In feite had het programma van vader Thomas echter de identiteit van twee van de stippen verwisseld, zodat het centrale beveiligingssysteem nu Athanasius volgde alsof hij Ponti was – en vice versa.

In het gewelf stond Athanasius stokstijf stil en hield zijn adem in. Hij had niets gezegd en geen enkel geluid gemaakt, maar Ponti, die iets aanvoelde, draaide zich om en keek met zijn bleke, blinde ogen dwars door hem heen. Hij hief zijn hoofd als een rat die de lucht besnuffelt en maakte aanstalten om een stap naar voren te zetten toen vader Thomas hem bij de arm pakte.

'Wil je me een plezier doen?' vroeg hij, terwijl hij hem met zachte drang meetrok in de tunnel van boeken. 'Als jij nu even door de sensor bij de ingang loopt, weet ik zeker dat het systeem je opnieuw zal opnemen en zichzelf zal corrigeren.' Ponti bleef blindelings naar Athanasius staren terwijl hij zich liet meevoeren, draaide zich toen om en schuifelde gehoorzaam weg.

Athanasius voelde de opluchting door zich heen stromen toen hij hem zag weglopen, maar die was van korte duur. Hij zag de warme oranje lichtkring wegdobberen door het smalle pad, met Thomas en Ponti in het midden, het geruststellende geluid van hun stemmen meevoerend tot ook dat gesmoord werd door de vreemde akoestiek. Het licht werd kleiner tot het uiteindelijk weggleed naar de hoofdgang en hij ineens alleen achterbleef in de stille, donkere bibliotheek.

104

Voor de tweede keer die dag moest Liv over de vreemde omstandigheden van haar geboorte vertellen en de reactie afwachten. Onderzoekend bekeek ze de drie gezichten tegenover haar, die naar het kruisvormige litteken in haar zij keken.

'Het kruis zal herrijzen om het Sacrament te ontsluiten,' fluisterde Oscar. Zijn ogen flitsten omhoog en keken haar aan. Er lag iets van verwondering in. 'Jij bent het,' zei hij.

Liv trok haar shirt weer omlaag; ze voelde zich plotseling bloot en verlegen. 'Misschien,' zei ze. 'Alleen heb ik geen idee wat het Sacrament is, dus ik weet niet zeker hoe ik dat zou moeten "ontsluiten".'

Ze ging weer zitten en sloeg de pagina van haar blocnote op waar ze de letters had opgeschreven om de boodschap die ze erin had gezien te herlezen. Toen ze het opschreef, dacht ze iets gevonden te hebben, maar ook dit was een doodlopende weg gebleken. De Mala hadden niet meer weet van de aard van het Sacrament dan zijzelf. Ze voelde zich ineens ondraaglijk vermoeid, alsof er iemand een sluis had geopend en haar met lusteloosheid had overspoeld.

'Waren de letters in het leer gekrast, net als het telefoonnummer?' vroeg Gabriël.

'Nee,' zei ze. Met de muis van haar handen wreef ze over haar ogen. 'Ze stonden in pitten gekrast.' Ze hield op met wrijven en keek op om te ontdekken dat iedereen haar recht aankeek.

'Pitten?' herhaalde Oscar.

Ze knikte. Het lichaam van de oude man leek te krimpen in een moment van opperste concentratie; toen ademde hij uit en reikte over het bureau om het toetsenbord van de computer naar zich toe te trekken. Terwijl hij een browservenster opende, zei hij: 'Gedurende mijn tijd in de Citadel ben ik wel een deel van hun geheimen te weten gekomen.' Hij typte iets in het zoekvenster en drukte op de enterknop. Er werd een beeld op het scherm gedownload, een patchwork van vage groene, grijze en grote blauwe vlakken. Toen het beeld scherper werd, bleek het een satellietfoto van het oosten van Europa te zijn. Oscar klikte ergens in het beeld. Het zoemde in op het zuiden van Turkije, tot het scherm een dicht netwerk van straten toonde die uitstraalden van iets groots en donkers in het midden.

'Dit is een satellietbeeld van Ruīn,' legde Oscar uit. 'Gemaakt in de jaren tachtig van de twintigste eeuw. Voor die tijd was het luchtruim van Ruīn verboden voor alle vliegverkeer.' Het beeld werd steeds scherper. Toen het downloaden klaar was, boog Liv zich dichter naar het scherm. In het midden lag de Citadel. Hij was ovaal van vorm en helemaal zwart, op een groot stuk donkergroen na in het centrum. 'Nadat de NASA deze foto had gepubliceerd, werd het verbod opgeheven,' legde Oscar uit. 'Zelfs van de Citadel reikt het rechtsgebied niet tot in de ruimte.'

Liv bekeek de groene vlek.

'Wat is het,' vroeg ze. 'Een meer?'

Oscar zoomde zo dicht mogelijk op het beeld in. 'Nee,' antwoordde hij, 'Het is een tuin.'

105

Athanasius zocht voorzichtig zijn weg door de stille bibliotheek, met zijn handen voor zich uit tastend naar onzichtbare obstakels, zijn blik strak gevestigd op de dunne rij lichtjes in de stenen vloer. Net als iedereen die in de berg woonde, was hij gewend aan het donker, maar niet zoals hier. Aan de rand van het donker leek een vrijwel onhoorbaar wit geluid te dansen, als een zwerm zwijgende bijen die uiteenvlogen zodra hij ernaar probeerde te kijken.

Hij wierp een blik over zijn schouder, nerveus rondkijkend of er zich iemand anders zo diep in de bibliotheek had gewaagd. Niets – alleen die trillende beweging aan de rand van zijn gezichtsveld en de dunne draad lichtjes die zich in de verte uitstrekte als een barst in het duister. Hij keerde zich weer om. Zijn hart bonsde zo hevig in zijn oren dat hij niets anders kon horen, zelfs het gedempte geluid van zijn voetstappen over de stenen vloer niet. Voor zich uit zag hij de vloerverlichting naar rechts afbuigen en verdwijnen. Dat was het punt waar het gangpad de laatste gang werd, die eindigde bij het verboden gewelf. Terwijl hij erheen liep, zette hij zijn voeten alleen neer op de flauwe kras van licht op de grond, als een koorddanser die beseft dat één verkeerde stap hem aan weerszijden in de afgrond kan doen storten. Hij liep met de bocht mee de gang in, en hield halt.

De lampjes strekten zich voor hem uit in een haperende streep tot er, na een meter of tien, niets meer te zien was. Athanasius telde zijn stappen terwijl hij naar voren liep, op weg naar de akelige duisternis aan het einde van het lichtspoor. Hij telde achtentwintig stappen, bereikte het einde van de streep, draaide zich om en liep terug, telde achtentwintig stappen tot hij weer bij de toegang naar de gang stond. Onder het tellen herinnerde hij zich het gezicht van vader Thomas toen die hem had uitgelegd op welke manier hij zijn beveiligingssysteem kon ontwijken, maar zei dat hij niets meer voor Athanasius kon doen wanneer hij eenmaal in het verboden gewelf was. Zodra hij over de drempel stapte, zou het stille alarm afgaan en had hij maximaal twee minuten de tijd voordat de wachter arriveerde.

Athanasius liep heen en weer door de gang, telde zijn stappen naar het gewelf en weer terug, zijn armen onder het lopen zijdelings uitgestrekt om zijn evenwicht te bewaren in het donker. Toen hij zeker wist dat zijn vluchtroute vrij was, stond hij weer stil op het punt in de vloer waar de lampjes ophielden en het donker begon, en voelde zich als een man op de rand van de afgrond die zich voorbereidt om te springen.

Hij haalde zich de ruimte voor de geest die hem wachtte: de stenen lessenaar midden op de vloer, de twaalf uitgehakte nissen in de stenen muur van de grot eromheen, elk gevuld met een zwarte doos waarin de nauwlettend bewaakte geheimen van hun orde waren vervat. Hij dacht dat het hem een minuut zou kosten om alles in het gewelf terug te zetten waar het hoorde en te ontsnappen naar de gang. Dan had hij zestig seconden om het boek te vinden. Hij herinnerde zich waar de abt het de dag tevoren vandaan had gehaald – drie horizontaal, twee verticaal. In gedachten repeteerde hij de handelingen die hij moest uitvoeren wanneer hij eenmaal in het vertrek was. Zestig seconden was te kort – maar meer had hij er niet.

Hij tuurde voor zich uit het duister in, zich bewust van de witte zwermen die hem insloten vanaf de rand van zijn gezichtsveld. Hij ademde diep in. Blies zijn adem langzaam weer uit. Begon in gedachten terug te tellen vanaf zestig.

En zette de eerste stap.

De wachter keek op toen de hoge toon van het alarm weerklonk. Al voordat Athanasius op de tast de verste muur van het verboden gewelf had gevonden, was hij zijn stoel uit en het bureau aan het openmaken.

In het kastje van de wachter lagen een Beretta, een paar reservemagazijnen en een hoofdband waar een telescopische lens op was bevestigd. De wachter greep alles bij elkaar en schoof het eerste magazijn met een klap op zijn plaats terwijl hij met zijn schouder de deur naar de toegangshal openduwde.

Vader Malachi stond met een van bezorgdheid vertrokken gezicht op uit zijn stoel toen hij de wachter op zich af zag komen met het geweer in zijn ene hand en de nachtlichtkijker in de andere.

'Geef me een minuut,' zei de wachter; hij liet het pistool in zijn mouw glijden en liep onder de poort door de bibliotheek binnen.

Athanasius liep tastend langs de muur en telde de nissen. Drie horizontaal. Twee verticaal naar beneden. Hij stak zijn handen in de nis en sloot ze om de gladde doos.

Hij tilde hem op en zette hem op de vloer. Zijn vingers zochten aan de zijkanten naar de grendels aan de randen.

Hij vond ze.

Opende de doos.

Voelde de koude gladde leisteen erin. Zijn vingers fladderden eroverheen, betastten de gekerfde omtrek van de Tau, verplaatsten zich naar de rand en openden het boek.

Binnen in de bibliotheek weerklonk geen alarm, maar iedereen wist wat het betekende als ze het roestrode gewaad van een wachter door de gang zagen hollen met één hand verborgen in zijn mouw.

De standaardprocedure was om meteen naar de ingang te lopen en te wachten tot iemand het teken gaf dat alles veilig was. Studerende monniken keken op, sloegen werktuiglijk hun boeken dicht en volgden met hun blik de dimmende lichtkring rond de wachter die steeds dieper in het uitgestrekte duister van de bibliotheek verdween. Vader Thomas was een van de toeschouwers. Hij stond naast Ponti, zodat zijn eigen lichtkring het feit verborg dat de blinde conciërge er nu zelf ook een had, en keek zwijgend toe hoe de wachter de middeleeuwse afdeling uit liep naar de hal met de heilige teksten die teruggingen tot in de prehistorie.

'Problemen?' vroeg Ponti.

'Misschien,' antwoordde vader Thomas. In de verte zag hij de wachter zijn arm opsteken om zijn nachtkijker over zijn hoofd te trekken. Hij deed nog twee stappen, en toen hij de apostelenzaal binnenging, knipperde zijn lichtkring uit en verdween.

106

Liv tuurde naar de gepixelde cirkel groen op het beeldscherm. De resolutie was te laag om details te kunnen onderscheiden, maar ze verbeeldde zich de omtrek van bomen en struiken te herkennen in de kleine variaties tussen de kleurblokken.

'Een van de grote historische mysteries van de Citadel was het wonderbaarlijke feit dat jarenlange belegeringen werden doorstaan zonder voedsel,' zei Oscar. Zijn zware stem vulde het stille kantoortje met gebrom.

'In mijn eerste jaar moest ik bij de tuinlieden in de leer: onkruid wieden, nieuwe bedden aanplanten, de fruitoogst helpen binnenhalen. Een van mijn taken was water geven. Dat deden we uit grote tonnen die regen en bergwater verzamelden. Soms nam het water minerale afzettingen op als het door de stenen greppels stroomde waardoor het rood werd, en dan leek het alsof je de aarde begoot met bloed.

Wat er ook in zat, het maakte de bodem ongelooflijk vruchtbaar. Alles groeide er, ook al lag de tuin in een krater en bevond hij zich bijna constant in de schaduw. Op een dag, toen ik wat lang gras aan het uittrekken was, vond ik een oude hark, deels begraven in de grond. Aan de steel ontsproten groene loten.' Hij keek op en reikte naar het toetsenbord. 'Deze tuin heeft de Citadel door de eeuwen heen gevoed,' zei hij terwijl hij een zoekvenster opende en iets intypte. 'De groene pijen van de Sancti weerspiegelen dat, net als de naam waaronder zij vroeger bekendstonden: de Edenieten.' Hij was klaar met typen en drukte de entertoets in. De satellietfoto verdween en een andere webpagina opende zich. 'Sommige mensen denken dat die naam verwijst naar de leeftijd van hun orde, die teruggaat tot de dageraad van de mensheid. Anderen geloven echter dat die naam een letterlijke betekenis heeft, en dat de Tau helemaal geen kruis is.'

De webpagina was klaar met downloaden. Liv keek ernaar; het beeld waarmee het scherm nu gevuld was, vermengde zich krachtig met de implicatie van Oscars woorden.

Het was een gestileerde tekening van een boom, met een dunne stam die recht oprees tot waar twee met fruit beladen takken zich aan weerskanten uitstrekten en zo de bekende T vormden. Langs de stam kronkelde zich een slang omhoog, en aan de ene kant stond een man, aan de andere een vrouw. Ze keek naar Oscar, niet werkelijk in staat om zijn suggestie te geloven.

'Je zei dat de letters op pitten gekrast waren,' zei hij. 'Weet je ook wat voor soort pitten?'

Liv keek in zijn diepe, zwarte ogen en dacht aan alle afbeeldingen die ze in haar leven had gezien van Adam en Eva voor de boom der kennis, waarbij een van hen altijd de zware vrucht der verleiding in handen hield.

'Appelpitten,' zei ze. 'Ze waren op appelpitten gekrast.'

107

De immense grotten van de bibliotheek gloeiden helder en groen op in de nachtkijker van de wachter, zodat alle details zichtbaar werden. Hij versnelde zijn pas nu hij de weg voor zich uit kon zien en trok de Beretta uit zijn mouw. Zijn hoofd wendde zich van links naar rechts, op zoek naar de vlekken licht die iemands aanwezigheid zouden verraden. Hij zag er geen. Het enige wat oplichtte in het groen waren de smalle gidslampjes die zich als een fosforescerend condensatiespoor voor hem uitstrekten, helemaal naar het verboden gewelf.

Het kostte hem minder dan een minuut om er te komen.

Toen hij de toegang tot de laatste gang naderde, vertraagde hij zijn pas, liet zich op zijn hurken zakken en bleef roerloos zitten. Hij leunde achterover tegen de zuil van een uitgehakte boogpoort, stak zijn hoofd eromheen en wierp een blik op het gewelf zelf.

De vloerlampjes straalden fel in zijn nachtkijker, een heldergroene streep die naar het einde van de gang wees. Hij keek met toegeknepen ogen voorbij de gloed, op zoek naar beweging in het donker erachter.

Niets.

Stilletjes schuifelde hij om de rand van de zuilboog heen en verplaatste zich heimelijk door het midden van de gang rechtstreeks naar het gewelf. Zijn pistool voor zich uit gestoken, zijn hoofd volkomen stil – als een kat die op een muis jaagt.

Athanasius zag de streep gidslichtjes breken op nauwelijks twee meter afstand. Hij zat ineengedoken op de plank die eerder op bevel van vader Thomas was leeggeruimd. Het was laag bij de grond, tegenover de ingang, in het zicht van het gewelf.

Hij zag de donkere vlek van zich weg schuiven, langs het lichtspoor, wat bewees dat er iemand bij hem in de gang was. De plaatsing van zijn plank betekende dat iemand die door de gang naar het gewelf liep hem niet zou zien; iemand die terug kwam lopen zou hem echter binnen een tel opmerken. Hij moest verdwenen zijn voordat de wachter omkeek.

Langzaam liet hij zich van de plank zakken; zijn oren versterkten het kleinste geluid en zijn ogen lieten de donkere vlek die zich over de vage lichtstreep in de vloer van hem verwijderde niet los.

Hij kwam voorzichtig overeind, eerst op zijn knieën, toen op zijn voeten. Doodsbang dat het minste geschraap van sandalen op steen de wachter op zijn aanwezigheid attent zou maken en een wisse dood met zich mee zou brengen, zette hij een stap, zijn handen in het blinde duister naar de deur uitgestrekt, zijn voeten als een balletdanser optillend en weer neerzettend.

Zijn handen bleven in het vormeloze zwart reiken, tastend naar de stenen richel van de boogpoort die hem zou verlossen uit deze doodlopende gang. Zijn ogen verlieten de duistere vlek die de gang door gleed geen moment.

Hij zette een tweede stap.

Een derde.

Een vierde.

Bij de vijfde raakten zijn handen de gladdere, koude stenen van de muur. Hij hapte bijna naar adem toen hij de steen voelde. Toen verstijfde hij. De donkere vlek was tot stilstand gekomen, net voor het eind van de lichtstreep. Athanasius bewoog zijn hand over de koude steen, hoorde zijn droge huid erlangs raspen, zenuwslopend luid. In gedachten zag hij de wachter voor zich. Rechtop aan het eind van de gang. Pistool in zijn hand. Blik gericht op het verborgen gewelf. Als hij daar niemand zag, hoe lang zou het dan duren voordat hij zich omdraaide? Terwijl die vraag in hem opkwam, vond zijn hand de rand van de muur. Hij legde hem eromheen en trok zich de poort door, naar de hal vol eerbiedwaardige teksten.

Elke vezel van zijn lichaam schreeuwde hem toe om het op een lopen te zetten, maar hij wist dat de hal waarin hij stond nog altijd zeven meter lang was. Elk geluid dat hij hier maakte, zou te horen zijn in de gang waaruit hij zojuist was ontsnapt. Hij moest zich stilhouden. Hij zette zijn ene voet voor de andere, zo snel en zo slinks als hij maar kon, in de wetenschap dat er ergens achter hem in het ondoordringbare zwart een man met een geweer stond die kon zien in het donker.

Het bonken van zijn hart sloeg de maat terwijl hij zich door de zwarte hal naar de uitgang repte, met zijn ogen strak gevestigd op de vloerlichten en zo geconcentreerd op wat er achter hem lag dat hij het vage naderende licht pas opmerkte toen het hem al bijna had bereikt.

Aan het einde van de gang gekomen zag hij het, een flauwe gloed op de vloer en tegen de kromming van de boogpoort waar hij net doorheen wilde duiken. Zodra hij het zag, verstijfde hij: er kwam iemand aan. Hij zag het licht feller worden.

Geen tijd om zich te verbergen.

Geen plaats om zich te verbergen.

Het enige wat hij kon doen was blijven staan en toekijken tot de eigenaar van het licht de hoek om kwam en als een supernova de kamer binnenstoof, op nog geen drie meter afstand van waar hij stond. Het was vader Malachi, ongetwijfeld onderweg om de inhoud van het verborgen gewelf te controleren.

Athanasius wilde zijn handen al in de lucht steken om zich over te geven, in de verwachting dat de hoofdbibliothecaris zou opkijken, geschokt stil zou staan en om de wachter zou roepen. Maar er gebeurde niets. Malachi bleef naar de grond turen, zijn scherp getekende gezicht streng en in gedachten verzonken, zijn lichtkring een helle komeet in de van duister doordrenkte ogen van Athanasius. Malachi liep verder door de hal tot hij in de gang verdween waar Athanasius net uit was ontsnapt, zonder ook maar een blik in zijn richting.

Athanasius keek hem verbijsterd na terwijl zijn ogen zich weer aanpasten aan de neerdalende duisternis die zojuist zijn leven had gered.

Toen draaide hij zich om. En zette het op een lopen.

108

Liv staarde naar de gestileerde tekening van de boom. Lange tijd was de enige beweging het flakkeren van de televisie in de hoek, het enige geluid het gedempte gemompel van de nieuwsuitzending. Uiteindelijk was het Kathryn die de stilte verbrak.

'We moeten die pitten hebben,' zei ze. 'We moeten ze te pakken krijgen en analyseren.'

Gabriël stond op en rekte zich uit om zijn lenige lichaam opnieuw voor te bereiden op actie terwijl zijn verstand de logistiek berekende. 'Ze worden niet genoemd in het dossier, dus misschien weet de Citadel niet van hun bestaan. Dan hebben we in ieder geval een voorsprong.' Hij beende naar het raam en tuurde langs de laag gestapelde kratten naar de deur van de opslaghangar. 'Ze liggen of in de kluizen waar alle bewijs bewaard wordt, of waarschijnlijk in de laboratoria. Dat is nogal problematisch. De beveiliging is vast veel strenger, na wat er in het mortuarium is gebeurd.'

'Ik zou ze kunnen gaan halen,' zei Liv. 'Ik kan Arkadian bellen en hem vertellen dat ik denk te weten wat de letters betekenen, maar dat ik de pitten moet zien waarop ze geschreven staan. Als ik ze dan krijg, zou ik ze op de grond kunnen laten vallen of Arkadian op een andere manier afleiden en er dan eentje meenemen, of er eentje verruilen voor een gewone pit.' Ze keek op naar Gabriël. 'Je hebt er toch maar eentje nodig?'

Gabriël keek haar even aan, op zijn gezicht een mengeling van concentratie en ongerustheid. Toen verzachtten zijn gelaatstrekken zich tot een glimlach.

'Ja,' antwoordde Oscar voor hem. 'We hebben er maar eentje nodig. Jij moet onze Eva worden en de verboden vrucht plukken. En stel je eens voor hoeveel goeds we zouden kunnen doen, als die pitten iets buitengewoons blijken te zijn.'

Liv overwoog snel de ongelooflijke implicaties van zijn woorden en er kwam een verontrustende gedachte bij haar op: 'Maar als deze pitten echt afkomstig zijn van de vruchten van de...' Ze kon zich er nauwelijks toe brengen de woorden uit te spreken. '... van de boom der kennis,' wist ze uit te brengen, 'dan is het toch vast... een heel slecht idee om er iets mee te doen?'

Oscar bleef haar aankijken; zijn breder wordende glimlach weigerde te wijken voor haar bezorgdheid. 'Waarom?'

'Nou,' zei ze. 'Kijk maar wat er vorige keer gebeurde.'

'Bedoel je de zondeval? De erfzonde? Verbannen worden uit de Hof van Eden naar een leven van eindeloze pijn en ontberingen?'

Liv knikte. 'Zoiets, ja.'

Oscars glimlach verbreedde zich tot een droog gegrinnik.

'En waar heb je dat allemaal gelezen?' vroeg hij.

Liv dacht erover na en begreep wat hij bedoelde. Natuurlijk. Ze had het in de Bijbel gelezen, het boek dat was geschreven door de mannen van de berg, een transcriptie van bronmateriaal dat niemand anders ooit had gezien. Hoe kun je mensen er beter van weerhouden op zoek te gaan naar kennis, dan door ze bang te maken? Geef ze een officiële versie van de hemelse leer die begint met het afschrikwekkendste verhaal, waarin de mensheid ten val wordt gebracht door het eten van de vruchten van een verboden boom.

'We weten dat er iets is in de Citadel,' ging Oscar verder. 'Iets... bovennatuurlijks. Iets wat zo sterk is dat zelfs mensen buiten de berg de genezende kracht ervan kunnen voelen. Geen wonder dat de monniken het al zo lang bewaken. Er zo dichtbij zijn moet bedwelmend zijn en maken dat ze zich eerder goden dan mensen voelen. Maar stel je eens voor dat die zuivere levenskracht uit de berg bevrijd zou kunnen worden en over de hele wereld kon worden verspreid. Stel je voor dat we niet langer al die tonnen kunstmest op de verdorde aarde zouden hoeven gooien,' zei hij, met een gebaar naar de stapels kratten waarmee de loods achter het kantoorraam gevuld was. 'Een enkel zaadje, geplant en goed verzorgd, zou hele streken zo vruchtbaar kunnen maken als die beschaduwde tuin midden in de Citadel. Woestijnen zouden tuinen worden, woestenijen zouden in wouden veranderen. Onze langzaam stervende aarde zou herboren worden.'

Liv zat verbijsterd te luisteren. Dit was inderdaad iets waar haar broer zijn leven voor zou hebben gegeven. Toen ze elkaar voor het laatst hadden gezien, vertelde hij haar dat hij met een reden gespaard moest zijn. Misschien was hij echt gestorven om haar die vier pitten te kunnen bezorgen. Ze was het zijn nagedachtenis verschuldigd om te ontdekken of ze het waard waren. Toen ze haar hand in haar zak stak, op zoek naar haar mobiel, herinnerde ze zich waar ze die had gelaten. 'Het nummer van Arkadian stond in mijn telefoon,' zei ze met een blik op Gabriël, die nog steeds naar haar keek.

Hij haalde zijn schouders op en glimlachte; Liv voelde weer een blos opkomen en wendde zich af.

'Zijn gegevens staan aan het eind van dit bestand,' zei Kathryn en ze boog zich voorover om het document te openen. Liv keek het kantoor door op zoek naar een telefoon. Haar blik trof het televisiescherm en bij het beeld van een glimlachende man achter de schouder van een nieuwslezer verstijfde ze. 'Hé,' zei ze, met een mengeling van verbazing en ongerustheid in haar stem. 'Die man ken ik.'

Daarop wendde ieders blik zich naar het glimlachende gezicht van Rawls Baker.

109

Tegen de tijd dat Athanasius bij de filosofenafdeling aankwam, rende hij niet langer. Zodra hij er binnenliep, zag hij een vage gloed aan zijn linkerkant en hield zijn pas in.

Hij keek even naar het vage licht dat de omtrek van een boekenkast schetste en bewoog zich er toen snel en geruisloos naartoe. Toen hij bij het uiteinde aankwam, haalde hij diep adem en keek eromheen.

Even kon hij niet zien wie er in het midden van de heldere lichtkring stond, zo gewend waren zijn ogen aan het donker. Toen ze zich hadden aangepast en door de gloed heen drongen, zag hij opgelucht wie het was.

Halverwege de rij boeken stond vader Thomas naast Ponti, die gebogen over een leesbureau vol achtergelaten boeken doorging met zijn werk, zijn kar vol stoffers en borstels naast hem geparkeerd, zich niet bewust van het ongebruikelijke licht waarin hij momenteel baadde.

Athanasius liep langs de rij planken naar hen toe, onderweg zijn keel schrapend. 'Broeder Ponti! Vader Thomas!' zei hij met een stem die onnatuurlijk luid klonk na zijn lange, gedwongen stilzwijgen. 'Ik dacht al dat ik iets hoorde.'

Ponti hief zijn hoofd en keek dwars door hem heen met zijn lege, witte ogen. Thomas keek hem aan met een glimlach, zijn hele gezicht glunderend van opluchting om zijn vriend weer te zien.

In de controlekamer bij de hoofdingang voegden zich twee stipjes samen op een computerscherm; onzichtbaar verwisselde het programma hun identiteit, alvorens zichzelf te verwijderen.

'Er is een alarmoefening aan de gang,' zei Thomas langs zijn neus weg. Athanasius haalde stilletjes vier opgevouwen vellen papier uit zijn mouw. 'We moeten maar eens naar de uitgang, vind je niet?'

'Gaan jullie maar vast,' antwoordde Ponti. 'Mij merken ze het grootste deel van de tijd toch niet op. Ik ga wel als iemand zegt dat het echt moet, anders werk ik gewoon door.'

Athanasius pakte het grootste van de boeken die opengeslagen op het bureau lagen, legde de opgevouwen vellen papier erin en sloeg het voorzichtig dicht. 'Prima,' zei hij. 'Dan zullen we niet zeggen dat we je gezien hebben.' Ze keerden zich af om weg te lopen, het licht met zich mee trekkend.

'Heel graag, broeder. Zeer bedankt,' klonk de droge stem van de conciërge, terwijl zijn spookachtige gestalte weer versmolt met de duisternis.

Athanasius wierp een blik op het omslag van het boek. Het was *Aldus sprak Zarathoestra* van Friedrich Nietzsche, in het oorspronkelijke Duits, dat nu wasafdrukken bevatte van het grootste deel van de inhoud van de ketterse Bijbel. Nu hij zijn licht weer terug had, was de verleiding om het te openen en de pagina's te bekijken bijna onweerstaanbaar. Maar het was te gevaarlijk. De wachter kon ieder moment terugkomen met vader Malachi. Hij kon beter wachten tot het alarm voorbij was en de bibliotheek weer openging, zodat hij ze rustig kon doorlezen.

Zoals afgesproken liep Thomas vast vooruit, in zijn eentje naar de hoofdingang, zodat men hen niet samen uit de diepten van de bibliotheek zou zien komen. Athanasius hield zijn pas in en liet zijn blik langs de planken glijden, op zoek naar een plek om het boek te verbergen. Hij wilde niet riskeren dat de monnik die Nietzsche bestudeerde terugkwam en ontdekte wat het boek nu bevatte. Toen hij bij het einde van een van de kasten kwam, zag hij een lage plank gevuld met een lange muur van identieke boeken. Hij bukte zich en keek over de boeken heen. Tussen de boeken en de achterkant van de plank was nog ruimte. Snel schoof hij *Zarathoestra* over de boeken heen en liet hem erachter zakken, leunde achterover, zette de boeken op de plank recht en las wat er op de rug stond. Het waren de verzamelde werken van Søren Kierkegaard. Nietzsche werd volledig aan het oog onttrokken door zijn Deense tegenhanger.

Tevreden kwam hij weer overeind en liep in de veilige cocon van zijn snel verhelderende lichtkring door het donker naar de uitgang.

110

De auto remde net voor de barrière af, ter hoogte van het loket van het wachthuis. De bewaker keek op van zijn krant en schoof het glaspaneel opzij. Op de balie voor hem lag zijn pet, voorzien van een officieel uitziend insigne met 'luchthavenbeveiliging'.

Hij bekeek de mannen in de auto en zei: 'Kan ik u van dienst zijn?'

'Is er vandaag ene Gabriël Mann binnengekomen?' vroeg een stem vanuit de passagiersstoel.

'Misschien. Wie wil dat weten?'

Arkadian klapte zijn leren portefeuille open en boog zich voorover langs de chauffeur om zich te identificeren. De bewaker tuurde over de rand van zijn balie en inspecteerde de goudkleurige inspecteurspenning. Hij drukte op een knop onder de balie en de barrière ging omhoog. 'Ongeveer een halfuur geleden, met zijn vriendin achterop,' zei hij.

Arkadian voelde de haren in zijn nek overeind kruipen toen er melding werd gedaan van een meisje. Hij stopte zijn penning terug in zijn binnenzak en vroeg: 'Hoe zag die vriendin eruit?'

De bewaker haalde zijn schouders op. 'Jong. Blond. Mooi.'

Het was niet bepaald een portret in woorden, maar Arkadian had een aardig idee wie het was. Hij had nog altijd niets van Sulley gehoord – of van Liv. 'En waar kan ik hem vinden?'

'De gele lijn volgen,' zei de bewaker. Hij leunde voorover en wees naar een streep dikke verf op het asfalt die zich met een bocht evenwijdig aan het hek voortzette. 'Die loopt langs de loodsen. Ze zullen wel in hangar twaalf zijn, ongeveer honderd meter aan de linkerkant, waar dat oude militaire transportvliegtuig voor geparkeerd staat.'

'Bedankt,' zei Arkadian. 'En laat ze niet weten dat we eraan komen. We komen niet voor de gezelligheid.'

De bewaker knikte onzeker. 'Tuurlijk,' zei hij.

De auto gleed onder de barrière door; de koplampen volgden de felgele streep naar de rij grijze, rechthoekige loodsen. De meeste waren afgesloten en stil. Ze gleden als grafstenen langs de open raampjes van de auto.

Verderop stond een dikbuikig vliegtuig op het beton geparkeerd, met de stompe achterkant in de richting van de hangar. In de voorkant van het gebouw stond een grote schuifdeur op een kier die oranje licht verspreidde in de toenemende schemering. 'Doe de koplampen uit,' zei Arkadian tegen de chauffeur. Hij tuurde naar de kier in een poging te zien wat erachter lag. 'En stop er dichtbij, ik wil even kijken.'

De chauffeur zette een schakelaar om en de koplampen doofden zodat de weg voor hen in het donker verdween. Hij zette de auto in zijn vrij en schakelde de motor uit. Terwijl ze voortgleden, zonder koplampen, de banden snorrend op het afkoelende asfalt, zag Arkadian dat de sterren waren opgekomen aan de inktzwarte hemel achter de hangar.

Op vijftien meter afstand van de deur stak hij zijn hand op en de chauffeur bracht de auto met de handrem tot stilstand om de remlichten niet te laten ontbranden. Arkadian leunde uit zijn geopende raampje om stemmen of andere geluiden vanuit de loods te kunnen horen. Hij hoorde alleen het gejank van straalmotoren in de verte en het tikken van de auto die afkoelde in de avondkilte.

Hij klikte zijn veiligheidsriem los, reikte in zijn jas en haalde zijn pistool uit het platte holster onder zijn arm. De chauffeur keek opzij. 'Zal ik meegaan?' vroeg hij.

Het was een fonkelnieuwe agent met één enkele streep. De geur van de patrouilledienst hing nog om hem heen, ondanks het ontbreken van het uniform. 'Nee, ik ga wel. Laat mij eerst maar even gaan kijken. Ik geef wel een seintje als ik denk dat ik versterking nodig heb.'

Arkadian knipte boven zijn hoofd de schakelaar van het binnenlicht om zodat het niet aan zou gaan wanneer hij zijn deur opendeed en glipte de nacht in.

111

Kathryn greep de afstandsbediening van het bureau en zette de televisie harder om de details te kunnen horen die de nieuwslezer gaf.

'*...de brandweer is met spoed naar het huis van de internationaal bekende krantenredacteur Rawls Baker geroepen en wij ontvangen berichten dat zijn verkoolde lichaam achter het stuur van zijn auto is aangetroffen.*'

'O mijn god,' zei Liv. 'Dat is mijn baas.'

In beeld zagen ze buitenopnames van een straat in een woonwijk vol brandweerauto's en ambulances. Op de voorgrond fladderde geel politietape dat iedereen op afstand hield en in de verte verzamelden zich brandweerlieden, politieagenten en ambulancepersoneel rond het rokende geraamte van een auto.

'Heb je hem gebeld?' vroeg Gabriël.

Liv knikte.

'Wanneer?'

Hoofdschuddend probeerde ze het zich te herinneren. 'Vandaag, een paar uur geleden,' zei ze.

'Heb je nog iemand anders gebeld?'

Ze dacht terug aan de gebeurtenissen van die ochtend. Ze had niemand gebeld, totdat ze bij de politie was vertrokken. Daarna had ze haar baas gebeld, en...

Ze keek naar Kathryn. 'Ik heb jou gebeld,' zei ze.

Gabriël vloog het kantoor door naar zijn moeder. 'Snel, geef me je telefoon,' zei hij.

Ze haalde het apparaat uit haar zak en overhandigde het hem. Hij bekeek de bellijst en zag hoe laat Liv had gebeld. Hij drukte op de powertoets tot het toestel zichzelf uitschakelde en wendde zich tot Liv. 'We moeten hier weg,' zei hij. 'Het ziet ernaar uit dat ze niet alleen je telefoon volgden, maar ook je oproepen. Dan is iedereen met wie je hebt gebeld dus in gevaar.'

Liv keek weer naar de televisie, waar een andere foto van Rawls verscheen. Hij stond voor het kantoor van de *Inquirer*, met een stralende lach van oor tot oor. Ze kon niet geloven dat hij nu dood was, alleen omdat zij met hem had gepraat. Ze herinnerde zich niet eens waar ze het over hadden gehad.

Toen ze omlaag keek en het half verdwenen telefoonnummer op haar hand zag staan, wist ze weer wie ze nog meer had gebeld.

112

Bonnie was boven in de kinderkamer de tweeling in bed aan het stoppen, toen ze de klop op de voordeur hoorde. Ze maakte geen aanstalten om open te doen. Myron was beneden met het middageten bezig. Hij zou haar wel laten weten of het voor haar was.

Glimlachend keek ze neer op de twee gezichtjes die tussen hun zachte witte dekentjes en katoenen mutsjes uit piepten en drukte op de knop van het plastic doosje dat aan een zijpaneel van de dubbele wieg van de tweeling was bevestigd. Boven hun hoofdjes begon een mobiel te draaien, zwart-witte vormen, deinend op melodische kreten van zeemeeuwen en het geluid van de branding. Een van de babymondjes krulde zich tot een glimlach en Bonnie straalde – iedereen die beweerde dat het maar darmkrampjes waren, kon wat haar betrof de pot op.

Haar mobiele telefoon weerklonk in de slaapkamer naast haar en verstoorde haar gemijmer. Hij rinkelde bijna constant, sinds Myron per sms het groepsbericht had verstuurd om de komst aan te kondigen van Ella, vier pond en achthonderd gram, en haar broertje Nathan, tweehonderd gram zwaarder en één minuut jonger. Ze keek nog een keertje naar haar baby's en drentelde de kamer uit na het licht te hebben gedimd.

Bonnie ging haar slaapkamer binnen en liep behoedzaam naar de telefoon in de oplader op het nachtkastje. Ze had nog steeds last van de lange bevalling en de traumatische geboorte. Ze pakte de telefoon en keek naar het telefoonnummer. Onbekend. Ze wilde hem net neerleggen en aan de voicemail overlaten, toen ze zich het bericht van Liv eerder die dag herinnerde. Het zou de nieuwe journalist kunnen zijn die belde over het artikel. Ze had aan zo ongeveer iedereen die ze kende verteld dat haar baby's in de krant zouden staan, en ze mocht barsten als ze zich voor leugenaar zou laten uitmaken. Ze drukte op de knop om op te nemen. 'Hallo?'

'Bonnie!' De stem klonk dringend en gespannen.

'Met wie spreek ik?'

'Met Liv – Liv Adamsen. De journalist van de *Inquirer*. Luister, je moet Myron en de kinderen meenemen en zo gauw mogelijk vertrekken.'

'Wat bedoel je, lieverd?' vroeg ze, haar professionele kalmte meteen paraat. Toen hoorde ze een geluid van beneden. Alsof er iets zachts en zwaars op de vloer van de gang viel. 'Wacht heel even,' zei ze en haalde de telefoon al van haar oor.

'Nee,' schreeuwde Liv. 'Niet weggaan. Heb je een pistool?'

De vraag was zo ongerijmd dat Bonnie verstarde. Beneden hoorde ze nog meer geluiden. Het klikken van de voordeur die zachtjes dichtging. Het *zzoeff* van iets wat over de vloer gleed. Geen gepraat. Geen voetstappen die terugliepen naar de keuken om de lunch af te maken. Luisterend naar de stilte voelde ze hoe de angst haar bekroop.

Toen klonk er wel een geluid. Veel dichterbij, verderop in de gang. Het hoge gejammer van een huilende baby.

'Ik moet gaan,' zei ze toonloos in de telefoon.

Toen hing ze op.

Liv hoorde de kiestoon in haar oor brommen en zocht verwoed naar een herhaalknop op het toestel. Toen ze er geen vond, hield ze haar bevende hand omhoog en begon het nummer in te toetsen dat erop geschreven stond.

'Leg de telefoon neer, alsjeblieft.' De stem was bekend, maar kwam totaal onverwacht.

Liv keek op en zag Arkadian in de deuropening staan. Zijn penning in de ene hand, zijn pistool in de andere. Gericht op Gabriël.

Ze hoorde het snelle gepiep van de opeenvolgende nummers die verbinding maakten. 'Nee,' zei ze terwijl ze de laatste twee cijfers intoetste. 'Dan schiet je me maar neer.'

Ze hield het toestel aan haar oor en bleef hem onder het bellen recht in de ogen kijken.

113

Bonnie stond in haar slaapkamer te luisteren.

Het gehuil van haar baby vanuit de gang trok aan haar als een onzichtbaar koord, maar ze dwong zichzelf het te negeren en te luisteren naar andere geluiden in huis. Ze doorzocht de stilte, en hoorde niets. Helemaal niets.

Ze liep naar de kast, haar voeten in hun pantoffels geruisloos op het dikke beige kleed, en deed voorzichtig de deur open, waarachter rijen kleren aan hangers hingen. Toen hoorde ze het. Het langzame kraken van de scharnieren van de keukendeur, die nooit echt goed was opgehangen. Er was iemand beneden. Misschien was het Myron die terugliep om de lunch af te maken. Maar waarom zou hij de baby negeren?

Ze keek naar de deur. Schoof haar hand tussen het gordijn van kleren door naar de kleine muurkluis hoog aan de muur erachter. Die had ze er door Myron in laten zetten zodra ze ontdekte dat ze in verwachting was. De plastic hoes om haar uniform kreukelde toen haar arm er langsgleed naar het toetsenbord op de stalen kluisdeur. Ze toetste haar geboortedatum in en trok de deur open. In de kluis lagen haar politiepenning, een doos 9mm-kogels, twee volle magazijnen en haar dienstwapen.

Ze pakte het pistool en een magazijn en trok haar arm uit de kast terwijl ze luisterde naar het gehuil en het stille huis daarachter. Ze schoof het magazijn in de kolf van het dikke, L-vormige geweer tot het klikte, als een klein, breekbaar botje.

Het gehuil aan het andere eind van de gang zwol steeds wanhopiger aan en ze voelde het tintelen achter haar tepels toen haar lichaam erop reageerde. Met haar vrije arm over haar borst liep ze naar de deur, hurkte erachter en keek door de kier de gang in.

Niemand te zien.

Het hongerige huilen zette door en ze voelde hoe vochtplekken haar beha doordrenkten. Haar greep op haar pistool ontspande zich iets. Misschien waren het gewoon hormonen en verbeeldde ze zich van alles. Ze was moe, dat stond vast, en haar leeuwinneninstinct maakte ongetwijfeld overuren. Ze luisterde nog een paar tellen, voelde zich steeds dwazer en wilde net opstaan toen ze het hoorde.

Het gekraak van een heimelijke voetstap op de derde trede van de trap.

Nog één op de vijfde.

Myron had altijd schertsend beweerd dat je in dit huis onmogelijk iemand kon besluipen.

Myron!

Lieve god, waar was Myron?

Ze drukte haar oog dichter tegen de kier om de trap te kunnen zien, in de hoop hem te zien verschijnen, onderweg naar de babykamer. In plaats daarvan begon de tweede baby ook te huilen en er stroomde een vage brandlucht in haar neus; meteen daarop verscheen er een visioen uit de hel in haar gezichtsveld.

Het was een man. Lang. Bebaard. Hij droeg een rood regenjack; de capuchon had hij strak rond zijn gezicht getrokken. In zijn hand had hij een pistool, obsceen lang door de geluiddemper die op de loop was geschroefd.

Zijn ogen flitsten heen en weer tussen het geluid van de huilende baby's en de kierende slaapkamerdeur.

Bonnie keek naar hem op en voelde het warme vocht zich over haar borst verspreiden, alsof ze door een kogel geraakt was. Ze stak de stompe loop van haar pistool laag bij de grond tegen de kier van de deur, zo goed mogelijk in een hoek omhoog op de man gericht. Op de politieschool had ze wapentraining gehad. Ze had geleerd om gebouwen te doorzoeken op vijandige doelwitten. Elke paar weken ging ze naar de schietschool om scherp te blijven. Niets van dat alles had haar hierop voorbereid. Haar greep om het pistool verstrakte terwijl ze de man in de gaten hield, zijn hoofd schuin, luisterend door het huilen heen, net als zij had gedaan.

De telefoon ging in de slaapkamer, liet Bonnie schrikken en bracht de duivel met angstaanjagende snelheid naar haar toe. Haar gezichtsveld vulde zich met rood toen hij zich naar de kier in de deur boog, zijn eigen geweer opgestoken terwijl hij erdoorheen de kamer in keek.

Bonnie keek omhoog. Richtte haar pistool hoger. Zag zijn hoofd omlaag buigen. Zijn ogen de hare ontmoeten.

Ze vuurde drie schoten vlak achter elkaar af, haar ogen sluitend tegen de spaanders die in haar gezicht bliezen toen de kogels het hout versplinterden.

Ze opende haar ogen. Zag dat de overloop leeg was. Sprong in paniek overeind, doodsbang dat hij zich in de babykamer had verschanst; door de beweging scheurden haar hechtingen, maar ze lette niet op de pijn. Ze liep de deur uit met tranen van razernij en doodsangst op haar gezicht; haar oren waren nog doof van de pistoolschoten. Ze blikte naar rechts toen ze met getrokken pistool de overloop op rende, klaar om te schieten. En toen zag ze hem, op zijn rug onder aan de trap, waar twee van haar kogels hem neergegooid hadden.

Met gestrekte armen zwaaide ze haar pistool rond en bekeek het tafereel. Haar hart hamerde. De tweeling krijste nog steeds.

Het bloed waarmee de muren en de lichtgekleurde traploper waren bespat, tekende het gewelddadige traject van de man. Halverwege de trap balanceerde zijn geweer op de rand van een trede, als een gebroken zwart kruis. Bonnie liep de paar treden omlaag om het te pakken, de loop van haar pistool voortdurend gericht op de rode gestalte die met uitgestrekte ledematen onder aan de trap lag. Ze zag een kogelgat in zijn zij en nog een in zijn hoofd. Zijn verstarde ogen stonden wijd open. De enige beweging was het sijpelen van donker bloed dat zich onder hem uit op de loper verspreidde, alsof er zich een gat opende om hem terug te slepen naar de hel. Ze kwam dichterbij. Zakte diep door haar knieën om zijn pistool op te pakken. Zag verderop in de gang iets liggen, een sportschoen, aan de voet van iemand die roerloos op de vloer lag.

Ze herkende de schoen, begreep wat er was gebeurd. Toen steeg haar eigen verlaten, afschuwelijke schreeuw ten hemel en overstemde de kreten van haar vaderloze baby's.

114

In de dieper wordende nacht kwam een busje tot stilstand naast een van de stille loodsen, een paar gebouwen verwijderd van de loods waar het vrachtvliegtuig voor stond. Johann zette de motor af. Cornelius keek uit zijn raam naar de ongemerkte politiewagen en de hangar erachter, naar de kierende deur, het licht daarbinnen. Kutlar zei niets. Hij hield zijn hoofd gebogen en bestudeerde de twee pijltjes op het scherm van de laptop: het ene wees naar de telefoon van Cornelius, het andere naar het laatst genoteerde signaal van Kathryn Mann. Ze overlapten elkaar bijna.

Vanuit de jaszak van Cornelius klonk een zacht gezoem en hij haalde zijn telefoon tevoorschijn. Fronste. Liet hem aan Johann zien, die Cornelius even aankeek en toen knikte. Hij duwde zijn deur open en glipte de nacht in, met de sleutels. Kutlar voelde het busje zacht schommelen toen de achterportieren geopend werden; uit gedempte geluiden maakte hij op dat er achterin dingen verschoven werden. De morfine was onderweg naar de luchthaven geleidelijk uitgewerkt geraakt en nu voelde hij de pijn gestaag opborrelen in zijn kapotte been. Door het beklimmen van de steile keistenen straten van de oude stad waren zijn interne hechtingen grotendeels gescheurd en hij had het gevoel dat zijn been alleen nog door het verband en zijn broekspijp bij elkaar werd gehouden. Hij had geprobeerd het voor de anderen te verbloemen door zijn jack op zijn schoot te vouwen, maar hij rook nog steeds het bloed dat de lucht bezoedelde met zijn scherpe, roestige geur.

Het busje schommelde even toen het achterportier dichtging en een paar tellen later verscheen Johann weer; hij wandelde langzaam over het asfalt naar het vrachtvliegtuig, zijn rode windjack strak om zich heen getrokken, een canvastas losjes over zijn schouder. In de schemering zag hij eruit als een lid van het grondpersoneel op zijn avondronde.

Liv stond nog steeds naar Arkadian te kijken toen de telefoon eindelijk werd opgenomen. Op de achtergrond hoorde ze baby's huilen.

'Bonnie?' vroeg ze.

'Hij heeft Myron vermoord,' zei Bonnie met rauwe, droge stem. 'Hij heeft hem doodgeschoten.'

'Wie heeft hem doodgeschoten? Waar is hij nu?'

'In de gang. Hij zal mijn baby's geen pijn meer doen.'

Liv keek Arkadian even aan, die zijn blik op haar gevestigd hield en zijn pistool nog steeds op Gabriël richtte.

'Luister, Bonnie,' zei ze. 'Ik wil dat je nu je kinderen inpakt en daar weggaat, oké? Bel iemand op het bureau, iemand die je vertrouwt, en zorg dat ze jou en je gezin ergens op een veilige plek onderbrengen, ergens waar niemand je kan vinden. Wil je dat voor me doen, engel?'

'Niemand gaat mijn baby's pijn doen,' herhaalde de gekwelde stem aan de andere kant van de lijn.

'Zo is dat, Bonnie. En nu ga je het bureau bellen, goed?' Ze keek weer naar Arkadian en wenste dat ze zelf het bureau kon bellen, maar ze wist dat ze niet te veel moest vragen.

Het gedempte geluid van de woedende baby's werd luider en door het gekraak op de trans-Atlantische verbinding klonk het als het gegil van de verdoemden. Ze bedacht dat ze zouden opgroeien zonder ooit hun vader te hebben gekend, allemaal vanwege een telefoongesprek – allemaal vanwege haar. 'Het spijt me zo,' fluisterde ze in de telefoon. Toen legde ze de hoorn op de haak om het huilen niet langer te hoeven horen.

115

Cornelius keek hoe Johann naar de politiewagen liep. De sms die hij van de abt had gekregen, had de zaak veranderd. Hij hield niet van veranderingen midden in een missie. Daar werd hij nerveus van. Aan de ene kant maakte de nieuwe opdracht alles eenvoudiger. Alleen die meid grijpen en naar de Citadel terugkeren was veel gemakkelijker dan ook alle eventuele getuigen het zwijgen te moeten opleggen. Maar door zijn training stond het hem tegen om zijn oorspronkelijke opdracht zomaar op te geven. Misschien kon hij ze allebei vervullen.

Toen Johann halverwege was, opende hij zijn portier en gleed uit het busje, achter hem aan. 'Hier blijven,' zei hij, en duwde de deur dicht.

Kutlar zag hem weglopen naar de omheining die achter de gebouwen langs liep. Hij bereikte de achterkant van de loods en verdween om de hoek, in de richting van dezelfde hangar als Johann. Kutlar legde de laptop op de bank naast zich en tilde het opgevouwen jack van zijn been. In het doffe weerspiegelde licht van de nachthemel glansde iets zwarts en vochtigs. Zijn been zag eruit alsof het in olie was gedoopt. Toen hij de aangerichte verwoesting eenmaal had gezien, werd de pijn nog erger. Hij betastte het potje morfinecapsules in zijn jaszak – onmiddellijke verlichting binnen handbereik. Met een blik op de hangar in de verte haalde hij het tevoorschijn. Warm licht stroomde vanuit de openstaande deur over het asfalt. Die jonge vrouw was daarbinnen. Dat had de bewaker hun verteld. En zodra ze haar hadden, of zodra ze dood was, zouden ze hem vermoorden. Waarschijnlijk zouden ze het hier ter plekke doen en hem in de loods achterlaten, samen met de anderen die daar al waren.

Zijn ogen schoten naar Johann, die naar de zijkant van de auto drentelde. Hij zag hem omlaag buigen. Zag het interieur van de auto even oplaaien in een flits van licht uit een geweerloop.

In de verte gloeide de luchthaventerminal fel, als een fata morgana. Het was te ver weg. Hij kon nog het beste proberen het hokje van de bewaker te bereiken. Daar zou wel ergens een geweer liggen, en een walkietalkie om hulp in te roepen. Hij herinnerde zich de verbaasde blik op het gezicht van de bewaker toen hij van zijn krant opkeek, recht in de loop van de geluiddemper op Johanns pistool. Hij had niet geprobeerd om ergens naar te grijpen. Had alleen de vragen van Cornelius beantwoord. Hij had verteld dat het meisje binnen was en dat er nog iemand bij was. Iemand die klonk als de man met wie Kutlar de nacht tevoren had gevochten, op de ventweg. De man die zijn neefje Serko had doodgeschoten en hem die pijn in zijn been had bezorgd.

Nu keek hij weer naar Johann, die voorovergebogen naar de openstaande deur van de hangar rende, het licht ontwijkend dat eruit stroomde. Toen hij de rand van de deur bereikte, verscheen er van achter de hangar nog een gestalte, die zich sluipend door het donker bij hem voegde. Ze hurkten op het asfalt, twee demonen in het duister, controleerden hun wapens, en als door een openbaring kwam Kutlar tot de conclusie dat dit zijn kans was. Hij schoof naar de kant van de bestuurder, zijn been bij iedere beweging geteisterd door pijnsteken. Hij haalde de pot pillen uit zijn zak en schroefde het deksel los; zijn ogen lieten de twee ineengedoken gedaantes geen seconde los terwijl hij de ene pil in zijn mond stopte – genoeg om de pijn te dempen, niet genoeg om zijn felle verlangen om te overleven af te stompen.

Hij dacht aan de man daarbinnen, die niet wist dat de man die hij had beschoten buiten zat, en niet besefte dat er twee mannen met pistolen in hun hand bij de deur hurkten. Als Kutlar de zaken op hun beloop liet, zou die man waarschijnlijk over een paar tellen dood zijn. Maar daarna zouden zijn moordenaars terugkomen voor hem, en hoewel hij Serko graag gewroken wilde zien, wilde hij nog veel liever blijven leven. In het donkere busje verontschuldigde hij zich stilzwijgend tegenover Serko, in de hoop dat die hem zou horen, waar hij ook wezen mocht. Toen richtte hij zijn aandacht weer op Cornelius en Johann, die gespannen waakten, rekenend op het verrassingseffect. En wachtte af.

116

'We moeten hier weg,' zei Gabriël zodra Liv de telefoon had neergelegd.

Arkadian verroerde zich niet en hield zijn pistool gericht. 'Wat deed je in het mortuarium?' vroeg hij.

Gabriël zuchtte en schudde vermoeid zijn hoofd. 'Ik heb geen tijd om het uit te leggen,' zei hij. 'Als je me wilt arresteren, doe dat dan – maar je moet deze mensen laten gaan. En wel nu met...'

Midden in zijn zin werd hij onderbroken door het plotselinge gebrul van een claxon. Instinctief wendde hij zijn hoofd in de richting waar het vandaan kwam, snel genoeg om de gestalte van een man door de open deur aan de andere kant van de hangar naar binnen te zien glippen, met een strakgespannen lichaam en een opgestoken pistool dat recht op hen gericht werd.

'Liggen!' schreeuwde hij terwijl hij naar voren sprong en Oscar en Kathryn met zich mee op de vloer trok. Toen begon de wereld om hen heen in elkaar te storten.

Arkadian zag de schutter ook. Hij zwaaide zijn eigen pistool rond net toen het raam naast hem openbarstte en de lucht vulde met kleine kristallen. Hij vuurde twee schoten af op de gestalte in de verte voordat hij voelde dat iets hem hard op zijn schouder trof, zijn geweer uit zijn hand sloeg en hem tegen de vloer smeet.

Hij staarde naar de plek waar Gabriël in elkaar gedoken naast de vrouw en de oude man zat en een geweer uit een zwarte tas op de vloer haalde. Achter hem, aan de andere kant van het kantoor, zag hij dat Liv achter een kopieerapparaat gekropen was, met haar handen over haar hoofd terwijl de televisie boven haar uit elkaar spatte, waardoor de nieuwsuitzending werd afgebroken en een vonkenregen over haar werd uitgestort.

Vlakbij bulderden nog meer geweerschoten toen Gabriël terugschoot.

Arkadian probeerde weg te kruipen van de deuropening en voelde de pijn door zijn rechterarm scheuren. Hij rolde op zijn zij, zijn tanden op elkaar geklemd tegen de foltering, toen handen hem vastgrepen en in veiligheid trokken. Hij schopte met beide benen om zijn gewicht te helpen verplaatsen, keek op en zag het ingespannen gezicht van de vrouw. Hij was net over de glinsterende vloer in dekking gegleden toen de deursponning spaanders begon te spuwen.

De vrouw liet hem los en reikte over zijn lichaam om zijn gevallen pistool op te rapen. Deskundig controleerde ze het laadmechanisme om te zien of het niet beschadigd was bij de val; het mechaniek bewoog klikkend en soepel heen en weer.

Toen werd het stil.

Cornelius hurkte al in positie achter een krat toen de claxon klonk, maar Johann was nog onderweg door de deur. Toen hij zich zwaar op het beton liet vallen, wist Cornelius dat hij geraakt was. Hij sleepte hem naar een beschutte plek, rolde hem op zijn rug en bekeek hem.

Er zat een grote wond op het bovenste deel van zijn schietarm. Die bloedde wel, maar niet pompend. Toen zag hij nog meer bloed opborrelen uit een rafelige wond in zijn hals. Johann keek naar hem op met verwarring in zijn blik, tilde zijn arm op en voelde de warme, vochtige stroom tegen zijn handpalm. Dof keek hij naar het dikke, natte rood dat ritmisch uit de nekwond bleef sijpelen. Cornelius drukte er hard op met zijn hand om de stroom te stuiten, maar besefte dat het zinloos was. Johann wist het ook. Hij draaide zich van de druk af, stak een hand in zijn canvaszak die op de grond was terechtgekomen en haalde er twee kleine voorwerpen uit. Ze waren olijfgroen en rond en zagen eruit als kleine stalen vruchten. 'Schiet op,' zei hij.

Cornelius keek even naar de handgranaten en toen weer naar Johanns ogen. Hij zag de helderheid er langzaam uit wegvloeien. Het gebrul van de claxon had het verrassingselement tenietgedaan. Hij had Kutlar moeten doodschieten in plaats van hem alleen in het busje achter te laten. Nu moest Johann door zijn fout sterven. Zodra hij de kans kreeg, zou hij Kutlar een langzame dood bezorgen. Hij stak een hand uit en tekende snel een kruis op Johanns voorhoofd, een bloedig spoor achterlatend waar zijn vingers de huid raakten.

'Houd ze bezig, maar verwond die meid niet,' zei Cornelius, zich de opdracht van de abt herinnerend. Hij verwijderde het lege magazijn uit zijn pistool en klikte er een nieuwe in. Na een laatste blik op Johann knikte hij even, stak toen de loop van zijn geweer over de krat heen en begon snel achter elkaar schoten af te vuren terwijl hij achterwaarts over de betonnen vloer rende, zich verwijderend van de rij pallets in de richting van de openstaande deur.

117

Arkadians oren tuitten nog van de geweerschoten en zijn schouder was heel pijnlijk, maar hij voelde zich nog steeds alert. Hij reikte omhoog. Drukte zijn hand tegen de wond. Voelde het natte gat in zijn jas waar de kogel was binnengedrongen. Haalde zijn hand weg en keek ernaar. Het bloed op zijn handpalm was donker, niet helder. Het was geen slagaderlijke wond. Hij bloedde niet al te erg. Hij keek naar Gabriël die, laag gehurkt bij het kapotgeschoten raam, met zijn ogen het magazijn afzocht naar beweging.

'Gaat het?' vroeg de stem van de vrouw. Hij wendde zich naar haar toe. Ze zat gehurkt naast een openstaande doos kogels; haar zwarte haar hing in een zijden golf over haar gezicht terwijl ze geroutineerd het magazijn van zijn pistool vulde.

'Ik overleef het wel,' zei hij.

Ze keek op en knikte in de richting van de hoek. 'Je moet even bij haar gaan kijken,' zei ze. 'Dit is jouw strijd niet. En ook niet de hare.'

Hij volgde haar blik naar de plek waar Liv nog steeds ineengedoken naast de kopieermachine zat. Vanuit deze nieuwe hoek zag hij ook iets anders. Onder de kapotte televisie bevond zich een deur in de muur waar in dikke groene letters NOODUITGANG op stond.

'Dat zou ik niet doen,' zei de oude man, die zijn gedachten las. 'Ze weten vast wel dat er een achteruitgang is. Iedereen die uit die deur komt, loopt rechtstreeks in de val.'

Kathryn klikte de laatste kogel in het magazijn en klapte het terug in de kolf van Arkadians pistool. Ze reikte hem het wapen bij de loop aan en zei: 'Houd de uitgang in de gaten en blijf laag. Heb je een mobiele telefoon?' Arkadian knikte en had daar onmiddellijk spijt van omdat er een steek van pijn door zijn schouder trok. 'Bel om versterking. Ze reageren veel sneller als er een agent in moeilijkheden zit.'

Hij hield haar blik even vast en stak toen zijn goede hand uit naar zijn geweer, met zijn duim tastend naar de veiligheidspal, die al op zeker bleek te staan.

Johann wist dat de muren van het kantoor de explosie van een granaat zouden dempen. Hij moest dichterbij komen, of wachten tot de mensen die in het kantoor zaten naar buiten kwamen. Hij nam aan dat de jonge vrouw binnen zou blijven. Ze zou misschien het bewustzijn verliezen door de explosies, of gewond raken door granaatscherven, maar ze zou het wel overleven. Hij voelde dat er zich vanuit zijn vingertoppen en zijn voeten een doffe kilte door zijn lichaam verspreidde.

Aan de andere kant van de loods hoorde hij het getinkel van glas en het schuifelen en kraken van voorzichtige bewegingen. Hij sloeg zijn ogen neer en zag zijn geweer op de geverfde betonnen vloer liggen. Toen hij zijn hand uitstak en het oppakte, voelde het belachelijk zwaar aan. Geen goed teken. Langzaam schroefde hij de geluiddemper los om het lichter te maken. Hij legde het op de vloer naast zich en voelde de kou optrekken tot in zijn knieën terwijl de warmte uit zijn hals werd gepompt.

Zijn tijd was om.

Hij raapte de eerste van de twee handgranaten van de grond.

118

Gabriël kwam iets overeind en keek over de resterende scherven in de onderrand van het raam heen de loods door. Sinds het laatste salvo had er niets meer bewogen. Dat kon één van twee dingen betekenen. Of de man had zich teruggetrokken – en in dat geval zou hij ongetwijfeld terugkeren met meer man- en vuurkracht – of hij zat nog in de loods en wachtte rustig af. Hoe dan ook, ze konden hier niet blijven wachten en het beste ervan hopen. Ze zouden de situatie moeten forceren.

Een knerpend geluid trok zijn aandacht en hij keek naar de inspecteur, die onbeholpen over de met glasscherven bezaaide vloer naar Liv kroop, die bij de kopieermachine schuilde. Hij had een mobiele telefoon in zijn mond en hield zijn gewonde arm stijf voor zijn borst. In de andere hand had hij een geweer. Gabriël wilde niet blijven rondhangen terwijl de inspecteur zijn hulptroepen optrommelde. Na zijn bezoek aan het mortuarium zouden ze hem beslist arresteren – en niemand was ermee geholpen als hij de komende paar dagen in een cel doorbracht. De inspecteur bereikte Liv en boog zich naar haar toe om iets in haar oor te fluisteren. Ze keek naar Gabriël en glimlachte. Hij glimlachte terug en wendde zijn blik af toen hij achter zich nog meer glas hoorde knerpen. Kathryn en Oscar namen positie in naast de deur. Gabriël greep zijn geweer en hield het in de aanslag terwijl hij weer in de stille loods rondkeek en in de lege ruimte tussen de kratten naar beweging zocht.

Nog steeds niets. Alleen maar schaduwen en lucht.

Hij keek naar zijn moeder en grootvader, die gespannen tegen de muur naast de deur stonden, zijn moeder voorop. In haar hand hield ze de Glock waarvan hij de man die nu op de bodem van de steengroeve rustte had verlost. Ze keek naar hem over haar schouder; haar gezicht was strak van concentratie. Hij hief zijn linkerhand zodat zij hem kon zien. Haalde diep adem. En liet zijn hand vallen.

Terwijl zijn linkerhand zakte, rees zijn rechterhand zodat zijn geweer over de onderrand van het gebroken raam stak. Zodra de loop eroverheen stak, begon hij te vuren, in een strak patroon het gebied bestrijkend waar hij de man het laatst had zien vallen. Hij vuurde acht schoten af. Drie keer snel om iemand neer te leggen, vijf keer iets langzamer om hem neer te houden.

Toen hij klaar was met schieten keek hij door de dunne wolk van blauwe rook weer de loods door, maar hij zag niets. Hij keek over de rand van het kapotte raam. Kathryn was nu buiten in de loods, met haar rug tegen een van de kratten gedrukt, in positie en klaar om te gaan.

Johann hoorde de kogels door de lucht boven zijn hoofd gieren en tegen de stalen deur achter hem knallen. Een ervan raakte de bovenkant van het krat waar hij tegenaan hing zodat hij werd besproeid met hout en splinters aluminium, en ketste toen gierend af naar rechts. Ondertussen klemde hij voortdurend zijn hand tegen zijn hals en oefende druk uit, de stroom bloed belemmerend om zo tijd te winnen. Hij telde de schoten en lette op de frequentie: drie snel, vijf langzamer – klassiek dekkingsvuur. Ze veranderden van positie. Dat betekende dat ze op hem afkwamen. Hij glimlachte en sloot zijn vrije hand om de twee granaten die hij op zijn schoot had. Hij begon koud en slaperig te worden.

Niet lang meer – dacht hij.

In stilte begon hij een van de vigiliën te bidden.

Hij stierf tijdens het uitvoeren van Gods werk, en God zorgde altijd voor de zijnen.

Gabriël bereikte de openstaande deur van het kantoor en nam de positie in die zijn moeder zojuist had verlaten. Drie snelle schoten scheurden door de stilte van buiten, en hij spurtte weg en was de deur al uit voordat de eerste van de langzamere schoten weerklonk.

Johann telde de drie snelle schoten en verschoof, bloederige handafdrukken achterlatend op de koude betonnen vloer.

Elke beweging kostte hem moeite, maar hij kon niet langer wachten.

VIER

Het eerste van de langzamere schoten klonk en zijn hand sloot zich om de eerste granaat.

VIJF

Hij trok de pen uit de granaat, bracht snel zijn arm naar achteren en wierp hem om het krat heen in de richting van het kantoor achter in de loods.

ZES

Hij rolde door zijn eigen gladde, natte bloed. Trok de pen van de tweede granaat los. Smeet hem door de tussenruimte aan de andere kant van het krat.

ZEVEN

Pakte met een zwaai zijn geweer van de vloer en duwde zichzelf overeind.

ACHT

Rees boven het krat uit. Stak zijn geweer op. En begon te schieten.

Gabriël zag de rode gestalte overeind komen en tegelijkertijd zijn geweer opsteken in de richting van de plaats waar zijn moeder stond. Hij zag de vlam uit het einde van de loop spugen en een stuk van een pakkist losscheuren van een pallet halverwege tussen hen in. De knal van het eerste schot echode door de loods en het geweer vloog omhoog door de terugslag, waarmee de loop dichter bij zijn doelwit kwam.

Er knalde een tweede schot, deze keer uit Gabriëls geweer.

Een wolkje rode mist verscheen achter het hoofd van de schutter en het vloog met een ruk naar achteren, alsof hij een kaakslag had gekregen. Toen begon hij te vallen. Gabriël zag hem in elkaar zakken terwijl het geweerschot door de enorme loods echode. Pas toen het geluid wegstierf, hoorde hij het metalige, rinkelende geluid van iets anders wat over het beton in zijn richting bewoog. Hij verplaatste zijn doelwit in de richting van het naderende geluid, stuiterend in het smalle gangpad tussen de kratten. Pas een moment voordat het in het zicht rolde, precies naar de plek waar zijn moeder gehurkt zat, besefte hij wat het was.

Kathryn keek om, maar zijn lichaam was al in beweging, zijn benen pompend tegen het beton om zijn volle gewicht naar haar toe te werpen toen ze overeind begon te komen. Hij raakte haar als een aanvallende linebacker, vooruit- en door haar heen duwend, zijn vaart gebruikend om hen beiden zo ver mogelijk van de granaat te verwijderen voordat hij afging.

Pas toen zijn hoofd over haar schouder dook en zijn lichaam tegen het hare botste, zag hij de tweede granaat van achter de kratten vandaan stuiteren, precies naar de plek waar zij op afvlogen.

119

Van achter de rand van de kantoordeur had Oscar vrij zicht op de tunnel die gevormd werd door de rijen opgestapelde kratten. De granaat was halverwege toen hij hem over de vloer van de loods in zijn richting zag springen. Hij reageerde instinctief. Hij rende de deur uit, zijn hand waarschuwend omhoog, zijn gezicht naar Gabriël en Kathryn gewend. Toen hij hen samen zag, onstuitbaar gelanceerd in zijn richting, beleefde hij een moment van goddelijke verlichting waarin alles vertraagde en bijna tot stilstand kwam.

Zijn blik richtte zich weer omlaag naar de granaat die langzaam door de lucht tolde, nauwelijks drie centimeter boven de grond. Hij stuiterde een keer, het geluid van een hamer op steen, en bleef zijn kant op komen. Oscar spande zijn beenspieren en verplaatste zijn zwaartepunt.

Negentig jaar... dacht hij toen zijn lichaam begon te bewegen. Negentig jaar lang heb ik de pijlen en speren van de vijand ontdoken...

De granaat tolde dichterbij, raakte de buitenmuur van het kantoor, stuiterde terug en kwam precies voor zijn voeten tot stilstand.

Niet gek voor een dode.

Hij liet zich plat voorover op de grond vallen en smoorde de handgranaat met zijn lichaam.

Gabriël zag Oscar neerstorten en begreep wat hij aan het doen was. Hij strekte zijn hand naar hem uit toen hun vaart hen dichterbij bracht. Voelde zijn vingertoppen de achterkant van Oscars overall raken. Wilde zijn hand sluiten rond het zware katoen.

Toen ontplofte de eerste granaat achter hem.

De schok rukte de overall uit zijn greep en tilde hem omhoog en naar voren, over het uitgestrekte lichaam van Oscar heen tegen de muur van de loods erachter. Hij raakte de muur met zijn hoofd en met de volle kracht van de explosie erachter, waarna hij op de vloer achter een krat in elkaar zakte. Toen hij neerkwam, voelde hij zijn bewustzijn weggehamerd worden. Hij probeerde hoofdschuddend weer helder te worden. Te schreeuwen, om zichzelf wakker te schokken. Toen kwam Kathryn met een klap boven op hem terecht, zodat zijn hoofd tegen de betonnen vloer knalde, en maakte het werk af dat de muur was begonnen.

Het laatste wat Gabriël opmerkte voordat hij het bewustzijn verloor, was het beven van de grond onder zijn lichaam en een doffe dreun toen de tweede granaat ontplofte.

120

Arkadian had zich net een stukje overeind gewerkt, met zijn telefoon in de lucht gestoken, op zoek naar een signaal, toen de schokgolf van de eerste explosie door het kantoor raasde. Hij werd tegen de horizontale grendelstang van de deur van de nooduitgang gesmeten, die openzwaaide en hem de nacht in wierp. Pijn ontplofte in zijn schouder toen hij een stuk gravel raakte, zodat de telefoon en zijn pistool uit zijn handen werden gerukt. Hij klemde zijn kaken hard op elkaar om het niet uit te schreeuwen en liet zich op zijn zij rollen, weg van de pijn, met diepe teugen inademend om de kreet te onderdrukken en wanhopig rondspeurend naar tekenen van gevaar.

Hij zag Liv gestrekt over de drempel van de openstaande deur liggen, half in en half buiten het kantoor. Zijn telefoon lag op het grind tussen hen in en straalde een koud blauw schermlicht omhoog in de nacht. Net toen hij zijn hand ernaar uitstak, schudde de grond onder hem van de tweede explosie. Hij greep de telefoon en bleef naar zijn geweer zoeken. Zag beweging. Keek op naar de nooddeur, die langzaam dichtzwaaide. En zag de man erachter staan.

Liv voelde het knallen van de tweede explosie meer dan ze het hoorde. Het rommelde door de aarde als een doffe donderslag en schudde haar zachtjes wakker uit haar verdoving. Ze keek op en zag Arkadian buiten op de grond liggen. Hij reikte naar zijn telefoon en raapte hem op. Toen ging zijn blik naar boven en langs haar heen; zijn ogen werden groot van schrik bij wat ze zagen.

Hij schokte twee keer toen er twee gaten verschenen in de voorkant van zijn overhemd en klapte toen achterover op het grind; op de grond, precies waar hij had gezeten, werd een geweer zichtbaar.

Liv klauwde met haar handen in de aarde toen ze eropaf kroop. Het vierkant van licht uit de geopende deur werd kleiner toen de deur zich achter haar sloot. Ze keek niet om, concentreerde zich alleen maar op het geweer. De kolf in haar richting. De veiligheidspal eraf.

Haar hand sloot zich eromheen; een nagel scheurde tegen de grond toen ze haar vinger door de trekker stak. Ze draaide net rond toen er van achteren iets zwaars tegen haar hoofd kraakte en ze overweldigd werd door licht en verblindende pijn. En toen was er alleen nog duisternis.

121

Zweet prikte in Kutlars ogen toen hij over het asfalt in de richting van het wachthuis hinkte. Hij voelde de koele nachtlucht op zijn vochtige huid, maar dat hielp niet om de hitte die in hem kookte te verzachten. Zijn wond was ontstoken, daar was hij vrij zeker van. Hij had ook shockverschijnselen vanwege al het bloedverlies. Hij moest snel hulp vinden, anders zou hij alsnog doodgaan. Dat kon hij niet laten gebeuren. Niet nu. Het leek uren geleden dat hij op de claxon had gedrukt en eindelijk uit het busje was ontsnapt, maar het waren waarschijnlijk maar enkele minuten.

Hij had de gedempte uitwisseling van geweervuur gehoord door het bonzen van zijn hart heen, en de stilte die op de twee explosies volgde. Misschien was iedereen wel dood. Zelfs de man die Serko had vermoord. Zonder getuigen zou hij zich hier nog wel uit kunnen kletsen. Hij hoefde alleen het wachthuisje te bereiken en om hulp te bellen.

De koplampen verlichtten hem van achteren toen hij er nog maar tien meter van verwijderd was. Het bloed pompte zo luid in zijn oren dat hij de motor niet eens had gehoord. Paniek rees op zijn keel. Hij probeerde te rennen. Strompelde vooruit. Voelde wat er nog over was van zijn hechtingen trekken en knappen in zijn been.

De lichten werden feller en verlichtten de zijkant van het wachthuis waar hij nog maar een meter of zeven vandaan was. Hij zag de vage rode sproeivlek op de achterwand. De bewaker had zijn hand niet uitgestoken naar een geweer, maar hij moest er wel een hebben gehad. Als hij het kon vinden, maakte hij misschien een kans.

Nu hoorde hij de motor, door het bonken van zijn hartkloppingen heen. Het wachthuisje kwam dichterbij. Nog maar vijf meter nu.

Nog maar tien martelende stappen.

...nog acht...

...zeven.

Cornelius reed dwars door Kutlar heen alsof hij er niet was. Hij voelde het kraken toen de politiewagen de beide benen van de man overreed en zag het spinnenweb ontstaan in de voorruit waar zijn hoofd het had geraakt op zijn weg over de auto heen.

Hij keek in zijn achteruitkijkspiegel. Zag het lichaam op het beton landen, hoofd eerst, armen levenloos flapperend, benen in onnatuurlijke hoeken verdraaid. Hij ging op zijn rem staan. Rukte de auto in zijn achteruit. Waar het Kutlar betrof wilde hij niets aan het toeval overlaten, en hij wilde ook geen lijk vol in het zicht laten liggen.

De motor krijste toen hij op het gaspedaal trapte en de verkreukelde hoop vlees en kleding werd groter in zijn achteruitkijkspiegel. Hij remde een meter ervoor, drukte op de knop om de achterbak open te zetten en gleed achter het stuur vandaan, zijn geweer voor zich uit gestoken. Half in de hoop Kutlar levend aan te treffen liep hij om de achterkant van de auto heen. Het idee dat die kerel de rest van zijn leven gehandicapt zou blijven, door rietjes zou drinken en in zakken moest schijten, beviel hem wel. Hij werd echter begroet door een starende, blinde blik en was bijna teleurgesteld.

Hij bukte zich en raapte het lichaam snel van de grond. Voelde gebroken botten kraken in het gezwollen vlees van Kutlars been toen hij hem in de krappe achterbak naast het lijk van de bestuurder propte. Hij moest met zijn hele gewicht op de kofferbak leunen om hem dicht te laten klikken en keek zoekend rond over het open landschap van de luchthaven toen hij naar zijn bestuurdersstoel terugliep. Hij zag geen beweging. Hoorde geen sirenes vanuit de verte zijn kant op komen. Hij wilde teruggaan en de loods doorzoeken, losse eindjes wegwerken, maar hij had zijn bevelen, en zijn voornaamste doel was bereikt.

Hij klom achter het stuur en wierp een blik achterin op het bewusteloze meisje. Een paar handboeien door een dikke D-ring hielden haar armen vooruitgestoken.

Hij zag haar borst op en neer gaan met haar ademhaling en nam aan dat de klap op haar hoofd haar buiten westen zou houden totdat ze hun bestemming bereikten. Desondanks deed hij de portieren op slot, voor de zekerheid, startte toen de auto en reed rustig de ventweg op die van de luchthaven terug naar Ruīn leidde.

VI

Ik bezweer jullie, mijn broeders, blijf de aarde trouw en schenk geen geloof aan hen die jullie verhalen van bovenaardse hoop!

Aldus sprak Zarathoestra
Friedrich Nietzsche

122

'Laat ons alleen!' zei de abt.

De Apothecaria keken op, verrast door een bevel van iemand anders dan hun meester. Ze stonden onzeker op, hun aandacht verdelend tussen de prelaat, de medische apparatuur waarmee ze hem in leven hielden, en de abt, die vierkant bij de deur stond.

'Zo blijkt,' ruiste de droge stem van de prelaat ergens vanuit het wit linnen nest, 'dat ík hier de leiding heb. Dat kun je maar beter onthouden.'

'Vergeef me, vader,' zei de abt. 'Maar ik heb dringend nieuws... over het Sacrament.'

De Apothecaria bleven staan, in afwachting van verdere opdrachten. 'Dan kunnen jullie gaan,' zei de prelaat. De abt keek toe hoe ze hun machines controleerden en de kamer uit gleden, de deur achter zich dichttrekkend.

'Kom eens dichterbij,' riep de prelaat in het donker. 'Ik wil je gezicht zien.'

De abt bewoog zich naar het bed, halt houdend bij de apparatuur die de fantomen zojuist hadden achtergelaten. 'Het spijt me dat ik onaangekondigd binnenloop,' zei hij terwijl hij tersluiks het volume van de monitor zacht zette. 'Maar er is iets aan de hand met het Sacrament. Iets buitengewoons.' Hij kwam naast het bed van de prelaat staan en werd onmiddellijk gespietst door diens scherpzinnige donkere ogen.

'En heeft dat... iets te maken met... de drie Carmina... die niet in... de berg te vinden zijn?'

De abt glimlachte. 'O ja, dat,' zei hij.

'Ja, dat.' Er lag een verbazende energie achter de woede.

'Dat wilde ik met u bespreken.' De abt keek neer op de oude man. Hij was in de paar uur sinds hij hem voor het laatst had gezien nog ouder geworden, zijn levensenergie was bijna verdwenen, zijn herstellende krachten waren bijna verbruikt. 'Ik heb net gehoord dat zij de zus van broeder Samuel gevonden hebben,' zei hij met zijn blik op de prelaat gericht, in afwachting van diens reactie. 'Ik heb opdracht gegeven om haar hierheen te brengen, naar de Citadel – naar mij.'

Een zweem van warmte kleurde de ijzige huid van het gezicht van de oude man. 'Het is de gewoonte om te wachten tot men prelaat is, voordat men zich daarnaar gaat gedragen.'

'Vergeef me,' zei de abt, en hij stak een hand uit alsof hij een dunne lok wilde wegvegen van de ogen van de prelaat. 'Maar soms moet men zich als een leider gedragen om er een te worden.'

Hij greep een kussen en drukte het hard op het gezicht van de oude man, verstikte hem met één grote hand terwijl de andere hand zijn polsen vastpakte en in een ijzeren greep hield, zodat de klauwachtige vingers niet konden krabben. Achter zich hoorde hij het zachte alarm van een van de apparaten waarschuwen voor een gevaarlijke verandering in de toestand van de prelaat. De abt keek even naar de deur, luisterend of er haastige voetstappen aankwamen. Nee. Hij hield de prelaat vast tot het verzet uit de tegenstribbelende dunne armen verdween en haalde toen het kussen weg.

De ogen van de prelaat staarden omhoog naar het donker boven zijn hoofd en zijn openhangende mond vormde een cirkel. De abt liep naar de life-supportmachine en draaide het alarmvolume hoger, stem gevend aan die laatste, stilzwijgende kreet.

'Help! Kom snel!' schreeuwde hij, terwijl hij zich naar het bed haastte.

Over de stenen van de overloop kwamen voetstappen aanstuiven. De deur vloog open om de Apothecaria binnen te laten. Een van hen holde naar de apparaten, de ander kwam op de prelaat af. 'Hij begon te stikken,' zei de abt en stapte opzij. 'Gaat alles goed met hem?'

Het alarm krijste nog steeds door de kamer en de Apothecarius bij het bed begon op de oude borstkas te drukken terwijl de ander een defibrillator dichterbij sleepte.

'Doe wat je kunt,' zei de abt. 'Ik ga hulp halen.'

Hij glipte de deur door naar de lege gang, niet op weg naar hulp, maar naar de lagergelegen vertrekken in de berg. Er zou geen lijkschouwing komen, want de abt was nu waarnemend prelaat en hij zou er niet om vragen. Bovendien zou zijn tragische dood volkomen worden overschaduwd door wat er nog zou volgen.

De abt had het laatste obstakel verwijderd. Nu kon hij zijn lotsbestemming vervullen.

123

Geleidelijk kwam Gabriël bij.

Eerst weigerden zijn ogen open te gaan en lag hij op de plek waar hij was gevallen lucht in te ademen die rook naar explosieven en verschroeid hout – en naar nog iets anders. Het was een geur die hij voor het laatst in de Soedan had geroken, nadat guerrillatroepen een van de vrachtwagens van hun charitatieve instelling in een hinderlaag hadden gelokt. Toen Gabriël onder escorte van regeringstroepen de locatie ging inspecteren, had daar dezelfde geur in de lucht gehangen, als een vettige wolk. Pas toen hij het verbrande lichaam had gezien van de bestuurder die vastgekleefd zat aan het stuur, had hij begrepen wat het was. Zijn ogen sperden zich open toen hij het verband legde en zich herinnerde wat er was gebeurd.

Hij keek om zich heen. Zag dat hij op de vloer lag tegen een muur van de loods, met zijn roerloze moeder boven op hem. Hij gaf haar een paar tikjes in haar gezicht. Drukte nerveuze vingers tegen de zijkant van haar hals en voelde haar pols. Die was sterk en regelmatig.

Met een bonzend hoofd veranderde hij van houding en greep haar bij de schouders om haar zachtjes van zich af op haar zij te rollen in de herstelpositie. Door het pijnlijke bonken van zijn hoofd heen luisterde hij naar geluiden van beweging elders in het gebouw. Hij hoorde niets.

Zijn geweer lag op de betonnen vloer op de plek waar het uit zijn hand was geslagen. Hij raapte het op en trok de laadslede naar achteren om te controleren of het geweer niet beschadigd was en de mechaniek nog soepel werkte; toen kwam hij achter de kratten vandaan. Hij keek niet in de richting van het kantoor. Hij wilde niet zien wat hij wist dat er lag, niet voordat de omgeving beveiligd was, of voordat hij zeker wist dat de hufter die dit had gedaan morsdood was.

Hij dook de tunnel in tussen de rijen kisten en kratten en repte zich zo veel mogelijk gebukt naar de voorkant van de loods. Hij had geen idee hoe lang hij buiten westen was geweest, dat was een probleem. Toen het schieten begon, was de inspecteur aan het bellen om versterking. En elke twintig minuten patrouilleerde de luchthavenbeveiliging langs de omheining. Als hij door de beveiliging op de een of andere manier in bewaring werd gesteld, was hij uit de roulatie en dat zou de Citadel in de kaart spelen. Hij reikte naar zijn achterhoofd en voelde een bult opkomen waar zijn hoofd de muur had geraakt. Het haar eromheen was nat van het bloed dat uit een diepe, gezwollen scheur op zijn schedel sijpelde. Hij keek naar zijn bebloede vingers. Het bloed was helderrood, niet donker, niet te kleverig. Het was nog niet gaan stollen. Hij kon niet al te lang bewusteloos zijn geweest. Dat was mooi, maar hij moest nog steeds opschieten.

Toen hij het einde van de pallettunnel bereikte, hurkte hij laag op de vloer. Met zijn pistool in de aanslag, laag en dicht tegen zijn lichaam, wierp hij een blik om het laatste krat heen in een gewaagde, snelle beweging, heen en terug, met zijn pistool de beweging van zijn ogen volgend om te kunnen schieten als het nodig was. Er lag een man gestrekt tussen de openstaande deur van de hangar en de eerste stapel kratten. Zijn ogen stonden open, zijn achterhoofd ontbrak. Gabriël bewoog zich in zijn richting en toen langs hem heen, zijn blik alert op beweging op zijn weg naar de openstaande deur van de loods.

Buiten was alles stil – geen politiewagens, geen luchthavenbeveiliging. Bij een van de naastgelegen loodsen stond een wit busje geparkeerd. Hij was er vrij zeker van dat het hetzelfde was als de wagen die hij eerder had gevolgd. Toen hadden er drie mannen in gezeten. Tot dusver had hij er pas één gevonden. Hij greep de rand van de deur en schoof hem dicht, waarna hij er een dikke metalen grendel voor liet vallen om hem dicht te houden. Nu hij in de rug gedekt was, keerde hij terug naar het lijk.

De kogel die de man had gedood was zijn hoofd binnengedrongen op het kruispunt van een met bloed op zijn voorhoofd getekende Tau. Rond de wond zat geen bloed. De dood moest op slag zijn ingetreden. Jammer genoeg. Hij liet een lange, diepe zucht ontsnappen om de emotie weg te blazen die zijn keel benarde en achter zijn ogen prikte. Hij moest zich blijven concentreren. Er ontbraken nog steeds twee mannen op de rol en de politie kon niet ver weg zijn.

Gabriël zakte op zijn knieën en fouilleerde de dode. Zijn hand schuurde over de droge stof van het windjack en vermeed de natte, pulpachtige stukken rond de nek waar het bloed was doorgelekt. Hij had in elk geval flink geleden voor hij stierf.

Hij vond een sleutelbos en een blanco rechthoekig stuk plastic, zo groot als een creditcard. Hij herinnerde zich dat het busje had staan wachten aan het einde van de steeg bij de muur van de oude stad. Daar had de bestuurder een kaart door een sleuf gehaald. Hij stopte hem in zijn zak bij de sleutels van het busje en raapte het pistool van de dode op. Vlakbij lag een geluiddemper, naast een canvastas. Gabriël bewoog zich er half kruipend heen, raapte de zwarte metalen buis van de grond en maakte er de flap van de tas mee open.

In de tas vond hij vier volle 9mm-magazijnen, twee handgranaten en een plastic doos met voorgevulde wegwerpspuiten, van het soort dat soldaten meenamen in de oorlog. Er zaten ook een paar extra ampullen met heldere vloeistof in. Hij las het etiket: ketamine – een zwaar verdovend middel dat door dierenartsen wel voor paarden werd gebruikt. Hij liet de Glock samen met de geluiddemper in de tas vallen, hees hem op zijn schouder en glipte tussen de opgestapelde kratten in de richting van het kantoor achter in de loods.

Toen hij het einde van het gangpad naderde, rook hij de bittere schroeilucht van explosieven en zag de versplinterde buitenmuur van het kantoor. Op de vloer ervoor toonde een zwarte kring het middelpunt van de knal. Er zat nog een kring op het stalen dak erboven. Het versterkte beton van de vloer had kennelijk het grootste deel van de klap omhooggedwongen, wat ongetwijfeld zijn leven had gered. Hij bereikte het einde van de gang, haalde diep adem om zijn aanzwellende woede te beheersen en liep verder.

Wat er van Oscar over was, lag bij de deur van het kantoor.

Gabriël had al eerder oorlogsslachtoffers gezien, hun vlees gescheurd en verbrijzeld door de klauwen van modern wapentuig – maar nog nooit iemand aan wie hij verwant was. Hij liep naar zijn grootvader toe, zijn verdriet smorend in zijn keel. Hij probeerde niet te kijken naar de rode massa van het lichaam van zijn grootvader, maar richtte zijn blik op het gezicht, dat vreemd genoeg opmerkelijk ongeschonden was gebleven. Oscar lag op zijn buik, zijn gezicht opzij gewend, zijn ogen dicht alsof hij rustte. Hij zag er bijna sereen uit. Op het donkere mahonie van zijn huid blonk een heldere spat bloed. Gabriël stak zijn hand uit en veegde het zachtjes weg met zijn duim. De huid was nog warm. Hij boog zich voorover en kuste zijn grootvader op zijn voorhoofd, voordat hij overeind kwam om zoekend rond te kijken naar iets om hem mee toe te dekken, en niet nog dieper meegesleept te worden door de emoties. Hij had de omgeving nog steeds niet veiliggesteld. En hij had Liv niet gevonden. Hij trok een stuk zeil van een van de kratten, drapeerde het zorgvuldig over Oscars lichaam en dook toen de deur door naar het kantoor.

124

Zodra Gabriël de vlammen achter in het vertrek zag, wist hij dat er iets niet klopte. Hij hief zijn pistool, knerpte naar de nooduitgang en keek naar buiten. De inspecteur lag op de grond. Liv was verdwenen.

Hij liep de deur uit met een blik op de omheining om te kijken of er een patrouillewagen langsreed, greep Arkadian onder zijn schouders vast, leunde achterover om hem naar binnen te slepen en liet hem bijna weer vallen toen de inspecteur een diepe, rauwe kreun uitstootte.

Hij trok hem naar binnen, sloot de nooduitgang af en tastte in Arkadians hals naar een polsslag. Die was er. Gabriël fronste zijn wenkbrauwen bij het zien van de twee kogelgaten in de voorkant van zijn overhemd. Ze waren rafelig en zaten dicht bij elkaar. Hij stak zijn vinger in een van de gaten en voelde warm metaal. Hij trok zijn vinger naar het tweede gat zodat de stof van het overhemd scheurde en een zwart kogelwerend vest eronder zichtbaar werd, met twee geplette kogels op de plaats waar het hart moest zitten. Hun impact ervan moest voldoende geweest zijn om hem tegen de vlakte te slaan en misschien een paar ribben te breken, maar niet om hem te doden.

'Hé,' zei Gabriël terwijl hij hem een paar flinke tikken op zijn wang toediende. 'Kom op, wakker worden.'

Hij sloeg harder, tot Arkadians hoofd uiteindelijk opzij rolde en zijn ogen zich open wrikten. Hij keek naar Gabriël. Focuste zijn blik. Probeerde op te staan.

'Rustig aan,' zei Gabriël en legde een hand op zijn borst waar de kogels doel hadden getroffen. 'Je bent beschoten. Als je opstaat, kun je weer bewusteloos raken en je hoofd stoten. Ik moet weten met welke auto je hier bent gekomen.'

'Ongemerkte wagen,' zei Arkadian met een raspende stem die hij zelf niet herkende.

'Die is weg,' zei Gabriël terwijl hij zijn mobiele telefoon uit zijn zak haalde. 'Degene die hem heeft meegenomen, is waarschijnlijk dezelfde als die je heeft beschoten en voor dood heeft achtergelaten. Ik wil dat je hem als gestolen opgeeft. Hij zal wel onderweg zijn tussen hier en de Citadel. Maar zeg dat ze oppassen. Het meisje zit bij hem in de auto.'

Arkadian keek naar de telefoon en herinnerde zich de agent die hij achter het stuur had achtergelaten. 'En de bestuurder?' vroeg hij.

Gabriël keek hem uitdrukkingsloos aan. 'Die zal ook wel in de auto zitten.'

Arkadian knikte; zijn gezicht betrok. Hij stak zijn goede hand uit en nam de telefoon aan. Hij begon het nummer van de centrale in te voeren, maar had pas drie toetsen ingedrukt toen beide mannen verstijfden omdat er buiten in de loods iets bewoog.

Laag gebukt over de vloer onder de raamkozijnen vloog Gabriël naar de openstaande deur. Het geluid klonk opnieuw. Het klonk als statische elektriciteit, of het kreuken van zwaar plastic. Een halve seconde voordat hij de deur bereikte en een afschuwelijk geluid de lucht verscheurde, begreep hij wat het was – de gillende weeklacht van pijn en verdriet.

Zijn moeder stond net buiten de deur met het zeildoek in haar handen en keek neer op wat er restte van haar vader.

125

Cornelius reed de bergen in met een snelheid die net onder de snelheidslimiet lag, voorzichtig vanwege zijn kapotte voorruit en de twee lijken in de kofferbak. Het staartje van de spits sijpelde nog de stad uit; er reden maar heel weinig auto's zijn kant op. Hij was al tot de zuidelijke boulevard en de binnenste ringweg gevorderd voordat Arkadian erin slaagde om de auto waarin hij reed als gestolen op te geven. Hij reed al op de afrit naar het Schaduwkwartier tegen de tijd dat de centrale het kentekennummer op de radio omriep en een algemeen 'alert' afkondigde. Nu de dagelijkse uittocht van bussen en auto's voorbij was en de oude stad zijn valhekken had gesloten, was de wijk vrijwel verlaten. Cornelius draaide de steeg in en bracht de auto voor de stalen deur tot stilstand. Hij toetste een bericht in op zijn telefoon om uit te leggen wie hij was en wie hij bij zich had in de auto.

Toen wachtte hij af.

Na een lange minuut klonk er een zwaar gedreun en de stalen deur schoof open om gaandeweg de donkere tunnel erachter te onthullen. De koplampen schenen op glad beton en vervolgens op ruwe stenen muren toen hij langzaam doorreed, met de bocht van de tunnel mee naar rechts. Achter hem zonk de stalen deur weer omlaag. Cornelius luisterde naar het geruststellende gerommel van de banden op de ongelijke grond. Hij bedacht dat dit misschien wel de laatste keer was dat hij ooit een auto zou besturen of buiten de Citadel zou komen. Die gedachte vond hij geruststellend. Hij koesterde geen genegenheid voor de moderne wereld of de mensen die er woonden. Gedurende zijn tijd in het leger had hij genoeg van de hel op aarde gezien. De verlossing lag in de toekomst, buiten deze wereld, hoog in de berg – dichter bij God.

De auto stuiterde op zijn schokbrekers onder aan de helling en reed toen omhoog naar het vertrek aan het einde van de tunnel. Toen de koplampen de top bereikten, verlichtten ze twee spookachtige gestalten die midden in het gewelf stonden. Cornelius trok het stuur naar rechts en bracht de wagen naast de fantomen in een wolk van stof en uitlaatgassen tot stilstand. Hij schakelde de motor uit, maar liet de koplampen branden; de lichtstralen verlichtten de twee gestalten die naar hem toe wandelden door de korrelige mist. Beiden droegen ze de groene pijen van de Sancti. Cornelius deed zijn portier open, stapte uit en werd plotseling stevig omhelsd.

'Welkom terug,' zei de abt, toen hij hem op een armlengte afstand hield en bekeek als een vader die zijn lang verloren gewaande zoon begroet. 'Ben je gewond?' Cornelius schudde zijn hoofd. 'Kleed je dan snel om en kom met ons mee.'

De abt liet zijn arm om de schouders van Cornelius glijden en voerde hem mee naar de deuropening in de achterste muur. Hij liep erdoorheen naar de kleine voorkamer en zag iets op de vloer liggen. De abt glimlachte en gebaarde ernaar. Cornelius voelde tranen prikken in zijn ogen toen hij zich vooroverboog om de houten crux op te rapen die klaarlag op de donkergroene gewaden van een volledig ingewijde Sanctus.

126

De telefoon viel stil aan Arkadians oor. Hij keek naar het scherm. Geen signaal meer. Deels uit frustratie, deels vanwege wat de centrale hem zojuist had verteld fronste hij zijn voorhoofd en keek naar de rode knoeiboel op zijn schouder. Hij moest naar een ziekenhuis en hij moest zijn vrouw bellen zodat ze het verhaal niet uit de tweede hand zou horen, maar tot nog toe was hij er alleen in geslaagd om de auto als gestolen op te geven. Moeizaam kwam hij overeind, de telefoon voor zich uit gestoken om een signaal op te vangen. Hij hoorde weer snikken echoën door de loods en besefte dat hij waarschijnlijk niet de enige was die een ziekenhuis nodig had. Voorzichtig liep hij over de met glas bezaaide vloer naar de versplinterde deur van het kantoor en keek de loods in.

Het tafereel dat hem begroette leek op een tableau uit een renaissanceschilderij van Bijbelse smart. Het gebroken lichaam van de oude man lag op de vloer, gehuld in een dik plastic laken dat onder de zachte gloed van de hanglampen aan het plafond glansde als zijde. Naast hem zat Gabriël geknield met zijn moeder in zijn armen, haar hoofd tegen zijn borst. Ze huilde en verwrong de stof van zijn jas die ze in haar handen geklemd hield. Gabriël keek op.

'De auto?' vroeg hij, met een stem die dun en gespannen was van verdriet.

'Ze weten waar hij is,' zei Arkadian. 'Alle politiewagens hebben een transponder om ze snel te kunnen vinden als er een radio uitvalt. De centrale zei dat deze het kennelijk niet goed deed. Ze zei dat het leek alsof de wagen in een rechte lijn door de gebouwen en de straten van de oude stad was gereden voordat hij stopte – midden in de Citadel.'

Gabriël sloot zijn ogen. 'Dan zijn we te laat,' zei hij.

'Nee,' klonk een verstikte stem. Kathryn hief haar hoofd en keek Arkadian recht aan. 'De pitten die de monnik had doorgeslikt! Je moet ze in veiligheid brengen,' zei ze. Arkadian fronste zijn voorhoofd. Niemand hoorde daarvan af te weten. 'We denken dat ze het Sacrament kunnen zijn,' legde Kathryn uit toen ze zijn verwarring bemerkte.

Arkadian schudde zijn hoofd. 'Het zijn gewone appelpitten,' zei hij. 'We hebben ze getest.'

In het kielzog van zijn woorden bleef een zware stilte hangen. Gedurende enkele seconden bewoog er niemand. Arkadian zag Gabriël en Kathryn deze nieuwe informatie toevoegen aan wat ze al wisten. Toen boog Gabriël zich over naar zijn moeder, kuste haar teder op haar voorhoofd en stond op.

'Als het niet de pitten zijn,' zei hij terwijl hij Arkadian voorbijliep naar het kantoor, 'dan is het de vrouw zelf. Zij is de sleutel van alles. Dat was ze altijd al. En ik ga haar halen.' Hij liep knerpend over de vloer, raapte de zwarte canvastas op en legde hem op het dichtstbijzijnde bureau.

'Laat mij dit afhandelen,' zei Arkadian met een blik op zijn telefoon waarop nu één streep signaal zichtbaar was. Hij drukte op de herhaaltoets om opnieuw de centrale te bellen. 'Als ze ontvoerd is naar de Citadel, kunnen ze dat niet zomaar ontkennen. We kunnen de commissaris erbij halen, politieke druk uitoefenen. Hen dwingen om mee te werken aan het onderzoek.'

'Ze zullen alles ontkennen,' zei Gabriël terwijl hij de tas openmaakte en zijn hand erin stak. 'En het duurt veel te lang. Voordat de politici zich ermee bemoeien, is ze al dood. Je zei dat de auto nog reed toen je met de centrale sprak. Dat betekent dat ze maar een minuut of twintig voorsprong hebben. We moeten er snel naartoe om haar eruit te halen.'

'En hoe gaan we dat doen?'

Met een razendsnelle beweging draaide Gabriël zich om en Arkadian voelde een felle tik op zijn arm. 'Wíj gaan helemaal niets doen,' zei Gabriël.

Arkadian keek omlaag. Zag een injectienaald hangen op de plek waar Gabriël hem had geraakt. Geschokt keek hij op, achteruitstruikelend toen hij probeerde zijn arm te heffen om de spuit weg te slaan. Zijn arm voelde al zwaar aan. Toen hij de muur raakte, voelde hij dat zijn benen het begaven. Gabriël zette een stap naar voren en ving hem op, liet hem langzaam op de grond zakken. Arkadian probeerde te praten, maar zijn tong wilde niet meewerken.

'Het spijt me,' zei Gabriël met een stem die vloeibaar klonk en heel ver weg.

Het laatste wat hij zich herinnerde, was dat de schotwond in zijn arm geen pijn meer deed.

127

Cornelius was nog nooit in dit deel van de berg geweest. De smalle stenen trap die gestaag omhoogleidde was eeuwenoud en stoffig omdat hij zo zelden gebruikt werd. De wachter ging hun voor; zijn fakkel wierp oranje licht op de ruwe muren en de slappe ledematen van de jonge vrouw die over zijn schouder hing, haar armen bungelend als de poten van een geslacht hert. Cornelius hoorde geen stemmen gonzen, geen gekletter en echo's van activiteit in de verte – de gebruikelijke besloten, gedempte geluiden van de berg. Het enige wat de stilte verstoorde, was het geluid van hun eigen ademhaling en de zware tred van hun voortklimmende voeten op de eindeloze trap.

Het kostte bijna twintig minuten om de top te bereiken en Cornelius zweette in zijn nieuwe groene pij tegen de tijd dat hij de kleine gewelfde grot binnenstapte die het einde van hun beklimming betekende. In de muur aangebrachte kaarsenstandaards straalden genoeg licht uit om te laten zien dat er verschillende tunnels uit de grot leidden, elk smal en ruw uitgehakt. Aan het einde van de middelste tunnel schemerde licht en de Sanctuswachter liep erheen, nog steeds met vaste tred, ook al had hij de vrouw bijna de hele berg op gedragen. Cornelius volgde zijn voorbeeld, met de abt vlak achter zich aan, en moest bukken toen hij naar binnen ging; de passage was duizenden jaren geleden uitgehakt door mannen die zelden langer werden dan de wilde grashalmen die in vroegere tijden op de uitgestrekte vlakten rond de berg fluisterden. Hij liep verder met gebogen hoofd, in een passend eerbewijs aan wat hij wist dat hem te wachten moest staan: de Capelli Deus Specialis, de kapel van Gods Heilige Mysterie – de plaats waar het Sacrament werd bewaard.

Naarmate ze dichterbij kwamen werd de gloed aan het eind van de gang sterker en wierp meer licht op de wanden en het plafond. Het onthulde dat de wanden helemaal niet ruw uitgebeiteld waren, zoals Cornelius eerst had gedacht, maar bewerkt met honderden uitgehakte iconen. Zijn blik gleed erlangs en ving vluchtig beelden op: een slang die zich om een zwaarbeladen fruitboom kronkelde; een andere boom, in de vorm van de Tau, waar in de schaduw van de gespreide takken een man onder stond. Er waren ook primitieve afbeeldingen van vrouwen die kennelijk onderworpen werden aan verschillende soorten folteringen – eentje werd er geradbraakt, een ander brandde in het vuur, weer een ander werd uiteengescheurd door mannen met zwaarden en bijlen. Voor hem zagen ze er allemaal hetzelfde uit: ze leken op de vrouw zoals hij zich die onder de boerka had voorgesteld, en het zien van hun smartelijk lijden bezorgde hem een zekere rust. Het herinnerde hem aan een andere tijd, aan die keer dat ze in het kreupelhout naast de hoofdweg naar Kaboel onverwacht op een eeuwenoude tempel waren gestuit, een paar dagen voordat hij zijn peloton verloor. De afbrokkelende muren daar waren bedekt geweest met soortgelijke hiërogliefen, eenvoudige lijnen, verweerd door de tijd en de seizoenen, die eeuwenoude, hardvochtige dingen verbeeldden, lang vergeten en tot stof vergaan.

Naarmate ze dieper in de tunnel kwamen, werden de iconen op de muren vager, alsof de voorbijgangers van duizenden jaren ze hadden doen slijten tot oude herinneringen. Uiteindelijk versmolten ze met de rots en de gang verbreedde zich om uit te lopen in een groter vertrek. Cornelius ging rechtop staan toen hij er binnenkwam, zijn ogen toegeknepen tegen het plotselinge felle licht dat heet en rood opgloeide uit een kleine, in de rotswand ingebouwde smeltoven. Ervoor stond een rij van vier ronde wetstenen op houten standaards, beschenen door het Halloween-achtige licht, en daarachter werd de verste muur vrijwel geheel in beslag genomen door een grote, cirkelvormige steen. De steen was misschien iets minder hoog dan een volwassen man en leek met de vier houten palen die op gelijke afstanden recht uit de rand staken op een ouderwetse molensteen. In het centrum stond de Tau gekerfd. Toen Cornelius hem zag, dacht hij even dat deze vreemde steen het Sacrament was, en hij vroeg zich af wat dat betekende. Toen merkte hij de diepe, rechte groeven op die in de rots erboven en eronder waren uitgehakt, en zag dat de muur erachter gladgepolijst was.

Het was een deur.

Het ware Sacrament moest erachter liggen.

Onder in de donkere gangen, in het lagergelegen deel van de berg, flakkerden de lichtkringen van terugkerende geleerde monniken door de bibliotheek. Een ervan behoorde toe aan Athanasius. Het had de wachters bijna een uur zoeken en controleren gekost voordat ze het incident als een vals alarm aanmerkten en eindelijk de deuren weer openden.

De toegangshal scheen ongewoon helder toen Athanasius er weer binnenkwam, verlicht door de gezamenlijke gloed van alle monniken die hier nu bij elkaar stonden te roddelen en te gissen. Hij zag vader Thomas uit de controlekamer komen met een uitdrukking van professionele bezorgdheid op zijn gezicht, op de voet gevolgd door vader Malachi die als een nerveuze gans naar zijn hielen pikte. Haastig wendde hij zijn blik af, bang dat hun ogen elkaar zouden ontmoeten en hun gedeelde geheim vorm zou krijgen als een vonkende lichtboog tussen hen in. Hij klemde de mappen die hij droeg tegen zijn borst en staarde vastberaden voor zich uit naar het duister achter de poort die naar de hoofdbibliotheek leidde, en naar de geheime kennis die hij daar had verborgen.

128

Het schrapen van het laatste ijzeren brandstofvat weerkaatste door de loods toen Kathryn het over de vloer sleepte naar de plaats waar het witte busje stond, met de achterportieren wijd open. Ze zweette van de krachtsinspanning en de urgentie van haar taak, en de spieren in haar armen en benen brandden, maar ze klaagde niet. Het hielp om haar af te leiden van de dieper liggende pijn die ze met zich meedroeg.

Gabriël sprong uit de achterbak van het busje, greep het brandstofvat en hees het achterin, op de grote stapel die ze uit de hele loods hadden verzameld: zakken suiker, opgerolde dekens, stapels polypropyleen-waterleidingen en rollen plastic, alles wat maar explosief of brandbaar was en bij verbranding veel rook zou opleveren. Het stond allemaal strak verpakt rond een middelste stapel witte nylon zakken waar aan de zijkant KNO3 op gedrukt stond. Er zat kaliumnitraat in, de stikstofrijke kunstmest die onderweg was geweest naar de Soedan. Nu zou het op een andere manier bijdragen aan de goede zaak.

Gabriël duwde het laatste brandstofvat op zijn plaats aan de rand van de stapel en keek toen door de openstaande portieren naar zijn moeders gekwelde gezicht. Ze zag er precies zo uit als toen zijn vader was vermoord: een intens verdriet, vermengd met woede en angst.

'Je hoeft dit niet te doen,' zei hij.

Ze blikte naar hem op. 'Jij ook niet.'

Hij keek haar aan en zag dat de pijn in haar ogen niet alleen werd veroorzaakt door wat er was gebeurd, maar ook door wat er nog kon komen. Hij sprong uit de laadbak. 'We kunnen haar niet in de steek laten,' zei hij. 'Als de profetie gelijk heeft en zij het kruis is, zou ze alles kunnen veranderen. Als we niets doen, verandert er niets; dan is alles wat hier is gebeurd voor niets geweest. En dan moeten wij de rest van ons leven over onze schouders kijken, want ze zullen haar zeker folteren. Ze zullen haar folteren en iedereen vinden die haar gesproken heeft, en vervolgens doden ze haar en komen ze achter ons aan. Ik wil me niet de rest van mijn leven hoeven verbergen. We moeten dit nu afmaken.'

Ze hief haar vochtige zwarte ogen naar hem op. 'Eerst hebben ze me jouw vader afgenomen,' zei ze. 'Nu de mijne.' Ze stak haar hand op en legde die tegen zijn wang. 'Ik laat me jou niet afnemen.'

Hij veegde met zijn duim een traan van haar wang en zei: 'Dat doen ze niet. Dit is geen zelfmoordmissie. Ik ben soldaat geworden na papa's dood zodat ik de Citadel op een andere manier zou kunnen bestrijden. Academische argumenten halen niets uit, en protestmarsen bij kathedralen brengen de muren niet aan het wankelen.' Hij keek even naar de inhoud van het busje. 'Maar wij wel.'

Kathryn keek naar hem op. Zag zijn vader staan. Zijn grootvader. En zag zichzelf. Ze wist dat het zinloos was om met hem in discussie te gaan. Daar was trouwens toch geen tijd voor.

'Oké,' zei ze. 'Laten we het dan maar doen.'

Hij boog zich voorover en kuste haar op haar voorhoofd – lang genoeg om belangrijk te zijn, niet lang genoeg om haar te doen denken dat het een afscheid was. 'Goed,' zei hij terwijl hij de zwarte canvastas uit de laadbak trok. 'Dit wordt jouw taak.'

129

De Sanctus liet het lichaam van de jonge vrouw naast de smeltoven op de grond zakken en haalde een dunne metalen staaf van een haak aan de muur. Hij legde het in de brandhaard en begon de blaasbalgen te bedienen, zodat het vertrek zich vulde met het ritmische geloei van de vlammen. De smeltoven gloeide steeds feller en wierp nu een geel licht op de wetstenen die ervoor stonden. De abt begaf zich naar de dichtstbijzijnde steen, schudde zijn pij van zijn schouders en liet hem op de grond vallen. Cornelius keek naar het netwerk van littekens op zijn lichaam.

'Ben je bereid om de kennis van het Sacrament te ontvangen?' vroeg de abt. Cornelius knikte. 'Doe mij dan na.'

Hij haalde de ceremoniële dolk uit zijn houten crux en trapte het voetpedaal in om de slijpsteen te laten draaien. Vervolgens legde hij de rand van zijn dolk op de steen en begon het lemmet heen en weer te slijpen, zijn ogen gevestigd op het steeds scherper wordende staal. Cornelius schudde zijn eigen gewaden af en voelde de hitte van het vuur op zijn huid. Hij haalde de dolk uit zijn crux en trapte zijn wiel aan.

'Voordat je de kapel binnengaat, moet je de heilige merktekenen van onze orde ontvangen,' zei de abt. Zijn stem klonk rommelend onder het sissen van het vuur en de slijpstenen. 'Die littekens, gesneden in ons eigen vlees, herinneren ons eraan dat wij tekort zijn geschoten in het vervullen van de eed die onze voorouders aan God hebben gezworen.' Hij haalde zijn lemmet van de steen en hield de snede tegen het licht. 'Vanavond zullen we onze belofte eindelijk gestand doen, dankzij jouw grote toewijding.'

Hij keerde zich naar Cornelius en hief zijn lemmet tot de punt boven aan het verdikte litteken over het midden van zijn romp rustte. 'De eerste snede,' zei hij terwijl hij de dolk in zijn vlees drukte en omlaag trok naar zijn maag. 'Dit bloed verbindt ons in pijn met het Sacrament. Zoals het Sacrament lijdt, zo moeten wij lijden, tot aan alle lijden een einde komt.'

Cornelius zag het lemmet door het litteken scheuren tot het bloed langs het lichaam van de abt op de stenen vloer druppelde. Hij hief het lemmet van zijn eigen dolk. Drukte het tegen zijn eigen huid. Priemde de punt in zijn vlees. Hij trok het lemmet omlaag, sloot zich af voor de pijn en dwong zijn hand om hem te gehoorzamen tot de eerste snede was aangebracht en het bloed heet uit zijn gekastijde vlees stroomde. Opnieuw hief de abt zijn dolk en maakte de tweede snede op het punt waar zijn linkerarm aan zijn romp ontsprong. Cornelius deed hetzelfde; plichtsgetrouw spiegelde hij die snede en elke volgende die de abt aanbracht, tot zijn lichaam alle merktekenen droeg van de broederschap waar hij nu deel van uitmaakte.

Toen de abt de laatste snede had getrokken, hief hij de bebloede punt van zijn lemmet naar zijn voorhoofd en veegde het er een keer langs omhoog, draaide het om en veegde nog een keer zijdelings, zodat er in het midden een uitgesmeerde rode Tau verscheen. Cornelius deed hetzelfde en dacht daarbij aan Johann; tranen stroomden langs de bleke, verschrompelde huid op zijn kin. Johann was de dood der rechtvaardigen gestorven om hun missie te laten slagen. Vanwege die opoffering stond hij nu zelf op het punt om gezegend te worden met de heilige kennis van het Sacrament. Hij zag de abt zijn dolk weer in de houten schede van zijn Tau steken en naar de smeltoven lopen. De oude man tilde de metalen staaf uit het midden van de vlammen en droeg hem naar Cornelius.

'Maak je geen zorgen, broeder,' zei de abt, die zijn tranen verkeerd begreep. 'Al je wonden zullen snel genezen.'

Hij hief de gloeiende punt van de staaf en Cornelius voelde de droge hitte die de huid van zijn bovenarm naderde. Hij keek weg en herinnerde zich de hitte van de explosie die hem eerder had verbrand. Voelde opnieuw die schroeiende pijn toen het brandijzer op zijn arm werd gedrukt. Hij klemde zijn tanden op elkaar, smoorde een kreet en dwong zich om de pijn te verdragen terwijl de stank van zijn verschroeide vlees de lucht bezoedelde.

Het ijzer werd verwijderd maar de pijn bleef, en Cornelius moest ernaar kijken om zich ervan te overtuigen dat het voorbij was. Hij haalde een paar keer oppervlakkig adem en keek naar de verkoolde, blarende plek op zijn huid die hem nu als een van de uitverkorenen aanmerkte. Toen merkte hij dat het vlees zich verhardde, zich aaneenvoegde en begon te genezen.

Een knarsend geluid dat door het flakkerende duister schraapte, trok zijn blik ervan los. De wachter duwde tegen de houten staken in de enorme ronde steen zodat de steen door gleuven rolde die gedurende duizenden jaren glad waren gesleten en een achterliggend vertrek onthulde. Op het eerste gezicht leek het leeg. Even later, toen zijn ogen door de duisternis drongen, zag Cornelius erbinnen kaarslicht flikkeren.

'Kom,' zei de abt; hij nam hem bij de arm met zich mee. 'Kijk zelf maar. Je bent nu een van ons.'

130

Athanasius tuurde door het wervelende duister van de filosofenafdeling, langs de randen van zijn eigen begrensde lichtkring op zoek naar de gloed van anderen.

Die vond hij niet.

Hij haastte zich naar de boekenplank halverwege het vertrek en achter de verzamelde werken van Kierkegaard sloten zijn vingers zich om het dunne boek van Nietzsche. Hij haalde het erachter vandaan, liet het in zijn mouw glijden zonder ernaar te durven kijken en repte zich van de middelste gang naar de leestafels aan de stille en afgezonderde randen van het vertrek. Hij vond er eentje tegen een muur, begraven tussen de meest obscure en minst gewilde titels, keek nog een keer het duister rond en legde het boek toen voorzichtig op het bureau.

Hij staarde er een poosje naar, alsof het een muizenval was die op het punt stond dicht te klappen. Het zag er verdacht geïsoleerd uit op het kale bureau, dus reikte hij naar de dichtstbijzijnde plank, haalde er nog een paar boeken uit en legde die ernaast, sommige willekeurig opengeslagen. Tevreden met de geïmproviseerde camouflage die hij had gecreëerd ging hij zitten, keek nog eens rond in het donker en opende het boek op de bladzijden waar de gevouwen vellen papier tussen lagen. Hij verwijderde het eerste vel, vouwde het voorzichtig open en spreidde het plat op het bureau.

Het blad was leeg.

Hij stak zijn hand in de zak van zijn pij en haalde er een staafje houtskool uit dat hij eerder die dag uit het haardvuur van de abt had gered. Nadat hij het tegen het bureau had geschuurd tot hij een hoopje fijn zwart poeder had verzameld, doopte hij er heel voorzichtig zijn vinger in en wreef het uit over het vettige papier. Waar het koolstof de lege ruimte tussen de ingewreven was raakte, verschenen kleine zwarte symbolen op het roomwit, tot de pagina gevuld werd door twee dichtbeschreven kolommen tekst.

Athanasius bekeek wat het stof onthulde. Hij had nooit zo'n grote hoeveelheid van de verboden taal van de Mala in één enkel document verzameld gezien. Met ingehouden adem boog hij zich eroverheen, alsof het minste zuchtje de woorden van de bladzijde zou blazen, en begon al vertalend te lezen:

In den beginne was er de Wereld
En de Wereld was God, en de Wereld was goed.
En de Wereld was de vrouw van de Zon
En de schepper van alles.
In den beginne was de Wereld woest,
Een hof vol leven.
En er verscheen een wezen, de belichaming van Aarde,
Om orde te scheppen in de hof.
En waar de Ene liep, bloeide het land,

En groeiden planten waar geen planten waren,
En schepselen nestelden en gedijden.
En elk schepsel kreeg van de Ene een naam
En nam van de Aarde wat nodig was, niet meer.
En elk schepsel schonk zichzelf aan de Aarde
Als het leven voorbij was.
En zo was het in de tijd van de grote varens,
En zo was het in de tijd van de grote hagedissen,
Zelfs tot het aanbreken van de eerste tijd van ijs.

Toen verscheen op een dag de mens – voornaamste aller dieren.
Ten naaste bij een god – maar de mens niet naast genoeg.
Niet langer zag hij de grootse gaven die hij bezat
Maar slechts de gaven die hij ontbeerde.
Hij begeerde wat hem niet was toebedeeld.
En dat bracht in hem een leegte teweeg.
Hoe meer hij verlangde wat hij niet bezat,
Hoe groter de leegte werd.
Die wilde hij vullen met wat hij wel kon bezitten:
Land, vee, macht over dieren, macht over anderen.
Hij bekeek zijn medemens en wilde meer dan zijn deel,
Meer voedsel, meer water, meer beschutting.
Maar niets kon die immense leegte vullen.
En bovenal wilde hij meer leven.
Hij wilde niet dat zijn tijd op Aarde
Werd gemeten aan het rijzen en dalen van de zon,
Maar aan het rijzen en dalen van bergen.
Hij wilde onmetelijke tijd.
Hij wilde onsterfelijk zijn.
En hij zag de Ene. Wandelend over de Aarde.
Nooit ouder. Nooit verwelkend.
En hij werd jaloers.

131

Gabriël klom in de cockpit van het vrachtvliegtuig en keek door de voorruit. In de verte lichtten de remlichten van het busje rood op toen het langs het wachthuisje de weg op reed. Hij veronderstelde dat zijn moeder er ongeveer een halfuur over zou doen om naar de Citadel te rijden en haar positie in te nemen. Als hij eenmaal in de lucht was, zou het hem nog geen tien minuten kosten.

Hij zat in de linkerpilotenstoel en bekeek de besturing. Hij had meermaals als tweede piloot gevlogen, maar dat was alweer een tijd geleden, en nog nooit solo. De C-123 was niet gebouwd op een eenkoppige bemanning. Volgeladen woog het toestel 27.000 kilo en er waren twee sterke mannen nodig op beide stuurknuppels om ermee door de lucht te kunnen koersen. Landen was het moeilijkste, vooral met een volle lading en bij kruiswind – dat zou nu tenminste geen probleem zijn.

Haastig voerde hij alle controles uit voor de vlucht, in zijn geheugen gravend naar de procedures die hem waren ingeprent tijdens zijn militaire training. Hij trok eens aan de kleppen en roeren om zich te herinneren hoe zwaar ze waren. Zwaarder dan hij had gedacht. Hij schakelde de remmen in, pompte brandstof op en drukte op de startknop. De stuurknuppel schudde in zijn hand toen de Double-Wasp-motor aan stuurboord trilde en vervolgens met een kuchend en sputterend gebrul tot leven kwam. De bakboordmotor sloeg aan met een wolk zwarte rook en hij voelde de gebundelde kracht van de propellers aan de knuppel trekken, klaar om het vliegtuig vooruit te stuwen. Hij liet het gaspedaal iets vieren en nadat hij een koptelefoon had opgezet, drukte hij op de communicatietoetsen en riep de toren aan. Hij gaf zijn roepletters en zijn bestemming door en verzocht toestemming om onmiddellijk te vertrekken.

Toen wachtte hij af.

Het vliegveld had maar twee startbanen. Gelukkig vlogen vrachtvluchten meestal op baan twee, die het dichtst bij de hangar lag. Als de wind verkeerd stond, zou hij wel helemaal om moeten taxiën naar de andere startbaan. Langzaam tikten de seconden voorbij.

Rechts van hem zag hij beweging: twee paar blauwe, traag rondwentelende, lampen boven de stuiterende stralen van aankomende koplampen.

Het was een patrouillewagen die kwam aanrijden over het asfalt, evenwijdig aan de omheining, in de richting van het wachthuisje. Gabriël zag de wagen vaart minderen.

Tijd om te gaan.

Hij duwde de twee gashendels naar voren, liet de rem opkomen en voelde het toestel slingeren toen de twee propellers de koude nachtlucht vingen en hem over het asfalt vooruittrokken. Aan het einde van de voornaamste startbaan links van hem stond een groot passagiersvliegtuig te wachten met zijn neus in dezelfde richting. Dat betekende wind tegen; als hij zonder toestemming moest vertrekken, vloog hij in elk geval dezelfde kant op als de rest van het verkeer.

De C-123 stuiterde over de grond, steeds sneller denderend naar de kop van de tweede startbaan. De patrouillewagen was ondertussen geparkeerd en er klom iemand in uniform uit de bestuurdersstoel.

Plotseling trok een krakend stemgeluid zijn aandacht. '*Romeo – nine – eight – one – zero – quebec*,' kwaakte het door het gezoem en de klepperende motor heen. '*Cleared to depart, runway two. Taxi into position on hold. Over.*'

Gabriëls handen ontspanden zich op de stuurkolom. Hij bevestigde het bevel en trok de gashendel naar zich toe, zodat het toestel zich verder verwijderde van het drama dat zich achter hem ontvouwde.

Links zag hij het passagiersvliegtuig snelheid maken op de grote startbaan. Hij zou de volgende zijn. Hij had de inspecteur net binnen de loods laten liggen, met zijn identificatie opengeslagen op zijn borst. Zo zouden ze hem meteen vinden en de ambulance bellen. Hij had geen idee hoeveel ketamine hij hem had toegediend. Te veel, vreesde hij. Hij wilde de dood van de inspecteur beslist niet op zijn geweten hebben.

De metalige stem kakelde hard in zijn koptelefoon. '*Romeo – nine – eight – one – zero – quebec*,' zei de stem, en links van hem kwam het passagiersvliegtuig van de grond en trok zijn wielen in. '*You are cleared for immediate take-off. Over.*'

'*Roger that*,' antwoordde Gabriël. Hij liet de wielremmen los en duwde de gashendel vrijwel helemaal naar voren. De plotselinge vaart duwde hem achterover in zijn stoel tot de neus omhoogkwam en de wielen met een luide dreun de startbaan loslieten. Hij reikte naar de knop van het landingsgestel en besloot de wielen niet in te trekken. Nu hij in de lucht was, zou hij de Citadel ruim voor zijn moeder bereiken en de extra belasting zou zijn vluchtsnelheid verminderen.

Het toestel vloog over de omheining en Gabriël liet de bakboordvleugel iets zakken. In de verte doemde het Taurusgebergte op uit de vlakte. Tussen de bergen zag hij tegen de onderkant van de wolken een gloed weerkaatsen die hem wees waar Ruïn lag. Hij bleef klimmen en beschreef een wijde cirkel over de bergen tot hij de eeuwenoude stad vanuit het noorden naderde. Hij hield het toestel recht en streed tegen de opstijgende windvlagen van de bergtoppen, tot die verdwenen boven de ondiepe kom waarin de oude stad lag, doorsneden door de streep van de grote noordelijke boulevard die rechtstreeks naar een kartelige, donkere vlek in het midden leidde. Hij toetste een opdracht in op de automatische piloot die het vliegtuig recht over de Citadel naar de verder gelegen kust zou voeren. Het had brandstof voor zo'n drie kwartier vliegtijd – voldoende om het toestel tot ver boven zee te dragen voordat het neerstortte.

Hij controleerde de kompasrichting nog een keer en schakelde over op de automatische piloot; toen fantoomhanden het stuur overnamen en kleppen, gashendels en roer aanpasten om het vliegtuig op koers te houden, haalde hij zijn handen van het stuur. Gedurende enkele minuten liet hij de automatische piloot zijn gang gaan terwijl hij toekeek hoe de donkere vlek dichterbij kroop, tot hij onder de neus van het toestel verdween. Toen hij er eindelijk van overtuigd was dat alles werkte en hij op koers lag, ontgrendelde hij zijn veiligheidsriem, liet zich uit de pilotenstoel glijden en ging naar het laadruim om zich voor te bereiden.

132

Cornelius liep door de stenen toegangspoort de kapel van het Sacrament binnen.

Na de loeiende, felle smeltoven was het er intens donker, een onnatuurlijk zwart dat de erin vervatte geheimen stevig omklemde. Bij de deur flakkerden op een kluitje een paar kaarsen die zelfs de nis waarin ze stonden nauwelijks verlichtten; ze sputterden toen de Sanctuswachter er voorbij liep, het duister in, naar de andere kant van het vertrek. Cornelius keek rond in het donker en zag midden in de kapel iets op de vloer liggen. De wachter vertraagde zijn pas toen hij er dichterbij kwam en liet de jonge vrouw van zijn schouder op de vloer ernaast zakken. Het was het lijk van broeder Samuel, zijn voeten naar de donkere zijde van het vertrek gericht, zijn armen aan weerszijden gestrekt om de Tau te vormen.

De wachter boog zich voorover, greep Samuels armen en sleurde hem naar de verste muur, waar hij hem zonder plichtplegingen liet vallen alvorens zijn aandacht weer op de jonge vrouw te richten. Hij sleepte haar voeten rond zodat ze naar het donker aan het andere eind van de kapel wezen, pakte haar armen en strekte ze tot ze in dezelfde houding lag als haar broer even tevoren.

'Dank je wel, Septus,' zei de abt. 'Je kunt gaan. Maar blijf in de buurt.'

De monnik knikte en bracht de kaarsen weer aan het sputteren toen hij met gedecideerde tred de kapel verliet.

Cornelius voelde dat de abt hem bij de arm nam en meevoerde. 'Kom dichterbij,' zei hij.

Cornelius liep mee, zijn ogen gevestigd op een punt in de verte, waar het duister vorm begon te krijgen achter de gestalte van de jonge vrouw. Hij zette nog een stap en voelde zijn wonden jeuken, alsof er mieren over de ingesneden randen van zijn vlees kropen. Hij keek omlaag en zag de huid zich aaneensluiten, als samenvloeiende hete was. Keek weer op. Zag met elke stap die hij zette het ding in het donker aan het einde van het vertrek vastere vorm aannemen, van het altaar oprijzen, een vorm die zowel bekend als bevreemdend was. En toen zag hij nog iets, iets wat zo onverwacht was dat de schok hem struikelend achteruit deed deinzen.

De abt greep zijn elleboog strakker vast. Hield hem staande. Boog zich dichter naar hem toe. 'Ja,' fluisterde hij. 'Nu zie je het. Het Sacrament. Het grootste geheim van onze orde, én onze grootste schande. En vannacht zul jij het einde ervan meemaken.'

133

Heldere koplampen gleden over de grijze betonnen muur van de parkeergarage toen Kathryn de steeg in reed. Aan het eind zag ze de middeleeuwse muur die de grens van de oude stad aangaf boven de moderne gebouwen uitrijzen.

Ze stopte bij een zwaar stalen luik en stak haar hand door haar open raam naar buiten om de elektronische sleutelkaart die Gabriël van de dode monnik had afgenomen door de sleuf te schuiven. Ze wachtte af, luisterend naar de echo van het diepe grommen van de motor van het busje tegen de nachtzwarte muren van de steeg. Er gebeurde niets.

Ze keek op naar de dunne rechthoek lucht, omlijst door de hoge muren van de parkeergarages. Haar zoon was ergens daarboven en kwam deze kant op. Een beeld van het verminkte lichaam van haar vader kwam haar voor ogen en ze kneep ze stijf dicht om het te verjagen. Dit was niet het moment om te rouwen. Ze verkeerde in shock, dat wist ze. Ze wist ook dat alles haar op zeker moment zou overweldigen – maar niet nu. Nu moest ze sterk zijn, voor haar zoon. Wat zij nu deed, zou hem helpen om in leven te blijven. Hij moest blijven leven. Ze mocht hem niet verliezen.

Ze schrok op toen er een luid gekletter klonk achter de stalen deur en het luik openging, omhoogkruipend als de brede muil van een graf. Toen het bovenaan was, kwam het tot stilstand met een dreun waarvan de nagalm zich vermengde met het gebrom van de motor.

Ze keek nog even omhoog naar het stukje licht, schakelde en reed de tunnel binnen.

134

Het leek wel alsof het lege laadruim van de C-123 zichzelf in stukken wilde schudden toen Gabriël zichzelf met behulp van de spanten naar het punt trok waar de vloer omhooghelde. Daar aangekomen haakte hij zijn rechterarm en zijn rechterbeen in het vrachtnet dat de vliegtuigromp vanbinnen bekleedde, zette zich schrap tegen de zuiging en drukte op de grote rode knop om de laadklep te laten zakken.

Een luide knal onderbrak het donderende geraas van de motoren en toen de laadklep openging, verscheen aan het achtereind van het toestel een smalle, horizontale kier waardoor de lucht uit de romp werd gezogen. Gabriël hield zich stevig vast, voelde de loeiende wind aan de flappen van zijn vleugelpak rukken tot een nieuwe metalige dreun hem vertelde dat de laadklep helemaal openstond. Buiten zag hij de gloed van de stad weerspiegeld op de onderkant van de staart. Hij trok de parachutistenbril over zijn ogen, kroop naar de rand en tuurde eroverheen, in de ijskoude rukwinden buiten het vliegtuig. Onder hem, bijna drieduizend meter lager, lag de stad Ruīn, waar de vier rechte lijnen van de boulevards als een vizierkruis op de donkere vlek in het midden bijeenkwamen.

Hij had al vaker een dropping gedaan vanuit dit toestel, maar nog nooit 's nachts en nog nooit van deze hoogte. Het was een handige manier om de bureaucratie te vermijden als regeringen traag over de brug kwamen met visa en de bevolking wanhopig hulp nodig had.

Hij haalde zijn been uit het net en schoof rond tot hij midden voor de laadklep lag, zijn voeten in de richting van de brullende nacht. Na een laatste *preflight*-controle van de op zijn borst en rug gepakte tassen liet hij zich voorzichtig zakken naar de rand van de laadklep, zijn handen strak in het net geklemd, worstelend tegen het rukken van de schroefwind.

Toen zijn voeten de rand raakten liet hij ze overhangen in de ijzige lucht en bleef achteruitschuiven tot alleen zijn handen nog greep hadden. Nu hing hij in de lucht, zijn lichaam horizontaal gestrekt vanuit de achterkant van het vliegtuig, omhooggehouden door het zoevende, brullende geraas van de nacht. Recht omlaag blikkend op de stad hield hij zich stevig vast en zag de donkere vlek steeds dichterbij kruipen. Daar richtte hij zijn linkeroog op terwijl hij zijn rechteroog sloot, alsof hij langs de loop van een geweer keek.

Toen liet hij los.

Het vliegtuig vloog iets meer dan honderdtwintig kilometer per uur toen hij in de malende, ijzige lucht achter de propellers viel. Zodra die turbulentie voorbij was, spreidde hij zijn armen en benen om de Parapak-vliezen te strekken zodat de vleugels de wind konden vangen. De combinatie van de vliegsnelheid en de vorm van het pak tilden hem op en hij voelde meteen dat hij omhoog werd getrokken. Hij paste de stand van zijn armen aan en leunde eerst de ene, toen de andere kant op; zijn ene geopende oog liet het donkere doelwit waar hij op af vloog geen moment los.

Vliegpaktraining was de laatste cursus die hij had gedaan voordat hij het leger verliet. Dit waren de recentste ontwikkelingen in HALO-sprongen – de High Altitude Low Observability-droppings die de hoeksteen vormden van geheime militaire operaties. De theorie was dat het vliegtuig op grote hoogte buiten bereik van luchtafweergeschut bleef als er gesprongen werd; door de parachute pas op zeer geringe hoogte te ontvouwen, werd het gevaar om door strijdkrachten op de grond te worden opgemerkt veel kleiner. Bovendien is een mens in vrije val te klein om door de radar te worden opgemerkt. Het was de perfecte methode om uitstekend getrainde troepen snel en verdekt op vijandig grondgebied neer te zetten. Het was ook de perfecte manier om een bergburcht binnen te komen waarin nog nooit iemand was doorgedrongen.

Gabriël bekeek de hoogtemeter om zijn pols. Hij was al onder de negenhonderd meter en viel met een snelheid van vijfentwintig meter per seconde. Hij leunde naar voren en begon in een strakke kring te draaien, zag de duistere vlek groeien toen hij ernaartoe wentelde, in het donkere midden op zoek naar de tuin waarvan hij wist dat die daar lag.

135

Voor zich uit zag Kathryn licht in de tunnel en haar greep om het stuur verstrakte. Ze reikte naar de zwarte canvastas op de passagiersstoel, stak haar hand erin en haalde er een geweer uit.

Ze dacht na over de pauze buiten in de steeg, nadat ze de kaart door de sleuf had gehaald en voordat het stalen luik omhoogging. Misschien verwachtten ze haar. Misschien was ze rechtstreeks op weg naar een hinderlaag. Zo ja, dan had het geen zin om te stoppen. De tunnel was te nauw om te keren en achteruitrijden was te moeilijk. Bovendien zou weglopen

Gabriël niet helpen. Dus hield ze haar voet op het gaspedaal en vestigde haar blik op de lichtvlek, die helderder werd buiten de halve cirkel van haar eigen koplampen. Ze bracht het geweer omhoog over het dashboard, net toen het busje de top van de helling bereikte. De koplampen doorkliefden het donker en onthulden een grot en een auto. Koplampen aan. Niemand erin. De portieren van zowel de bestuurder als de passagier stonden open.

Ze wist de voorkant van het busje met een ruk aan het stuur om te gooien, net op tijd om de achterbumper van de geparkeerde politiewagen te ontwijken. Ze trapte op de rem en bracht het busje piepend tot stilstand, zwaaide haar pistool rond en keek of ze ergens in de grot iets zag bewegen. Ze zag de gesloten stalen deur in de muur, maar verder niets.

Ze schakelde de motor van het busje uit maar liet de koplampen branden. De plotselinge stilte was drukkend. Ze greep de zwarte tas van de passagiersstoel, opende het portier en liet zich uit het busje glijden, liep er helemaal omheen om zich ervan te vergewissen dat niemand zich erachter verborg. Nog steeds niets. Ze ging naar de achterkant van het busje en trok de achterportieren open.

Onderweg was de inhoud wat verschoven, maar de stapel kunstmest, suiker en rokerig brandbaar materiaal was nog steeds vrijwel intact.

Een reusachtige rookbom, had Gabriël gezegd. *Met genoeg explosiekracht om elke deur in het onderste deel van de berg op te blazen.*

Ze zette de canvastas voorzichtig op de metalen bodem van het busje, naast een grote kartonnen doos die tegen de achterste wielboog geklemd stond. In de doos bevonden zich een stormlamp en twee van de lakenzakken die ze in warmere landen gebruikten. Ze tilde de lamp eruit, zette hem op de vloer en knoopte de lakens aan elkaar om een lang wit katoenen koord te maken. Het ene eind liet ze in de doos zakken, het andere eind trok ze onder het portier door naar de benzinedop.

Toen ze achter het busje vandaan kwam, zag ze de camera hoog op de achterste muur, met een rood lampje naast de lens. Ze frommelde de sleutel in de benzinedop, maakte de dop los en ging met haar rug naar de camera staan toen ze het andere eind van het koord in de benzinetank liet zakken, waarna het middelste deel onder de deur door liep en deels op de vloer lag. Gebukt liep ze naar de achterkant van het busje, greep de stormlamp en schroefde de reservoirdop onderin los. Ze goot kerosine over de hele lengte van het katoen, met een brede plas waar het middelste deel tot op de vloer van de grot hing.

Dat is je lont, had Gabriël uitgelegd.

Ze goot het laatste beetje kerosine uit de lamp in de doos achter in het busje en haalde toen twee handgranaten uit de tas. Het donkergroene oppervlak ervan ging schuil onder veelkleurige lagen rubber van alle losse elastiekjes die ze in het kantoor van de loods had opgediept. Voorzichtig legde ze ze midden in de van kerosine doordrenkte kartonnen doos.

Dat zijn je ontstekers, had Gabriël gezegd.

Zet ze pas op het allerlaatste moment op scherp.

Ze pakte de eerste granaat op, schoof haar vinger door de ring en stopte. Ze had iets overgeslagen. Ze legde hem weer neer en reikte naar het laatste ding dat Gabriël het busje in had gesleurd voordat hij haar op pad stuurde.

De lichtgewicht crossmotor schoof achter uit het busje en stuiterde op de stenen vloer. De helm hing al aan het stuur, maar ze liet hem hangen met het oog op de beveiligingscamera en de wegtikkende tijd.

Ze stutte de motor tegen de laadbak en pakte de granaat weer op. Er klonk een klein, klikkend geluid toen ze de pen eruit trok; toen legde ze hem voorzichtig op de bodem van de kerosinedoos.

Als de hefboom omhoogkomt nadat je de pen hebt verwijderd, heb je zes seconden om weg te komen.

Ook dat had Gabriël haar verteld.

Ze hield haar blik strak gevestigd op de metalen hefboom terwijl ze haar vingers dwong om los te laten.

De hefboom bewoog niet. De elastiekjes hadden hem op zijn plaats gehouden.

Ze ademde uit in een lange zucht, pakte de tweede granaat en trok daar ook de pen uit, vlug, voordat de moed haar in de schoenen zonk. Ze legde hem in de doos naast de eerste en duwde toen de hele doos dieper de laadbak in, tot hij tegen de brandstofvaten en de zakken kunstmest aan stond. Ze haalde een grote doos lucifers uit de zwarte canvastas – het laatste onderdeel van de bom.

Kathryn gooide haar ene been over de motorfiets, reikte in haar zak naar de sleufkaart en klemde hem tussen haar tanden. Ze streek een lucifer aan, stopte die brandend terug in de luciferdoos en liet de hele boel in de plas kerosine vallen toen alle lucifers ontbrandden. De kerosine vloog met een zoevend geluid in brand en felgele vlammen joegen langs het doorweekte katoenen touw omhoog, aan de ene kant naar de benzinetank, aan de andere kant naar de granaten.

Vanaf het moment dat je de lont aansteekt, heb je ongeveer zestig seconden om weg te komen, had Gabriël gezegd. *Misschien minder.*

Kathryn wendde het voorwiel van de motor naar de donkere monding van de tunnel, draaide het gas open en trapte op het startpedaal.

Er gebeurde niets.

Het gele licht van de zich verspreidende vlammen gloeide feller om haar heen terwijl ze de gashendel heen en weer rukte om meer brandstof toe te dienen. Nogmaals trapte ze op het pedaal.

Nog steeds niets.

Ze liet de hendel los, doodsbang om de motor te verzuipen, hoorde het gedempte loeien van brand achter zich, zette zich hard af met haar benen om zich van de vlammen te verwijderen naar de pikdonkere tunnel. De gevangen lucht fluisterde langs haar oren toen de motorfiets vanaf de helling vooruitrolde. Ze knipte de koplamp aan en zag het einde van de helling drie meter voor zich uit. En wist dat ze maar één kans zou krijgen.

Ze trok aan de koppeling en trapte twee keer op het voetpedaal om de motor in de tweede versnelling te zetten terwijl ze de helling af reed. Toen ze de koppeling losliet, bokte de crossmotor tussen haar benen. De motor kuchte toen hij de versnelling pakte en de vaart van de motorfiets de motor in gang zette. Hij sputterde een enkele keer en kwam toen ronkend tot leven. Ze draaide aan de gashendel en greep de koppeling met haar andere hand, zodat hij niet zou afslaan. Het gebrul van de motor gierde als een kettingzaag in de tunnel toen ze een dot gas gaf om de brandstofleidingen open te blazen; toen ze de koppeling voorzichtig liet opkomen en voelde dat hij aangreep, schoot de motorfiets met een ruk naar voren en voerden de twee wielen haar over de ongelijke stenen vloer weg van het brandende bestelbusje.

136

Terwijl Gabriël naar de Citadel viel, bleef de donkere plek in zijn gezichtsveld groeien en spreidde zich als een inktvlek over de helder verlichte stad.

Aan de randen kon hij in de verlaten straten van de oude stad de afzonderlijke lampen onderscheiden die de etalages, de met luiken afgesloten souvenirwinkels en de heen en weer zwaaiende uithangborden verlichtten onder de aflopende zijden van schuine daken. Hij zag ook vormen oprijzen vanaf de donkere berg waar hij naartoe viel. Hij kon de hoogste piek aanwijzen, waar Samuel vanaf gevallen was, glad en loodrecht aan de ene kant, steil aan de andere. De piek vlakte uit in een rand die rond het lagergelegen deel van de berg liep, als een strop gekruld om het ondoordringbare donker in het midden. Maar hij zag nog altijd geen tuin.

Hij wentelde omlaag, mikkend op het middelpunt van het zwart naar een plek die hij zich herinnerde van de satellietfoto van de tuin. Toen die midden in zijn blikveld lag, trok hij hard aan het trekkoord. Hij voelde de lichte ruk van de gidsparachute die uit zijn bepakking schoot, en vervolgens de hardere ruk waarmee de hoofdparachute zich ontvouwde. Het scherm hing boven hem als een reusachtig gebogen luchtbed; hij stak zijn handen in de grepen van de stuurlijnen en stuurde zichzelf omlaag door het duister.

Nu het loeien van de wind niet langer klonk, kon hij de geluiden van de stad onderscheiden: het zoevende verkeer op de ringweg, de muziek uit de kroegen achter de zuidkant van de muur, vermengd met gepraat en gelach. Toen werd alle geluid afgesneden, net als het grootste deel van het licht, doordat hij achter de hoge kliffen in de donkere krater midden in de berg viel.

Toen het licht verdween, wisselde Gabriël van oog en het nachtzicht dat in zijn rechteroog behouden was gebleven, drong onmiddellijk door het egale zwart. Hij zag kloven in de bergwanden en ronde, bolle vormen die in clusters oprezen uit een groot gebied onder hem, dat lichter leek dan de rest van de berg. Het was de tuin. Veel dichterbij en veel sneller op hem afkomend dan hij zich had voorgesteld.

Hij trok hard aan beide stuurlijnen. Voelde een terugslag en een licht geslinger in zijn maag toen de parachute hem omhoogrukte. Hij hees zijn benen omhoog, weg van de open kroon van een boom die uit het donker opdoemde. Zijn laarzen kraakten luidruchtig door de dunne takken toen hij de top raakte. Hij trok hard aan het rechtertouw om de boom met een zwaai te ontwijken. Voelde dat zijn been gegrepen werd door een dikkere tak. Schopte zich los en keek net weer op, toen de volgende boom vanuit het zwart op hem af raasde.

Met gespitste oren keek de monnik op van het haardvuur.

Hij kwam overeind en liep naar de deur. Het rood van zijn pij was de enige kleur in de zwart-wit geschilderde, lagergelegen ontvangstruimte van de privévertrekken van de prelaat. Hij legde zijn oor tegen de deur naar de tuin en hoorde het weer – zachter nu. Het leek alsof er een enorme vogel bewoog in de bomen, of misschien iemand die zich een weg baande door de struiken. Hij fronste zijn wenkbrauwen. Na het donker mocht niemand de tuin meer in. Hij stak zijn hand in zijn mouw om zijn Beretta te pakken, deed de lichten uit en opende de deur.

De maan zou pas over een aantal uren opkomen en in het diepe duister van de tuin konden de ogen van de monnik niets onderscheiden. Hij liep naar buiten, deed de deur zachtjes achter zich dicht en keek rond in het donker. Zijn hoofd draaide als dat van een uil, gespitst op het geluid van beweging.

Een fel gekraak verbrak de stilte en hij wendde zijn hoofd er met een ruk naartoe. Hij luisterde nog scherper. Hoorde een vaag geritsel, als een schuddende tak; toen weer stilte. De geluiden kwamen uit de boomgaard. Hij sloop over de stenen treden naar het pad en stapte over het grind heen naar het stille gras erachter. Het knerpte heel zachtjes onder zijn haastige voeten toen hij naar de rijen bomen liep, met zijn geweer in de aanslag. Naarmate zijn ogen aan de nacht wenden, nam het duister vormen aan.

Nu kon hij de bomen onderscheiden, en nog iets anders, midden in de boomgaard, lichter dan de heersende nacht, als een spook dat zich door het duister verplaatste. Hij richtte zijn geweer, liep naderbij maar hield de stammen van de bomen tussen zichzelf en de verschijning. Toen hij er dichterbij was, zag hij touwen aan de boomrand hangen met aan het eind een lege gordel die over de grond sleepte. Met een schok realiseerde hij zich wat het was, net toen zijn hoofd opzij getrokken werd en alles in een flits wit oplichtte, onder oorverdovend gekraak. Met een laatste draai probeerde de monnik zijn geweer nog te richten op degene die hem had gegrepen, maar met het breken van zijn nek was de verbinding tussen zijn hoofd en de rest van zijn lichaam al verbroken. Terwijl hij in elkaar zakte op de grond, rook hij de rijke, vochtige damp van donkere aarde vermengd met rottende humus van bladeren van vorig jaar, en hij merkte nog dat iemand zijn touwriem losmaakte en aan zijn pij trok. Toen fladderden zijn oogleden dicht en werd hij door het duister overspoeld.

137

De koplamp van de crossmotor veegde over de kartelige wanden van de tunnel, hoog afbuigend naar de staalplaat van de ingang.

Het massief stalen luik doemde op en Kathryn trapte hard op de rem om de wielen te blokkeren; ze slipten over de betonnen vloer tot het voorwiel tegen het plaatijzer knalde en ze nagalmend tot stilstand kwam. Ze haalde de sleutelkaart tussen haar tanden vandaan en stak haar hand uit om hem door het slot te halen. De motor liet ze op de grond vallen, waar hij afsloeg en zweeg. Ze meende achter zich het knetteren van vlammen te horen aan het einde van de tunnel en liet zich naast de crossmotor op de grond zakken, klaar om naar buiten te schuiven zodra het luik omhoogging.

Maar er gebeurde niets.

Ze keek naar de kaart, die enigszins gebogen bleek op de plek waar ze erop had gebeten, boog hem weer recht en haalde hem opnieuw door de sleuf.

Weer niets.

Ze keek rond op zoek naar een ander slot of een ontsnappingsroute en zag hoog in de hoek een beveiligingscamera, als een ineengedoken kraai omlaag turend met zijn grote, glazen oog. Het rode licht op de voorkant knipperde en ze begreep met stijgende paniek dat de deur niet open zou gaan.

Ze zat in de val.

Gabriëls linkerarm brandde van pijn terwijl hij het ontklede lichaam van de monnik in de parachute wikkelde en naar het natte gras sleurde, waar een verwarde stapel gesnoeide takken lag. Hij had hem hard gestoten toen hij de bomen raakte en nu de adrenaline van de vrije val wegtrok, stroomde de pijn binnen. Hij kon zijn vingers deels bewegen, maar nauwelijks iets stevig vasthouden. De arm voelde gebroken aan.

Hij hield hem tegen zijn lichaam en trok met zijn goede rechterhand een paar takken over de cocon met de monnik; vervolgens liep hij terug naar de plaats waar hij zijn rugzak had verborgen, onder een appelboom. Boven zijn hoofd hoorde hij het droge fluisteren van de bladeren en in de verte het gonzen van de stad, maar er klonk geen gedempte dreun die de grond onder zijn voeten deed beven. Misschien was er iets misgegaan.

Hij stak zijn hand in de tas en zette zijn pda aan. Om zijn nachtzicht te bewaren sloot hij zijn rechteroog voordat hij zijn gezicht verborg in de opening van de rugzak om op het scherm te kijken.

Hij zag een witte stip die ergens boven in het scherm uitzette en weer samentrok. Geen andere informatie. De grafieklijnen die het skeletachtige raamwerk van straten aangaven, waren verdwenen. Hij was van de kaart. Zonder referentiepunten zou hij het apparaat moeten gebruiken als een eenvoudig kompas en het signaal volgen van de transponder in Samuels lijk. Hij was er vrijwel van overtuigd dat ze Liv nu naar dezelfde plaats zouden brengen als waar ze hem naartoe hadden gebracht.

Hij sloot de tas en klemde zijn tanden op elkaar tegen de pijn toen hij de kap van de rode pij over zijn armen en zijn hoofd trok. Achter de bomen zag hij de vage gloed van een licht achter een raam hoog in de muur. Hij keek ernaar terwijl hij in de rugzak reikte naar zijn pistool en zijn pda, luisterend of hij de dreun van de explosie hoorde. Het had nu al gebeurd moeten zijn. Hij rekende op de verwarring veroorzaakt door de schok van de ontploffing en de rook die erop volgde om veilig in de berg te kunnen verdwijnen. Maar hij kon niet eeuwig blijven wachten. Iemand zou de monnik die hij zojuist had gedood kunnen missen en hem komen zoeken, of meteen alarm slaan en de hele berg in rep en roer brengen. Dat kon hij zich niet veroorloven. Niet als hij Liv levend uit die berg wilde halen. Zijn gedachten dwaalden naar wat er met zijn moeder gebeurd kon zijn, maar die gedachten sneed hij snel de pas af. Met giswerk kreeg hij deze klus niet voor elkaar.

Hij wachtte nog een paar tellen en probeerde ondertussen zijn stijve linkerhand te strekken. Dat was pijnlijk, maar hij zou het ermee moeten doen. Het licht achter het raam veranderde toen er iemand achter bewoog en hij stond op van de grond, zijn handen verscholen in de mouwen van de pij. In zijn goede hand hield hij zijn pistool, in de ander de pda, zo goed en zo kwaad als het ging. Hij liep over het gras, evenwijdig aan het pad dat naar een ingang tot de Citadel zou leiden.

Kathryn voelde de paniek opkomen als fluitende stoom in een ketel.

Ze had geen idee hoeveel tijd ze nog had voordat het busje ontplofte. Gejaagd zocht ze met haar blik een weg naar buiten, innerlijk krijsend van verlangen om te overleven.

Denk verdomme na!

De tunnel was gebogen. Mogelijk zou die vorm haar beschermen tegen de directe kracht van de explosie. Ze verbeeldde zich de schokgolf die door de nauwe ruimte zou blazen en haar als een hamer op een aambeeld tegen het stalen luik zou smijten. Om de klap zo weinig mogelijk raakvlak te bieden, moest ze in elkaar duiken en zich zo dicht mogelijk tegen de muur drukken. Ze sprong over de crossmotor heen en liet zich op de grond vallen, zag de helm nog aan het stuur hangen, rukte hem los en drukte hem op haar hoofd terwijl ze naar links rolde, waar de bocht van de tunnel een deel van de kracht van de ontploffing zou doen afketsen. Ze bonsde tegen de gladde wand van de grot en maakte zich zo klein mogelijk in de hoek waar de muur de vloer ontmoette, gespannen bedenkend wat ze nog meer kon doen. In de besloten ruimte van de helm klonk haar ademhaling oorverdovend.

Ze ademde snel en diep in.

Kneep haar neus dicht.

Blies met haar mond stijf dicht zo hard mogelijk in haar neusholten.

138

De dreun weergalmde door de berg als donderslagen die zich van de grond losschudden. In het donker van de grote bibliotheek vielen boeken van de planken en dwarrelde stof omlaag vanaf het gewelfde plafond. Verstijfd en bedwelmd keek Athanasius op. Even leek het alsof de berg de woorden over zijn schouder had meegelezen en huiverde om wat hij had ontdekt.

Hij vouwde de met een waslaag bedekte vellen weer in het boek van Nietzsche en stond op van zijn stoel. Hij moest nu weten of wat hij had ontdekt, begraven in de vlekkerige woorden van de dode taal, werkelijk waar was. Zijn geloof hing ervan af. Ieders geloof hing ervan af. Hij liep door het gangpad naar de centrale gang, stapte over de boeken heen die door de schok op de vloer waren gevallen en merkte niets van de chaos om zich heen en de harde stemmen die de gebruikelijke doodse stilte verbraken toen hij dichter bij de toegangspoort kwam. Hij voelde zich ver van zichzelf verwijderd, alsof hij zuiver geest geworden was, bevrijd van alle beperkingen van zijn fysieke zelf. Hij liep de toegangsruimte in en wandelde door de hal naar de luchtsluis, zich nauwelijks bewust van de jammerende bibliothecarissen die met de handen in het haar naar de ravage in hun bibliotheek keken.

De brandlucht trof hem zodra hij uit de luchtsluis de gang in stapte. Het was een bijtende geur, bitter als zwavel, die zich vermengde met al het misbaar van verwarring en angst dat uit de lagergelegen gangen opklonk. Twee monniken in de bruine pijen van de ambachtsgilden renden hem voorbij en daalden af in de berg, op zoek naar de oorsprong van de rook. In zijn verbeelding zag Athanasius hen naar een kloof in de rots rennen van waaruit de stinkende rook stroomde: een kloof vol vuur en zwavel.

Hij draaide zich om en liep de andere kant uit, de berg op, naar zijn eigen openbaring. Hij wist dat dit pad voor hem verboden was en dat het waarschijnlijk zijn dood zou worden, maar om de een of andere reden joeg hem dat geen angst meer aan. Hij kon niet leven in de koude schaduw van de woorden die hij zojuist had gelezen. Hij wilde liever sterven bij de ontdekking dat ze niet waar waren, dan leven met het vermoeden dat ze dat wél waren.

Hij kwam bij een trap en volgde de treden naar de bovenste overloop van het lagergelegen deel van de berg. Daar aangekomen sloeg hij een smalle gang in waar verschillende andere gangen op uitkwamen. Aan het einde stond de roodgekleurde pij van een wachter bij de deur die naar het hoogste deel van de berg leidde. Hij had geen idee hoe hij hem voorbij moest komen, maar in zijn hart wist hij zeker dat hem dat op de een of andere manier zou lukken.

Hij besefte dat hij het boek met de gestolen bladzijden van de ketterse Bijbel nog steeds in zijn handen had en hief het als een talisman voor zijn borst. Na een paar stappen in de richting van de wachter zag hij hem zijn kant op kijken, net toen er halverwege de overloop een andere deur openging. Er verscheen nog een wachter in de nauwe gang, zijn kap laag over zijn gezicht getrokken.

Toen ging het licht uit en werd de gang in totale, ondoordringbare duisternis gedompeld.

139

Liv kwam bij en dacht aan onweer.

Ze deed haar ogen open.

In het vloeibare duister trilden voor haar ogen honderden speldenprikjes van licht. Toen ze zich concentreerde, voelde ze de koude harde grond onder zich beven en weer tot rust komen. Ze zag kaarsvlammen weerkaatst in rijen spiegelende lemmeten die trillend tot stilstand kwamen op een donkere, stenen muur. Toen zag ze nog iets, op de vloer. Een lichaam, naakt vanaf het middel. Bekende lijnen lagen trots en grotesk boven op de zacht glanzende huid.

Ze stak haar hand naar hem uit, negeerde de pijn in haar hoofd die door de beweging veroorzaakt werd. Haar uitgestrekte hand raakte een gezicht dat even koud was als de berg, en rolde het naar zich toe. Uit haar keel ontsnapte een lage, dierlijke kreet. Ondanks het geweld van zijn dood en de ruwe medische onderzoeken erna, zag Samuel er sereen uit. Ze sleepte zich over de vloer naar hem toe, hete tranen brandend in haar ogen, en hees zich omhoog om zijn gezicht te kussen. Ze drukte haar lippen tegen zijn kille huid en voelde in haar binnenste iets breken. Toen wankelde alles omdat ze van achteren werd vastgegrepen en met geweld bij haar broer werd weggetrokken.

Gabriël zag de wachter een paar tellen voordat het licht uitging.

In het plotselinge duister liet hij zich op de grond zakken, waarbij hij zijn arm verkeerd bewoog en pijn door zijn lichaam krijste. Hij slikte het weg en dwong zichzelf om zich geruisloos door de zwarte gang te verplaatsen naar de verre muur, zijn goede hand voor zich uit gestoken, maar er zorgvuldig voor wakend dat zijn pistool niet tegen de steen zou stoten wanneer hij die bereikte. Zijn linkerhand bleef in zijn mouw, kloppend van de pijn maar met de pda in zijn greep. Voordat hij de gang in liep, had hij er nog een snelle blik op geworpen. Het signaal van de transponder kwam van ergens achter de deur waar de wachter voor had gestaan, aan het eind van de gang.

Met de rug van zijn hand raakte hij de koude stenen muur en hij maakte zich nog kleiner, zijn pistool gericht op de plek voor zich in het zwart waar hij de wachter voor het laatst had zien staan. Achter hem weerklonk een steeds luider wordende kakofonie van stemmen uit de diepten van de Citadel: sommigen riepen om lampen, anderen om hulp, weer anderen om slangen om water naar de brand in de berg te leiden. Hij voelde de paniek. Niets bracht mensen zo van hun stuk als de geur van rook.

Hij hield zijn pistool in de aanslag en stak zijn vrije hand met de pda uit naar het midden van de gang, iets voor hem uit. Zijn arm schreeuwde het uit toen hij zijn duim bewoog naar de knop om het scherm te verlichten. Hij vond hem. Drukte erop. En terwijl de pda uit zijn hand op de grond viel, verlichtte de koude gloed van het scherm de gang. De wachter stond niet meer bij de deur. Hij hurkte links ervan, met zijn pistool op de gang gericht. Hij vuurde twee schoten af, boven de lichtbron richtend in de hoop op een *headshot*. Het geluid klonk oorverdovend in de besloten stenen gang.

Gabriël vuurde zijn eigen wapen met de geluiddemper af en zag de wachter stuiptrekkend in elkaar zakken tegen de deur, waarbij zijn pistool kletterend op de grond viel. Bijgelicht door de gloed van zijn pda-scherm sprong Gabriël naar voren en schopte het geweer weg bij zijn hand. Hij stak zijn goede hand uit naar de hals van de wachter om zijn polsslag te zoeken, maar hield zijn pistool stevig vast voor het geval hij er een aantrof. Niets. Zijn handen gleden over de ruwe stof van de pij, voorbij de warme, vochtige borstwond, tot hij vond wat hij zocht.

Hij keerde op zijn schreden terug, pakte zijn pda en klemde hem in zijn verkrampte linkerhand vast om het licht op de zware beslagen deur te richten. Het sleutelgat bevond zich in het midden. Gabriël stak de sleutel erin die hij van de wachter had afgepakt, draaide hem om en leunde tegen de deur; daarachter openbaarde zich een trap die nog verder omhoogleidde, het donker van de berg in.

140

Samuels stoffelijk overschot werd aan Livs blikveld ontrukt toen ze overeind werd gesleurd en ruw werd omgedraaid naar een grotesk silhouet dat in het donker dicht bij haar stond. Het staarde haar aan; grijze ogen straalden boven een volle baard, het bovenlichaam glom donker van bloed dat uit sneden sijpelde die vers en vertrouwd waren. 'De merktekenen van onze toewijding,' zei de abt, die haar blik had gevolgd. 'Jouw broer droeg ze ook – maar kon ons geheim niet verdragen.'

Hij wendde zijn gezicht naar de andere kant van de grot en Liv werd met een ruk naar het donker gekeerd. Ze draaide haar hoofd naar rechts in de hoop een glimp van haar broer op te vangen. Een hand greep haar bij de haren en dwong haar voor zich te kijken. 'Zoek in het duister,' beval de abt. 'Kijk zelf.'

Ze keek.

Zag niets dan schaduw. Toen een deel van die schaduw vorm kreeg, leek er een bries door haar lichaam te waaien.

Het was de vorm van de Tau, minstens zo groot als zijzelf en even tastbaar. Terwijl haar ogen aan het donker wenden, werd de bries sterker en bracht een gefluister met zich mee, als wind die door bomen waaide. Ze voelde het door zich heen stromen en zachtjes haar pijn wegspoelen.

'Dit is het grote geheim van onze orde,' zei de stem achter haar. 'De vernietiger van de mensheid.'

Handen duwden haar dichterbij en meer details kwamen tevoorschijn. De middelste paal had de breedte van een kleine boom, al was het oppervlak gladder en gemaakt van materiaal dat donkerder was dan hout. Aan de voet bevond zich een ruw traliewerk van waaruit iets in geulen sijpelde die in de stenen vloer waren uitgehouwen. Het deed haar denken aan het sap dat ze uit de stervende boom buiten het ziekenhuis in Newark had zien stromen. Overal waar deze kleverige substantie vloeide hadden zich dunne klimranken geworteld, waarvan de loten zich rond de vreemde, oneven vorm van de Tau kronkelden. Haar blik volgde de ranken langs verdikte voegnaden waar grof beslagen ijzeren platen aan elkaar waren gelast om de middelste pilaar te vormen. De bries werd sterker en droeg nu de warme, troostende geur van zondoorstoofd gras met zich mee. Ze kwam bij de plek waar de middelste pilaar de dunnere armen van het horizontale kruisstuk ontmoette en zag iets anders – iets binnen in de vorm – en de schok dreef alle lucht uit haar longen.

'Ziedaar,' fluisterde de abt die haar ontdekking aanvoelde. Liv staarde naar de nauwe spleet die in het doffe metalen oppervlak van de Tau was uitgesneden – en lichte, groene ogen staarden terug. 'Het geheim van onze orde. De grootste misdadiger der mensheid; ter dood veroordeeld voor misdaden tegen de menselijkheid – maar onmogelijk te doden. Tot op de dag van vandaag.' Hij kwam in haar blikveld staan en wees naar de vloer waar het lijk van Samuel lag, geknakt en verworpen. '*Het kruis zal vallen*,' zei hij; toen wees hij met dezelfde vinger naar Liv: '*Het kruis zal herrijzen*' – zijn hand gebaarde met een zwaai naar de Tau – '*om het Sacrament te ontsluiten, en een nieuwe tijd voort te brengen, door diens genadige dood*.' Een luide metalen klik schalde door de kapel toen hij een grendel losmaakte aan de zijkant van het kruis. 'Zij die de mensheid ooit zijn goddelijkheid ontnam, zal die nu herstellen.' Meer harde klikken schalden door het vertrek tot de voorkant van het bouwwerk bewoog en langzaam openzwaaide, een gekwelde, dierlijke kreet ontlokkend aan de vrouw die het omvatte.

De Tau was geen kruis, maar een metalen doodskist vol spijkers, die elk donker glansden van het vocht dat Liv voor plantensap had aangezien. Nu zag ze de gruwelijke waarheid. Het was geen sap, maar bloed dat uit honderden evenwijdig geplaatste steekwonden sijpelde die de tengere, naakte gestalte van de vrouw erbinnen waren toegebracht. Ze was jong. Eerder een meisje dan een vrouw. Haar lange haar glansde wit in het duister, in dikke tressen verkleefd aan een lichaam dat was besmeurd met bloed en doorgroefd met rituele wonden – elk ervan was even gruwelijk, elk ervan was even vertrouwd.

'De littekens die wij dragen, zijn herinneringen aan ons onvermogen om de wereld van haar kwaad te ontdoen,' psalmodieerde de abt, alsof hij een gebed uitsprak. 'De rituelen die wij beoefenen, houden haar bloedeloos en zwak tot eindelijk recht kan worden gedaan.'

Liv keek in haar ogen. Groen als een meer, groot als de ogen van een kind, maar onpeilbaar diep en vervuld van pijn. Ondanks de groteske situatie voelde Liv een opwelling van intimiteit, alsof de kapel slechts een kamer was, en de jonge vrouw voor haar een verloren vriendin uit haar kindertijd. Haar aankijken leek een ontmoeting met een versie van zichzelf, alsof er vanuit een diepe put een onverwachte weerspiegeling terugkeek. Het was alsof de zachte bries die van haar uitstroomde en de geur van gras met zich meedroeg, hen op de een of andere manier verbond. De groene ogen keken diep in de hare en ze voelde zich blootgelegd en aanvaard; gezien, maar niet veroordeeld. En alsof het ramen waren, lieten de groene ogen Liv ook kijken. En ze zag alles in haar, en ze zag haar in alles. Zij was de wanhoop van iedere vrouw die ooit moeder wilde worden maar dat niet was geweest. Zij was Livs eigen moeder, schreeuwend van de pijn terwijl ze haar leven gaf voor dat van haar beide kinderen. Zij was alle harten die ooit waren gebroken, en alle tranen die ooit waren gestort. Zij wás vrouw, en álle vrouwen was zij. Hun leed was haar leed en haar leed was onvoorstelbaar. En Liv zag dit alles en voelde een verlangen om haar hand uit te steken en haar de simpele troost van haar aanraking te bieden, alsof zij de moeder was; het gekwelde kind dat daar was vastgepind in dat gruwelijke wrede kruis was haar kind, verdwaald in een onmetelijke nachtmerrie. Haar onzichtbare overweldiger hield haar echter te strak vast en haar hand was niet de hare, dus reikte ze naar haar met de woorden die ze vinden kon.

'Het is al goed,' zei ze, de tranen wegknipperend die onbelemmerd over haar gezicht stroomden. 'Stil maar. Het is al goed.'

De kristalheldere groene ogen hielden de hare even vast; toen glimlachte de vrouw de flauwste aller glimlachen en zuchtte als iets wat bevrijd was; toen voelde Liv dat haar iets in de hand werd gedrukt. Ze keek omlaag. Zag het smalle lemmet van een dolk taps toelopen vanuit haar handpalm naar het duister.

'Vervul je lotsbestemming,' zei de abt, haar hand strak in de zijne klemmend. 'Verlos het mensdom van zijn grootste verrader.'

Liv keek naar het smalle lemmet, zag de gruwelijke reden waarom zij hier was gebracht plotseling belichaamd in die koude punt. Ze probeerde het mes te laten vallen, walgend van het doel waarmee het haar gegeven werd; ze wilde het wegdraaien, maar de handen die haar vasthielden waren te sterk. Samuels woorden weerklonken in haar gejaagde geest terwijl ze vocht tegen de mannen die haar vasthielden.

Als anderen voor jou sterven, heeft God jou gespaard om een reden.

Ze had vaak getwijfeld aan de reden van haar leven, maar ze wist dat dit het niet was. Deze prachtige, gemartelde vrouw mocht niet sterven. Niet door haar hand. Ze keek op in het bleke, elfachtige gezicht, voelde de bries door zich heen stromen; de geur van zondoorstoofd gras was sterker nu het geluid waarop het werd meegevoerd veranderde in iets vloeibaars, als golven op een oever die door haar heen leken te stromen en zowel een bevreemdende troost als een schat aan herinneringen met zich meebrachten.

Ze zag zichzelf zitten aan het meer, met Samuel in het zongebleekte gras van haar jeugd, luisterend naar haar oma die verhalen vertelde van hun noordse verleden.

Het is niet bedoeld om zomaar voor iedereen duidelijk te zijn, had Arkadian gezegd over de boodschap op de pitten.

Het was voor jou bestemd.

Door de geuren en herinneringen die ze meebrachten werd alles nu gruwelijk en duidelijk. 'Ask' was geen opdracht geweest, geen 'vraag'. Het verwees naar de legende van Ask en Embla – de eerste twee mensen. De boodschap die Samuel haar had gestuurd was:

Ask +?
Mala T

De Tau en het vraagteken waren beide onderstreept, omdat ze beide hetzelfde waren. Het kruis van de Mala – de Tau – was Embla. En het Sacrament was Eva.

141

Toen Cornelius de groene ogen naar hem had zien kijken vanuit de spleet in de Tau, had hij gedurende één schrikwekkend moment gedacht dat het de vrouw in de boerka was, door een wonder hierheen gebracht. Pas toen de abt haar identiteit had onthuld, besefte hij het ware wonder van het Sacrament. Ze was niet slechts de vrouw in de boerka, niet slechts de moeder die hem als pasgeborene in de steek had gelaten – ze was de bron van elk vrouwelijk verraad.

Eva moest sterven, voor de misdaden die zij had begaan tegen het mensdom en tegen God; dat was de enige manier om de wereld van haar gif te bevrijden, en om de een of andere reden was de jonge vrouw die in zijn armen kronkelde de sleutel. Hij voelde haar verzet, zag de dolk in haar hand zich afwenden van het symbool van zijn haat dat was gevangen in het kruis, en zonder over zijn daden na te denken schoof hij haar met al zijn kracht naar voren, uit alle macht dicht tegen Eva aan.

Liv hapte naar adem bij de klap en ademde een eeuwenoude geur in, de geur van gulle aarde en de belofte van regen. Het was de geur van Eva, en dat stelde haar gerust. Ze voelde de dolk tussen hun lichamen, vastgeklemd in hun omhelzing en daardoor nutteloos, maar ze voelde ook een brandende pijn. Die kwam vanuit haar keel en haar schouder, waarmee ze met kracht op de spijkers in de ijzeren Tau was geduwd.

Achter zich hoorde ze woedende instructies en ze voelde dat ze even snel werd losgerukt als ze naar voren was geschoven. Ze slaakte een kreet toen een verbijsterende pijn door haar heen scheurde, voelde vochtige warmte uit haar nek stromen en zich over haar borst verspreiden; toen begaven haar benen het en gleed ze op de stenen vloer.

De abt zag haar vallen en zag mét haar zijn dromen vergaan.

Hij keek met moordlustige ogen naar Cornelius en reikte naar de dolk in zijn crux. Toen hield een geluid hem tegen.

Het was zacht, als branding op schelpen, en het kwam van Eva. Hij wendde zich naar haar toe. Ze snikte. De bodemloze groene ogen waren omlaag gericht op de ineengezakte gestalte van de jonge vrouw, en Eva's smalle schouders schudden. Hij zag een traan door het donker druppelen en verdwijnen in de plas bloed die zich langzaam op de grond verspreidde.

Daarop scheurde er een ander geluid door de kapel, een kreet zo krachtig dat zowel de abt als Cornelius hun handen voor hun oren sloegen om het buiten te sluiten.

Het klonk als het versplinteren van een enorme boom of het kraken van een eeuwenoude schuivende gletsjer. Het was het lied van de sirene – vol smart en woede.

Door de kracht van haar schreeuw heen staarde de abt naar Eva, haar woede trotserend. Toen, net op het moment dat het vreselijke krijsen afnam, zag hij dat er bloed uit haar wonden begon te stromen. Het begon als een straaltje, maar nam snel toe; het droop uit alle gaten in haar huid en vloeide uit de diepere rituele sneden in haar armen en benen. Hij keek verwonderd hoe het van haar lichaam stroomde, veel overvloediger dan hij het ooit had zien doen, naar de stenen gleuven waarin ook Livs bloed wegvloeide.

Ze is stervende – dacht hij met aanzwellende triomf.

En toen sprak Eva, en haar stem was meer lucht dan substantie.

'*KuShikaaM*,' zei ze – een geruststellend gefluister, gericht op de grond waar de jonge vrouw lag te bloeden. '*KuShikaaM*.'

Liv keek op van de vloer, als een kind naar haar moeder. Ze glimlachte, en toen haar ogen zich zachtjes sloten, gingen ook Eva's ogen dicht.

142

Gabriël had net de top van de stenen trap bereikt toen het verschrikkelijke geluid de duisternis verscheurde. Hij begon onmiddellijk te rennen toen hij het hoorde, gebruikmakend van het afschuwelijke geluid om zijn snelle beweging te maskeren. Met zijn pistool voor zich uit gestoken dook hij de vaag verlichte tunnel in waar het geluid vandaan kwam, zoekend naar beweging, zo snel rennend als hij durfde. De pijn in zijn arm was nu bijna ondraaglijk en hij begon misselijk te worden van de shock.

Net toen het schreeuwen ophield, bereikte hij het eind van de tunnel. Hij drukte zich tegen de muur. Stak zijn hoofd om de hoek. Zag de gloeiende smeltoven aan de andere kant van het vertrek, de slijpstenen ervoor en de grote ronde steen aan de achtermuur met de Tau erin gekerfd. Er stond een monnik bij die in het duister achter de deels geopende deur tuurde waar het geluid volgens Gabriël vandaan kwam. Liv was daarbinnen, en daar was ook het Sacrament. Hij ging het voorvertrek in.

De monnik draaide zich om, zag Gabriël, bevrijdde zijn arm uit zijn pij om zijn pistool te richten, maar haalde het niet. Twee kogels troffen hem in de borst en wierpen hem achteruit tegen de grote stenen deur. Zijn vinger verstrakte in een reflex, vuurde een schot af dat niets dan steen raakte.

Hij was al dood voor hij de grond raakte.

De abt en Cornelius draaiden zich snel om bij het onverwachte geluid van het schot. Het was van dichtbij gekomen. Net buiten de deur.

'Ga kijken wat het is,' zei de abt, en wendde zich weer naar de gestalte van Eva, nu zo bleek geworden dat ze bijna glansde terwijl haar eeuwige levenskracht haar verliet. Hoe zwakker zij werd, hoe sterker hij zich voelde. Uiteindelijk was de profetie toch nog vervuld. Nu zou hij onsterfelijk zijn. Door een god te doden, was hij er een geworden. Maar zelfs terwijl zijn ziel zich overgaf aan de extase van deze gedachte, werd hij zich bewust van een prikkende sensatie op verschillende delen van zijn lichaam. Hij keek omlaag naar de diepe ceremoniële wond die zijn linkerschouder omringde en zag het onlangs geheelde littekenweefsel zich langzaam openen. Hij hief zijn hand en drukte hem tegen de snede, voelde de plotselinge vochtige warmte van bloed dat eronder opwelde en tussen zijn vingers drong. Hij wierp een blik op zijn andere littekens, die zich nu elk op dezelfde manier openden en keek een paar tellen lang toe, als een afstandelijke toeschouwer, getuige van iets macabers dat een ander overkwam. Toen voelde hij dat zwakte hem overmeesterde, alsof met het bloed dat nu op de vloer sijpelde, de energie en de verrukking van zijn recente triomf geleidelijk wegvloeiden. Hij stak een arm uit om zijn evenwicht te bewaren, legde zijn hand op de rand van de Tau, en voor het eerst in al zijn jaren in de aanwezigheid van het Sacrament voelde hij angst.

Gabriël bereikte de deur, knipperend met zijn ogen om het nachtzicht te herstellen dat hem door de felle flits uit de loop van de wachter was ontstolen. Met zijn rug tegen de ronde steen gedrukt schoof hij er langs tot hij de rand bereikte. Wie er zich ook in dat vertrek mochten bevinden, ze zouden al gewaarschuwd zijn door het geweerschot, dus hij moest dit snel doen en hij moest het goed doen. Hij haalde diep adem om zijn evenwicht te hervinden en voelde een vreemde jeuk onder de huid van zijn gebroken arm. Hij boog zijn vingers voorzichtig en gespannen, in de verwachting meer pijn te voelen. In plaats daarvan voelde hij een schrijnen, tot diep in zijn botten, en zijn zojuist nog nutteloze vingers sloten zich keurig aaneen. Het deed nog wel pijn en zijn greep was te zwak om nuttig te zijn, maar onvoorstelbaar genoeg voelde zijn arm niet langer aan alsof hij gebroken was. Door deze ontdekking werd hij zo afgeleid dat hij het lemmet niet zag flitsen in het donker, tot het hem hoog op zijn borst raakte en pijnlijk langs een rib schraapte. Instinctief keerde hij zich af, de huid van het bot scheurend, en bracht zijn linkerarm omhoog om het mes af te weren, wat weer nieuwe pijn veroorzaakte in zijn gewonde arm en aan zijn keel een kreet ontrukte. Toen zag hij zijn aanvaller, naakt vanaf zijn middel en besmeurd met bloed. Een wasachtig stuk huid op zijn gezicht glom in het licht van het vuur. Gabriël herkende het kwaad dat voor hem stond. Hij herinnerde zich de kreet die hem hier had gebracht en het verwoeste lichaam van zijn grootvader op de vloer van de loods. Hij ving een glimp van inzicht in de ogen van de demon toen deze zag hoe Gabriël zijn arm vasthield – de blik van een roofdier dat de zwakheid van zijn prooi bespeurt.

Het mes flitste weer en Cornelius kwam dichterbij, mikkend op Gabriëls goede arm. Gabriël struikelde achteruit en stak zijn pistool op, maar het nachtmerrievisioen zette door en haalde opnieuw uit, dit keer méér rakend dan alleen het duister. Gabriël voelde het mes als een vuistslag in zijn pols dringen, maar voelde geen pijn. Hij richtte het pistool op Cornelius. Zag de ogen van de demon boven het vizier van zijn pistool en haalde de trekker over.

Er gebeurde niets. Toen zag hij het bloed dat uit zijn pols droop, en in een vertraagd moment van helderheid begreep hij wat er was gebeurd. Hij liet zich vallen en rolde weg toen de demon weer op hem afsprong. Hij raakte de stenen vloer en rolde door, zijn nutteloos geworden pistool tegen zijn lichaam geklemd in zijn slappe hand. Het mes moest de buigspierpezen van zijn hand hebben doorgesneden. Die was nu even onbruikbaar als de andere. Hij was weerloos.

Hij rolde weer, bleef laag, won wat afstand en kwam tot stilstand naast de smeltoven. Hij keek op en zag Cornelius al naast hem staan. In zijn hand hield hij een dikke metalen staaf, als een brandijzer. Hij keek neer op Gabriël en glimlachte toen hij het pistool nutteloos tussen zijn beide handen zag rusten. Toen werd hij afgeleid, even maar; hij wierp een blik op zijn lichaam, waarin het bloed van binnenuit leek op te wellen en door de trefzekere sneden in zijn lichaam naar buiten lekte. Gabriël zette zich af met zijn voeten en schoof ruggelings over de zanderige vloer zodat hij een paar kostbare meters won terwijl hij de vinger van zijn gebroken arm achter de trekker schoof.

Cornelius kwam weer tot zichzelf, gewaarschuwd door zijn beweging, hief de ijzeren staaf hoog boven zijn hoofd en deed met een maniakale grijns een stap naar voren, hoog boven zijn weerloze slachtoffer uittorenend. Gabriël klemde zijn hand strak rond het pistool. Alle pijn was ineens verdwenen, alle kracht was weergekeerd. Hij richtte het omhoog op Cornelius en vuurde achter elkaar drie schoten af.

Cornelius bleef een moment geschokt en roerloos staan en keek toen omlaag naar de gaten die in zijn lichaam verschenen. Hij zag het bloed er uitsijpelen en zich vermengen met de stroom van rood die er al uitvloeide. Toen keek hij naar Gabriël, zette een stap vooruit en viel dood neer.

143

Liv voelde zich diep wegzinken in warm water vol herinneringen, die voor haar ogen zwommen terwijl ze zonk: beelden uit haar leven, flitsend en vervagend als glinsterende vissen. De bries waarmee ze was overspoeld was een stroom geworden, die het fluisteren van vergeten stemmen en fragmenten van verre herinneringen met zich meevoerde. Naarmate ze dieper zonk namen de beelden af, dreven omhoog en verwijderden zich om plaats te maken voor een veel helderder licht dat onder haar oprees.

Dit is de dood, dacht ze toen ze het licht vanuit het duister op zich af zag komen. Het overspoelde haar en nieuwe beelden verdrongen zich achter haar oogleden.

Er was een tuin, groen en weelderig, en er liep een man doorheen, en de zon, of iets wat op de zon leek, scheen op hem. Toen rees de schaduw van een boom op en verduisterde het licht en ze was in een grot, omringd door mannen met ogen vol haat.

Toen was er pijn.

Een eeuwigheid van pijn en duister terwijl haar vlees werd verscheurd, met messen werd doorsneden, met vuur en kokende olie werd verbrand.

En er was de geur van bloed.

En een eindeloos, wanhopig verlangen was er naar de zon, een verlangen om die op haar huid te voelen, een verlangen om langzaam over de koele aarde te wandelen.

En pijn was overal, flitste uit het donker, zette haar gevangen, overmeesterde haar, voor eeuwig en altijd.

Toen zag ze een gezicht, met ogen vol verdriet en mededogen.

Samuels gezicht.

Ze concentreerde zich op dat beeld, wilde niet dat het voorbij zou flitsen zoals de andere, hield het met haar ogen vast tot er méér in verscheen.

Ze zag zijn lichaam, naakt vanaf het middel, besmeurd met bloed dat vloeide uit diepe sneden in de huid. Toen een grot, vol andere mannen die als één man hun handen hieven om met gescherpte messen bloederige lijnen rond hun linkerschouder te trekken. En ze hoorde een geluid. Een galmend gezang van lage stemmen die samenvloeiden in een eeuwenoude taal die zij toch verstond.

'De eerste,' zeiden ze telkens en telkens weer. 'De eerste. De eerste.'

En pijn flitste uit het donker en explodeerde in haar linkerzij met het geluid van scheurend vlees. En er weerklonk een nieuwe stem, een stem vol afschuw en pijn.

'Waar is God in dit alles?' schreeuwde Samuel. 'Waar is God in dit alles?'

Daarop vervlogen de beelden. En even was alles stil, en was alles donker.

Toen voelde ze zich oprijzen.

144

Livs oogleden knipperden open.

Ze was weer in de kapel, op de plek waar ze gevallen was. Toen ze goed keek, vulde Gabriëls gezicht haar gezichtsveld en zijn glimlach viel als warme zonnestralen op haar neer. Ze glimlachte terug en waande zich nog in haar droom; pas toen hij zijn hand tegen haar gezicht legde en ze zijn warmte voelde, besefte ze dat hij er echt was.

Ze keek naar de Tau. Het bloed dat de bespijkerde binnenkant besmeurde was nu het enige teken dat Eva er ooit was geweest. Liv volgde het spoor van het bloed, omlaag naar de vloer en de gleuven waarin het zich met haar eigen bloed vermengde. Toen zag ze de gestalte die oprees van achter het ijzeren kruis, zijn lichaam vol bloed zodat hij in het gedempte weerspiegelde licht een demon leek. Hij hield de brandende toorts in zijn hand hoog opgeheven, en de vlammen wierpen een spookachtig licht op zijn van haat vervulde gezicht. Gabriël bemerkte de beweging en wilde zich omdraaien, maar de zware fakkel kwam al met loeiende vlammen omlaag naar zijn hoofd. Een donderslag deed het vertrek schudden en sloeg de demon opzij, achterwaarts struikelend in de richting van het altaar.

Liv keek naar de deur waar het geluid vandaan was gekomen. In de deuropening stond een tengere monnik. Hij hield een pistool in zijn hand en van waar zij lag, leek zijn gladde schedel te stralen als een aureool in het kaarslicht.

Athanasius keek naar het slachthuistafereel voor hem. Het pistoolschot had de abt achteruitgeworpen tegen de gemene naaldspijkers in de lege sarcofaag die aan het andere eind van het vertrek opdoemde. Hij zette een stap naar binnen, het pistool nog steeds gericht op de bebloede gestalte van zijn voormalige meester. De abt bewoog zich niet.

Hij keek naar de twee andere mensen, een man en een vrouw. Beiden keken hem behoedzaam aan. Hij liet het pistool zakken en liep naar hen toe. De man droeg een pij, maar herkende hem niet. Hij had een wond in zijn zij en nog een op zijn arm, te oordelen naar het bloed dat de gescheurde stof bevlekte.

De jonge vrouw was er veel slechter aan toe. Ze had een diepe snede in haar hals waaruit het bloed nog steeds op de vloer en in de uitgehakte geulen stroomde. Hij boog zich voorover om beter te kunnen zien. En verstijfde toen haar vlees zich om de wond begon te sluiten. Verbijsterd zwijgend keek hij toe terwijl het wonder zich voor zijn ogen voltrok. Binnen een paar tellen nam het bloed dat zo vrijelijk had gestroomd af tot een straaltje en stopte toen helemaal. Hij keek op naar het gezicht van de vrouw, zag iets tijdloos in haar ogen en herinnerde zich de woorden die hij had gelezen in de ketterse Bijbel.

Het licht van God, verzegeld in duisternis.

Hij stak een hand uit om haar gezicht aan te raken toen er een geluid klonk bij het altaar en ze zich allemaal omdraaiden.

De abt was van houding veranderd. Ze zagen zijn hoofd zwaar op zijn schouders zakken en hij wendde het naar hen toe tot zijn ogen recht in die van Athanasius keken. De fakkel lag waar hij hem had laten vallen te smeulen tegen zijn pij, zodat hij omhuld werd door rook. 'Waarom?' vroeg hij, met een blik van verwarring en teleurstelling op zijn gezicht. 'Waarom heb je me verraden? Waarom heb je je God verraden?'

Athanasius keek op naar de barbaarse diepten van de ijzeren Tau en de polsketenen die aan de kruisdelen bungelden.

Geen geheiligde berg, maar een vervloekte gevangenis.

Hij keek weer naar de jonge vrouw op de grond, haar slanke hals nu helemaal genezen, haar peilloze groene ogen brandend van leven.

'Ik heb mijn God niet verraden,' zei hij met een glimlach naar de wonderbaarlijke vrouw. 'Ik heb Haar gered.'

VII

En hij zag de Ene. Wandelend over de Aarde.
Nooit ouder. Nooit verwelkend.
En hij werd jaloers.
Hij begeerde haar macht en wilde die
bezitten.
Hij dacht de Ene te kunnen vangen,
Om het geheim van haar eeuwige leven te
kennen en tot het zijne te maken.
Daarom vertelde hij een verhaal over de Ene,
die hij 'Eva' noemde.
Een valse geschiedenis, verzonnen om iedere
man tegen haar op te zetten.
Het verhaal vertelde dat er in den beginne
een man was
Een man die haar gelijke was – haar meerdere
zelfs,
Een man die Adam heette.
Adam wandelde als een god in de tuin van de
aarde,
Leven tot bloei brengend zoals Eva deed.
En het verhaal vertelde dat Eva jaloers op
hem werd.

Ze haatte zijn ruwe lichaam en het haar dat erop groeide.
En vond hem dichter bij de dieren staan dan bij goddelijkheid.
Daarom liet zij een vreemde boom groeien
En overreedde hem om van de vrucht te eten,
Met de belofte dat hem dat grote en machtige kennis zou bezorgen.
Maar de vrucht was giftig en verzwakte hem,
Beroofde hem van zijn goddelijke macht,
En vervulde zijn geest van woede en angst.
Dat verhaal werd verteld en herhaald
Tot alle jaloerse mannen geloofden dat Eva hun vijand was,
En haar dood de enige weg terug naar goddelijkheid.
Op een dag toen Eva bij de grotten kwam waar de mannen leefden,
Hoorde zij daarbinnen het klaaglijke geluid van een gepijnigd dier.
Ze volgde het geluid tot diep in het koude hart van de berg.
En vond een wilde hond aan de vloer gebonden,
vol sneden en bloedend en jankend van pijn.
Toen Eva op hem toeliep, kwam de stam uit het duister.
Ze sloegen haar met knuppels, sneden haar met messen
Maar zij stierf niet:

Leven vloeide in haar binnen vanuit Moeder Aarde,
Genas haar en maakte haar sterk.
In paniek stookten de mannen een vuur waar ze Eva op duwden.
Maar het bloed dat uit haar blaren vloeide doofde de vlammen,
En opnieuw genas haar lichaam.
Mannen gingen de wereld in,
Om gif van het land te verzamelen
En dwongen haar het te eten.
Nog stierf zij niet.
Dus hielden ze haar zwak.
Het licht van God, verzegeld in het duister.
Want zij dorsten haar niet te bevrijden, uit vrees voor wat volgen zou,
En zij konden haar niet doden, omdat ze niet wisten hoe.
En mettertijd raakten de mannen geketend aan hun eigen schuld
En hun woning werd een burcht
Waarin zij als enigen wisten van hun daad,
Geen geheiligde berg, maar een vervloekte gevangenis.
Met Eva nog altijd gekluisterd,
Een heilig geheim – een Sacrament,
Tot haar lijden zal eindigen
Het enige ware kruis zal op aarde verschijnen
In een enkel moment zullen allen het aanschouwen – allen zullen zich verwonderen
Het kruis zal vallen

Het kruis zal herrijzen
Om het Sacrament te ontsluiten
En een nieuwe tijd voort te brengen
Door diens genadige dood

Het Nieuwe Boek Genesis
De ketterse Bijbel
– vert. broeder Marcus Athanasius.

145

Van veraf drongen geluiden door tot Arkadians verdoofde, wollige hoofd: gedempt geschreeuw van dringende stemmen, het piepen van rubberen zolen op harde vloeren. Toen hij zijn ogen wilde opendoen, lukte dat niet, zijn oogleden waren te zwaar, dus bleef hij liggen luisteren en liet zijn zintuigen opwarmen, terwijl een dof schrijnen in zijn borst en schouder opbloeide tot pijn.

Hij haalde diep adem en concentreerde al zijn energie op het openen van zijn ogen. Zijn oogleden weken gedurende een halve seconde van elkaar; toen kneep hij ze weer dicht.

Het licht was fel, pijnlijk fel. Op zijn netvlies stond nu het negatief afgedrukt van wat hij had gezien: de dambordlijnen van een verlaagd plafond; aan één kant een rail met een gordijn eraan. Hij begreep dat hij in een ziekenhuis lag.

Toen herinnerde hij zich waarom.

Zwalkend probeerde hij overeind te komen, maar een ferme hand hield hem tegen. 'Hola...' zei een mannenstem. 'Niets aan de hand; ik kijk alleen even naar de wond. Wat is er met u gebeurd?'

Arkadian had moeite om het zich te herinneren. Rolde een droge tong door zijn mond. 'Beschoten,' zei hij uiteindelijk.

'Dat lijkt me duidelijk.'

'Nee.' Arkadian schudde zijn hoofd en had daar onmiddellijk spijt van. Hij ademde nog een paar keer diep in, tot het bed onder hem niet langer wankelde. 'Ingespoten... met iets... Ik weet niet waarmee.'

'Oké. We zullen wat bloedonderzoeken doen; misschien moeten we u opnieuw verdoven voordat we iets voor u kunnen doen.'

'Nee!' Arkadian schudde weer zijn hoofd; het tollen was deze keer minder erg. 'Moet bellen.' Hij dwong zijn ogen weer open, kneep ze half dicht tegen het schelle licht van de eerstehulpafdeling. 'Waarschuwen.'

Het gordijn zwaaide open en er marcheerde een kleine, kordate vrouw in een witte jas naar binnen die een klembord greep van het voeteneind van de brancard. 'Doornroosje ontwaakt,' zei ze; de pony van haar asblonde haar viel voor haar gezicht toen ze de aantekeningen van het ambulancepersoneel las. Een naamkaartje op haar borstzakje identificeerde haar als dokter Kulin. Ze keek van het klembord naar de wond. 'Hoe ziet het eruit?'

'Schoon,' zei de verpleger. 'Nog vochtig, maar geen vitale delen geraakt. De kogel is er dwars doorheen gegaan.'

'Mooi.' Ze liet de aantekeningen weer op het klembord vallen. 'Drukverband en verplaatsen. We hebben deze ruimte hard nodig.'

'Waarom?' vroeg Arkadian.

Ze keek verbaasd. 'Waarom we een drukverband aan moeten leggen? Omdat u beschoten bent en nog bloedt.'

'Nee, waarom heeft u de ruimte nodig?'

Dokter Kulin keek even naar de politiepenning die de ambulancebroeders in Arkadians riem hadden gestoken. Dat was de standaardprocedure: als er na een gewelddadige confrontatie van beide partijen gewonden in het ziekenhuis terechtkwamen, werden de goeden als eersten geholpen.

'Er is een explosie geweest. We krijgen meerdere slachtoffers binnen. En naar wat ik van hun verwondingen hoor, inspecteur, hebben die allemaal meer prioriteit dan uw schotwond, wat uw rang ook moge zijn.'

'Waar?' Arkadian kende het antwoord al.

Tumult buiten trok abrupt de aandacht van de dokter. 'Bij de oude stadsmuur,' zei ze nog, terwijl ze het gordijn opzijschoof. 'Dicht bij de Citadel.'

Arkadian ving een blik op van een snel langsrijdende brancard. Er lag een man op, gedrenkt in bloed, gekleed als de man die hij twee dagen geleden in het mortuarium had bekeken.

Arkadian sloot zijn ogen en ademde de geur van bloed en ontsmettingsmiddel in. Ineens voelde hij zich vermoeider dan ooit tevoren. Wat hij ook had gehoopt te voorkomen, het was al gebeurd. Hij wenste dat hij met zijn vrouw kon praten en naar haar lieve stem mocht luisteren in plaats van naar de chaos die zich om hem heen ontvouwde. Hij wilde haar vertellen dat hij van haar hield, en haar hetzelfde horen zeggen. Hij wilde haar vertellen dat alles in orde was, dat ze zich geen zorgen moest maken en dat hij gauw thuiskwam. Toen dacht hij aan Liv Adamsen, en aan Gabriël, en aan de vrouw in de loods – en vroeg zich af of zij nog leefden.

146

Dokter Kulin liep achter de eerste brancard naar een onderzoeksruimte en stond bruusk stil. Ze werkte al meer dan tien jaar op de eerstehulpafdeling, maar zoiets had ze nog nooit gezien. Het bovenlichaam van de man was overdekt met sneden, nauwkeurig en opzettelijk aangebracht, die gestaag bloed lekten op de opgepropte stof van de haastig weggeknipte pij. Er was zoveel bloed dat het leek alsof hij erin was ondergedompeld.

Ze wendde zich tot de ambulancebroeder die hem binnen had gebracht. 'Ik dacht dat het een explosie was?'

'Dat was het ook. Er is een gat geslagen in de voet van de berg. Deze vent kwam van *binnen* de Citadel.'

'Je meent het!'

'Ik heb hem er zelf uit gesleept.'

Ze reikte voorzichtig omlaag en scheen met een lampje in de ogen van de monnik. 'Hallo. Kunt u me horen?' Zijn hoofd kantelde heen en weer zodat de diepe snede rond zijn hals zich op een obscene manier opende en sloot en leek te ademen. 'Kunt u mij zeggen hoe u heet?'

Hij fluisterde iets maar ze kon het niet verstaan. Ze boog zich dichter naar hem toe, voelde zijn adem op haar oor toen hij weer fluisterde, iets wat klonk als *Ego Sanctus*... De arme man ijlde kennelijk.

Ze ging weer rechtop staan en vroeg: 'Heb je iets gedaan om het bloed te stelpen?'

'Drukverband en een plasma-infuus voor het vocht. Hij wil maar niet stoppen met bloeden.'

'Bloeddruk?'

'Tweeënzestig om veertig, en dalend.'

Niet gevaarlijk laag, maar wel bijna.

De hartmonitor begon te piepen toen een verpleegster elektrodes op zijn borst plakte. Dat klonk ook veel te langzaam. Dokter Kulin bekeek de wonden nog eens. Ze vertoonden geen tekenen van stolling. Misschien was hij hemofiliepatiënt. Het lawaai van nieuwe binnenkomers dwong haar tot een besluit. 'Vijfhonderd IE prothrombine en twintig mill vitamine K. En zorg dat je snel een bloedgroep hebt voor een transfusie. Als we niet opschieten bloedt hij leeg.'

Ze vertrok via het gordijn en liep naar de gang. Er rolden nog drie monniken snel voorbij, op weg naar het andere eind van de zaal, die elk verbijsterende hoeveelheden bloed verloren uit wonden die identiek waren aan wat ze zojuist had gezien.

'Waar wilt u deze hebben?' De stem van de ambulancebroeder onderbrak haar gedachtegang. Ze keek omlaag en zag tot haar opluchting dat er geen monnik op de brancard lag. 'Hier,' zei ze, en wees naar één kant van de gang; de onderzoeksruimtes vulden zich snel en deze leek niet te bloeden. De ambulancebroeder zette de brancard aan de kant en trapte op de wielrem.

'Wat is het verhaal?' vroeg dokter Kulin toen ze voorzichtig het gebarsten, zwart beroete vizier van de motorhelm opende en met een lampje in het rechteroog van de vrouw scheen.

'In de tunnel gevonden,' zei de ambulancebroeder. 'Haar vitale functies zijn sterk maar ze was bewusteloos toen we haar vonden en bleef dat ook onderweg.'

Dokter Kulin verplaatste haar lichtbundeltje naar het linkeroog. Die pupil verwijdde zich iets minder dan de rechter. Ze wendde zich naar een verpleegster. 'Meteen naar de röntgen,' zei ze. 'Mogelijk schedelbasis. Laat de helm zitten tot we weten waar we mee te maken hebben.'

De verpleegster greep een broeder bij de arm en was de brancard al aan het verwijderen toen de toegangsdeuren openklapten en er nog twee van bloed doordrenkte monniken naar binnen werden gereden: dezelfde verwondingen, hetzelfde overvloedige bloedverlies.

Wat was hier in godsnaam aan de hand?

Ze liep achter de eerste aan naar een onderzoeksruimte, bekeek hem snel en schreef toen dezelfde dosis stollingsmiddel voor. Verderop in de gang hoorde ze een andere arts roepen om vijf liter o-positief. Verbijsterd liep ze naar de volgende onderzoeksruimte en zwaaide het gordijn opzij. Daarachter wachtte haar nog een verrassing. Weer een monnik, alleen bloedde deze niet; hij stond naast een brancard ruzie te maken met een verpleegster en hield een jonge vrouw in zijn armen.

'Ik laat haar niet alleen,' zei hij.

Hij had een grote hoeveelheid bloed op zijn pij, al was het lang niet zoveel als bij de anderen. De jonge vrouw op de brancard was ervan doordrenkt, en het lekpatroon van het bloed wees op een grote wond aan de hals. Dokter

Kulin kwam dichterbij en duwde de hals van haar T-shirt omlaag. De huid eronder was scharlakenrood gekleurd, maar ze zag nergens een snee. 'Status bij aankomst?' vroeg ze, op zoek naar de bron van het bloeden.

'Vitale functies laag maar stabiel,' zei de verpleegster. 'Bloeddruk tachtig om vijftig.'

Dokter Kulin fronste haar wenkbrauwen. Het was laag genoeg om op belangrijk bloedverlies te wijzen, maar ze kon de oorzaak niet vinden. Misschien was het bloed van iemand anders. 'Leg haar aan een infuus en hou de bloeddruk in de gaten.' Ze glimlachte naar de jonge vrouw, die ze nu voor het eerst aankeek. 'Verder lijkt alles in orde te zijn met je.' Even raakte ze in de ban van de bijna onaardse helderheid van de groene ogen die haar aankeken; toen hernam ze zich en richtte haar aandacht op de monnik.

Hij trok zijn arm weg. 'Ik mankeer niets, heus...'

'Dan vindt u het vast ook niet erg als ik even kijk.' Ze schoof de bloederige, gescheurde mouw van zijn pij opzij om naar het rood besmeurde vlees eronder te kijken. De oorsprong van zijn bloed was onmiddellijk duidelijk: een gemene jaap over zijn pols die flink diep moest zijn geweest. De wond was al een paar dagen oud, aan de mate van genezing te zien, maar het bloed was vers. 'Wat is er gebeurd?' vroeg dokter Kulin.

'Beetje door elkaar geschud,' zei hij. 'Ik overleef het wel. Maar mag ik u iets vragen? Is er een vrouw binnengebracht? Ziet eruit als een jaar of veertig. Zwart haar, rond één meter zeventig.'

Dokter Kulin dacht aan de vrouw met de motorhelm. 'Ze is naar de röntgenafdeling.' Ergens achter haar klonk het hoge piepen van een hartalarm. 'Zij is ook een beetje door elkaar geschud. Maar maakt u zich geen zorgen: het komt wel goed.'

147

Liv onderscheidde het piepen van zolen tussen de kakofonie toen de arts en de verpleegster zich haastig verwijderden. Ze hoorde ook duizenden andere geluiden.

Sinds Gabriël haar de Citadel uit had gedragen, riepen alle kleuren, alle geluiden en alle geuren haar toe als levende dingen, alsof ze alles voor het eerst beleefde.

Toen ze vanuit de eindeloze, met rook gevulde tunnel eenmaal buiten kwamen in de nachtlucht en Gabriël haar zachtjes op een brancard had gelegd, had ze boven haar hoofd de nieuwe maan aan de hemel gezien. Ze had gehuild toen ze dat zag; zo mooi en zo teer – en zo vrij. Haar tranen droegen echter meer dan die opwellende vreugde, ze brandden ook van verdriet. Ze had haar broer gezocht, en ook al ontglipte haar de precieze herinnering aan wat ze had ontdekt in de berg, ze wist dat het voorbij was en dat Samuel was verdwenen.

Nu lag ze hier op deze helder verlichte, luidruchtige plek – zo vertrouwd en toch zo vreemd. Ze hoorde het geluid van de dood in het onregelmatige ademen van de mannen in haar buurt en in het druppelen van hun bloed.

Ze voelde dat Gabriël zijn armen om haar heen sloeg omdat hij haar droefheid aanvoelde, en zijn citrusgeur golfde om haar heen, verdrong de antiseptische dampen van de eerstehulpafdeling, de metalige geur van bloed en angst. Ze sloot haar ogen en liet zich erin wegzinken, concentreerde zich alleen op hem en op het geluid van zijn hart dat donderde in zijn borst, over het landschap van andere geluiden heen razend tot dat geruststellende ritme het enige was wat ze nog hoorde. Het was een hart dat alleen voor haar klopte, en opnieuw welden haar tranen op, want het was even mooi als de maan.

Er kroop een ander geluid binnen, laag en dringend, kruipend aan de rand van haar bewustzijn.

Ze deed haar ogen open.

Op een smalle plank lag tussen de thermometerhouders en stopcontacten een bos seringen, nog in cellofaan, een vergeten geschenk voor een eerdere patiënt. Seringen... de bloem van de staat New Jersey. Liv dacht aan thuis en aan het leven dat ze een paar dagen geleden nog leidde, en hoe vreemd dat leven haar nu voorkwam. Het geluid keerde terug en haar blik ving een beweging op tussen de bloemblaadjes. Uit de fluwelen diepte van een bloesem kroop een bij, die even bleef zweven en toen weer in een andere bloesem verdween.

'Wat is er daarbinnen gebeurd?' zei Gabriël. Zijn stem trilde door haar lichaam waar het tegen hem aan gedrukt lag.

'Ik weet het niet,' zei ze, zich verwonderend over het geluid van haar stem. Ze hield zijn vraag in haar hoofd en dacht erover na tot er een andere herinnering langs fladderde, verbrokkeld en onvolledig. Ze herinnerde zich haar angst in het duister, de taps toelopende dolk en haar weerzin tegen zijn beoogde doelwit. Ze herinnerde zich groene ogen die tot in de diepten van haar ziel hadden gekeken en haar hoogste doel hadden gezien. En toen deze herinnering langsflitste, bracht ze iets met zich mee, iets wat fluisterde door het bloed van de man die haar vasthield, iets wat sussend klonk in haar oor en troost bood, zoals de kracht in zijn armen haar veiligheid bood.

Ku... Shi... kaamm

Het gefluister verspreidde zich door haar heen, schonk leven aan andere eeuwenoude woorden die mee vloeiden en mee klopten met de hartenklop van Gabriël.

KuShikaaM...
Clavis...
Namzāqu...
Κλᾴξ/...
מפתח...
KuShikaaM...
Clavis...
Namzāqu...

En hoewel ze de talen waaraan de woorden ontsprongen niet kon benoemen, verstond ze ze allemaal, alsof ze geboren was met die kennis, alsof elk ervan een fundamenteel deel van haar was.

Ze greep Gabriël steviger vast terwijl de geluiden haar hoofd vulden en zelfs het kloppen van zijn hart buitensloten. Ze voegden zich aaneen, vormden een beeld in haar geest, een beeld dat Liv eindelijk toonde wie ze was, en wat ze was.

'*KuShikaaM...*' had het Sacrament haar genoemd.

KuShikaaM...

De Sleutel...

Dankwoord

Eerste boeken zijn vreemde dingen. Het zijn net enorme feesten die je jarenlang zorgvuldig voorbereidt zonder enig idee of er iemand gaat komen.

Je weet dat je familieleden er zullen zijn omdat ze moeten meewerken aan de voorbereidingen en de uitnodiging te lezen krijgen – vaak. De belangrijkste onder hen was mijn onvoorstelbaar meelevende en wijze vrouw Kathryn, wier mengeling van enthousiasme en soms ongebreidelde eerlijkheid me altijd aanspoorde om nog harder mijn best te doen. En mijn twee kinderen, Roxy en Stan, die altijd leken te weten wanneer ze de werkkamer binnen moesten sluipen als ik echt afleiding nodig had; en hun grootouders – John Toyne, Irene Toyne, Ross Workman en Liz Workman – voor een combinatie van proeflezen, op de kinderen passen als wij allebei aan het werk waren, en het nooit uitspreken van enige ongerustheid over het feit dat ik een goedbetaalde zekerheid biedende baan bij de televisie opgaf voor zoiets onbezonnens als het schrijven van een roman.

Ook Becky Toyne wil ik graag bedanken voor haar zusterlijke aanmoedigingen, insiderinformatie en de lijst van literair agenten die ik nooit zou krijgen maar die de moeite waard waren om te benaderen. Een daarvan was LAW, waar Alice Saunders mij, tegen elke verwachting in, uit de stapel ongevraagde manuscripten plukte en me een berichtje stuurde om te vragen naar de rest van het manuscript, zodat ik ineens begon te denken dat er misschien toch nog mensen op mijn feestje zouden willen komen.

Met het formidabele drietal Alice, Peta Nightingale en Mark Lucas aan mijn kant werd het boek veel beter, en veel korter. Zij brachten tevens hun team van stuk voor stuk even aardige en briljante mensen bij elkaar om te helpen met het versturen van de uitnodigingen, onder wie George Lucas bij Inkwell en Sam Edenborough, Nicki Kennedy, Katherine West en Jenny Robson bij ILA.

En toen begonnen eindelijk de gasten binnen te lopen: eerst de uitgevers,